CONCEPCION GIMENO DE FLAQUER

Directora de *El Album de la Mujer*

EL ALBUM IBERO-AMERICANO 575

Matías López

CHOCOLATES, DULCES Y BOMBONES

Caramelos del *Quijote*, con 60 escenas del libro. Idem infantiles (Zoología), 624 figuras. Idem Historia de España, con 335 personajes. Idem hombres célebres, 350 retratos. Idem escudos y banderas, 370. — *Con sus álbums correspondientes.*

Pedid sus BOMBONES de fama universal y fondants en elegantísimas cajas, grajeas y almendras bañadas, caramelos Alpes, pastillas, cafés, tés y sopas.

AVISO.—A todo el que nos remita una colección completa de las envolturas de nuestros Caramelos del *Quijote*, se le entregará ó remitirá un álbum vacío, dándonos la dirección de su residencia.

P. MASIELL, Dentista.

Sevilla, 12 y 14

TÉNIA Ó LOMBRIZ SOLITARIA

Expulsión completa en dos ó tres horas con las

CAPSULAS TENÍFUGAS

DE

MORENO MIQUEL Y GAYOSO

ARENAL, 2.-MADRID

y en todas las farmacias de España y América.

THE EQUITABLE

LIFE ASSURANCE SOCIETY

La Equitativa de los Estados Unidos.

SOCIEDAD DE SEGUROS Á TARIFA DE PRIMA FIJA

FUNDADA EN 1859

Distintas combinaciones para obtener renta vitalicia con muy buen interés.

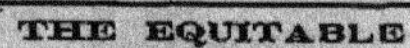

OFICINA Y DIRECCIÓN PARA ESPAÑA Y PORTUGAL

MADRID. — PALACIO DE LA EQUITATIVA

FELISA ESCOLANO

MODISTA

Barquillo, 31.

Hace trajes para visitas, paseo, bailes y hechura suelta, á precios módicos.

PARA BODAS

La Palma.

FÁBRICA MODELO DE CAJAS DE LUJO

DESPACHO

Mayor, 28 (frente á Felipe III).

Grand Hotel de l'Athénée

15, Rue Scribe, 15.

— PARIS —

Este grandioso hotel, dotado de los más excelentes adelantos modernos, hállase situado cerca de la Grande Opera y de los Bulevares del centro de París.

E. Armbruster

DIRECTOR

CASA ESPECIAL

en equipos para novia; canastillas para recién nacido; blusas de punto, cachemir y seda para señora; capas y abriguitos de los Alpes para niños.

CAMISERÍA DEL CALLAO

Preciados, 25.— Madrid.

EMPORIO DE VENTAS

35, LEGANITOS 35

Composición realizada por Roberto Torres Blanco.

CONCEPCIÓN GIMENO DE FLAQUER (1850-1919)

CARTAS, CUENTOS CORTOS Y ARTÍCULOS PERIODÍSTICOS

Introducción, edición crítica y actualizada a cargo de

Ana I. Simón Alegre

Universidad Adelphi (Nueva York), Estados Unidos

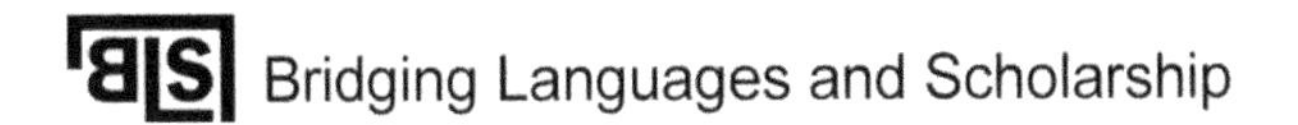

Serie en Estudios Literarios

www.vernonpress.com

En América:
Vernon Press
1000 N West Street, Suite 1200,
Wilmington, Delaware 19801
United States

En el resto del mundo:
Vernon Press
C/Sancti Espiritu 17,
Malaga, 29006
Spain

Bridging Languages and Scholarship

Serie en Estudios Literarios

LCCN: 2023936351

ISBN: 978-1-64889-675-0

Diseño de cubierta: Vernon Press. Imagen de cubierta: Retrato de Concepción Gimeno de Flaquer incluido en *Suplicio de una coqueta* (Imprenta de Francisco Díaz de León, 1885, p. III. Biblioteca del Congreso de EE. UU.). Imagen de fondo: aopsan / Freepik.

 Corrección ortotipográfica a cargo de Roberto Torres Blanco.

Todo era tu sonrisa demasiado tu sonrisa luminoso tu sonrisa.
Atravesamos un parque que se hizo bosque. (Gloria Fortún.
Todas mis palabras son azores salvajes. Dos Bigotes, 2021, p. 35).

A Jay M. Loomis

ÍNDICE

LISTADO DE FIGURAS

RESUMEN

Concepción Gimeno de Flaquer (1850-1919): Cartas, cuentos cortos y artículos periodísticos combina un trabajo de investigación histórica con una aproximación crítico-literaria, que se complementa con una edición actualizada y anotada que incluye una selección de sus textos más representativos, que hasta la publicación de este trabajo no han sido fáciles de consultar. Gracias a esta edición, el público lector apreciará a una escritora con un marcado perfil transatlántico tanto en cuanto al marco temático que conjuntamente ofrece su obra, como en relación con su trayectoria vital y profesional, ya que se aseguró de que sus trabajos y proyectos periodísticos traspasaran las fronteras peninsulares. Gracias a los esfuerzos realizados por la editora y autora de la introducción, Ana I. Simón Alegre (Universidad de Adelphi), este trabajo aproxima a Concepción Gimeno de Flaquer a un público lector actual desde diferentes ángulos de estudio y reflexión. Como por ejemplo el biográfico, donde sobresale su temprano interés por el teatro, el camino que transitó hasta convertirse en una escritora estrechamente ligada al periodismo y a las corrientes abolicionistas, sus incursiones en el novedoso género literario de los cuentos cortos con una marcada temática realista, el compromiso de su obra de ensayo –primero aquellos trabajos que escribió en el último tercio del siglo XIX conectados con los movimientos políticos y sociales que fomentaron la extensión global del derecho a la educación y, después, sus escritos políticos de principios del siglo XX que se enlazaron de lleno con el emergente feminismo–, o el de sus amistades y redes de contacto, que la ayudaron a asegurar su presencia en las rutas literarias transatlánticas que formaban parte de la República de las Letras durante la época en la que Gimeno de Flaquer desarrolló su carrera. Además, en este libro, gracias a la cuidada edición crítica, el público lector podrá seguir sus textos de una manera documentada, por lo que las notas explicativas incluidas en cada una de las diez cartas, los siete cuentos cortos y los diecisiete artículos periodísticos seleccionados permiten navegar por el complejo mundo ideológico y de referencias culturales-simbólicas que formaban parte de la cotidianidad de Gimeno de Flaquer y de sus contemporáneas, que más de un siglo después y sin una edición actualizada y crítica como la que incluye el presente libro, resulta difícil de aprehender, pues la riqueza de significados y la abundante información complementaria está insinuada entre líneas o por medio de un lenguaje codificado. Conjuntamente, este libro muestra parte del proyecto político e intelectual que la autora desarrolló a lo largo de toda su carrera. Gracias a esta investigación y edición crítica es fácil asociar al nombre de Concepción Gimeno de Flaquer el epíteto –muy propio del siglo XXI– de activista que, en vida de la autora, tenía su equivalente en el de “cantora de la mujer” y que ella misma usó para definir a aquellas mujeres que le habían ayudado a seguir su camino, del mismo modo que otras firmas relevantes de su contemporaneidad lo emplearon para describirla a ella.

Palabras clave: Concepción Gimeno de Flaquer, escritura femenina, historia de las mujeres, creación literaria, cartas, periodismo, feminismo, mujeres viajeras, educación, intelectualidad femenina, traductoras, cuentos cortos, identidad, estudios *queer*, sexualidades, estudios trasatlánticos, teatro, tertulias

AGRADECIMIENTOS[1]

En el año 2007 empezó la gestación de este libro, cuando por primera vez leí uno de los numerosos trabajos de la escritora Concepción Gimeno de Flaquer, *La mujer juzgada por una mujer* (1882 y 1887). Me había comprometido a investigar acerca de este ensayo y su autora para presentar algunas ideas y reflexiones dentro del "Seminario Permanente: Fuentes Literarias para la Historia de las Mujeres" (Universidad Complutense de Madrid) que coordinaba por aquel entonces la profesora Cristina Segura Graíño. Pensé que iba a ser un libro y una autora más que añadir a mi lista de materiales y referencias a tener en cuenta para futuros trabajos, pero estaba equivocada, y este acercamiento fue solo el principio; a partir de esta lectura iniciática Concepción Gimeno de Flaquer –ella misma y todos sus escritos– se introdujeron de lleno en mi día a día, aunque como una autora cuya investigación permanecía siempre abierta y a la que no podía dedicar demasiado tiempo. En honor a la verdad, he de confesar que investigar sobre ella y sus escritos era lo que más me hacía disfrutar, tanto por lo desconcertante que me resultó su forma de escribir ficción y no ficción como por los vacíos que existían en su biografía. Por lo que este libro se puede entender como un esfuerzo por arrojar algo de luz a esos primeros interrogantes que me asaltaron al descubrir a esta escritora.

Cuando en 2011 comencé a enseñar en diferentes universidades neoyorquinas, Concepción Gimeno de Flaquer se elevó a la cúspide de mis trabajos, acompañándome en una nueva etapa de mi vida que me había llevado a vivir muy lejos de mi querido Madrid. Por la importancia que ha tenido Concepción Gimeno de Flaquer en todos los aspectos de mi vida, el primer agradecimiento es para ella, por lo obstinada que fue en que su voz quedara registrada y disponible para toda aquella persona que aceptara el reto de comprender cómo se fue haciendo una escritora feminista y, a la par, ir desvelando quiénes la rodearon en este camino que emprendió y que también le llevó a vivir –e incluso morir– fuera de la península ibérica. Gracias

[1] He podido realizar esta investigación gracias a la concesión por parte de la Universidad de Adelphi de reducción de horas lectivas en los semestres de primavera de 2021 y de 2022, además de haber recibido las siguientes becas: *Provost Internal Grant* (2019-2020), *Northeast Modern Language Association* (2020-2022) y *The American Association of Teachers of Spanish and Portuguese* (2019). Este trabajo se ha desarrollado dentro del grupo de investigación "El desorden de género en la España contemporánea. Feminidades y masculinidades" (PID2020-114602GB-I00), apoyado por MINECO (Ministerio de Asuntos Económicos y Transformación Digital, España).

también a la editorial Vernon Press, y especialmente a mis editores Blanca Caro Durán, Argiris Legatos y Javier Rodríguez por creer en este proyecto y hacer posible que saliera adelante.

El siguiente agradecimiento es para la Universidad de Adelphi –este va dirigido en particular al rector Christopher Storm y a los decanos Vincent Wei-Cheng Wang, Margaret Lally y Salvatore J. Petrilli (College of Arts & Sciences)– por el apoyo que me han dado para que este libro se hiciera realidad, tanto por la reducción de horas de clase como por el respaldo económico que he recibido para ampliar mis fuentes y asistir a congresos, donde he ido adelantando algunas de las conclusiones de este trabajo. También estoy en deuda con mis compañeres de departamento y consejeres en esta universidad: Marsha J. Tyson Darling, Carolyn Springer, Melanie Bush, Sidney Boquiren, Patricia Lespinasse, Chris Davis, Fabian Burrell y Toni Burden por el impulso y la ayuda que me han dado, tanto para sacar adelante esta investigación como por el maravilloso recibimiento que me han hecho en mi departamento, *African, Black, and Caribbean Studies.* Además, no quiero dejar de mencionar en estos agradecimientos a Clara Bauler y Joshua Hiller, compañeres también en la Universidad de Adelphi, que me han animado tanto a que siguiera adelante con este libro junto con esas otras personas que siempre están a mi lado. Gracias también a mis compañeres en esta universidad: Sandra Castro, Sarah Eltabib, Kathryn Krasinski, Traci Levy y Jacqueline Olvera.

Estos agradecimientos no estarían completos sin mencionar a Lou Charnon-Deutsch por todo su apoyo para que este libro se hiciera realidad, o a Nuria Capdevila-Argüelles y Leticia Romero Chumacero. Gracias a José María Borrás Llop, Pablo Ciau Chan, Alejandro Martínez y Roberto Torres Blanco por su constante ayuda y amistad, y a mis amigas Amalia Barrigas, Gloria Fortún, Erendia Hernández García, Mariola Olcina, Candela Valle y Catarina von Wedemeyer. Gracias también a mi pareja, Jay M. Loomis, por haberse dejado atrapar por el embrujo de Concepción Gimeno de Flaquer, que así se ha convertido en otro miembro más de nuestra familia. Gracias a mi familia, en especial a mi hermana, Cristina Simón Alegre, por ayudarme a centrarme, y a mis tíos, Paco Simón Alonso y Pilar Rubio, por su apoyo infinito. Gracias también a Dale Deutsch, Tyler y Kash Loomis, Pat Leskowicz y John Hanc. No puedo terminar estos agradecimientos sin mencionar y reconocer el gran apoyo que he recibido de Feministas Unidas, de la sección de bibliografía de la Asociación de Idiomas Modernos (MLA) y el personal de las bibliotecas de la Universidad de Adelphi –gracias a la decana Violeta Llik y Sandy Urban–, del Congreso de los Estados Unidos, del Palacio Real de Madrid, del Ateneo de Madrid y del Archivo General de la Nación en México. Por último, gracias a mis estudiantes en la Universidad de Adelphi por mostrar siempre tanto interés por mi trabajo, y a Ángel Carmona y a Antonio

Vicente (Radio 3, RTVE) por ayudarme y acompañarme en las locuras radiofónicas educativas transatlánticas que hemos ido gestando a la par que este libro cobraba forma.

Ana I. Simón Alegre (Oyster Bay, 5 de marzo de 2022)

PREFACIO

Lou Charnon-Deutsch

Universidad Stony Brook, Nueva York

Como estudiante de doctorado en la Universidad de Chicago (allá por los 'molones' años setenta) no recuerdo que me mandaran nunca leer una obra escrita por una autora española. Sin embargo, a mediados de la década de 1980, el pensamiento feminista comenzaba a remodelar de manera contundente el mundo académico tanto en los EE. UU. como en otros países. La teoría feminista pasó del margen al centro de las investigaciones y aproximaciones metodológicas llegando a ser una herramienta más para reconfigurar el canon que Charles Altieri en 1984 ridiculizó al definirlo como una "fantasía burguesa de universalizar un conjunto limitado de intereses" (59).[1] La obra *The Closing of the American Mind* (*El cierre de la mente moderna*; 1987) de Allan Bloom me confirmó que había quedado atrapada en un canon de obras que ya no dialogaban con una parte importante de mí. Después de leer este trabajo, deduje que era la mente de Bloom la que realmente estaba cerrada, no la de las personas que para entonces estaban promoviendo enfoques multiculturales y reformulando los programas de estudios universitarios estadounidenses. Por otro lado, un libro como *Madwoman in the Attic. The Woman Writer and the Nineteenth-Century Literary Imagination* (*La loca en el desván. La mujer escritora y la imaginación literaria del siglo XIX*; 1979) de Sandra Gilbert y Susan Gubar, ahora una obra clásica, figuraba entre los títulos que nutrían mi creciente lista de lecturas feministas en el armario de ese entonces, mientras cuestionaba el silencio helador que rodeaba a los escritos de las mujeres españolas que había comenzado a estudiar y admirar.

Este panorama cambió en la década de 1990. Es imposible enumerar todos los libros y artículos que entre 1980 y 1990 inspiraron a la comunidad académica a pensar y plantear nuevas formas y enfoques metodológicos para las obras escritas por mujeres, pero no se puede negar que estos diez años transformaron completamente toda la disciplina. Con el auge de las luchas de

---

[1] "bourgeois fantasy of universalizing a limited set of interests".

cánones en la educación superior, en especial las feministas, estábamos ansiosas por ampliar las listas de lecturas de nuestras clases para incluir a más mujeres y personas fuera del canon europeísta. Hasta la década de los noventa, el canon tradicional de obras en la literatura española simplemente no era lo suficientemente amplio, ni lo suficientemente 'bueno', digamos, para el tipo de experiencias educativas que estábamos buscando para ofrecer a nuestros estudiantes cada vez más diversos. Para que un texto fuera significativo en este contexto –que nos resonara tanto a mis estudiantes como a mí– debía ofrecer algo que nos tocara de manera profunda. Teníamos que esforzarnos para desenterrar a escritoras que habían quedado apartadas del canon, autoras relevantes en su contemporaneidad, pero que siguieran teniendo resonancia entre un público nuevo: un alumnado que estaba hambriento por descubrir una literatura relevante, nueva y refrescante.

Felizmente, hoy en día, la variedad de materiales que se enseñan y manejan en los cursos universitarios de literatura es más integral, ecléctica y amplia, a pesar de la visión estrecha de Bloom de lo que había que considerar como buena literatura y su desprecio por el multiculturalismo. Sin duda, los hombres en la academia han ayudado a lograr este cambio, pero es con las investigadoras con quienes tenemos una deuda de gratitud por haber remodelado la experiencia de lectura de las mujeres tanto dentro como fuera de la academia. Ahora que podemos afirmar (aun con cierta reserva) que Toni Morrison, en lugar de Allan Bloom, ha ganado la batalla del canon, aún queda mucho trabajo por hacer con escritoras cuya exclusión del canon de la literatura en español ha sesgado la comprensión histórica de las contribuciones de las mujeres a la cultura moderna.

Una de las primeras investigadoras de la canonicidad fue la hispanista Hazel Gold, quien en 1990 se refirió a la deplorable deficiencia del canon literario español en "Back to the Future: Criticism, the Canon and the Nineteenth-Century Spanish Novel" ("Regreso al futuro: Crítica, el canon y la novela española del siglo XIX"; 179-209). Al año siguiente, la reveladora investigación *Escritoras españolas del siglo XIX: Manual Bio-bibliográfico* de María del Carmen Simón Palmer (1991), nos amplió el conocimiento sobre las escritoras en lengua española, en el largo siglo XIX. Trabajos como el sobresaliente *Las románticas. Escritoras y subjetividad en España, 1835-1850* de Susan Kirkpatrick (1991) encabezaron una gran explosión de investigaciones acerca de escritoras que habían sido olvidadas o menospreciadas, abriéndonos los ojos a nuevas aproximaciones, como por ejemplo a las poetas.[2] La avalancha de trabajos desatada por investigaciones como las ya mencionadas continúa

---

[2] La obra de Susan Kirkpatrick está escrita originariamente en inglés: *Las románticas. Women Writers and Subjectivity in Spain, 1835-1850* (U de California P, 1989).

hasta hoy en día, impulsada por una generación de jóvenes estudiosas, como Ana I. Simón Alegre, deseosa de ampliar la disponibilidad y el estudio de textos de escritoras españolas de los siglos XIX y XX.

Descubrí a la escritora Concepción Gimeno de Flaquer (1850-1919) por primera vez en 1990 a través de Maryellen Bieder (1942-2018), investigadora pionera en reconocer sus contribuciones en favor de un emergente feminismo dentro de las letras españolas. Bieder elogió especialmente los trabajos *La mujer española. Estudios sobre su educación y sus facultades intelectuales* (1877) y *La mujer intelectual* (1901), además de otras obras donde Gimeno de Flaquer abordó la problemática de las mujeres, insistiendo en la necesidad tanto de fomentar su educación como que se las reconocieran derechos políticos. Como lamentó Bieder en su ensayo "Feminine Discourse/Feminist Discourse: Concepción Gimeno de Flaquer" ("Discurso femenino/Discurso feminista: Concepción Gimeno de Flaquer"), a pesar de que durante la vida de Gimeno de Flaquer existieron numerosas obras escritas por mujeres, las autoras españolas no lograron asegurarse un lugar dentro de "la memoria colectiva de la historia de la literatura española" (459).[3] Posiblemente, tal y como Bieder ha sugerido, fue porque los escritos de Gimeno de Flaquer y otras autoras atrajeron más a las mujeres que a los hombres, muchos de los cuales, como el escritor español Juan Valera (1824-1905), menospreciaron a las mujeres que escribían. Valera describió a Gimeno de Flaquer como "presumida, pedantesca y con poco juicio y menos saber" (citado por Bieder, "Feminine Discourse/Feminist Discourse" 460). Sin embargo, como también ha señalado Bieder, y será aún más obvio a medida que se lean los textos recogidos en este libro, *Concepción Gimeno de Flaquer (1850-1919): Cartas, cuentos cortos y artículos periodísticos*, Gimeno de Flaquer "trazó su propio camino y se atribuyó [a sí misma] el mérito de su propio éxito" (Bieder, "Feminine Discourse/Feminist Discourse" 464).[4] Cómo logró hacer esto es de gran interés para la autora de esta edición crítica, Ana I. Simón Alegre, que se ha propuesto, entre otras cuestiones, explorar los contornos de la autopromoción de Gimeno de Flaquer y discutir algunos de los misterios que todavía rodean su biografía. Con qué entusiasmo hubiéramos recibido mis estudiantes y yo la edición en español e inglés de las cartas, cuentos cortos y artículos de Concepción Gimeno de Flaquer que están recogidos aquí.

En los años noventa, me atrajo sobre todo la ficción de Gimeno de Flaquer por la forma en que trabajaba el tema del amor ideal y las respuestas adaptativas que aporta a las situaciones adversas a las que tenían que enfrentarse las mujeres, tema que recogí en mi libro *Narratives of Desire:*

---

[3] "in the collective memory of Spanish literary history".
[4] "chartered her own path and takes credit for her own success".

Nineteenth-Century Spanish Fiction by Women (*Narrativas del deseo: ficción española de mujeres del siglo XIX*; 1994) y ahora Simón Alegre está aportando una visión ampliada de esta cuestión. Cuando las cartas, los cuentos cortos y los artículos periodísticos de Gimeno de Flaquer se mezclan como ocurre en esta edición crítica, la importancia del trabajo de quien los ha escrito se amplifica, haciéndolo más útil para su uso en las aulas universitarias. Al igual que Simón Alegre, que se ha desarraigado para instalarse en los EE. UU. y así comenzar un proceso más amplio de comprensión del mundo más allá de España, Gimeno de Flaquer fue un espíritu inquieto que siempre quiso explorar nuevas formas de entender el lugar que ocupaban las mujeres en el mundo.

Explorar qué mujeres han quedado excluidas del canon requiere tanto una minuciosa investigación en archivos como la edición de los textos originales, así como nuevos enfoques histórico-culturales para comprender las tradiciones literarias que iban de la mano de los sistemas económicos e ideológicos. Esta ha sido la misión de mi joven colega, amiga y extraordinaria sabuesa, Ana I. Simón Alegre, que ha dedicado largas horas a desvelar los tesoros incluidos en los escritos publicados y otros hasta ahora inéditos de Concepción Gimeno de Flaquer. Su apasionada pasión por esta escritora la ha ayudado a ir encontrando lo que ha quedado enterrado de ella en archivos y bibliotecas de España, EE. UU. y México, donde ha ido desenterrando tesoros, algunos de los cuales ofrece aquí por primera vez.

Gracias a su cuidadosa edición de las cartas, los cuentos cortos y los artículos periodísticos, estamos ampliando nuestra comprensión del lugar significativo que ocupó Gimeno de Flaquer en la "esfera del conocimiento", como lo expresa Simón Alegre, y además vamos adquiriendo nuevos conocimientos sobre las sutilezas de la vida y las ideas de esta poliédrica escritora. Verdaderamente *Concepción Gimeno de Flaquer (1850-1919): Cartas, cuentos cortos y artículos periodísticos* es un bienvenido añadido en el conocimiento de una autora cuyas obras están muy dispersas y llevaban tiempo reclamando ediciones actuales. Simón Alegre arroja luz sobre el éxito de Gimeno de Flaquer al abrirse camino como escritora profesional ya que estaba preocupada por la percepción que el público tenía de ella como autora, un tema que queda claro en la introducción a esta notable colección de textos cuidadosamente editados y comentados. En los últimos años, Simón Alegre ha contribuido tanto a difundir la influencia de esta escritora como a desvelar algunos de los misterios que todavía envuelven su biografía en innumerables charlas y escritos, entre los que destaca su trabajo más reciente, "Queer Literary Friendships in Salons: Concepción Gimeno de Flaquer, Carmen de Burgos, and Others" ("Amistades literarias *queer* en tertulias: Concepción Gimeno de Flaquer, Carmen de Burgos y otras"), que acaba de aparecer en *Queer Women in Modern Spanish Literature: Activism, Sexuality, and the Otherness of the 'chicas raras'* (*Mujeres queer en la literatura española moderna: activismo, sexualidad y la otredad de las 'chicas raras'*; editado por Ana I. Simón Alegre y Lou Charnon-Deutsch, 2022). Las escritoras del siglo XIX, como han señalado Gilbert y Gubar, eran expertas en preparar maneras de ocultarse y evadirse de una forma más elaborada que las de sus colegas masculinos (75). Atraída por los misterios que rodean la vida de Concepción Gimeno de Flaquer, Ana I. Simón Alegre nos está ayudando a apreciar mejor lo que falta o está codificado en la compleja vida y obra de esta menospreciada escritora.

(Texto traducido por Ana I. Simón Alegre)

I. ACTIVISTA, EDITORA, PERIODISTA, INTELECTUAL Y ESCRITORA: CONCEPCIÓN GIMENO DE FLAQUER EN RETROSPECTIVA

INTRODUCCIÓN

La autora española Concepción Gimeno de Flaquer (Alcañiz, 1850-Buenos Aires, 1919) dedicó su vida al mundo de las letras y además fue una viajera incansable. Este rasgo de su biografía facilita caracterizar con pinceladas transatlánticas tanto al tipo de escritora que fue como a la temática que abordó a lo largo de su extensa obra. Escribió novelas, relatos cortos, ensayos, artículos de opinión, crónicas de sociedad, reseñas teatrales y desde 1873 a 1909 dirigió tres periódicos: *La Ilustración de la Mujer* (1873-1875), *El Álbum de la Mujer* ([*AM*] 1883-1890) y *El Álbum Ibero-Americano* ([*AIA*] 1890-1909; Chozas Ruiz-Belloso; Garrigan 131-147; Palomo Vázquez 1-8; Partzsch 77-91). Además, como esta investigación mostrará, se movió cómodamente en las esferas del mercado publicitario, difundiendo nuevos productos –véanse los cuentos cortos "El secreto" y "Por la Pilarica" junto con el artículo "¡Plaza a la mujer!" (todos ellos incluidos en este libro) como referentes del apoyo que dio a la compañía de seguros estadounidense La Equitativa (The Equitable Life Assurance Society of the United States, con sede en Madrid desde 1882; Buley 89-293)–, promocionando diferentes espectáculos o incluso sus propias obras, y exploró la floreciente industria del turismo que despuntaba también en este momento (Simón Alegre, "Prensa, publicidad y masculinidades" 35-54 y "Cartagena y Murcia antes de Carmen Conde").

En todos los proyectos de Gimeno de Flaquer destaca el impulso que dio al desarrollo de la Modernidad, por ejemplo, abriendo las páginas de sus periódicos a noticias de adelantos científicos –como la difusión de los avances para controlar el paludismo (*AIA* 22 Abr. 1892)– o reservando un hueco para nuevos nombres en la ciencia o en la literatura ("La mujer en la vida moderna" 434-436; Bianchi, "La lucha de María Concepción Gimeno de Flaquer" 89-114; Cabanillas Casafranca 859-876; Ezama Gil, "Las periodistas españolas" 1-13; Hernández Prieto 118-153). En la carrera de Gimeno de Flaquer destaca su producción tanto de obras de ficción –*Victorina o heroísmo del corazón* (1873), *El doctor alemán* (1880), *Maura* (1888), *Sofía*

(1888), *¿Culpa o expiación?* (1890) y *Una Eva moderna* (1909)– como de ensayo –*La mujer española* (1877), *La mujer juzgada por una mujer* (1882), *Madres de hombres célebres* (1884), *Mujeres: Vidas paralelas* (1893), *En el salón y en el tocador* (1899), *Evangelios de la Mujer* (1900), *La mujer intelectual* (1901), *Mujeres de raza latina* (1904), *Mujeres de regia estirpe* (1907) y *La Virgen y sus advocaciones* (1907)–, además de las conferencias que publicó –*Civilización de los antiguos pueblos mexicanos* (1890), *Mujeres en la Revolución francesa* (1891), *Ventajas de instruir a la mujer y sus aptitudes para instruirse* (1896), *El problema feminista* (1903) e *Iniciativas de la mujer en higiene moral social* (1908)– y los numerosos artículos en prensa que sacó tanto en los periódicos que dirigió como en otras publicaciones relevantes de su tiempo, como el diario *El Globo.*

Uno de los trabajos que queda todavía por hacer es localizar aquellos textos que aunque fueran de Gimeno de Flaquer, por diferentes motivos decidió no incluir su firma o sustituirla por genéricos como "La Redacción", usar alias o seudónimos –véase en el apartado "Bibliografía citada", el artículo que firmó como Vestina– o tomar prestados otros nombres, como el de su sobrina Luz de la Fuente y García (Pedrós-Gascón, "Concepción Gimeno, agente doble cultural hispano-mexicana" 56).[1] Gracias a parte de la correspondencia incluida en este libro, sobresale cómo a esta escritora, desde el principio de su carrera, le gustaba emplear seudónimos –consúltense las cartas desde la cuarta a la sexta, al respecto–, que en las siguientes páginas se analizarán. Gimeno de Flaquer no fue la única escritora en recurrir a estos recursos: por ejemplo, de su generación destaca Caterina Albert (1869-1966), que firmó gran parte de su obra como Víctor Catalá (McNerney XI-XXX), y de la promoción previa a la de ambas sobresale el caso de Concepción Arenal (1820-1893), quien empleó el nombre de su hijo para presentarse al premio de la Academia de Ciencias Morales y Políticas, que terminó ganando (Caballé 156; Vialette, "Nineteenth-Century Women Activists" 22).

El presente libro –*Concepción Gimeno de Flaquer (1850-1919): Cartas, cuentos cortos y artículos periodísticos*– es una buena representación de la autora que

---

[1] Cuando recibí los comentarios de mis editores en Vernon Press, el investigador Antonio Francisco Pedrós-Gascón publicó el catálogo *Concepción Gimeno. La cantora de la mujer* (8) y el artículo "Concepción Gimeno (1869-1883): los años de forja de una feminista" (89-90). En ambos trabajos, Pedrós-Gascón añade a la lista de seudónimos que parece que usó Gimeno de Flaquer: los de X y Z. De momento solo es posible identificar y corroborar que tras la firma de Vestina (además de los que usó en su correspondencia con Manuel Catalina) estaba la propia Gimeno de Flaquer debido a que durante la polémica desatada tras la publicación en la cubierta de *El Álbum de la mujer*, una imagen de Doña Marina en septiembre de 1884 un periódico mexicano desveló esta identidad para criticar a la escritora (Simón Alegre, "Introducción crítica).

fue Gimeno de Flaquer, ya que recoge su correspondencia con el actor y empresario teatral español Manuel Catalina y Rodríguez (1820-1886), siete cuentos cortos y una selección con sus diecisiete artículos periodísticos más representativos. Conjuntamente, este trabajo –publicado a la vez en español e inglés– muestra la manera en que su evolución como escritora estuvo ligada estrechamente al desarrollo de su proyecto político-literario, en el que sobresale la consumación de una completa agenda activista feminista (Simón Palmer, "Vivir de la literatura" 389-408). Aunque a priori sorprenda el uso de esta terminología –más del siglo XXI que del XIX (Johnson 31-65; Lacalzada de Mateo 369-386)–, a lo largo de las siguientes páginas se verá lo adecuado de definir así a Gimeno de Flaquer dentro de la República de las Letras debido a los logros que fue alcanzando a lo largo de su vida.[2] Como la investigadora Nuria Capdevila-Argüelles señala gracias a trabajos relacionados con autoras que están planteados desde un acercamiento a sus trayectorias intelectuales, uno de los puntos importantes a destacar es el rastreo de sus redes de contacto, permitiendo así que comience a plantearse "una nueva crónica del feminismo ibérico" (*Autoras inciertas* 25). De esta manera, las investigaciones parten de un "punto de vista dinámico" en el que, gracias a que se accede a la experiencia de las mujeres "que estuvieron activamente comprometidas con el arte y la cultura", queda subrayado "su compromiso como esperanza de un mañana emancipador" (Capdevila-Argüelles, *Autoras* 25).

Además, conviene destacar que esta investigación representa una novedad en los estudios sobre Concepción Gimeno de Flaquer, tanto por los textos reunidos aquí y su consiguiente edición crítica, como por publicarse simultáneamente en español e inglés. Desde hace tiempo, Gimeno de Flaquer estaba reclamando una traducción de sus obras en este idioma, dada la repercusión que sus trabajos han tenido para la comunidad académica de –sobre todo– los Estados Unidos. Un buen ejemplo de ello son las investigaciones pioneras de las profesoras Maryellen Bieder ("Concepción Gimeno de Flaquer" 219-229 y "Feminine Discourse/Feminist Discourse" 459-477) –que se ha centrado sobre todo en sus ensayos– y Lou Charnon-Deutsch que lo ha hecho más en relación a sus obras de ficción ("El parto del feminismo" 49-70, "The Mute Muse" 243-262 y *Gender and Representation* 25-30).

A lo largo de los escritos de Gimeno de Flaquer se repite una frase que nos acerca a la persona que fue esta autora: "Un álbum es un libro que consta de muchas páginas. ¿Acaso no consta de muchas la vida de la mujer?" (*La mujer juzgada por una mujer* 147; 1887). Así fue también su vida: una que estuvo llena de numerosas páginas tanto escritas como vividas por ella, aunque

---

[2] La investigadora Pura Fernández, en su trabajo "No hay nación para este sexo", señala el origen de esta manera de nombrar al mundo de las letras (9-58).

aquellas donde brote su voz más personal e íntima se reduzcan casi únicamente a las diez cartas que están incluidas en esta investigación. Desde el primer acercamiento a la biografía de Gimeno de Flaquer –nació en Alcañiz (Teruel) y murió a muchos kilómetros de distancia de allí, en Buenos Aires (Argentina)– ya es perceptible en su biografía el halo de misterio que mantiene todavía incluso cuando ha pasado más de un siglo de su muerte. Este rasgo no se reveló a posteriori, ya que en vida la propia autora fomentó cierto misterio en relación a todo lo que la rodeaba. Por ejemplo, uno de los escritores que colaboró en el *AIA*, Luis Ruiz Contreras (1863-1953), al hablar de las tertulias que celebraba Gimeno de Flaquer en el Madrid finisecular decía "[s]olo se sabe de Concha Gimeno que siendo casi niña la presentaron a doña Isabel II, y en el Palacio leyó unos versos" (475; Simón Alegre, "Algo más que palabras" 113-114 y "Queer Literary Friendships in Salons" 52-75).[3] Esta escritora vivió en México viajó por el Caribe, Centroamérica, Europa y, en los últimos años de su vida, recorrió gran parte del Cono Sur americano (Ramos Escandón, "Concepción Gimeno de Flaquer: identidad nacional" 365-378). Convertirse en una escritora "exploratriz" viajera no fue algo que surgió en su biografía de manera casual (Simón Alegre "Cartagena y Murcia"). En uno de sus artículos de los años setenta del siglo XIX se planteaba que, si había sufrido los efectos de la envidia en España, qué le pasaría si salía más allá de su entorno: "¿qué me hubiera sucedido en otros países donde existen vegetales marinos de tan sorprendente hermosura?" (Gimeno de Flaquer, "Historia de una flor" 191).

Gimeno de Flaquer jugó a despistar con la fecha de su nacimiento, práctica que empleó, tal y como las misivas reunidas aquí muestran –en concreto la carta décima–, desde el inicio de su carrera en la República de las Letras cuando contaba con poco más de veinte años (Simón Alegre, "Concepción Gimeno y el ocio teatral madrileño, en 1873" 434-438). Esta práctica no fue exclusiva de esta autora, ya que otras escritoras cercanas a su círculo –como Carmen de Burgos (1867-1932)– también lo llevaron a cabo (Núñez 25-28). Con misterios o sin ellos, la trayectoria biográfica de Gimeno de Flaquer sirve como ejemplo del camino que una mujer nacida en el siglo XIX podía trazar hasta abrazar la identidad de una mujer moderna del siglo XX. A nivel gráfico, Gimeno de Flaquer ha dejado una muestra del itinerario, su firma visual, que le llevó a acoger la imagen de la mujer moderna –esa Eva Moderna– de principios del siglo XX, definió no solo los últimos veinte años de su carrera sino también de toda su vida –véanse los artículos incluidos en este volumen

---

[3] Por el momento solo contamos con esta referencia de Ruiz Contreras acerca de ese supuesto encuentro entre Concepción Gimeno de niña (década de los años cincuenta y sesenta del siglo XIX) con la reina Isabel II.

"El ángel del hogar" y "Feminología" (Simón Alegre, "Ahora no pestañees: Activismo, identidad y firma visual" 119-142). Gimeno de Flaquer terminó posando con un gran sombrero como símbolo del estatus que había alcanzado (véase la figura I.1) –al contrario de la siguiente generación de escritoras y artistas quienes se lo quitarán– y, al mismo tiempo, se dejó fotografiar sin él, dentro del espacio que también había ganado: su lugar de trabajo que, además, era desde donde siempre había escrito (figura V.2).

Figura I.1: Retrato. Concepción Gimeno de Flaquer.

Fuente: *Caras y Caretas*, 30 Mar. 1910, p. 75. Imagen procedente de los fondos de la Biblioteca Nacional de España.

Pese a la falta de documentación con un carácter más privado o autobiográfico, es posible reconstruir la trayectoria de Gimeno de Flaquer gracias a la ingente obra que publicó en vida y de la que se hablará a partir de las siguientes páginas. El origen de la mayor parte de la información de carácter personal de esta escritora proviene de las referencias que se localizan sobre ella tanto en prensa como las que la propia escritora dejó como registro al respecto en su obra –sobre todo en sus periódicos (Simón Alegre "Concepción Gimeno de Flaquer and her Transatlantic Journey")–. Por el contrario, lo que escasea es la documentación de archivo que sería la que ayudaría a dar más contexto a su vida laboral, sobre todo en cuanto a su doble faceta de editora y publicista que desarrolló ampliamente en sus publicaciones periódicas (Simón Alegre, "Prensa, publicidad" 32-43). Esta ausencia de fuentes archivísticas sobresale en relación a su estancia en México (1883-1890), de la que solo se han localizado algunos documentos sueltos y conectados a diferentes procesos administrativos que puso en marcha durante su estancia en este país (Simón Alegre "Introducción crítica").

Aun así, actualmente casi la totalidad de su obra está accesible online, por lo que se ha incluido al final de este trabajo un apartado con la bibliografía de Gimeno de Flaquer donde están indicados los correspondientes accesos electrónicos a sus obras.[4] Esta accesibilidad, aunque es positiva, ya que cualquier persona de manera sencilla se puede acercar a Gimeno de Flaquer, también ha multiplicado las reediciones de su obra que se limitan a reproducir sin más. Por eso, por la escasez de ediciones críticas en relación a esta autora, el trabajo que aquí se reúne ofrece una aproximación novedosa a quién fue Gimeno de Flaquer, sobre todo por contextualizarla dentro del emergente feminismo de corte transatlántico del que formó parte y a la vez subrayar el activismo que ejerció a través de su vida y obra entre 1873 y 1909, periodo en el que publicó la mayor parte de sus trabajos. A partir de la segunda parte de este libro, tomando como guía a la propia autora y sus escritos, se podrá entender su evolución como escritora gracias tanto a la cuidada selección de sus textos más característicos como al proceso de investigación y edición crítica incluido en cada uno de ellos. De esta manera, la tendencia de muchas de las autoras de su generación de añadir paratextos entre líneas o a través de un lenguaje codificado (López Pérez 138-149) se percibirá como un recurso que Gimeno de Flaquer también usó y que, además, se identificará como un rasgo sobresaliente en el desarrollo de su identidad como autora a lo largo de toda su carrera en la República de las Letras, iniciada allá en la década de los años setenta del siglo XIX.

Entre los numerosos atractivos que presenta la trayectoria transatlántica de Gimeno de Flaquer uno de los que destaca es su capacidad de adaptación y facilidad para dejar un registro de su voz en un período histórico convulso: vivió el final del reinado de Isabel II (1833-1868), el corto reinado de Amadeo I de Saboya (1871-1873), la breve I República (1873-1874), el primer gobierno del militar mexicano Porfirio Díaz (1877-1880 y 1884-1911) y gran parte de la

[4] Biblioteca virtual Miguel de Cervantes. Escritoras españolas: Concepción Gimeno de Flaquer. http://www.cervantesvirtual.com/portales/concepcion_gimeno_de_flaquer/

Restauración borbónica española (1874-1931). Sobresale en su primer ensayo, *La mujer española* (1877), cómo le afectó este clima de inestabilidad política: "Se hace muy necesaria una revolución en el mundo de las ideas; mas no creáis que intentamos hacerla tras las barricadas o encendiendo la tea de la discordia; nuestra misión es misión de paz y de amor" (Gimeno 13; Simón Alegre, "Entre el amor y la sexualidad" 281-304). Como esta investigación muestra, gracias al esfuerzo realizado de reunir por primera vez diferentes trabajos que esta autora escribió entre 1873 hasta 1909, sobresale que su proyecto de vida consistió en desarrollar esa especie de agenda feminista que tenía en mente y le serviría de guía en su día a día. Desde que esta autora empezó a publicar tuvo claro que quería que su voz sirviera al mayor número posible de mujeres para asegurar un espacio propio para ellas en las esferas del conocimiento y, además, que su acceso a la educación –independientemente de su origen social o etnicidad– estuviera garantizado en todo momento (Serrano Galán 306-335). Gimeno de Flaquer figura dentro de la lista de "precursoras de las modernas", y aunque participó en instituciones político-culturales como el Ateneo de Madrid, no llegó a vincularse administrativamente a este lugar (Mangini 40; Ezama Gil, *Las musas suben a la tribuna* 165-170). Tal y como la investigadora Shirley Mangini destaca de esta escritora, fue un "eje percusor de las modernas de Madrid por su abierta denuncia de la situación de la mujer, su atrevimiento a exponer ideas nuevas en España y su gran conocimiento cultural" (47).

Fruto de la evolución de Gimeno de Flaquer en los movimientos de mujeres finiseculares, sobresale cómo terminó abrazando la corriente feminista que desde principios del siglo XX había irrumpido con virulencia en los círculos que frecuentaba –véase el artículo "Nuevo carácter del feminismo" incluido en este trabajo–. Gracias a su tendencia a publicar en diferentes momentos los mismos textos, pero introduciendo variaciones significativas en ellos, es posible rastrear cómo se fue gestando esta evolución en su escritura. Entre los ejemplos que incluye este libro, en su artículo "¡Plaza a la mujer!" es donde mejor se percibe esta técnica, ya que creó su versión inicial usando los primeros textos que había escrito en la década de los años setenta del siglo XIX y, al menos, lo publicó en tres ocasiones diferentes.

Esta forma de escribir de Gimeno de Flaquer con tendencia a la reutilización de sus propios trabajos no ha pasado desapercibida en las publicaciones que recientemente han aparecido acerca de su obra periodística. La investigadora Ángeles Ezama Gil ha definido este proceso como un "tejer y destejer" ("Concepción Gimeno: periodista y escritora" 98). También esta especie de ida y vuelta en sus textos se ha interpretado como una contradicción en sus ideas, sobre todo en relación a qué postura adoptó dentro del incipiente feminismo (Ciallella 35-55; Servén Díez, "El 'feminismo moderado'" 397-415), que comenzó con su acercamiento a una rama más moderada para terminar integrada en la corriente de esta ideología que reclamaba la instauración del sufragio universal y, específicamente, el derecho de voto para las mujeres (Gimeno de Flaquer, *El problema feminista* 13 e *Iniciativas de la mujer en higiene moral social* 5 y 22).

Lo más interesante en esta manera de trabajar de Gimeno de Flaquer –esta reutilización continua de sus textos– es que sus contemporáneas tenían noticia de que así escribía, tanto por los propios trabajos de la autora –nunca lo escondió–, como también porque ellas mismas –al igual que otros compañeros en la República de las Letras– pusieron en práctica esta forma de creación literaria (Ezama Gil, "Concepción Gimeno periodista" 97, nota 1; Tolliver XXXIII). Lo que no le eximió de críticas veladas, si acordamos que el personaje de la "emperatriz de las cursis" que la escritora Carmen de Burgos colocó en la tertulia literaria *queer* de Luis de Lara –en la vida real el escritor Antonio de Hoyos y Vinent (1884-1940)– de su cuento corto *El veneno del arte* (1909; Los contemporáneos) estaba inspirado en Gimeno de Flaquer (Simón Alegre, "Queer Literary" 58-63), donde la narración señala: "la buena señora[,] se iba animando para repetir un trozo del artículo, que en una forma u otra venía escribiendo desde su lejana mocedad" (Burgos, "El veneno del arte" 229).

Esta forma de escribir no es exclusiva de Gimeno de Flaquer, pero cuando Burgos la hizo pública le sirvió tanto para burlarse de ella –con quien estuvo ligada al principio de su carrera en Madrid (Simón Alegre, "Activismo social a través de la traducción" 539-556)– como para que su reputación como escritora quedara en entredicho. Todo esto pudo motivar el olvido que comenzó a cernirse tanto alrededor de Gimeno de Flaquer como de su trabajo a partir de 1910 con su marcha a Argentina sin retorno. No es fácil saber los motivos exactos por los que Gimeno de Flaquer estuvo durante la mayor parte de su carrera reutilizando continuamente casi los mismos escritos. Eso sí, siempre que volvía a publicar uno de ellos le daba un sentido diferente que estaba en armonía con el progreso que había hecho respecto a sus posicionamientos políticos feministas –véase los artículos incluidos en este libro "La obrera mexicana" y "¡Plaza a la mujer!"–.

Una pista para entender esta manera de escribir tan común en este periodo, está en el libro del obispo francés Félix Dupanloup (1802-1878) *La femme studieuse* (*La mujer estudiosa*; 1868), que como se analiza en el siguiente apartado fue una lectura importante en el periodo inicial de la carrera literaria de Concepción Gimeno. Dupanloup recomendaba a sus lectoras que tuvieran la costumbre de releer los mismos libros y que, además cuando lo hicieran, siempre tomaran notas, por lo que debían tener en todo momento: "la pluma en la mano" (49-50) –consúltese el artículo "La pluma" incluido en este libro acerca de la importancia de este utensilio para Gimeno de Flaquer–. Así, con esa "pluma en la mano", la distancia entre el hábito de volver a leer un libro y el hacerlo de un trabajo propio –y además de reescribirlo– era mínima. Por tanto, el mecanismo de Gimeno de Flaquer de reusar sus escritos para componer sus trabajos evidencia la consciencia que tenía de que sus ideas y sus textos estaban en una transformación continua, aunque siempre la esencia fuera la misma: ese posicionamiento suyo inquebrantable en favor de las mujeres. Del que también Carmen de Burgos se burló en *El veneno del arte*: "las mujeres lo eran todo, bellas, buenas, sabias, valientes, mucho más que los hombres (...) ¡Que siempre me pasa a mí esto por defender a las mujeres! ¡Necias! ¡Cómo las aborrezco!" (229-230). Concepción Gimeno, de la mano de las recomendaciones de Dupanloup –aunque adaptadas a su faceta de escritora–, entendía sus escritos como "manjares literarios" que para ser "sólidos y delicados" debían tomarse "despacio y [ser] bien digeridos", lo que justificaba ir mejorándolos a la par que se publicaban de nuevo (Dupanloup 50). Además, en este estilo de trabajar destaca la conciencia que Gimeno de Flaquer tenía de que ella misma era su mejor promotora. Solo ejerciendo este control de su producción que consistía en dispersar los mismos trabajos en diferentes medios y años tenía la certeza de que su voz quedaba registrada como legado para las generaciones venideras (Bieder, "Feminine Discourse" 459-477). Por ejemplo, en el caso de que una publicación se perdiera, sabía que quedaban otras donde había ido diseminando sus textos y, por eso, caer en repeticiones pudo no ser un problema.

A continuación, esta introducción –tras ofrecer algunas pinceladas acerca de la biografía de Gimeno de Flaquer– indagará en las redes de contactos y amistades que rodearon su figura y en cómo usó su obra de ficción para dejar un registro de su propia vida, dando paso al análisis de los tres tipos de escritos suyos incluidos en este libro (cartas personales, cuentos cortos y artículos periodísticos). Por último, el apartado que cierra estas páginas introductorias reflexiona acerca de cómo Gimeno de Flaquer puede suponer un excelente contenido para los programas universitarios (en idiomas y literaturas románicas, literatura comparada, género y sexualidades y/o estudios culturales, indigenistas, africanos, caribeños o latinx-hispanos) que quieran aportar a sus especializaciones un carácter interdisciplinar y estén abiertos a creadoras que no pertenecían a las elites que pretendían acaparar y controlar el conocimiento. Además, este libro es útil para fomentar el giro transatlántico que en la actualidad están dando algunos programas de humanidades para incluir actitudes y formas de vida –sobre todo de mujeres– ligadas al activismo político, social, racial-étnico y cultural-literario (Enjuto-Rangel, Faber, García-Caro y Newcomb 1-20; Murray y Tsuchiya 1-16; Simón Alegre, "Introducción: Una mirada transatlántica plural" XXIII-XXXI).

1. PINCELADAS BIOGRÁFICAS

María de la Concepción Gimeno Gil nació en Alcañiz el 11 de diciembre de 1850, pero no pasó mucho tiempo allí, ya que su familia se desplazó por diferentes áreas de la actual Comunidad Autónoma de Aragón (Pintos 15-16). La inestabilidad fue el rasgo que caracterizó sus primeros años y que no superaría hasta su traslado definitivo a Madrid, cuando la autora rondaba los veinte años de edad. Su padre murió poco tiempo después de nacer ella, en 1853, fallecimiento al que siguió el de uno de sus dos hermanos mayores (Pintos 14-16). Su madre, Francisca Gil de Palma, aunque se casó de nuevo, tampoco gracias a este matrimonio logró aportar suficiente estabilidad a la vida de la chica. Al poco tiempo de quedar viuda nuevamente, alrededor de los años setenta, Francisca, Concepción y sus hermanastros, Rosario y Maximiliano, se trasladaron a Madrid (Pintos 16). De este periodo, en su primer ensayo, *La mujer española*, Gimeno destacó su paso por la sección de niñas de la Escuela Normal de Maestras de Zaragoza y, sobre todo, la influencia que la maestra Gregoria Brun y Catarecha ejerció sobre ella (173-186). Aunque todavía no hay evidencias documentales que sostengan esta hipótesis, por las referencias que Gimeno incluye en sus novelas en relación a la difícil vida que experimentaban las niñas que terminaban en conventos, no hay que descartar que ella misma estuviera en alguno de ellos durante su infancia y/o primera parte de su adolescencia (Simón Alegre "Introducción crítica").

Salvo por la instrucción básica recibida en Zaragoza, Concepción Gimeno puede considerarse autodidacta, pues no llegó a cursar estudios superiores (*La mujer española* 173-186). Todo lo contrario que escritores y pensadores coetáneos de ella como Juan Valera (1824-1905) o Adolfo Posada (Adolfo González Posada; 1860-1944) –ambos con estudios universitarios– u otras escritoras, como su amiga Julia de Asensi y Laiglesia (Julia Asensi; 1849-1921) o Emilia Pardo Bazán (1851-1921), que contaron con tutores particulares y posiblemente un mejor acceso a libros y a otras fuentes de información (Díez Ménguez 25-42; Burdiel 51-67). Gimeno de Flaquer –como casi todas las protagonistas de sus novelas– tuvo que adquirir sus conocimientos sobre todo por su más que segura afición a la lectura, que desarrolló, entre otras posibilidades, gracias al apoyo de personas de una clase socio-económica y educativa superior a la suya. Otra escritora autodidacta como ella y que posiblemente fue uno de los modelos a seguir por Concepción Gimeno fue Emilia Serrano, la Baronesa de Wilson (1833-1923; Bezari 118-127; Fernández *365 relojes*). Un ejemplo en la ficción de Gimeno de Flaquer donde se filtró su propia experiencia –el hermanamiento de mujeres de diferentes clases económicas– es el cuento corto "Por la Pilarica" –incluido en este libro– en que dos niñas huérfanas de padre quedan unidas por una amistad que será la clave para su progreso en el futuro. El quid de este hermanamiento se sitúa en que una de las huérfanas ayuda a la otra un poco más, ya que una de ellas no solo había perdido a su progenitor, sino que también este fallecimiento mermó su posición económica y social. Gracias a esta amistad, la chica siguió vinculada a la clase social elevada a la que pertenecía antes de que su padre muriera y les dejara en la ruina a su madre y a ella.

Se han conservado pocas referencias a la biblioteca que Gimeno de Flaquer reunió a lo largo de su vida y que tuvo que ser muy rica y variada gracias a sus numerosos viajes por la península ibérica, Europa, México, el Caribe y Sudamérica. Por ejemplo, aprovechó la última carta que publicó en el periódico *El Mundo Ilustrado*, dirigida a su cuñado el abogado y profesor José Flaquer y Fraisse detallando su viaje por Portugal en el verano de 1879, para remarcar que el rey de este país –Luis I de Portugal (1838-1889)– le había regalado "dos ejemplares de sus traducciones de Shakespeare con dedicatoria" (Gimeno de Flaquer, "Un verano en Portugal. Carta III" 735).[5] Además, hay algunas menciones en el *AM* y el *AIA* a los libros que en alguna ocasión le regalaban por su santo cada 8 de diciembre (se celebra la Inmaculada Concepción de María) como "obras editadas por la importante casa del Sr. N. Chávez" o "un valioso manuscrito del siglo XVII" (Flaquer, "Lejos de la Patria" 238; Moreno, "Variedades" 229).

Lo que Gimeno de Flaquer sí dejó registrado es que le gustaba aprender –"Como yo siempre he tenido afición a aprender" (*Mujer española* 181)–, un rasgo vital de su personalidad que le ayudó a ampliar su formación aunque no fuera dentro del sistema educativo oficial-formal (Ayala Aracil "*La mujer española*"). Entre los libros que Gimeno manejó en esta primera etapa de su carrera (la década de los años setenta del siglo XIX) estuvieron los del obispo de Orleáns (Francia) Félix Dupanloup, especialmente aquellos que dedicó a las mujeres.[6] Las obras de este clérigo circularon con regularidad por la península ibérica tanto en ediciones en francés como en español: véase, por ejemplo, su ensayo de 1879: *Lettres sur l'Éducation des Filles et sur les Études qui Convienment aux Femmes dans le Monde* (*La educación de las Hijas de Familia y estudios que convienen a las mujeres en el mundo*), que se tradujo al español en 1880.[7] Entre otras cuestiones, este autor francés destacó por su mentalidad

[5] Es posible que los libros a los que se refiere Gimeno de Flaquer aquí sean *Hamlet* (*Hamlet: drama em cinco actos.* Imprenta Nacional, 1877) y *El mercader de Venecia* (*O Mercador de Veneza: drama em cinco actos.* Imprenta Nacional, 1879).

[6] La investigadora Margarita Pintos (43) ha señalado en su trabajo acerca de Gimeno de Flaquer que otro libro que pudo influir a la escritora en sus primeros años fue: *La mujer y la sociedad. Breves consideraciones sobre la participación de la mujer en la sociedad,* escrito por Rosa Marina en 1857 (Imprenta de la Paz).

[7] Francisco Navarro Capella tradujo este libro para el establecimiento tipográfico de los sucesores de N. Ramírez.

progresista con una marcada orientación hacia el catolicismo liberal (Sarazin 9; Bieder "First-Wave Feminisms" 169; Blasco Herranz 183-202).

Desde sus primeros ensayos, Concepción Gimeno citó a Dupanloup aunque sin mencionar de qué trabajos había tomado sus referencias (*Mujer española* 237 y *La Virgen Madre y sus Advocaciones* 12-13). Por las similitudes que hay entre el libro de Dupanloup de 1868, *La femme studieuse* (*La mujer estudiosa*) y el primer libro de ensayos de Gimeno de 1877, *La mujer española*, es fácil pensar que esta escritora se manejaba bien en francés y leyó las obras de este obispo en versión original.[8] Entre los paralelismos que hay en estos dos trabajos, destaca tanto el tema de la "ociosidad intelectual", también nombrado a partir de la idea del "tedio", como el remedio propuesto por ambas obras para terminar con este mal: la extensión de la educación entre las mujeres (Dupanloup 27 y 114-127; Gimeno, *Mujer española* 127-142). Es probable que Gimeno se identificara con las mujeres a las que Dupanloup se dirigía, aunque al público que este obispo quería atraer y al que apelaba era al de las mujeres de las clases elevadas (Sarazin 11). Por ejemplo, Dupanloup recomienda a sus lectoras tener sus propios libros, mejor que pedirlos prestados, ya que así tanto los podían leer varias veces como, al releerlos de nuevo, escribir comentarios acerca de sus impresiones (49-50). Estas mujeres debían ir formando sus "biblioteca[s] de campo" en sus residencias de verano para, cuando regresaran a la ciudad en invierno, poderse llevar con ellas algunos de estos libros (Dupanloup 49; nota 18). No está de más subrayar que solo las mujeres con una elevada posición económica y social podían permitirse tener dos residencias y, además, ir atesorando libros para engrosar sus bibliotecas allá donde fueran.

Aunque Dupanloup pensara en sus lectoras ideales como aquellas mujeres de posiciones elevadas, en sus escritos hay ciertos guiños dirigidos a quienes estaban fuera de las clases privilegiadas –que nombraba como "mujeres de mundo" (30)– y que, al igual que Gimeno, anhelaban conseguir ese ascenso. Concepción Gimeno no pertenecía a la elite socio-económica más privilegiada de España y es probable que la muerte de su padre impidiera tanto un hipotético ascenso social-económico como permanecer en una posición social media (Pintos 13-16). Por eso, es fácil pensar que, al principio de su carrera, alcanzar ese estatus fuera una de sus aspiraciones e interpretara que escribir era tanto su forma de trabajo como también una de las llaves que tenía –junto con lograr un matrimonio favorable– para llegar a esta escala social que no disfrutaba por sus circunstancias familiares, pero que gracias a los logros que esperaba alcanzar en la República de las Letras aguardaba

[8] *La mujer estudiosa* de Dupanloup cuenta con una tardía traducción al español del año 1995 que está comentada y traducida por la investigadora Marie-Paule Sarazin.

tener: "A causa de nuestras costumbres, casarse es para la mujer adquirir una prudente libertad; es gozar mil privilegios, es obtener autoridad, respeto, representación social. Una soltera es, en España, soldado raso; una casada, capitán general" (Gimeno, "Testigos necesarios" 222).

En estos primeros años en la trayectoria de Concepción Gimeno, la lectura de un libro como *La femme studieuse* tuvo que repercutir de manera profunda en ella, ya que Dupanloup comentaba lo diferente de la vida de "las chicas jóvenes" que estudiaban, leían libros de gramática, se acostaban pronto y, en definitiva, estaban muy ocupadas "como lo suelen ser las chicas de hoy" (2). Por el contrario, el día a día de sus madres consistía en: "[una vida] muy inactiva, muy ociosa, acostándose y levantándose muy tarde" (Dupanloup 32-33). Lo único diferente respecto al día a día de Concepción Gimeno es que ella, aunque se levantara pronto, también se acostaba tarde debido a los compromisos profesionales que tenía, como por ejemplo asistir al estreno de algún espectáculo del que después escribiría su correspondiente crónica, tal y como en la carta octava indica a Manuel Catalina.

También el cuento corto "El secreto" presenta la dicotomía entre una madre ociosa y presa de las pasiones –que según Dupanloup lo único que podía enseñar era: "el espejismo engañoso de las diversiones mundanas" (33)– y una hija movida por el trabajo y la rectitud en su vida amorosa. Además, otra pista de la importancia que tuvo para Gimeno de Flaquer el pensamiento de Dupanloup está en la reedición de su primera novela, *Victorina o heroísmo del corazón*, en 1879. La escritora aprovechó la salida de la nueva versión de su libro para incluir una dedicatoria a su madre que remarcaba lo positivo de haber seguido por el camino profesional de las letras, y lo que quedaba sugerido entre líneas es que su progenitora –que podía responder al modelo de madre descrito por Dupanloup– no le había apoyado en esta decisión (Simón Alegre "Gimeno de Flaquer and her Transatlantic"). Una tendencia de la narrativa de Gimeno de Flaquer es presentar a sus protagonistas como huérfanas de madre, aunque ella lo era de padre, pero quizá por lo dificultoso que tuvo que ser la relación con su progenitora, en su ficción la falta que remarcó fue la materna. Es importante subrayar que otras escritoras como Emilia Pardo Bazán y la Baronesa de Wilson contaron con el respaldo de sus madres (Burdiel 397-402; Fernández, *365 relojes* 21-31), un detalle que parece pequeño, pero que en la práctica no lo tuvo que ser y del que todavía hay que seguir indagando al respecto.

Retomando los inicios de Concepción Gimeno en la República de las Letras, a finales del año 1872 firmó una de sus primeras colaboraciones en la prensa madrileña, en concreto en el periódico cultural y literario *La lira española*, titulada "La mujer y el poeta" (1-3), que además inauguró en este periódico la salida de artículos firmados por mujeres. Al de Gimeno siguieron las colaboraciones de Julia de Asensi y Laiglesia y la publicación póstuma de un texto de la escritora Gertrudis Gómez de Avellaneda (1814-1873). Al igual que Gimeno hará en otras ocasiones y mantendrá como una práctica común a lo largo de toda su carrera, este artículo lo sacará de nuevo, incorporándolo dentro de su primer ensayo, *La mujer española* (109-118). También el segundo artículo que publicó al inicio de 1873 en esta misma revista, "El alma de la humanidad" (Gimeno 1-3), formará parte de *La mujer española* (Gimeno 91-98). Además, *La lira española* recogió en su número del 10 de marzo de 1873 la noticia de la salida del primer número del periódico que Gimeno comenzaba a dirigir, *La Ilustración de la Mujer* (Vieyra de Abreu, "Bibliografía" 6). En el párrafo que está dedicado a esta nueva publicación, Gimeno queda descrita como "una distinguida y bella escritora" y su autor remarcaba que ella, la directora, no se iba a lucrar con este proyecto, ya que las ganancias que esta revista tuviera se destinarían "a la creación de establecimientos benéficos" (Vieyra de Abreu, "Bibliografía" 6). Esta matización no hay que pasarla por alto, ya que si no se hubiera destacado la relación de esta actividad periodística de Gimeno con el ejercicio de la caridad, el escándalo habría golpeado de lleno a esta escritora novel.

Es probable que, ya durante esta época, Concepción Gimeno estuviera ganando dinero gracias a sus escritos. No era conveniente que se hiciera público que una parte de sus ingresos procedía de su escritura, y menos aún que fuera a través del proyecto periodístico que dirigía, aunque no era la primera vez que una mujer se aventuraba a liderar una iniciativa así –entre otras mujeres que pusieron en marcha una empresa similar está la escritora Faustina Sáez de Melgar (1834-1895; Seguí Collar 91-103)–. De esta manera, destacando la caridad que se ejercía por medio de la publicación *La Ilustración de la Mujer*, que su objetivo era "abrir nuevos horizontes a la inteligencia de la mujer y redimirla de la servidumbre de la ignorancia", no despertaba sospechas y parecía más bien una iniciativa femenina más dentro de la más estricta normalidad (Vieyra de Abreu, "Bibliografía" 6). De hecho, Dupanloup no veía mal que sus lectoras –o, como también las nombraba, "discípulas"– escribieran y publicaran siempre y cuando siguieran atendiendo sus hogares, sus "maridos e hijos" no se opusieran a que lo hicieran y, por supuesto, que "la obra" que estaban haciendo no "fuese mala" (79). Dupanloup en lo que no se pronuncia es en el caso de que una mujer, además de publicar, dirigiera un periódico.

Este vacío en las argumentaciones a que las mujeres se dedicaran al mundo de las letras es el que Gimeno y otras escritoras aprovecharon para poner en marcha sus proyectos más allá de simplemente escribir y publicar. Como, gracias a sus escritos, Gimeno de Flaquer y otras autoras de su generación estaban evitando caer en el temido tedio, sus actividades en la República de las Letras no tenían por qué levantar sospecha alguna de que pudieran rasgar los cauces normativos del estereotipo femenino del "ángel del hogar". Aunque estas mujeres no estuvieran concentrándose únicamente en la escritura, y con estos extras realmente sí que estaban modificando de lleno el mismo arquetipo de género –véase al respecto el artículo de Gimeno de Flaquer incluido en este libro, "El ángel del hogar"–.

En el inicio de su carrera, Concepción Gimeno ya estaba en el camino de que su nombre se asociara paulatinamente con comportamientos y posicionamientos algo fuera de lo esperado para una mujer de buena reputación, aunque de una clase media tirando a baja. Poco tiempo después de la salida del primer número de *La Ilustración de la Mujer* (marzo de 1873) comenzó el intercambio de cartas entre ella y el actor –además de empresario teatral– Manuel Catalina. En términos generales, esta correspondencia trata de las vicisitudes que rodearon a la puesta en escena de la obra de teatro *Flor de un día* (Francisco Camprodón; 1851), dirigida por Gimeno, en la que además de actuar ella misma lo hicieron Catalina y otras personas cercanas al círculo de esta escritora, en el madrileño teatro Liceo Piquer el 29 de mayo de 1873 (Vieyra de Abreu, "La última función del Liceo Piquer" 5-7). Catalina no solo era famoso por sus dotes escénicas, sino también por su atractivo físico (Blasco Soler 135-148; véase figura IV.2). Desde el principio de su carrera, en la década de los años cuarenta del siglo XIX, Catalina personificó al perfecto actor galante, por un lado, porque estaba ligado a las clases elevadas de la sociedad, gracias a las buenas relaciones que mantenía con personas de esta posición y, por otro, puesto que de su personalidad sobresalía el estar guiada "por su moderación, por sus modales finos y elegantes" que le hacían un "cumplido caballero" y, conjuntamente, destacaba por ser un "artista notable" (E. I. 17).

Mientras se producía el cruce de misivas entre Concepción Gimeno y Manuel Catalina, el periodista Asmodeo (Ramón de Navarrete y Fernández Landa; 1820-1897) aprovechó su reseña del homenaje al poeta Narciso Serra (1830-1877), celebrado en Madrid en mayo de 1873, para hacerse eco de los rumores que circulaban alrededor de Catalina por su fama de seductor ("Diario de un vecino" 4). En este evento, Catalina leyó un poema de Serra, lo que Asmodeo aprovechó para remarcar la íntima conexión de este actor con el público femenino, diciendo con cierta sorna que "[m]uchos ojos y no solo femeninos, vi cuajados de lágrimas mientras Catalina daba a conocer los versos del poeta" ("Diario" 4). Algunos años después, en 1879, Gimeno se casó y este enlace –además de su luna de miel correspondiente– le sirvieron como un cierre de su primera etapa en la República de las Letras. Este deseo de poner punto final a este periodo de su vida, destacando cómo seguía las convenciones sociales, sobresale al examinar el ejemplar de *Victorina* que Gimeno regaló a la Infanta Isabel de Borbón y Borbón (1851-1931) poco después de su boda (Simón Alegre, "Ahora no pestañees" 126-128). En este libro, Gimeno incluyó una fotografía de ella vestida con su traje de novia (véase la figura II.2) y una dedicatoria para la Infanta en la que subrayaba cómo ya todo lo que la rodeaba seguía el buen camino (Simón Alegre, "Ahora no pestañees" 126).

Figura I.2: Retrato. Concepción Gimeno.

Fuente: Imagen procedente de los fondos de Patrimonio Nacional (Biblioteca del Palacio Real, signatura: INF/3236IH/3775/1).

Desde marzo a mayo de 1873, mientras Gimeno y Catalina se escribían misivas, la escritora vivía con su madre y sus hermanos en la calle Florida n.º 14 (Pintos 25). En esta ciudad, Gimeno y su familia no vivían cerca de los barrios que ocupaban las clases acomodadas-aristocráticas porque no pertenecían completamente a estas, pero tampoco formaban parte de los sectores populares. Por eso, Gimeno insiste en que con sus proyectos no se lucraba, porque hacerlo habría sido reconocer que trabajaba, algo que no estaba del todo bien visto, a no ser que fuera una mujer de clase baja. En su primera novela, *Victorina*, publicada tanto en formato de folletín como en libro (en dos volúmenes) en este mismo año, es fácil ver cómo la identidad de la escritora ayudó a perfilar a las tres personas que componen el trío amoroso que se desarrolla en el volumen primero: Cándida –la prometida de Mario–, que sostiene a su familia cosiendo; Mario –el galán–, que es poeta, pintor y, además, vive de su escritura; y Victorina –el amor imposible de este artista–, que aunque no trabaja, destaca por ser una primorosa pianista aficionada y, además, por sus dotes naturales de gran inteligencia –pues no había recibido una educación formal–. Todos estos atributos de Victorina fueron los que hicieron que Mario se enamorara perdida y obsesivamente de ella (Simón Alegre "Gimeno de Flaquer and her Transatlantic"). Por eso el escritor Juan Tomás y Salvany (o Juan Tomás Salvany; 1839-1911) insiste en que Gimeno de Flaquer era una mujer dedicada a su casa y a su marido:

> En una palabra, la existencia de Concepción se desliza plácida y tranquila, a semejanza del susurrante arroyo, entre tareas domésticas y tareas literarias, sin otros sentimientos que el apasionado amor a su marido, y reflejando siempre en sus cristales el limpio cielo de una ventura conyugal no interrumpida. ¡Ojalá que muchas la imiten! ¡Ojalá que muchas la igualen! ("Biografía" 14)[9]

Tras una lectura minuciosa de las cartas que Concepción Gimeno envió a Manuel Catalina, destaca, por un lado, que no contengan referencia alguna a la vida cotidiana que disfrutaba junto a su familia y, por otro, sobresale la independencia que tenía. La falta de menciones a su familia es todavía más significativa al consultar la reseña de la obra de teatro que Gimeno puso en marcha en el Liceo Piquer junto con Catalina, una velada que terminó con la interpretación de una *Sonámbula* al piano realizada por Rosario García Gil, la hermanastra de la escritora (Vieyra de Abreu, "Liceo" 6).[10] En la representación

---

[9] Tomás y Salvany publicó esta biografía, titulada "Concepción Gimeno de Flaquer", en *La Ilustración* (26 Nov. 1882); además de formar parte de las tres ediciones del libro de Gimeno de Flaquer, *Madres de hombres célebres*, salió en el *AM* (8 Jul. 1884), y con el título "Concepción Gimeno de Flaquer" en el *AIA* (7 Jun. 1906; Simón Alegre, "Ahora no pestañees" 128-130).

[10] Gimeno de Flaquer escribió el artículo "La alborada de la vida" en homenaje a los 15 años que cumplía su hermanastra (Rosario García Gil) en 1883: "Al ocuparme de la alborada de la vida, al describir los goces y los peligros de los quince años, he querido consagrarte, hermana mía, estas líneas, para que mis consejos dedicados a ti, puedan utilizarlos las jóvenes que se hallen en el umbral del mundo" (310).

de esta obra, *Flor de un día*, Gimeno estaba acompañada de su familia, pero en sus cartas nunca menciona que alguien más fuera con ella a sus entrevistas con el actor –que era la práctica común en la época (Martín Gaite 175-188)–. Según las cartas que envió a Catalina, en más de una ocasión se reunieron los dos a solas en un lugar con carácter privado como pudo haber sido el reservado de algún teatro. El encuentro en este tipo de sitios no era del todo infrecuente. Por ejemplo, en 1898, años después de que se produjeran estas reuniones, Emilia Pardo Bazán remarcó lo importante que era mantener este tipo de espacios para que mujeres y hombres pudieran hablar con cierta tranquilidad: "los salones y sus derivados (como los palcos y el *foyer* del Teatro Real) son los únicos lugares donde, al menos durante el invierno, se encuentran y conversan hombres y mujeres" ("Prólogo" 16; Simón Palmer, "Puntos de encuentro" 183-201). Además, es fácil conectar la independencia que Gimeno de Flaquer trasmite en sus misivas a la peculiar situación económica de la que disfrutaba pues, por un lado, sus escritos le daban algún tipo de ventaja económica y, por otro, además parece que percibía cierta cantidad de dinero propio procedente de una pensión de orfandad (Pintos 40). Lo difícil de precisar es cuánto de ese dinero se quedaba ella o si lo pasaba íntegramente a su madre. Este monto debió ser importante para la cotidianidad de la familia de Gimeno pues, cuando en 1879 se casó y estos pagos terminaron, su madre reclamó poder recibir ella este dinero (Pintos 58-59).

De estos primeros años que Gimeno pasó en Madrid deriva su afición al teatro, que por lo menos mantuvo hasta su salida de España en 1910 –véanse sus artículos "La mujer de Madrid" y "El ángel del hogar" como ejemplos–. De las cartas que envió a Manuel Catalina sobresale su faceta de actriz *amateur*, ya que el pretexto para comenzar este carteo fue convencer al reputado actor de que actuara con ella y con un grupo de aficionados en el Liceo Piquer, entre quienes estaba el que será su futuro marido, Francisco de Paula Flaquer y Fraisse (Francisco Flaquer, 1839-1918; Vieyra de Abreu, "Liceo" 5). Emilia Llul de Piquer (Emilia Piquer; ¿-1891) dirigía este teatro que estaba en la calle Leganitos. Este espacio era uno de los lugares de referencia y encuentro de la elite intelectual de la época (Freire López 129-140), por lo que representar una obra de teatro en este lugar con Catalina –quien nunca antes había actuado allí– implicaba para esta joven escritora el adquirir por sí misma un prestigio muy elevado (Vieyra de Abreu, "Liceo" 6). Por la importancia más allá de poner en escena esta obra, Gimeno insiste a Catalina en que no abandone este proyecto en las cartas 8 y 9, independientemente de que la relación que se había iniciado entre ellos había terminado (Simón Alegre, "Concepción Gimeno y el ocio" 438-445).

No es posible saber con exactitud cuándo Manuel Catalina y Concepción Gimeno se conocieron, ya que la primera carta que se conserva de su correspondencia no tiene fecha, pero como aparece en la edición crítica de estas misivas, tuvo que ser en el mes de marzo de 1873 –consúltese la carta 1–. Ya desde finales de 1872, en el periódico en el que colaboraba Gimeno en este momento, *La lira española*, hay referencias frecuentes a este actor que escasearán tras la representación de la obra –*Flor de un día*– el 29 de mayo de 1873. Como en la edición crítica de las cartas queda reflejado, este intercambio de misivas incluyó algo más que poner en escena la obra de teatro en cuestión, por eso cuando se estrenó, la relación entre ellos llegó a su fin definitivamente, reduciéndose la posterior unión de sus nombres a la publicación en el *AM* de una poesía firmada por Catalina, y a cuando en el periódico *La Crónica* –suplemento de esta publicación– se dio la noticia de su muerte (1886; Simón Alegre "Gimeno de Flaquer and her Transatlantic").

En la reseña que el escritor Carlos Vieyra de Abreu (1854-1918) publicó poco tiempo después del estreno de *Flor de un día* se perciben ciertas insinuaciones a que la relación entre Concepción Gimeno y Manuel Catalina había traspasado los límites de los ensayos ("Liceo" 5-7). Por ejemplo, Vieyra de Abreu remarca la actuación de Gimeno porque en su representación el personaje, la actriz y la mujer se habían mimetizado:

> tuvo momentos tan felices, arranques tan apasionados, gritos tan desgarradores, y respiraban sus frases tanta amargura (...) que nos hacía olvidar a la actriz y pensar en aquella mujer (...) abrumada por el peso del infortunio, desbordándose en inútiles torrentes de lágrimas, único recurso de la mujer cuando ha hecho trizas su corazón que no podrá latir jamás. ("Liceo" 6)

En la actuación de Catalina ocurrió algo similar, pues Vieyra de Abreu destaca la forma en que el actor hizo que los lamentos de su personaje expresaran, más que una amargura figurada, una real: la del propio hombre, ya que "su rostro palidecía por grados como si diese el último adiós a la esperanza" ("Liceo" 6).

Además, la actuación de Concepción Gimeno en *Flor de un día* despuntó porque fue indiscutiblemente "la heroína del drama" gracias a "la maestría de su talento y el sello de la elegancia" que le hizo ganarse el recibir "[a]plausos, flores y coronas" (Vieyra de Abreu, "Liceo" 6). Si ese 29 de mayo de 1873 Concepción Gimeno mostró estar en lo más alto de sus dotes interpretativas, Manuel Catalina hizo todo lo contrario, ya que su actuación solo "estuvo a la altura de su justa reputación" (Vieyra de Abreu, "Liceo" 6). Lo que evidenció que su época dorada –que coincidió con sus trabajos al lado de la actriz Matilde Díez (1818-1883) sobre los escenarios ya había pasado (E. I. 4). La interpretación algo regular de Manuel Catalina –de las cartas 8 a 10 se desprende que ensayó poco antes del estreno– no evitó que recibiera una corona y la propia Concepción Gimeno le regalara una "bella pluma de plata" que incluía una –para nada inocente– dedicatoria: "El arte nos reconcilia con la vida" (Vieyra de Abreu, "Liceo" 6).

Esta misma frase está en la carta primera que la escritora mandó a Manuel Catalina en el mes de marzo de 1873 –consúltese la sección de cartas de este libro– y, además, abrirá el capítulo "Aptitud de la mujer para las artes" de su ensayo de 1877 *La mujer española* (61).[11] Es claro que Concepción Gimeno le estaba mandando un mensaje subliminal al actor al hacer pública una frase que solo ellos dos sabían que había sido importante para el inicio de sus relaciones. Además, con esta dedicatoria pública, le estaba remarcando el próximo final de lo que había pasado entre ellos. Años después, Gimeno de Flaquer diferenció lo que era el amor –que se sellaba con un matrimonio– de otros sentimientos, los cuales solo conseguían descentrar: "¡Oh amor bendito! Sé siempre nuestro faro, para que no nos extraviemos en el océano de las pasiones bastardas" ("Luna de miel" 766).[12] Además, cuando las diez cartas se ponen en relación con la reseña de Vieyra de Abreu, la lectura del artículo "La pluma" –incluido aquí– destaca por los paralelismos que tiene con ese momento en la vida de Gimeno y, tal y cómo se indica en sus notas al pie de página correspondientes, es posible que ese "amigo" al que la escritora dedicaba el texto en su versión primera se tratara de Catalina.

A poco de cumplir un año del estreno en el Liceo Piquer, el 9 de mayo de 1874, Concepción Gimeno llevó a escena *Espinas de una flor* –sin la colaboración de Manuel Catalina– y la obra de teatro *Una apuesta*, pero en compañía de, entre otras personas, su futuro marido, el "publicista" Francisco de Paula Flaquer (*Correspondencia de España*, 10 May. 1874). Es en la reseña que publicó el semanario *El Arte*, firmada con las iniciales P. L., donde hay más información respecto a este estreno. P. L. destaca que, aunque la obra de *Espinas de una flor* "no tiene gran interés dramático" y se hallaba "exenta de descuidos", la actuación de Gimeno "estuvo feliz en diferentes ocasiones mereciendo nutridos y espontáneos aplausos", sobre todo por la parte final. Gimeno terminó "obsequiada con una lluvia de ramos de flores y una preciosa corona de laurel y oro con cintas blancas en las que se leía, A Concepción Gimeno, sus amigos" (P. L. 3). Además, actuaron Julia de Moya, Herminio

---

11 No hay que descartar que Concepción Gimeno escribiera este capítulo con los textos que, mientras intercambia cartas con Manuel Catalina, le dedicó, o incluyera parte de sus conversaciones.

12 Cabe la posibilidad de que también parte de su artículo "Luna de miel" formarán parte de su texto "Cartas de una provinciana" por los paralelismos que había respecto a la correspondencia con Manuel Catalina.

Cuartero, José Ramos, el "Sr. Zorrilla" y Remedios Bustos y, en esta ocasión, también la hermanastra de Gimeno, Rosario García Gil, tocó una pieza de piano, y Vieyra de Abreu y Tomás y Salvany leyeron algunas poesías (P. L. 3). Después, Concepción Gimeno, Remedios Bustos y Francisco de Paula Flaquer representaron *Una apuesta* (puede tratarse de la obra del escritor Manuel Tamayo y Baus escrita en 1851) en la que "desempeñaron con acierto sus respectivos papeles, siendo muy aplaudidos" (P. L. 3).

Otro aspecto poco claro de la biografía de Concepción Gimeno es cuándo conoció y se comprometió con el que será su marido –a partir del 11 de julio de 1879–, el periodista catalán Francisco de Paula Flaquer (Simón Alegre, "Concepción Gimeno y el ocio" 434). Desde el 29 de mayo de 1873, día del estreno de *Flor de un día* en el Liceo Piquer, aparece Flaquer como parte del grupo *amateur* que sacó adelante este proyecto (Vieyra de Abreu, "Liceo" 6). Vieyra de Abreu se esmeró en que Flaquer –aunque con un papel secundario en esta producción– destacara por haber demostrado estar en posesión de unas dotes interpretativas excelentes ("Liceo" 6). Si ya existía un compromiso previo entre la pareja, con estas laudatorias palabras Vieyra de Abreu se aseguraba de que el supuesto prometido también sobresalía dentro de esta producción. Fuera lo que fuera lo que les llevó a este enlace, Flaquer, aunque provenía de una familia catalana de buena posición, no tenía ni trabajo fijo ni vivienda propia cuando se casó (Pintos 55). No hay que pasar por alto que para Francisco de Paula Flaquer este enlace conllevara repercusiones sociales positivas, cuyo verdadero alcance todavía requiere más investigaciones en relación a su biografía. También cabe la posibilidad de que la familia de Flaquer no aceptara del todo este matrimonio, lo que explicaría la ausencia en el enlace de la pareja del padrino, el hermano de Francisco de Paula Flaquer –José Flaquer y Fraisse (Pintos 54)– y, dada esta circunstancia adversa, Concepción Gimeno –para ganarse simpatías– dedicara algunos de los artículos que sacó después de este enlace a diferentes miembros de su familia política.

Al poco tiempo de casarse –en julio de 1879– el matrimonio comenzó un viaje por Portugal en el que la escritura fue una de las actividades diarias para estos recién casados. Acción que la pareja combinó con un dilatar del "corazón entregado a la plenitud de los goces legítimos que son los más satisfactorios", tal y como Gimeno de Flaquer describía lo que ocurría en una luna de miel al uso (*Mujer juzgada* 61; 1887). En el mismo mes de julio, Francisco de Paula Flaquer firmó desde Lisboa el artículo "Costumbres cubanas. La rompe molienda" (351-352) y el 9 de agosto, desde esta misma ciudad, Concepción Gimeno publicó otro texto titulado "La vanidad" que rubricó –es probable que por primera vez– añadiendo ya a su nombre el apellido de su marido: "de Flaquer" (416). Además, la escritora publicó tres cartas tituladas "Un verano en Portugal" dirigidas a su cuñado –José Flaquer y

Fraisse–, donde describía tanto los diferentes lugares que durante su estancia en este país le habían llamado la atención como a las personas que conoció allí (447-448, 510-512 y 731-735).

Solo en la primera y última de estas tres cartas Gimeno de Flaquer menciona brevemente a su reciente marido, donde desvela que le llama "Paco" y subraya lo feliz que está con quien describe –más que como a un esposo– en calidad de benefactor: "hoy que un genio protector esparce sus invisibles alas sobre mi frente; hoy que todo me sonríe" e indica que el rey de Portugal le ha "regalado a su marido una condecoración" ("Un verano en Portugal" 447 y "Un verano en Portugal. Carta III" 735). Es importante remarcar cómo en estas cartas la escritora no nombra su estancia en este país como luna de miel o viaje de novios. Únicamente, después de la publicación de la tercera de estas misivas, Gimeno de Flaquer sacó en el siguiente número de *El Mundo Ilustrado* un artículo titulado "Luna de miel" (766), texto que aprovechó para describir la importancia de que sucediese en su propia experiencia un momento así, pero sin mencionar ninguna conexión personal entre esta celebración y su vida, cuando todavía se podía referir a sí misma como a una recién casada. Este artículo era una especie de explicación al grabado del cuadro del pintor Ricardo Baraja titulado "Luna de miel", que incluía este periódico.

La lectura conjunta de estos artículos, publicados bajo su nueva firma "Gimeno de Flaquer", muestra la manera en que inauguró su identidad pública tras este enlace. Lo hizo remarcando que ya era tanto una mujer integrada en una clase media-alta, como una escritora que –aunque con el "sí quiero" había aceptado entrar de lleno en el terreno normativo del "ángel del hogar"– entre otros beneficios había conseguido el de comenzar a viajar por placer y publicar acerca de esta experiencia (Simón Alegre "Cartagena y Murcia"). Gracias a esta unión se rodeó de quienes a partir de este momento formaban parte de su familia política y pertenecían a la elite intelectual del momento y, además, contaban con un espacio propio en los medios sociales. A su previa red de contactos –donde sobresale la presencia del escritor Juan Tomás y Salvany, con quien estuvo en conexión hasta el final de su carrera y que también colaboró en *El Mundo Ilustrado* a la vez que el matrimonio lo hacía–, se unieron las nuevas amistades que fueron poco a poco entrando en su vida. Gimeno de Flaquer amonestó a Tomás y Salvany en *La mujer juzgada por una mujer* (132-133; 1887) por unos versos que al parecer escribió inspirado por ella e incluyó en su novela *Concepción* (publicada alrededor de 1883; Simón Alegre, "Introducción crítica").

En la trayectoria de Gimeno de Flaquer se distingue la consciencia que tuvo acerca de la importancia de mantener sus contactos y remarcar en el espacio público que estaba relacionada con determinadas personas: a lo largo de toda su carrera –véase la sección de cuentos cortos y artículos periodísticos de este libro al respecto– usó las dedicatorias para asegurar y reafirmar sus conexiones. Un buen ejemplo de este uso está en el artículo "La influencia de la novela", publicado en *El Mundo Ilustrado* poco después de casarse y que curiosamente dedica a Josefa Blat de Bosh y Labrús, la esposa del padrino suplente en su enlace (Gimeno de Flaquer 342; Pintos 54). Este texto lo abre con una breve carta que dirige a la "distinguida y discreta" Josefa Blat, a quien describe como "su apasionada amiga" y le explica que le dedica el artículo por "el entusiasmo" que ha mostrado por sus libros (Gimeno de Flaquer, "La influencia de la novela" 342).

Además, el incluir dedicatorias en sus trabajos le sirvió en este periodo de su carrera para algo más. Gimeno de Flaquer cuidó de que sus colaboraciones en *El Mundo Ilustrado* nada más casarse no se interpretaran como una falta de interés por su parte por la maternidad y la infancia. Dentro del arquetipo del "ángel del hogar", tener descendencia era la aspiración máxima que una recién casada debía anhelar. Si esto no pasaba, tal y como el escritor Benito Pérez Galdós (1843-1920) retrató en *Fortunata y Jacinta* (1887), los hijos del esposo fuera del matrimonio podían formar parte de la pareja. Gimeno de Flaquer, para mostrar que la maternidad iba a ser compatible con su vida dedicada a las letras, sacó el artículo titulado "La madre", donde destacaba que "la aureola de la maternidad es la mejor diadema" (25) para una mujer y, por otra parte, dedicó dos de sus siguientes textos a sus sobrinos políticos: Pepe y Rosita Flaquer y Valle ("Los santos reyes" 127-128 y "La infancia" 590-591). Y así de paso seguía estrechando los lazos con su familia política y vinculándose a ella para fortalecer su identidad de autora dentro del espacio público.

La importancia de este enlace para Francisco de Paula Flaquer y Concepción Gimeno está también en la línea de lo que ha planteado la investigadora Angie Simonis en su libro *Yo no soy ésa que tú te imaginas* (2009). Simonis ha insistido en presentar que la rebeldía de las mujeres fuera de los arquetipos de la heteronormatividad y contra el androcentrismo cultural ha tenido diferentes maneras de expresión. Para Simonis, hay tres puntos importantes a tener en cuenta en la trayectoria de una escritora: matrimonios peculiares, falta de descendencia y una insistencia en tramas amorosas densas en sus novelas (12). Cuando alguna de estas características sobresale en la biografía de una autora, nos encontramos ante una figura posicionada fuera del canon del "ángel del hogar". En el caso de Gimeno de Flaquer, se dan estas tres prácticas. Como muestran su enlace e inmediato viaje a Portugal desde los primeros momentos de su matrimonio, destaca que los cónyuges tenían "una convivencia no acorde con este sistema" (Simonis

12). La pareja Flaquer-Gimeno no tuvo descendencia y no es posible saber los motivos para que esta situación fuera así.

Acerca del tema de la maternidad, llaman la atención dos aspectos en la trayectoria de Gimeno de Flaquer. Desde su enlace con Francisco de Paula Flaquer hasta el final de su estancia en México en la primavera-verano de 1890 es cuando más referencias hay al hecho de que, además de estar juntos en la dirección del *AM*, también eran un matrimonio unido. Por ejemplo, Gimeno de Flaquer le dedicó su artículo "El amor" –incluido en este volumen– para quitar la dedicatoria al volver a publicarlo años después, ya instalados en Madrid. Al terminar su estancia en México, y viviendo el matrimonio en esta ciudad, a partir de 1890, escasean las referencias personales en relación al matrimonio que eran, más allá de las estrictamente profesionales, como el que su marido estuviera presente en los banquetes que preparaban en su honor y que en los padrones municipales de esta ciudad quedara recogido que siempre declaraban vivir juntos en el mismo domicilio (Simón Alegre "Introducción crítica"). Por ejemplo, el cuento corto "Los tres velos" –también incluido en este trabajo– es una narración desgarradora de cómo una mujer, tras la muerte de su marido, descubre que la engañaba con otra mujer.

Es en sus tres últimas novelas, *¿Culpa o expiación?*, *Sofía* y *Una Eva moderna*, donde la cuestión de ser madre tiene una importancia relativa. Con *¿Culpa o expiación?* –que publicó con otro título, *Suplicio de una coqueta*, en 1885– se acercó casi por primera vez en su escritura al tema de la maternidad, pero más que al hecho en sí de ser madre subrayó la preparación de la protagonista (Margarita) para recibir a la bebé, ya que meses antes del parto se compró una muñeca que simulaba la futura recién nacida (Gimeno de Flaquer 143-146). Por su parte, en *Sofía* incluyó la muerte terrible de la hija de la protagonista en alta mar a causa de la epilepsia congénita que padecía. Y en *Una Eva moderna*, asegurar el porvenir de la hija es lo que hace a su protagonista tomar las riendas de su vida. Es evidente que Gimeno de Flaquer, después de su enlace, incluye en su obra de ficción cuestiones relacionadas con la maternidad y el ser madre, pero de una forma dramática, ya que es posible que fuera así cómo vivió ella misma enfrentarse a un momento de tal envergadura en su vida y que nunca parece que experimentó.

Por último, la tercera práctica señalada por Simonis, la insistencia en escribir tramas con complejos temas amorosos, Gimeno de Flaquer la cumplió con creces. Un buen ejemplo es su cuento corto "Por no amar" –incluido en este volumen–. En esta historia –que Gimeno de Flaquer narra como un hecho real–, su protagonista termina en un psiquiátrico –en concreto en el hospital del doctor Esquerdo de Madrid– porque al no poder tener ningún sentimiento hacia su marido –hombre amable y cariñoso– decide infligirse dolor y además destrozar todo lo que proceda de él. Entre los temas que trata Gimeno de Flaquer aquí se entrelazan la crueldad de no poder elegir con quien casarse junto con que en algunas ocasiones la orientación sexual requerida –heterosexual– no era una posibilidad para una mujer. Tal y como las investigadoras Lou Charnon-Deutsch (*Narratives of Desire* 41-78) y Nuria Godón ("Masoquismos: Revisión crítica del discurso" 101-117) han subrayado, las cuestiones e ideas relacionadas con el masoquismo formaron parte de las narrativas de ficción finiseculares de la comunidad de las Letras. La importancia de reseñar el masoquismo como un elemento narrativo más, abre la posibilidad a que tanto las protagonistas de esas ficciones como las autoras que las escribieron diesen a este tipo de prácticas emocionales, simbólicas, culturales y físicas un lugar de expresión propia dentro del mundo de las mujeres (Charnon-Deutsch, "The Social Masochism of Nineteenth-Century" 111-135; Godón, *La pasión esclava* 55-96)

Durante toda la segunda parte del siglo XIX y principios del siglo XX, por diferentes motivos, no siempre el matrimonio era considerado por las mujeres como una opción o posibilidad factible y real, y de hecho algunas de las escritoras de la generación de Gimeno de Flaquer optaron por no casarse y/o por convivir con otras mujeres, como por ejemplo hizo Julia de Asensi y Laiglesia (Díez Ménguez 37). Esta escritora publicó en 1880 la novela epistolar *Tres amigas*, que ayuda a entender cómo muchas mujeres de este periodo llegaron al matrimonio como una opción de la que a veces no podían escapar (Malin 103-110). Las tres protagonistas de esta novela se conocen en un convento y las tres pertenecen a clases sociales diferentes, pero aun así se hacen amigas y mantienen su amistad fuera del convento (Asensi y Laiglesia, *Tres amigas* 33). A través del intercambio de cartas se van descubriendo los pormenores de las dos chicas que regresan con sus familias y cómo una se ve forzada al matrimonio y la otra muere tras quedar abandonada por su amante, y la amiga que había decidido hacerse monja se encarga de cuidar a la hermana de la fallecida. Por su parte, Gimeno de Flaquer prevenía que la mujer que se casara "por ambición de pompas mundanales" terminaría siendo una desdichada, y advertía al grupo de "las modernas *argonautas*"[13] que podían estar buscando otra cosa que no lo iban a hallar, porque "es más fácil encontrar el vellocino de oro que la felicidad" ("Luna de miel" 766). Por tanto, la decisión de formar el matrimonio Flaquer-Gimeno significó para ambos cónyuges entrar en el terreno de las formalidades sociales, pero usando esta unión tanto con un sentido mercantil como el lugar que simbolizaba su convivencia, pero en la que cada cónyuge mantenía su propia vida (Simón Alegre, "Prensa, publicidad" 32-43; Vicens, "Ensayos profesionales" 77-94).

[13] Cualquier cursiva incluida en el texto original de Gimeno de Flaquer es de la autora.

A falta de otro tipo de fuentes en relación a todo lo que rodeó a la formación de esta pareja, las novelas que escribió Concepción Gimeno de Flaquer desde 1873 hasta 1909 –*Victorina, El doctor alemán, Maura, Sofía, ¿Culpa o expiación?* y *Una Eva moderna*– además de los cuentos cortos incluidos aquí, sirven como un recurso para plantear este matrimonio como un enlace de conveniencia y que se mantuvo así hasta el final de la vida de ambos. La mayoría de las protagonistas de las novelas de Gimeno de Flaquer se casaron más que guiadas por el amor, por la supervivencia (Simón Alegre "Gimeno de Flaquer and her Transatlantic"). En líneas generales, en cada una de estas historias, las uniones representaban una ayuda fundamental tanto para sus familias como para ellas mismas en el camino del éxito, en cuanto a la mejora de sus situaciones económicas-sociales (Díaz Sánchez 175-184). Aunque Gimeno de Flaquer, en su artículo "Luna de miel", sostenía que "un matrimonio sin amor es un adulterio, un suicidio del alma" (766), para la escritora este sentimiento, el amor en sí, más que indicar un enamoramiento era sinónimo de mostrar respeto por el futuro compañero de vida.

De las seis novelas de Gimeno de Flaquer, la primera de ellas, *Victorina*, es el mejor ejemplo de cómo una mujer, Victorina, que podía ser la propia escritora, terminó casada con un hombre del que no estaba enamorada (Simón Alegre "Gimeno de Flaquer and her Transatlantic"). Como ya he mencionado, es posible que en marzo de 1873, cuando Concepción Gimeno y Manuel Catalina se escribían, la escritora ya estuviera comprometida con Francisco de Paula Flaquer. En la carta décima, Gimeno le insinúa a Catalina que sus relaciones no pueden seguir por el camino íntimo que el actor quiere porque ella ya tiene un compromiso: "Yo sería el Galeno de su alma pero para serlo necesitaba ser viuda". Gimeno estaba soltera cuando publicó esta novela, pero comprometida, por lo que la escritora no sabía cómo sería su vida con alguien con quien tenía la obligación de casarse: "hay imposibles a los cuales podríamos aplastar la cabeza y sin embargo doblamos ante ellos la cerviz" (Carta 9). Por eso la vida de casada de Victorina que Gimeno desarrolló en esta novela –consúltese el volumen II de *Victorina*– es dramática tanto por la doble vida del marido y su trágico final, como por la inexperiencia de esta mujer manejando las apariencias y los rumores. Es fácil pensar que Gimeno compuso esta parte guiada más por su imaginación o por lo que otras mujeres le habían podido contar, que por su propia experiencia.

Desde sus primeros momentos, la vida de casada de Concepción Gimeno con Francisco de Paula Flaquer no tuvo que ser un completo infierno y rozar los límites del esperpento –como sí que pasaba en su primera novela– porque aunque en su siguiente libro, *El doctor alemán*, las protagonistas tienen que luchar para casarse con quienes ellas eligen, parece que su futuro como esposas será bueno (Simón Alegre "Cartagena y Murcia"). Por su parte, *El doctor alemán* es el libro más positivo de todos los que escribió Gimeno de Flaquer, donde la clave de la felicidad está en entrelazar la amistad entre dos mujeres unidas por el hecho de terminar siendo cuñadas tras pasar por muchas vicisitudes, como por ejemplo que una de ellas incluso adoptara una identidad masculina (Simón Alegre "Cartagena y Murcia"). Esta novela está dedicada a la familia portuguesa-brasileña "del Excmo. señor Mendes Monteiro" y de su dedicatoria sobresale la insinuación de que el trato con esta familia inspiró este libro: "como se halla el recuerdo de ustedes en las páginas de mi corazón, y viene a estrechar más y más los fraternales lazos de nuestra alma" (*El doctor alemán* 4; ver figura I.3).

Esta familia –de origen portugués aunque ligada estrechamente con Brasil– estaba compuesta, al menos, por Francisco Augusto Mendes Monteiro (1816-1890), Teresa Carolina Alves de Carvalho (1810?-1871?), Antonio Augusto de Carvalho Monteiro (1848-1920) y Perpetua de Carvalho Monteiro (1852-1913). Es importante remarcar la intención de Gimeno de Flaquer de no aportar la identidad concreta de ningún miembro más de esta familia –excepto el patriarca– en su dedicatoria. Tal y como recoge en la carta primera sobre su viaje a Portugal en 1879, conoció "al señor Mendes Monteiro" y de este encuentro destacaba la educación que se encargaba de dar a sus hijos, ya que en su residencia tenían un museo donde reunían ejemplos relacionados con la flora, la fauna y los minerales (Gimeno de Flaquer, "Un verano en Portugal" 448). Su amistad siguió años después, cuando esta escritora vivía en México les envió diferentes números del *AM* con esta dedicatoria: "Testimonio de sincera amistad a la muy estimable familia Mendes Monteiro. Cariño [sic] recuerdo de Concepción Gimeno de Flaquer".[14]

En sus siguientes novelas, *Sofía, ¿Culpa o expiación?* y *Una Eva moderna*, sus protagonistas llegarán al matrimonio por conveniencia y, aunque sus vidas familiares no serán tan dramáticas como en *Victorina*, la felicidad con esos maridos impuestos será escasa, pero estas uniones no les impedirán realizar proyectos de vida importantes, como la propia Gimeno de Flaquer hizo hasta su muerte. Es muy probable que su novela *Maura*, aunque la publicó en 1888, la tuviera escrita desde antes y se tratara de una versión mejorada de otra de la que todavía no se ha localizado ningún ejemplar: *Luz en la mente y tinieblas en el corazón* (prevista para su salida a finales de 1873, pero que nunca apareció; Simón Alegre "Introducción crítica"). En su cuento corto "El secreto" y en sus ensayos "La obrera mexicana" y "¡Plaza a la mujer!", Gimeno de Flaquer insistirá en que las mujeres tengan algunos recursos económicos que sus familias debían poner a disposición para ellas –como por

---

[14] Esta dedicatoria está incluida en el ejemplar de *El Álbum de la mujer* que conserva la Biblioteca del Congreso de los Estados Unidos.

ejemplo abriendo cuentas de ahorros en La Equitativa– para que así tuvieran la opción de elegir mejor su futuro y no verse empujadas a casarse.

A principios de junio de 1883, el matrimonio Flaquer-Gimeno llegó a México (*El Nacional*, 16 Jun. 1883) y los motivos que le llevaron a hacer este viaje y residir allí hasta mediados de 1890, por el momento son poco claros, a excepción de que Gimeno de Flaquer impartiría algunas conferencias en este país (Pintos 119). La marcha del matrimonio a México puede responder a que, durante la generación de esta autora, este destino suponía acceder a nuevas oportunidades para prosperar económicamente, y además se trataba de un lugar que todavía despertaba una cierta fascinación exoticista-postcolonial. Sobre todo este último aspecto hay que conectarlo con la legendaria viajera por este país, la escritora hispano-escocesa Fanny Calderón de la Barca (Francisca Erskine Inglis de Calderón de la Barca; 1803-1882). En 1843 publicó el libro *Life in Mexico during a Residence of Two Years in that Country*, que circuló por España en su edición original desde este mismo año y no se traduciría al español hasta bastante más tarde (*La vida en México durante una residencia de dos años en ese país*, 1920; Teixidor XVI).

La obra de Calderón de la Barca está compuesta a partir de las diferentes cartas que mandó a familiares y amistades mientras viajaba por México. De las crónicas y reflexiones que introdujo en esta correspondencia sobresale la descripción positiva que hizo de doña Marina (Malintzin; 1500-1527 o 1551)– "acompañó a Cortés en todas sus expediciones, quien siguió sus consejos (...) siempre desempeñó un papel de importancia" (Madame Calderón 287). Doña Marina fue intérprete del explorador-conquistador Hernán Cortés (1485-1547) y una figura histórica sobresaliente para los españoles y sus aliados indígenas en Mesoamérica (Madame Calderón 286-289; Arkinstall, "Challenging Pasts, Exploring Futures" 30-33; Bianchi, "Doña Marina" 23-45; Teixidor XVI-XXII). Es posible que Gimeno de Flaquer conociera este trabajo, pues ella también insistió en la importancia de doña Marina –consúltese el artículo incluido en este volumen "La consejera de Cortés" y la figura V.3 al respecto–. Además, Calderón de la Barca colaboró con el hispanista William Hickling Prescott (1796-1859) en la documentación para realizar su libro de referencia acerca de la llegada de Hernán Cortes a Mesoamérica en 1519, *The History of the Conquest of Mexico* (*La historia de la conquista de México*, 1843; Teixidor VII-LXVII), trabajo que Gimeno de Flaquer usó en sus escritos acerca de la historia de esta zona –véase la selección de artículos incluidos en este volumen que esta autora compuso mientras residió en la capital en México, *Anáhuac* en nahua y se han reunido bajo el epígrafe de: "Encuentros de Concepción Gimeno de Flaquer con México y las mexicanas"–.

Fanny Calderón de la Barca –también conocida como Madame Calderón– tuvo la oportunidad de viajar por México desde 1839 hasta 1841 acompañando a su marido Ángel Calderón de la Barca y Belgrano (1790-1861), embajador español en este país. Después de su regreso de México y tras el fallecimiento de su esposo, residió en el Palacio Real de Madrid hasta su muerte, ya que la reina Isabel II (1830-1904) la nombró tutora de la Infanta Isabel de Borbón (Teixidor XVI). El periódico *El Diario de Avisos de Madrid* recogió la noticia de su muerte en una crónica sin firma el 25 de febrero de 1882. Todavía no es posible determinar si Concepción Gimeno conoció a Calderón de la Barca y si en algún momento consultó su libro, aunque era una figura familiar entre su círculo de amistades. Por ejemplo, la escritora Patrocinio de Biedma (1845-1927) –directora del periódico *Cádiz* (1877-1880), publicación en la que Gimeno y su futuro esposo colaboraron– en la biografía que escribió en 1883 acerca de esta infanta, remarcó la importancia de Calderón de la Barca en la vida de Isabel de Borbón (Biedma 233).

Concepción Gimeno de Flaquer no era la primera autora española –ni tampoco será la última– que decidió probar suerte por las Américas. Por ejemplo, la escritora y también viajera transatlántica imparable Emilia Serrano –la Baronesa de Wilson– había realizado un primer viaje por el continente americano (entre 1864 y 1866; Fernández, *365 relojes* 30) para, pocos años después, emprender otro periplo en el que recorrería el Cono Sur y que le llevaría hasta México en fechas muy cercanas a la llegada del matrimonio Flaquer-Gimeno a este país (Romero Chumacero 9-25). Estas dos escritoras se conocían de antes, pero la relación parece que era un tanto inestable. En esta ciudad, ambas coincidieron en diferentes eventos, casualidad que los medios de comunicación aprovecharon para insinuar que, si existía cierta enemistad entre ellas, no era por parte de Gimeno de Flaquer. Así pasó en la fiesta de Nochebuena celebrada el 24 de diciembre de 1884 en la redacción del periódico *La Patria*, dirigido por el periodista Ireneo Paz (1836-1924). A esta celebración acudió el general Porfirio Díaz (1830-1915) –junto con su mujer Carmen Romero Rubio de Díaz (1864-1944)–, además de los ministros y generales más destacados de su gobierno.

Las mayores atracciones de esta celebración fueron el Árbol de Navidad que presidía el salón y el saber quién tomaba qué decoración de él. Entre las selectas personas invitadas estaban las escritoras Emilia Serrano (Baronesa de Wilson) y Concepción Gimeno de Flaquer, quien al parecer fue sin su marido a este evento (Anónimo, "Árbol de Noche Buena" 2-3). En esta fiesta, a Gimeno de Flaquer se la cita en tres momentos diferentes. El primero de ellos es cuando le toca el turno al general Hermenegildo Carrillo de tomar uno de estos regalos-decoraciones, pero lo hace tan rápido que nadie se da cuenta de su selección. Se menciona a Gimeno de Flaquer "la inspirada, y simpática, y graciosa, y encantadora, y espiritual" que lo describe como "el militar más cumplido, el más galante caballero, el más hábil admirador de la belleza plástica" (Anónimo, "Árbol" 2). Después, Gimeno de Flaquer aparece mencionada al describir su regalo: "un coche formado de una concha, tirado por brillantes mariposas para llevarla al Parnaso" (Anónimo, "Árbol" 3). Y por último, se la nombra cuando Emilia Serrano eligió su presente: "una elegante lira de marfil" que se puso a tocar de inmediato y "[u]n nutrido aplauso resonó en el salón y la Sra. Gimeno de Flaquer se apresuró a felicitarla" (Anónimo, "Árbol" 3). Gimeno de Flaquer, en su novela *Sofía*, ofrece algunas pistas de lo que pudo pasar más allá de la recogida de estos obsequios navideños. En esta novela describió un evento similar, del que subrayó la competitividad que se respiraba entre mujeres por ver quién de ellas llamaba más la atención tanto por su belleza física como por lucir las prendas que estaban más a la última. Además, no es desacertado ver la relación que sostienen las dos primas –protagonistas de la trama de *Sofía*– como un reflejo de la manera en que Gimeno de Flaquer y Serrano manejaron la presencia e interferencias de la vida de una en la de la otra (Simón Alegre "Introducción crítica").

Si bien es cierto que Emilia Serrano y Concepción Gimeno de Flaquer tuvieron amistades e intereses en común, parece que el conseguir que sus empresas periodísticas salieran adelante en México les llevó a alguna que otra confrontación pública, como la que relata la investigadora Pura Fernández que protagonizaron en 1884 al enfrentarse a paraguazos en mitad de una calle mexicana (*365 relojes* 372). Además, en el periódico de Gimeno de Flaquer –el *AM*–, en el que publicar el retrato de una mujer importante en el terreno de las humanidades y las artes era uno de sus signos distintivos, no se ha localizado portada alguna con la imagen de Serrano y tampoco que hubiera alguna colaboración de esta autora dentro de sus páginas, prueba de que la relación entre ambas no fue del todo cordial. Gimeno de Flaquer, cuando hizo una valoración de las mujeres que habían fundado publicaciones periódicas, aunque reconoció a Serrano en esta lista y destacó su periódico madrileño, *El último figurín* (1871-1872), no remarcó ninguna de las iniciativas periodísticas que había puesto en marcha en tierras mexicanas, como el periódico *Almanaque de las Damas* (1883; Fernández, *365 relojes* 368; Gimeno de Flaquer, "Mujer contemporánea" 567).[15]

Durante los siete años que el matrimonio Flaquer-Gimeno vivió en México ciudad, registró cinco domicilios diferentes, donde también estaba inscrita la redacción del periódico el *AM* y su suplemento *La Crónica*, ambos publicados y gestionados por la pareja a lo largo de su estancia en este país. Primero comenzaron a vivir en el céntrico y exclusivo Hotel Iturbide, para después trasladarse –no muy lejos del centro de la ciudad– a la calle Leandro del Valle –

[15] Este mismo artículo lo incluyó en el libro que publicó en 1901, *La mujer intelectual*, en el capítulo "Periodistas" (103-124).

donde residieron en los números 12 y 15– y a partir de 1886 mudarse a las calles Amor de Dios y de la Aduana Vieja. Ambos cónyuges viajaron por diferentes lugares del país, además visitaron Guatemala, Venezuela y Cuba, y se implicaron de manera activa en los grupos españoles de estos lugares, como por ejemplo en los casinos españoles de México y de Veracruz (Pintos 70-124; Simón Alegre "Introducción crítica").

A poco tiempo de que se cumpliera el primer aniversario de Concepción Gimeno de Flaquer en México, los periodistas José Barbier (1822-1902; Gutiérrez Domínguez 111-130), de *La Voz de España* y Filomeno Mata (1845-1911), de *El Diario del Hogar*, editaron un libro en su honor: *Homenaje a Concepción Gimeno de Flaquer* (1884). La justificación de esta obra era simbolizar "una preciosa corona" para "ceñirla en la sien de la virtuosa dama, de la simpática amiga y de la infatigable escritora española que honra a su sexo", pero no escrita por ellos, sino por "plumas más diestras" que con sus textos se habían encargado de formar "un ramo" para ofrecerle a esta autora como muestra de su reconocimiento (Barbier y Mata 4). Al menos esta es la intención que dejaron por escrito, pero cuando se hojea este libro sobresale la más que posible intervención de la homenajeada en su elaboración. El aparente homenaje espontáneo de la nueva comunidad de la que formaba parte esta autora albergaba más el propósito de su propia autopromoción dentro de la República de las Letras mexicanas que presentar un simple tributo (Bieder, "Feminine Discourse" 459-477).

El libro de Barbier y Mata hay que interpretarlo como una extensa carta de presentación de Gimeno de Flaquer, más que de su trabajo, de quienes eran sus apoyos y de las redes de contactos de las que formaba parte, pues no hay ni un solo fragmento de sus textos en las páginas de *Homenaje a Concepción Gimeno de Flaquer*. A la altura de 1884, vivía y trabajaba en México y no estaba sola, rasgo que quería remarcar destacando tanto las nuevas –y poderosas– amistades que había hecho, que incluían nombres importantes en la política, pasando por la prensa, los negocios y el emergente movimiento político de mujeres en este país. Este último lo capitaneaba la escritora mexicana Laureana Wright de Kleinhans (1846-1896), que incluyó en esta obra su poema "A la cantora de las mujeres y las flores" –dedicado a Gimeno de Flaquer–, donde subrayaba su apoyo y la conexión que tenía con ella: "¡Dejad que agradecida mi lira mexicana / Un [sic] himno de cariño levante a la mujer!" (7). También este volumen insistía en que a Gimeno de Flaquer le seguían acompañando en su aventura mexicana los soportes que había dejado en la península, esta era la intención de incluir –entre otros ejemplos– la poesía de Juan Tomás y Salvany, dedicada a la protagonista de *Victorina* y el párrafo laudatorio de la escritora Patrocinio de Biedma (Simón Alegre "Gimeno de Flaquer and her Transatlantic").

Otro aspecto para destacar de este libro-homenaje es que algunos de los comentarios que se recogen en él los pudo haber sacado la propia Gimeno de Flaquer de diferentes notas de agradecimiento que le enviaron o incluyeron en su álbum de firmas para que formarán parte de esta publicación. Así, no solo intervenía en su autopromoción, sino que no dejaba que se perdieran testimonios más del ámbito privado, como al final ha pasado, ya que no disponemos ni de los originales de muchas de esas misivas ni de sus álbumes de firmas, pero como ella misma diseminó por diferentes publicaciones algunos de estos contenidos, podemos bucear en el complejo mundo de las relaciones personales que autoras como ella tejieron a su alrededor. Un ejemplo de una nota de agradecimiento es el texto que se incluye en este libro de homenaje, firmada por Porfirio Díaz y donde este político-militar, en un tono muy personal e íntimo, le pide que, ya que las mexicanas la han acogido como hermana, el siguiente paso que a ella le queda por dar es aceptar a los mexicanos –y él habla en nombre de todos ellos– en calidad de "hermanos políticos" (12). Un ejemplo de una hipotética entrada en su álbum de firmas, es el párrafo que lleva la rúbrica de la escritora Carolina Coronado (1820-1911) titulado "En el álbum de Concepción Gimeno de Flaquer", donde comenta que una reina lo empezó y el escritor francés Victor Hugo lo terminó, y ella ante tales personalidades decía con cierto tono de humildad que no "tenía sitio" (12).

Además de este tipo de textos, dentro del libro editado por José Barbier y Filomeno Mata destacan otros escritos con un tono personal e íntimo sobresaliente. La poesía del escritor mexicano José T. de Cuellar (1830-1894) es un excelente ejemplo de esta cercanía, ya que en sus versos subrayaba empleando constantes dobles sentidos y polisemias la grata sorpresa de haber descubierto a la propia Concepción[Concha], esa concha –nombre genérico usado para nombrar la cubierta de un molusco y también abreviatura de este nombre propio– que albergaba dentro de ella un tesoro: "*¡La Concha es una perla!*" (13). Otro ejemplo sobresaliente es el que firmaron las obreras de la fábrica "Los Aztecas" de México ciudad y que está relacionado con el artículo incluido en esta edición crítica, "La obrera mexicana", uno de los primeros que publicó Gimeno de Flaquer durante su residencia en este país (Obreras de la fábrica 'Los Aztecas', "Sra. Concepción Gimeno de Flaquer" 8).[16]

Otra cuestión importante es la posición política que Gimeno de Flaquer ocupó durante su estancia en México. Aunque al principio de su residencia en este país se colocó dentro de las elites mexicanas, paulatinamente fue abandonando este espacio para pasar a conectar con una clase media donde el pasado indígena era un signo de identidad frente a la homogenización

[16] Consúltese la nota 32.

europea que el gobierno del militar Porfirio Díaz estaba imponiendo como imagen oficial del país y que apoyaban las clases altas y privilegiadas (Simón Alegre "Introducción crítica"). Por ejemplo, cuando Gimeno de Flaquer sacó en la portada de su periódico el *AM* al personaje histórico de doña Marina (1884) –una de las primeras intérpretes conocidas de la historia universal de origen nahua (consúltese sección "Encuentros de Concepción Gimeno de Flaquer con México y las mexicanas" y la figura V.3)– los medios de comunicación mexicanos con más afinidad al gobierno de Porfirio Díaz la acusaron de no tener una verdadera afinidad con México. El *Diario del Hogar*, el 16 de septiembre de 1884, en su sección de "Noticias locales. *El Álbum de la Mujer* y la Malinche" dedicó unos párrafos a esta portada, probablemente escritos por el editor de esta publicación, Filomeno Mata (Anónimo 4). Además de insinuar que la portada y el artículo dedicados a doña Marina (véase figura V.3) en el *AM* eran un intento de "protesta en favor de la conquista", y avisaba acerca de la verdadera cara de Gimeno de Flaquer, una que no era amigable con el "pueblo", aunque lo que estaba diciendo entre líneas era que el gobierno de Díaz no se fiara de ella: "De esto tomarán nota debidamente los que creían que la Sra. Gimeno de Flaquer, jamás lastimaría en sus escritos la justa susceptibilidad patriótica del pueblo que la recibió con afecto" (Anónimo, "Noticias locales" 4).

El libro *Homenaje a Concepción Gimeno de Flaquer* se publicó en el primer semestre de 1884, meses antes de que pasara el incidente con la portada de doña Marina y así Gimeno de Flaquer fue mostrando su paulatina conexión con la reivindicación pública de las figuras históricas indígenas y de su cultura material como parte fundamental de la historia de México. La portada del número del *AM* del 11 de septiembre de 1884 es una representación de una imagen posible de doña Marina (véase la figura V.3 y consultar el artículo incluido aquí, "La consejera de Cortés") y algunos de los medios mexicanos que tan fervorosamente la habían apoyado a su llegada a México comenzaron a cuestionarla. El día 25 de septiembre, el periódico *La Voz de México* –que trataba temas políticos, religiosos, científicos y literarios– sacó el artículo "*El Álbum de la Mujer* y *El Diario del Hogar*" firmado por el escritor y colaborador del *AM*, Antonio de P. Moreno (1848-1920).

El artículo de Moreno tenía el doble objetivo de defender a doña Marina y a Gimeno de Flaquer. Moreno sostenía que doña Marina era un personaje histórico, parte de la historia de México, por lo que esta escritora no había hecho nada por lo que se pudiera justificar ninguno de los ataques que estaba recibiendo: "La escritora ha cantado la belleza de un tipo interesante en nuestra historia. Esto es todo" ("*El Álbum de la Mujer* y *El Diario del Hogar*" 1). El día siguiente, el 26 de septiembre, este mismo periódico publicó "Cartas de una aldeana", que estaba dirigida a Concepción Gimeno de Flaquer y la firmaba María de la Mora desde Zaragoza (España) más de un mes antes de que se publicara en *La Voz de México* (2). Este texto es importante por dos razones. La primera de ellas es porque el investigador Antonio Francisco Pedrós-Gascón, en "Concepción Gimeno, agente doble cultural hispano-mexicana" (53; nota 22), comenta la posibilidad de que este artículo esté escrito realmente por Gimeno de Flaquer y que, además, estemos ante una versión de su artículo "Cartas a una provinciana" –todavía el original está sin localizar– que escribió más de diez años atrás y en el que añadió una serie de comentarios que estaban dedicados al actor Manuel Catalina (Simón Alegre, "Concepción Gimeno y el ocio" 433-466 y "Diez cartas y una escritora: Concepción Gimeno" 1-32; además, véase la sección de cartas de este libro). Como el texto de 1873 todavía no está localizado, no es posible ni confirmar ni negar lo que Pedrós-Gascón comenta. Si fue el mismo texto –Gimeno de Flaquer reutilizó a lo largo de su carrera sus trabajos y los fue publicando en diferentes años y medios, casi siempre introduciendo algunos cambios–, la primera sección sí pudo ser parte de la original que compuso en 1873, pero la segunda sería un añadido posterior.

La siguiente razón por la que este artículo-carta es importante, independientemente de quién escribiera "Cartas de una aldeana" o de si Gimeno de Flaquer estaba usando el texto de 1873 o no, es porque se publicó en medio de la polémica desatada alrededor de la portada que el *AM* dedicó a doña Marina. Aunque en esta carta no se menciona nada en relación a este tema, es un texto que viene a señalar públicamente a la escritora mexicana Laureana Wright de Kleinhans como librepensadora y persona cercana a los círculos espiritistas, en contraposición con Concepción Gimeno de Flaquer, de la que se destaca su inteligencia, la calidad del periódico que sacaba y su libro *La mujer juzgada por una mujer* (Mora 2). Este ataque a Wright de Kleinhans es llamativo, ya que al principio de este mismo año (1884) había colaborado en el libro homenaje a Gimeno de Flaquer con una laudatoria poesía ("A la cantora" 7), aunque hay que subrayar que sus contribuciones en el *AM* no fueron muy abundantes, a excepción de su poesía "El carnaval" publicada en 1884.

En la primera parte de "Cartas de una aldeana", su autora, María de la Mora, recuerda los momentos que pasó con Gimeno de Flaquer de una forma que no es fácil saber el lugar donde transcurrieron y además le agradece los materiales que le ha enviado. Al parecer Gimeno de Flaquer le mandaba con cierta regularidad, entre otras revistas y materiales de lectura, números del *AM*. Estos ejemplares concretos no se han localizado, pero sabemos que era una práctica frecuente que Gimeno de Flaquer enviara números de sus publicaciones a sus amistades, como pasa con los del *AM* que están en la Biblioteca del Congreso de los Estados Unidos (Simón Alegre "Cartagena y Murcia"). María de la Mora destaca el número del *AM* donde Tomás y Salvany publicó el artículo "Frivolidad", el 6, pero es un error –intencionado o no, ya que este texto salió en el número 7, que se publicó el 17 de agosto de 1884 (86-88)–.

Entre otros materiales que Gimeno de Flaquer envió a María de la Mora figura una publicación que Mora nombra como "un seminario de literatura titulado *Violetas* y redactado por instruidas y estudiosas señoritas", del que destaca que le llamó la atención el artículo "Fragmentos de unas cartas escritas en el mineral de la Luz", escrito por Marta Lemus y relacionado con la escritora Laureana Wright de Kleinhans (Mora 2). El periódico que Mora llama *Violetas* se refiere a la breve publicación miscelánea titulada *Violetas: Seminario de Literatura*, que se publicó en México desde el 16 de marzo al 24 de agosto de 1884. Este periódico lo dirigió la escritora Mateana Murgía V. de Stein (1856-1906?), Wright de Kleinhans lo coordinaba y era la secretaria, la también escritora Luz Murgía de Ramírez (1858?-1940?). En la interpretación que María de la Mora hace del artículo de Lemus señalaba a su autora como alguien cercana al espiritismo en relación al pensamiento de Allan Kardec (Hipplyte Leon Denizard Rivali; 1804-1869) y a Wright de Kleinhans como a una librepensadora. Según la investigadora Andrea Graus, la doctrina de Kardec "combinó el socialismo utópico, el pensamiento pitagórico y las creencias orientales en torno a la reencarnación con una nueva concepción moral cristiana, basada en una noción secular de la caridad" (4). También Gimeno de Flaquer había elogiado a Kardec en su artículo "En víspera del día de difuntos" destacando la relación de este pensador con la filosofía espiritista (183). Además, Gimeno de Flaquer subrayó la rusticidad de su tumba –"tan poética como sencilla"– que no le impidió a la escritora sentarse "en ella un rato" ya que parecía "un nido de ruiseñores" ("En víspera del día de difuntos" 183). Pero María de la Mora no mencionó nada respecto a la conexión de Gimeno de Flaquer con el pensamiento de Kardec.

Marta Lemus publicó "Fragmentos de unas cartas" en *Violetas: Seminario de Literatura* en los números del 27 de julio (134-135) y 3 de agosto de 1884 (138-140). En estos artículos-cartas Lemus destaca la gran preparación de Wright de Kleinhans y subraya su artículo sobre los sueños (aparecido en los números de *Violetas: Seminario de Literatura* del 29 de junio y 6 de julio de 1884) donde admitía la "realidad del magnetismo" (135), aunque Wright de Kleinhans cuestionó la validez científica del espiritismo (Lemus 140). Lemus que estaba ligada al espiritismo animaba a Wright de Kleinhans a seguir estudiando el tema. Como dice María de la Mora en su carta, Wright de Kleinhans respondió a Lemus en el número de *Violetas: Seminario de Literatura* del 17 de agosto de 1884 con el artículo "El espiritismo. A la señora Marta Lemus" (153-156) en el que Wright de Kleinhans señala que aunque el espiritismo no la convence, sí piensa que es "uno de los más insinuantes y perfectos sueños de la aspiración del hombre, una de las más bellas utopías del pensamiento humano" (Wright de Kleinhans 154). Esas "otras ideas" que Wright de Kleinhans incluye en su respuesta y que le hicieron "daño" a María de la Mora (2) son difíciles de precisar, salvo que Wright de Kleinhans remarcó que era librepensadora y que no cerraba la puerta a que el espiritismo terminara convenciéndola en un futuro, como finalmente así sucedió (Infante Vargas 277-294).

Un ejemplo del cambio paulatino de amistades que vivió Gimeno de Flaquer mientras residió en México –posiblemente debido a algunos de los nuevos círculos culturales-políticos que comenzó a frecuentar– está en su novela *Suplicio de una coqueta*, que publicó en 1885 y que incluye un guiño al periódico mexicano *El Siglo XIX* (313) para –en la reedición de 1890 de este mismo libro pero con otro título, *¿Culpa o expiación?*– sustituirlo por la publicación *El Monitor Republicano* (276). Entre la edición de una y otra versión pasaron dos sucesos todavía poco claros y que seguramente están en la línea del cambio que a partir de septiembre de 1884 comenzó a vivir Gimeno de Flaquer: el primero fue que pudo haber adquirido en extrañas circunstancias un instrumento musical azteca –un teponaztle– de gran valor histórico y religioso, y el segundo fue la detención de Francisco de Paula Flaquer por cuestiones todavía poco claras (Pintos 116 y 119-121; Simón Alegre "Introducción crítica").

Entre el final de la primavera y el inicio del verano de 1890 ya estaba el matrimonio Flaquer-Gimeno de regreso a Madrid –cada uno había llegado en fechas diferentes– e iniciaba esta nueva etapa que les llevaría a residir en esta ciudad durante casi veinte años –hasta finales de 1909–. Gimeno de Flaquer inauguró este periodo de manera apoteósica: impartiendo una conferencia en el Ateneo de Madrid titulada *Civilización de los antiguos pueblos mexicanos* el 17 de junio de 1890, siendo la última que dio en esta institución, la sexta, "Apologistas y detractores de las mujeres" en 1905 (Ezama Gil, *Musas* 169; nota 3). El denominador común de todas ellas fue la insistencia en el papel atemporal de las mujeres tanto como artífices del desarrollo del conocimiento de la Humanidad como en tanto impulsoras de la Modernidad y del devenir histórico: "Aun cuando se haya tratado de nulificar al sexo femenino, abatiéndole con el argumento de su inferioridad, no ha dejado de mostrar iniciativa en todos los tiempos" (Gimeno de Flaquer, *Ventajas de instruir a la mujer* 20; Lorenzo Arribas 141-162). Además, dos meses después de su primera intervención en el Ateneo puso en circulación el *AIA* –su primer número salió el 7 de agosto de 1890 y tenía en su portada a la reina regente, María Cristina de Habsburgo-Lorena (1858-1929)–, periódico que continuaba su anterior proyecto mexicano, el *AM*, que terminó su publicación el 29 de junio de 1890 con su cubierta retratando al malogrado poeta mexicano Manuel Acuña (1849-1873).

En este volumen, las secciones de cuentos cortos y de artículos, sobre todo la titulada "Evolución del pensamiento feminista de Concepción Gimeno de Flaquer", son una buena representación de cómo fue progresando no solo en el mundo de las letras, sino también en la vida social madrileña –consúltese además el artículo "Las tertulias", incluido en este libro– y en su pensamiento político. Durante esta etapa madrileña, Gimeno de Flaquer combinó con sus otras numerosas facetas –escritora, publicista o mujer de negocios– la de gran oradora en Madrid, y también en otros lugares como, por ejemplo, en Italia (Simón Alegre "Cartagena y Murcia"). Sus habilidades para intervenir en público no eran nada nuevo en su biografía, ya que al principio de su carrera –allá por el lejano inicio de 1870– sobresalió por lo excepcionalmente bien que leía en público. Así Concepción Gimeno lo dejó registrado en su primer ensayo, *La mujer española*: "Como yo no era tímida, cualquier cosa sencilla, expresada con soltura y facilidad, lucía muchísimo. Nunca he sentido el menor temor al hablar en público: todo lo contrario" (182-183).

A partir de su primera intervención en el Ateneo de Madrid en el verano de 1890, a esta manera suya natural de hablar en público se añadieron sus dotes de puesta en escena, la calidad de sus intervenciones y las muestras de erudición que dio en cada una de ellas. Su primera conferencia en el Ateneo, además de inaugurar esta fase como ponente, tenía el sentido de ser su carta de presentación en Madrid. Seguía siendo una escritora ligada a la defensa de los derechos de las mujeres, pero ahora con una dimensión transatlántica y, además, comprometida con exponer el pasado y el presente de México desde una óptica que reconociera a las personas indígenas no como objetos de museo, sino como parte activa de la sociedad y, además, agentes participantes en el progreso y proceso histórico. Por eso, también en esta conferencia insistió en la figura de doña Marina como una mujer indígena que había tomado un lugar diligente y consciente en el papel histórico que le tocó vivir y desempeñar cuando Hernán Cortés y sus hombres llegaron: "Doña Marina, lejos de ser una intérprete vulgar que traduce lo que oye sin comprender su intención, dictaba contestaciones oportunas, analizando la verdad o la falsía de las proposiciones hechas al conquistador" (Gimeno de Flaquer, *Civilización de los antiguos pueblos mexicanos* 81-82). También con esta conferencia subrayaba que lo que se había iniciado en su vida con su decisión de poner en la portada a doña Marina allá por 1884 había sido importante para ella. No se había dejado intimidar por las críticas que había recibido y, aunque al final el matrimonio tuvo que abandonar México, ella siguió manteniendo una posición similar respecto a esta cuestión. Esta conferencia la preparó –tal y como en el artículo "La consejera de Cortés" está subrayado– con el material que usó para el número que el *AM* dedicó a doña Marina. Tras esta conferencia, una firma anónima hizo una valoración positiva de esta presentación, remarcando que Gimeno de Flaquer no había tenido fácil reconstruir la historia de la civilización azteca "a costa de no pocos afanes y desvelos" (Anónimo, "Concepción Gimeno de Flaquer en el Ateneo" 7)

Durante su vida en Madrid, Concepción Gimeno de Flaquer y Francisco de Paula Flaquer se cambiaron unas siete veces de domicilio, que cómo en su etapa en México también albergaba la administración de su periódico. De estos diferentes lugares en los que vivieron han quedado descripciones de sus pisos en las calles del Barquillo y Campoamor, ya que Gimeno de Flaquer mantuvo activa una tertulia literaria, artística y cultural, sobre todo cuando vivió en estas direcciones. La importancia que tuvo en su vida el poner en marcha este tipo de eventos sobresale tras la lectura de su artículo "Las tertulias". Estas reuniones congregaban a personas muy variadas y Gimeno de Flaquer se encargaba de que también acudiera gente que estaba de paso por la ciudad, como la hispanista inglesa Rachel Challice (¿-1909), que terminó su visita en Madrid en una de estas veladas (Simón Alegre "Cartagena y Murcia"). Además de reunir gente muy variada en estas tertulias, Gimeno de Flaquer siguió vinculada al mundo del teatro, estuvo muy cercana a diferentes iniciativas conectadas con la emergente industria del turismo y colaboró estrechamente con la Unión Ibero-Americana y, especialmente, con la Junta de Damas hasta 1907 (Ezama Gil, "Tendiendo redes" 227). De entre el gran número de amistades que rodearon a Gimeno de Flaquer destaca la continua presencia en su vida de Julia de Asensi y Laiglesia y de Juan Tomás y Salvany; además, desde la llegada de Carmen de Burgos a Madrid en 1901 esta escritora también estuvo integrada en estos círculos, aunque a partir de 1905 se fueron distanciando (Simón Alegre, "Activismo social" 539-556). Un alejamiento que, entre otras pistas que ha dejado de su existencia, encontramos un artículo de Carmen de Burgos en el *Diario Universal*, donde habla de la Baronesa de Wilson. En su columna "Lecturas para la mujer", Burgos destacaba que esta escritora había publicado su libro *Historia general de América*, reunida en veintidós volúmenes y compuestos gracias "a sus largos viajes" por este continente (Colombine 1).

El final de la etapa madrileña del matrimonio Flaquer-Gimeno tuvo lugar a finales del año 1909, que también significó el final de su periódico, aunque en su último número no quedó registrada despedida alguna (Simón Alegre, "Prensa, publicidad" 32-43). En 1910, el matrimonio se fue para Argentina, de nuevo viajaron separados y en fechas diferentes. Justamente, el último cuento corto de este libro, "El espejo mágico" habla de una mujer viuda que sigue viviendo su vida aunque un espejo misterioso no le deje del todo disfrutar de su nueva situación. Esta etapa significó para Gimeno de Flaquer una orientación en su carrera más hacia el lado de conferenciante que el de escritora. Una prueba de la fama que logró Gimeno de Flaquer como oradora es su último viaje a Buenos Aires, donde fue invitada a dictar diferentes conferencias (Pintos 202). Los artículos que publicó desde su marcha a este país hasta su muerte en Buenos Aires el 11 de abril de 1919 son escasos y entre ellos destaca el que sacó en 1913 describiendo las calles más emblemáticas de esta ciudad (Pintos 220; Gimeno de Flaquer, "Notas argentinas, psicología de las calles bonaerenses" 9-11). Texto que aprovechó para hacer un alegato en favor de las "angelicales cursis" que había en esta ciudad, pues Gimeno de Flaquer decía que así llamaban "las señoritas de automóvil y palco" a las "bellas" mujeres que habían decidido no casarse, "lindas solteronas resignadas" ("Notas argentinas" 9-10). Si Concepción Gimeno de Flaquer leyó el cuento corto de Carmen de Burgos *El veneno del arte* (1909) y se sintió identificada con esa "emperatriz de las cursis", esta fue su respuesta: el defenderlas.

2. REDES DE CONTACTOS EN LA TRAYECTORIA DE GIMENO DE FLAQUER

Todavía en la biografía de Concepción Gimeno de Flaquer queda por averiguar con quién viajaba, si es que le acompañaba otra persona en sus numerosos viajes como hicieron otras escritoras, por ejemplo, la Baronesa de Wilson (Fernández, *365 relojes* 475-478) o Eva Canel (Agar Eva Infanzón Canel; 1857-1932), que aun viajando acompañada, en sus reflexiones sobre sus periplos enfatizaba que estaba sola: "Sola, completamente sola, con Felisa tomé un Ford" (Canel 40). Por el momento, estas acompañantes, cuyas ocupaciones estaban a medio camino entre ser amigas, asistentes personales o trabajadoras domésticas no están incorporadas dentro de las semblanzas biográficas de muchas de estas autoras, aunque fueran una parte vital en sus carreras. De Gimeno de Flaquer no sabemos aún si tuvo ayudantes de este tipo, pero por las cartas incluidas aquí sabemos que en determinados momentos de su carrera contó con una mujer cercana a su círculo de amistades que ejercía de escribiente suya –véase carta 3– o una buena amiga que, llegado el caso incluso pudiera sustituirla, como ocurrió durante su estancia en México en diciembre de 1885, en que para el acto de los premios entregados "a las niñas y niños" de las Escuelas Municipales en la Cámara de los Diputados, mandó a una "señorita profesora" a leer en su nombre un discurso (Moreno, "Crónica mexicana" 3). Además, en su obra *En el salón y en el tocador*, destacó la importancia de este grupo heterogéneo de mujeres que rodeaba frecuentemente a una mujer, ya que cuando una de ellas tenía que servir el té en una de las tertulias de su casa, y si no tenía hijas –como le pasaba a ella–, debía ayudarle en este cometido "una señorita a la que esté unida por íntima amistad o parentesco" (Gimeno de Flaquer 95).

Por diferentes motivos no ha transcendido ni la presencia ni el impacto de estas mujeres que rodearon y facilitaron la vida de las autoras, como pasa con Gimeno de Flaquer. Por ejemplo, aún no se han localizado las listas de quienes viajaban en los barcos que Concepción Gimeno de Flaquer y Francisco de Paula Flaquer tomaron para realizar sus travesías transatlánticas, en 1883 a México y en 1910 a Argentina, que servirían para saber cómo preparaban estos trayectos –camarote, equipaje, etc.– y si iban acompañados. Mientras el matrimonio vivió en Madrid, en todas las residencias suyas que quedaron registradas en el padrón municipal –vivieron en al menos siete direcciones diferentes, pero en estas listas oficiales solo han quedado los registros de tres de estos domicilios (Simón Alegre "Introducción crítica")–, siempre aparecen anotados los nombres de quienes trabajaban para la pareja en calidad de "criado" o "criada". Además, esas residencias eran las que el matrimonio –aunque en realidad era Flaquer el que ejercía este cometido como "cabeza de familia"– declaraba como sede oficial donde estaba la administración de su periódico, el *AIA*. Justamente este registro municipal coincide con el primer domicilio –en la calle de las Infantas– que la pareja tuvo en Madrid, residencia que inauguraron contando con dos mujeres y dos hombres que trabajaban para ellos. Después de su traslado a la calle del Barquillo, y hasta el final de su trayectoria en esta ciudad, lo redujeron a solo un trabajador por cada sexo (Simón Alegre "Introducción crítica").

Tampoco las fuentes literarias firmadas por Gimeno de Flaquer ayudan a esclarecer qué personas anónimas rodearon a este matrimonio. En este tipo de obras escasean las referencias al papel de las personas que trabajaban para las protagonistas de sus novelas. Solo en el primer libro de ficción de Concepción Gimeno –*Victorina*– hay un ejemplo de cómo una mujer al servicio de la protagonista intenta ayudarla ante los planes secretos de abandono que el marido está urdiendo contra ella (volumen II). Apenas contamos con algún ejemplo en su ficción acerca de la descripción de travesías como ocurre en *El doctor alemán*, donde está registrado el efecto que ejerció en una de sus protagonistas contemplar el mar y montar en barco por primera vez (Simón Alegre "Cartagena y Murcia").

Por otra parte, en *Suplicio de una coqueta*, titulada posteriormente *¿Culpa o expiación?* –novela que seguramente comenzó a preparar poco antes de marcharse a México y que publicó en 1885 en este país, tras vivir en primera persona la experiencia de hacer un viaje transatlántico–, incluye dos referencias importantes, aunque breves, en relación a una travesía en barco. La primera en torno a un crucero por la Riviera italiana en el que su protagonista, además de viajar con su marido e hija, lo hacía también con una institutriz. Mujer de la que después prescindirá por no haber cumplido su trabajo, ya que la niña en un despiste suyo cayó al mar. Pero es en su novela

Sofía donde un viaje trasatlántico tiene algo más de protagonismo. Sofía decide ir desde Veracruz (México) a Barcelona (España) acompañada solamente por su hija enferma, Lupe. Sofía hace este viaje para que un médico de renombre en la península ibérica ayude a Lupe con los ataques de epilepsia que sufre y que solo van en aumento, pero la hija muere en alta mar a causa de uno de estos accesos.

La decisión de Gimeno de Flaquer de mantener en las sombras hasta en su obra de ficción a las mujeres que podían acompañar en esos viajes tan largos responde a diversos factores. Ella misma podía viajar sola debido a que, si bien gracias a su matrimonio con Francisco de Paula Flaquer había conseguido estar en una clase social media, sus finanzas nunca se mantuvieron a ese nivel cuyo estatus le hubiera permitido contar con alguien para acompañarla en sus viajes. La escritora Ángeles Vicente (1878-?), en su novela *Zezé* (1909), ha dejado un testimonio significativo de la frecuencia con que algunas mujeres hacían solas este tipo de travesías, especialmente si no contaban con un estatus económico boyante. Vicente, otra escritora con varios viajes de estas características en su haber (Toro Ballesteros 1-20), abre *Zezé* indicando el revuelo que se había formado entre el pasaje de un barco transatlántico porque una de las pasajeras disponibles para compartir camarote era una cupletista (18). Una mujer con una profesión así alteraba al resto de "damas" y "señoras" del pasaje, pues les parecía un "hecho inaudito" y, para no sentirse "menos honestas y delicadas", ninguna de ellas quería compartir camarote con la artista (Vicente 18). La única de estas pasajeras que aceptó la compañía de una mujer así era otra que también viajaba sola, y prefería nombrar su ocupación usando eufemismos, señalando que tenía "la manía de emborronar el papel", lo que significaba que era escritora (Vicente 22).

Poco a poco, las redes de contactos y los círculos de compañía de los que formaron parte autoras como Gimeno de Flaquer van cobrando visibilidad dentro de sus trayectorias (Fernández, "Geografías culturales" 153-169; Romero Chumacero 9-25; Ramos Escandón, "Concepción Gimeno de Flaquer: (1850-1919)" 81-106 y "Género e identidad femenina" 195-208). Circunstancia que contrasta con lo dificultoso de rescatar el rastro de otras mujeres cuya presencia, aunque facilitaron el día a día de estas escritoras, no se trasluce completamente. No hay causas claras para la exclusión de autorías y presencias femeninas del canon, así como su postergación posterior a un armario simbólico, otro de los muchos que algunas escritoras fueron atesorando en sus biografías y escritos, como ha indicado Capdevila-Argüelles ("The Dissidence Inside Her Closet" 105-110)–. Tampoco dentro de este canon resulta fácil indagar en la influencia entre autoras que ejercieron una tutela bidireccional como parte importante en la formación de sus redes de contacto (Bieder, "Eminencias hembras" 167-190; Goswitz 131-146; Vialette, "Vidas paralelas e historias conectadas" 147-166). La trascendencia de esta labor de investigación no está tanto en rescatar la biografía de una escritora determinada, sino en colocarla a ella misma dentro de la realidad multidimensional donde vivió y creó, ya que es en el "olvido donde habitan tantas escritoras, el desván del canon literario" (Capdevila-Argüelles, *Autoras* 12).

El proyecto periodístico mexicano de Gimeno de Flaquer –el *AM*– es coetáneo de la generación de autoras de la "hermandad lírica" (Zecchi 39) que publicaron sobre todo entre los años cincuenta y sesenta del siglo XIX (Sánchez Llama 111-128). No solo porque Gimeno de Flaquer incorporó en este primer plan transatlántico a algunas de ellas en la portada de esta publicación, sino también por cómo incorporó a otras autoras de su misma generación en estas cabeceras (Simón Alegre "Introducción crítica"), reprodujo sus textos y, además, a lo largo de su extensa carrera, en muchos de sus escritos introdujo dedicatorias que sobre todo estaban dirigidas a mujeres. La trayectoria de Gimeno de Flaquer bascula entre esta "hermandad lírica" y la generación posterior, con respecto a la cual ejerció como bisagra para conectar con las autoras que escribirán ya en pleno siglo XX, y entre las que también destacará "el deseo femenino y la profundidad de los sentimientos de la mujer hacia la mujer [que] son las características predominantes que modelan la representación de una nueva (otra, diferente) subjetividad femenina" (Zecchi 40).

El reconocimiento visual y escrito que Gimeno de Flaquer presentó en el *AM* permite descubrir tanto a las personas –sobre todo a las mujeres– que formaron parte de sus redes como a las que quería acercarse, pero con quienes, por diferentes motivos, la relación no salió adelante –véanse, por ejemplo, sus contactos con Emilia Pardo Bazán (Servén Díez, "Concepción Gimeno de Flaquer y los escritores españoles" 191-212)–. Unos años antes de que Gimeno de Flaquer se fuera a México, envió una carta a Pardo Bazán –fechada en Valladolid el 3 de abril–, probablemente de 1881, aunque no incluye el año (Pardo Bazán, *Cartas inéditas a Emilia Pardo Bazán* 172-176). En esta misiva, Gimeno de Flaquer, además de felicitar a Pardo Bazán por la publicación de su última novela, *Un viaje de novios* –que el *AM* publicará por entregas en 1885–, aprovechaba para destacar que había estado ocupada viajando (Pardo Bazán, *Cartas inéditas* 174). Desde su boda con Flaquer en julio de 1879, combinaba esta actividad con la escritura (Simón Alegre "Cartagena y Murcia"), con lo que Gimeno de Flaquer justifica a Pardo Bazán su tardanza en responderle porque había estado en Burgos, donde había "estudiado y admirado sus bellezas" (Pardo Bazán, *Cartas inéditas* 174). Por el contrario, en su siguiente gran proyecto periodístico madrileño –el *AIA*– aunque las mujeres seguirán apareciendo en sus portadas, y Gimeno de Flaquer incluirá trabajos firmados por autoras y continuará dedicando artículos a sus coetáneas, estas no serán el objetivo principal para destacar entre sus páginas. En cambio, lo que sí sobresale a lo largo de los veinte años de trayectoria de esta publicación serán las conexiones que esta escritora tenía, tanto con la elite político-económica del momento como con los emergentes círculos bohemios madrileños.

Es la propia Gimeno de Flaquer quien nos ha testimoniado algunas de las personas que formaron parte de sus redes de contacto. Las diez cartas que están incluidas en este libro destacan por cómo el intercambio de correspondencia con el actor y empresario Manuel Catalina comenzó por la excusa de preparar una obra de teatro con él (Carta 1). Proyecto que culminó con el estreno apresurado en el Liceo Piquer de *Flor de un día* el 29 de mayo de 1873 y en el que participaron "unos distinguidos jóvenes" –clientela frecuente de este lugar–, aunque Concepción Gimeno no citó a ninguno de ellos en sus cartas –fueron Herminio Cuartero, Milagros Castaños, Francisco de Paula Flaquer y uno de los hermanos de la escritora Carolina Coronado (Vieyra de Abreu, "Liceo" 6; Carta 3)–. Además de al destinatario, Manuel Catalina, a lo largo de estas cartas la escritora menciona a tres mujeres. Una de ellas es nombrada como "señorita de Moya" y la otra "Julieta" (Cartas 2 y 3). La tercera es una hermana del actor (Carta 7), de la que ni siquiera da el nombre. En mi primera investigación sobre esta correspondencia, "Diez cartas y una escritora" planteé que Concepción Gimeno habla de dos mujeres diferentes, ya que con "señorita de Moya" se refería a la poeta y artista musical Julia de Moya (o Julia Moya) y con "Julieta" a quien está nombrando es a la también escritora Julia de Asensi y Laiglesia (Simón Alegre 1-32).

Ambas mujeres no parecen ser la misma persona, ya que cuando se refiere a una o a la otra, Concepción Gimeno las coloca en diferentes partes de su cotidianidad. Julia de Moya era la encargada de ayudar a pasar los papeles en este proyecto teatral y además era su escribiente (Cartas 2 y 3). Por su parte, Julieta, Julia de Asensi y Laiglesia, era la "amiga" que iba a participar en la representación (Carta 7). Según la reseña de esta obra de teatro, al final ninguna de estas dos mujeres formó parte del elenco que actuó en el Liceo Piquer. Por el momento, solo Julia de Asensi y Laiglesia, en su texto "Lo que son las flores", que publicó el 10 de mayo de 1873, ha dejado alguna pista de por qué no siguió en este proyecto (1-2). Esta escritora siempre se había sentido atraída por ese mundo de las flores –que parece simbolizar al de las escritoras–: "muchas veces al encontrarme sola en mi cuarto, soñaba con ellas y me extasiaba su recuerdo" y cuando entró en un jardín lleno de flores, aunque la experiencia fue muy grata, sabía que "se hallaban allí seguramente buenas y malas, queridas y odiosas para mí. Sentía la benéfica influencia de las unas, el fatal contagio de las otras" (Asensi y Laiglesia, "Lo que son las flores" 2). La colaboración teatral entre Concepción Gimeno y Julia de Moya parece que había parado por haber comenzado otros proyectos con Carmen Neda, pero en 1874 actuaron juntas en *Espinas de una flor* (Vieyra de Abreu, "Liceo" 7; P. L. 3). En cambio, la relación con Asensi y Laiglesia duró mucho más y quedó materializada en las numerosas colaboraciones que incluyó en los periódicos de Gimeno de Flaquer. Durante los meses de correspondencia con Manuel Catalina (marzo a mayo de 1873), Concepción Gimeno tuvo que lucir muy parecida respecto a la figura III.1, retrato que dedicó a la dueña de la fotografía, Julia de Asensi y Laiglesia, a quien le remarcaba que lo que superaba "a la belleza es[era] el talento..." (Simón Alegre, "Ahora no pestañees" 119-123).[17]

Por último, de la tercera mujer de estas cartas –la "hermana" de Manuel Catalina a la que así tan escuetamente Concepción Gimeno menciona (Carta 10), hasta la fecha no se ha podido identificar si Gimeno se refiere a una de sus hermanas –Dolores, Vicenta o Consuelo– o está usando un eufemismo para hablar de otra mujer. Un rasgo que sobresale de la biografía de Catalina era su fama de seductor:

> [E]ra,... un caballero metido a cómico; tenía gran partido entre las mujeres y entre las señoras. Hablaba dos o tres idiomas, era limpio como el oro, se vestía muy bien, y en la escena,... pareció siempre el galán joven simpático y atractivo a quien se dirigen los gemelos de las manos más chicas. (Blasco Soler 139)

El escritor Ricardo Sepúlveda (1846-1909) habló del "Saloncillo", espacio que el actor abrió en el Teatro El Príncipe de Madrid (317-324). Este lugar tenía el propósito de ofrecer un espacio para que actores y su público admirador se relacionaran –"allí se recibían billetes y tarjetas en sobres perfumados, o en la riquísima [H]olanda de un pañuelo con corona ducal"– e incluso se pusieran en marcha algunas representaciones. El pintor Manuel Castellano (Manuel Blas Rodríguez Castellano de la Parra; 1826-1880) fue el encargado de su decoración (Sepúlveda 318).[18] Por las insinuaciones de Sepúlveda, parece que fue frecuente que allí las adulaciones pasaran a un nivel mayor de intimidad, encuentros que no siempre terminaban bien, sobre todo para las mujeres: "allí se conspiraba horriblemente contra la virtud de las Porcias y la inocencia de aquellas jóvenes que lloraban, de buena fe, las malicias del seductor"

---

[17] En la Biblioteca Nacional de Madrid se conserva el álbum de firmas de Julia de Asensi Laiglesia.

[18] Las cartas que escribió Concepción Gimeno a Manuel Catalina terminaron en manos de Manuel Castellano, que después se vendieron a la Biblioteca Nacional de Madrid donde se pueden consultar.

(Sepúlveda 318-319). La presencia de Catalina destacaba allí porque "vivió amando a todas las espectadoras de palco y butaca, y a veces por el Saloncillo también [amó] a las chulas removidas del gallinero" (Sepúlveda 319). Esa misteriosa "hermana" podría referirse también a una de las muchas mujeres que rodearon al actor.

Una posibilidad es que esta mujer enigmática fuera la escritora Emilia Serrano, la Baronesa de Wilson, figura relevante en la vida pública madrileña y que además estaba vinculada con el Liceo Piquer (Fernández, *365 relojes* 172-174). Afinidad que –como ella misma se encargó de subrayar a finales de 1873– pasaba por su amistad con la dueña de este lugar, la empresaria teatral Emilia Piquer (Wilson, "Ecos de Madrid. La Quincena" 167). Unos meses después de terminar la correspondencia entre Gimeno y el actor, la Baronesa de Wilson anunció que "su buen amigo" Manuel Catalina estaba a punto de abrir el madrileño Teatro Apolo ("Ecos de Madrid" 127, 159 y 167). Este emblemático espacio cultural se inauguró el 23 de noviembre de 1873. En un día tan sobresaliente para Catalina, la Baronesa de Wilson se aseguró de que el actor recibía, junto con otros obsequios, un detalle suyo especial y le envío con tal propósito un "cuadro alegórico" ("Al ilustrado y eminente actor" 262). De esta composición se conserva una octava que el periódico *El Correo de la Moda* publicó más de seis meses después del evento en cuestión. De los fragmentos de esta composición destacan las estrofas donde la Baronesa de Wilson subraya que celebraba su éxito enviándole "[s]olo *un recuerdo* el corazón te envía / del entusiasta afecto que atesora" ("Al ilustrado" 262). Tal y como menciona la investigadora Pura Fernández en la biografía de esta escritora, la Baronesa de Wilson cuidó que solo quedara un rastro mínimo de las amistades con las que mantenía un trato más personal (*365 relojes* 625). Por lo que solo se pueden señalar como más que remarcables las coincidencias entre Catalina, Wilson y Gimeno.

En 1877 Concepción Gimeno publicó *La mujer española*, obra donde incluyó un catálogo de escritoras y artistas en el que figuraban, entre otros nombres, los de Julia de Asensi y Laiglesia y la Baronesa de Wilson, colofón al capítulo titulado "La literata en España" (239, 245 y 211-226). En las últimas páginas de esta sección menciona a otra escritora no por su nombre sino a través del apelativo de "poetisa" y con la que mantenía una relación estrecha: "a la que tuvimos el honor de tratar íntimamente y con cuya amistad nos honramos" (*Mujer española* 223). Gimeno está hablando de la polifacética autora Emilia Calé y Torres de Quintero (1837-1908), a la que estaba unida por una estrecha amistad (Simón Alegre "Gimeno de Flaquer and her Transatlantic"). Con este capítulo, Gimeno subrayaba –además de su plena incorporación en la República de las Letras– que la comunidad de las mujeres dedicadas a las humanidades era extensa.

Este reconocimiento no impedía que, tal y como la propia Gimeno de Flaquer indicó en su artículo "Historia de una flor contada por ella misma" –publicado en *El Mundo Ilustrado* en 1880–, su integración en esta comunidad hubiera sido sencilla: "Desde Madrid fui a Valencia donde llegué bastante triste, pues habiéndome contaminado un poco con las pasiones humanas, sufría mi amor propio al considerar que en la patria de las flores, no podía figurar en primer término" (191). A los dos años, este texto –con algunas modificaciones relevantes, como por ejemplo su título, que pasó a ser el de "Una poetisa célebre y una flor"– formó parte de su siguiente libro de ensayos de 1882, *La mujer juzgada por una mujer* (170-182), sección que suprimió al publicar este mismo trabajo en México en 1887 (Díaz Marcos, *Salirse del tiesto* 161-260).

En "Historia de una flor contada por ella misma", Gimeno de Flaquer presenta de forma metafórica lo difícil que fue para ella el incorporarse al mundo de las letras: "Entre estas plantas aéreas y elegantes palidecí de envidia como enrojecen las mujeres de cólera, al presenciar el triunfo de sus rivales" (181). Gimeno de Flaquer describe las relaciones difíciles entre las flores-escritoras que integraban esta comunidad e identifica a la flor Corona Imperial como la problemática en su vida (*Mujer juzgada* 171; 1882). Una flor que aunque era bella en sus formas exteriores carecía de "belleza intrínseca" e incluso desprendía un "olor fétido" (*Mujer juzgada* 171; 1882). Esta referencia a una flor con una doble cara ya la había usado antes en la dedicatoria, "A mi querida madre", que incluyó en la edición de *Victorina* de 1879. En este texto, Gimeno de Flaquer subraya la existencia de "flores que deslumbran por sus brillantes matices a pesar de llevar en su cáliz mortífero veneno" (*Victorina o heroísmo del corazón* II, volumen 1; 1879).

Gimeno de Flaquer representó a las mujeres de la República de las Letras como flores en un jardín. A la que consideraba su mentora, la escritora Carolina Coronado, la describía como la jardinera que, junto a "la mariposa y el colibrí", le "infundieron el amor a las flores" (Gimeno de Flaquer, *Mujer juzgada* 174, 1882; Pérez González 20-33). En este jardín metafórico, Gimeno de Flaquer estaba caracterizada como la flor "Tulipa del Cabo", denominación que tenía por las tonalidades cercanas al color de la sangre que alcanzaban sus pétalos. Una descripción que sugiere que Gimeno de Flaquer tenía una piel cercana a la coloración de esta flor. La escritora indicó que fue solo después de conocer a su jardinera y viajar a Valencia (España) cuando encontró su comunidad en el Jardín Botánico de la ciudad levantina, donde "un catedrático de botánica me clasificó" y presentó al resto de las flores: "a las bellísimas begonias, de tan aterciopeladas hojas, a los helechos, las batarias, las araucarias y las orquídeas. También me asomaron al estanque cubierto de plantas acuáticas entre las que destacaban ninfeas de distintos colores" ("Historia de una flor contada por ella misma" 191). Pero las flores que más llamaron su atención fueron las orquídeas: "no es fácil formarse una idea exacta de su belleza cuando no se conocen", porque, aunque parecían plantas parasitarias, no lo eran (Gimeno de Flaquer, "Historia" 190-191). Al final, Gimeno de Flaquer consiguió que se la reconociera como parte de esta comunidad que el erudito alemán Juan Fasthenrat definió como de "Mujeres sabias", donde sus integrantes brillaban por igual aunque cada una lo hiciera en una disciplina específica. Para Fasthenrat había tres mujeres sobresalientes: Emilia Pardo Bazán que destacaba en la novela; la Baronesa de Wilson, que era "una gran poeta"; y Concepción Gimeno de Flaquer, "la reina de los salones" (315).

Fue a partir de su ensayo *La mujer juzgada por una mujer* donde Gimeno de Flaquer comenzó a incluir referencias a las mujeres de la órbita transatlántica que la rodeaban y de las que quería que quedara una constancia de su trabajo y de la proximidad que existía entre todas ellas. En este libro dedicó un capítulo a la autora cubana-española Gertrudis Gómez de Avellaneda que en la primera edición de 1882 tituló "Una española ilustre" (66-76), para cambiar en la segunda edición de 1887 a "Una cubana ilustre" (227-238; Díaz Marcos, "Querellas decimonónicas" 319-336). Además, en esta segunda edición introdujo varios capítulos dedicados a las mujeres en Cuba y México, y uno específico para la primera doctora en este país, Matilde Montoya (1859-1939), a quien también sacó en la portada del *AIA* (4 Sept. 1887; *Mujer juzgada* 159-172; 289-302 y 173-188; 1887). En su siguiente exitoso trabajo, *Madres de hombres célebres*, incluyó a la madre del presidente de los Estados Unidos George Washington, Mary Ball ([1707 o 1709-1789]; 103-116), para, a continuación, sacar su libro más emblemático acerca de la perspectiva transatlántica de la que quería dotar todos sus trabajos, *Mujeres: Vidas paralelas*, que abrió con una dedicatoria para sus "amigos" de América (Gimeno de Flaquer 7; Vialette, "Rewriting the Colonial Past" 159-166 y "Vidas paralelas" 147-166). En *Evangelios de la mujer* dedicó numerosas de sus páginas a destacar la importancia de las mujeres de América –tanto del sur, del centro, de la zona caribeña como del norte– en el desarrollo del feminismo, la expansión de la educación entre las mujeres y el registro de actos de su heroísmo en todos los niveles de la historia (Gimeno de Flaquer 73-90; 135-142, 169-178 y 231-245). En dos de sus últimos ensayos, *La mujer intelectual* y *La mujer de raza latina* continuó esta misma tendencia (Arbona-Abascal). En el primero de estos libros, dedicó un capítulo a la mecenas mexicana Carmen Romero Rubio de Díaz (29-34) y en el segundo incluyó dentro de su idea de latinidad transatlántica a las mujeres de Rumanía (211-214). También en su último libro, *La Virgen María y sus Advocaciones*, dedicó uno de sus capítulos a Nuestra Señora de Guadalupe en México (69-74).

3. MÁS DE UN SIGLO DE AUTORÍA: CARTAS, CUENTOS CORTOS Y ARTÍCULOS PERIODÍSTICOS[19]

La edición actualizada y comentada de la correspondencia, los cuentos cortos y la selección de los artículos periodísticos más representativos de Concepción Gimeno de Flaquer está pensada para que un público lector actual comprenda su pensamiento y su obra. Cada apartado está organizado siguiendo un orden cronológico respecto a la primera vez que publicó el texto en cuestión. Desde el inicio de este proyecto, sus escritos se han tratado, cotejado y analizado para facilitar su mejor comprensión a más de un siglo vista de que la escritora publicara muchos de ellos. Por lo que quien se acerque a este libro tendrá entre sus manos, más que una transcripción, un trabajo donde la voz de Gimeno de Flaquer resuena alta y clara gracias a la cuidadosa labor de edición e introducción a la que sus palabras se han expuesto, y que es la que ha facilitado una aproximación a quién fue esta autora y activista, además de a cómo su escritura y autoría fueron evolucionando a lo largo de su extensa y transatlántica carrera. Por este motivo, los textos originales de Gimeno de Flaquer que se incluyen aquí, aunque son fieles transcripciones respecto a los materiales originales, presentan algunas modificaciones en relación a estos, como, por ejemplo: la agrupación de sus párrafos, el añadido de notas explicativas a pie de página y la modernización de la acentuación.

Gracias al cuidadoso proceso de investigación y edición al que se ha expuesto una pequeña parte de la obra de Gimeno de Flaquer, ha sido posible realizar de manera simultánea una fidedigna traducción al inglés de los textos seleccionados aquí para este proyecto. Una labor que se ha facilitado introduciendo otra modificación más respecto a la edición de los escritos que forman parte de este libro, dado que los pronombres de objeto directo, indirecto o reflexivos se han colocado en la posición que actualmente se usan en el idioma español: delante de los verbos principales. Fruto de este arduo y cuidadoso trabajo, la voz de Gimeno de Flaquer se escucha por partida doble en la actualidad, tanto en su lengua materna como en inglés. La prioridad en esta traducción ha sido asegurar que la versión inglesa es lo más fiel posible respecto al texto original en español. Por lo que, siempre que ha sido posible, se ha preservado el lenguaje no sexista e inclusivo que Gimeno de Flaquer usó en muchos de los escritos incluidos en este libro, ya que esta manera suya de escribir señala la forma en que a lo largo de toda su carrera fue deconstruyendo "el modelo del ángel del hogar creado por el hombre burgués: el ángel asexual e inviolable", debido a que ella –al igual que otras escritoras– "pronto manifestó, a través de su escritura, su deseo sexual y

[19] En la sección de bibliografía se indican las diferentes citas correspondientes a los textos de Gimeno de Flaquer cuyas versiones han sido posibles localizar.

denunció la violencia que sufría" (Zecchi 34; Simón Alegre, "Violencia machista" 131-141). Cuando no ha sido posible traducir los juegos de palabras y dobles sentidos, se ha incluido en las notas a pie de página información complementaria para que el público lector en inglés entienda lo que la autora estaba insinuando. Su escrito más representativo de su destreza manejando este tipo de juegos lingüísticos en sus trabajos es el artículo titulado "La pluma".

A principios de los años setenta del siglo XIX, arrancó la carrera de Concepción Gimeno en el mundo de las letras. Este inicio coincidió con un periodo de transición en el que la "ola de feminización de la escritura" pasaría por un cambio que daría paso al paulatino freno y control respecto al proceso de creación y publicación liderado por mujeres (Medina y Zecchi 9). Años después de sus inicios, Gimeno de Flaquer denunció en una de sus conferencias más famosas en el Ateneo de Madrid –1903– la difícil situación por la que pasaba una escritora, sobre todo si estaba casada: "el marido, amo y señor, está autorizado para interceptar la correspondencia de su esposa, obligarla a cambiar de nacionalidad, impedirla que coopere a la cultura general por medio de la prensa" (*El problema feminista* 8). Sabía muy bien de lo que hablaba pues, desde la publicación de su primera novela –*Victorina*– allá por el mes de marzo de 1873, había experimentado las consecuencias del inicio de esta transformación. En algunas de las reseñas que salieron de su primera novela se la acusaba de que su trabajo –aunque estaba bien escrito y articulado– no respondía a los debates que se estaban suscitando en relación a la creación literaria (Simón Alegre, "Gimeno de Flaquer and her Transatlantic").

Además, en la opinión pública de este momento comenzaban a despuntar campañas en contra de las mujeres que escribían. Por ejemplo, la escritora Rosalía de Castro (1837-1885), con su artículo "Las literatas. *Carta a Eduarda*" –publicado en *El Almanaque de Galicia* (Lugo) en 1865–, advertía con altas dosis de acidez acerca de la situación que ya estaban viviendo: "Serlo como Jorge Sand [escritora] vale algo; pero de otro modo, ¡qué continuo tormento!; por la calle te señalan constantemente y no para bien, y en todas partes murmuran de ti" (657). A lo largo de su carrera, Gimeno de Flaquer adoptó una actitud de defensa del sentido positivo de los sustantivos de literata o escritora que en diferentes ocasiones usó para autodenominarse (Simón Alegre, "Algo más" 91-120). Este activismo suyo por reconocer su profesión usando un término en femenino no siempre estuvo respaldado por otras mujeres integrantes de la República de las Letras que abrazaron otro tipo de denominaciones (Fernández, "*La piedra angular*" 441-459)–. Una actitud que también tuvo cierta faceta opuesta en Gimeno de Flaquer, ya que arremetió de manera violenta en contra del acceso de hombres a actividades y profesiones vinculadas con el mundo tradicional de las mujeres, como expuso en sus artículos "La obrera mexicana" y "¡Plaza a la mujer!". Por esta actitud activista de Gimeno de Flaquer, el escritor Rafael Cansinos Asséns (1888-1964), recordando lo significativo de su figura pública que brotaba cada vez que organizaba una de sus emblemáticas tertulias de los miércoles, destacó de ella: "doña Concepción Gimeno de Flaquer, en la apologética feminista, reverente como una hermana menor para las grandes figuras de su sexo" (pos. 5548).

Concepción Gimeno de Flaquer fue una creadora autodidacta, de clase social media baja y forastera en la ciudad que la vería emerger: Madrid. Su artículo "La mujer de Madrid" –incluido en este trabajo– es una reflexión cargada de sinceridad acerca de lo complejo que fue para ella la llegada, tanto al principio de su carrera desde la periferia a esta capital, como en su regreso en 1890 desde México. En su escritura, esta autora supo sacar partido a sus carencias –las económicas, las sociales y las educativas–, gracias a sus destrezas personales, fuera de las elites privilegiadas donde se manejaban conocimientos y oportunidades, pero a cuyos grupos terminó accediendo, sobre todo debido a sus méritos en el terreno del periodismo y la escritura. Por lo que sus reflexiones acerca de la situación económica y social de las mujeres partían desde su propia experiencia. Por el reflejo biográfico en sus trabajos, sus textos no se quedan en una advertencia superficial de lo nocivo, sino que van a insistir en plantear soluciones concretas a diferentes problemas que dificultaban a las mujeres no solo el vivir una vida digna tanto como que pudieran elegir cómo querían vivirla. Por eso, la corriente francesa ligada al feminismo, la feminología, le resultará muy atrayente –véase el artículo "Feminología" incluido en este libro al respecto–.

Hay que subrayar la importancia que tiene a lo largo de su carrera su insistencia en lo perjudicial de exponer a las mujeres a matrimonios por obligación –véase el cuento corto "Por no amar"–. Este es un tema transversal en su obra que se repite tanto en su ficción como en sus ensayos –consúltese "¡Plaza a la mujer!"–. El remedio que Gimeno de Flaquer propuso para evitar que las mujeres tomaran malas decisiones respecto a sus enlaces o se las obligara a hacerlo es que dispusieran de su propio dinero. Una solución que, tal y como sobresale en su cuento corto "Por la Pilarica" o "El secreto", era tan sencilla como que alguno de los miembros de sus familias o personas cercanas con una situación económica desahogada contrataran los servicios de compañías de seguros como La Equitativa. Así se garantizaba que las mujeres de sus entornos próximos, cuando llegara el momento apropiado, pudieran disponer de cierta cantidad económica que les ayudara a decidir el rumbo de sus vidas y casarse o no hacerlo fueran opciones igualmente viables.

También esta escritora volcó en sus trabajos la mirada privilegiada que alcanzó a partir de su matrimonio con Francisco de Paula Flaquer, enlace que le facilitó formar parte de varios mundos y así poder, además de escribir, reescribir artículos como "La obrera mexicana" o "¡Plaza a la mujer!". Es probable que la publicación en diferentes momentos y medios de sus primeros escritos, que progresivamente fue modificando, se debiera a que cuando Gimeno de Flaquer consiguió mejoras respecto a su posición económica y social, a esa mirada que navegaba por diferentes mundos sociales se le uniera otra que estaba atenta a los debates políticos relacionados con las mujeres y que tenía una actitud activista a favor de extender y universalizar los derechos de las mujeres a la educación, al trabajo y, en definitiva, a una vida digna.

Gracias a su estancia en México (1883-1890) advirtió que los problemas que tenían las mujeres en España encontraban un paralelismo en México y viceversa. A partir de haber residido en este país, Gimeno de Flaquer siempre incluyó en sus ensayos tanto reflexiones en relación a las mujeres que vivían al otro lado del Atlántico como en torno a las aportaciones históricas, culturales y simbólico-religiosas que las mujeres habían liderado desde allí. Por esta posición inicial de Gimeno de Flaquer fuera de los sectores más privilegiados económicos y sociales de la península ibérica, también en su obra sobresale la voz de otras mujeres que estaban ajenas a las elites burguesas y no respondían al patrón étnico blanco-caucásico, como por ejemplo las relacionadas con el pueblo gitano de España, a quienes dedicó el artículo "La buenaventura" que forma parte de este trabajo.

Los tres tipos de textos incluidos en este libro presentan a una Gimeno de Flaquer que pasó tanto por fases vitales diferentes como también por variadas posiciones económicas y sociales. Independientemente del periodo por el que atravesara, sus trabajos –de ficción o de ensayo– estaban pensados para atraer a un público lector que quisiera leer, eso sí, sin llegar a sonrojarse: "El realismo en las artes, como en la literatura, será agradable mientras se atavíe con los delicados crespones del pudor: sin el velo del pudor todo es grosero y repugnante" (*Mujer juzgada* 123; 1882). Su estilo era tendente al realismo y en él no había espacio para "efluvios (...) morbíficos para el alma" (*Mujer juzgada* 123; 1882). Otra de sus metas es que su estilo realista subrayara más lo positivo que lo negativo en cualquier situación: "¡Militemos en las filas del realismo, tremolando la bandera de la belleza y haciendo de lo bello la religión de nuestra inteligencia, porque lo bello es lo bueno, lo puro, lo sublime puesto en acción!" (*Mujer juzgada* 124; 1882). Esta es una explicación de por qué Gimeno de Flaquer planteó finales algo ambiguos para las protagonistas en sus ficciones: Victorina se convierte en Sor Lágrimas, las cuñadas de *El doctor alemán* tienen las alquerías valencianas para reunirse, Margarita y Maura mueren tras haber conocido el amor, Sofía ha rehecho su vida y Luisa renuncia a una aventura amorosa por Egipto para asegurar el porvenir de su hija. Como en los siete cuentos cortos recogidos aquí, también a sus protagonistas el final de sus historias les coincidirá con el inicio de una vida más digna. Así pasa por ejemplo con la protagonista de "Los tres velos", que abandonará su luto, o el cuento corto que cierra la sección, "El espejo mágico", donde su protagonista decide seguir viviendo su vida sin tratar de alcanzar la perfección.

Para cerrar este apartado, no hay que olvidar subrayar la importancia, en relación al tema de la autoría, que tiene la correspondencia que Concepción Gimeno envió a Manuel Catalina. En las cartas 4 y 6 la escritora dejó varios testimonios de su papel como directora del periódico *La Ilustración de la Mujer*, cargo que ocupó desde marzo de 1873 hasta mayo de 1875. La carta 4 está escrita en una hoja de papel que usaba Gimeno para dirigir la correspondencia oficial de esta publicación, ya que incluye el membrete del periódico y el borde está laminado en oro. Mientras intercambiaba cartas con Manuel Catalina, Concepción Gimeno colaboraba con el periódico *La lira española* y en su sección de "Sueltos bibliográficos" apareció el contenido de algunos de los números de *La Ilustración de la Mujer* – (Anónimo 7-8)–.[20] Años después, en su primer ensayo de 1877 –*La mujer española*–, Concepción Gimeno indicó –sin dar muchos detalles más al respecto– que había dirigido este periódico, pero que ahora su directora era la escritora Sofía Tartilán ([1829-1888]; 228-229; Arkinstall, "Forging Progressive Futures for Spain's Women" 34-55).

Estas cartas ofrecen la oportunidad de ver cómo Concepción Gimeno se nombraba a sí misma, usando diferentes apelativos en función del grado de amistad y confianza que fue generando con el actor Manuel Catalina. Es importante señalar que, aunque en estas cartas Gimeno varíe la manera de nombrarse, siempre mantuvo el tono formal que consiguió al conjugar todos los verbos en la tercera persona del singular y el tratamiento de "usted". Esta rectitud a la hora de escribir una carta respondía a la fórmula establecida en la época para redactar esta clase de textos (Pagés-Rangel 43). La evolución en la manera de nombrarse a sí misma cambia a medida que los encuentros con Manuel Catalina van avanzando y el tono profesional se transforma en uno más íntimo. En la primera carta firmó como "María de la Concepción", para pasar a un "Moi", que también puede leerse como "Mari" (Carta 3), si bien no encontramos aquí el apelativo de Concha, que sobre todo usará a partir de su estancia en México. Además, en estas cartas hay una serie de seudónimos que empleó y que hasta la fecha actual parece que no volvió a usar más y que fueron los siguientes: Edelmira (Carta 4), Débora (Cartas 2 y 4), Safo (Cartas 5 y 9) y Argentina (Carta 6). En mi trabajo "Concepción Gimeno de Flaquer y el

---

[20] Consúltense las notas al pie de página incluidas en las cartas 4 y 6 para ampliar esta información.

ocio madrileño, en 1873" he presentado un análisis minucioso del significado que en esta correspondencia tienen estos seudónimos (Simón Alegre 433-466). Concepción Gimeno empleó estos sobrenombres a medida que su relación con Manuel Catalina atravesaba por diferentes fases para enfatizar algunas de las facetas y cualidades de esas mujeres en relación a lo que estaba pasando entre ellos. De entre estos seudónimos, el más importante es el de la poeta griega Safo de Lesbos (630 a. e. c.-579 a. e. c.), que otras escritoras a las que Concepción Gimeno admiraba ya habían usado, como Gertrudis Gómez de Avellaneda o Carolina Coronado (Morilla Palacios 279-296). Por la importancia de elegir este seudónimo al principio de su carrera –Safo es una poeta en la que en sus versos está subrayada la libertad femenina de amar en todo momento a quién se quisiera– y las insinuaciones que rodearon a la segunda etapa de Gimeno de Flaquer en Madrid (1890-1909) todavía esta referencia –de cara a futuras investigaciones– puede cobrar más importancia y significado (Simón Alegre, "Queer Literary" 51-83).

3.1. Diez cartas para Manuel Catalina de marzo a mayo de 1873

La copia manuscrita y original "de puño y letra de la poetisa María de la Concepción Gimeno" de estas diez cartas se conserva en la Biblioteca Nacional de Madrid (España).[21] La transcripción, edición y traducción de estas misivas han respetado el original, aunque se han introducido dos cambios: el primero ha sido sustituir la abreviatura "V." por la palabra "usted" y el segundo es numerar cada una de ellas. Concepción Gimeno envió estas cartas entre los meses de marzo y mayo de 1873 y solo puso fecha en algunas de ellas, añadida en otras a posteriori, información que se ha incorporado en la transcripción por medio de corchetes [ ]. Disponer de esta correspondencia es tener el acceso a una forma de escribir de Concepción Gimeno más privada y personal, a partir de la cual es posible establecer paralelismos entre esta esfera y su faceta más pública. Desde la primera de estas cartas hasta la última, el tono de Concepción Gimeno no es el de una joven escritora que busca el consejo y el apoyo de un actor consagrado, como otras misivas sí reflejan –véase, por ejemplo, la correspondencia entre la escritora Matilde Cherner (1833-1880) y el músico Francisco Asenjo Barbieri (1823-1894;

---

[21] Esta frase se puede leer en la primera de estas cartas y es un añadido posterior que certificaba la identidad de la escritora. La Biblioteca Nacional de España ha digitalizado esta correspondencia: http://bdh-rd.bne.es/viewer.vm?id=0000129880&page=1. En 2011 realicé la primera transcripción de estas cartas (Simón Alegre, "Diez cartas" 1-32) –trabajo que ganó el XII premio de SIEM y cuya versión mejorada publiqué en 2012 (Simón Alegre, "Concepción Gimeno y el ocio" 433-466)–. En este libro se realiza la transcripción y edición definitiva de estas diez cartas, a la que se añade un completo aparato crítico.

Fernández, "*Conociendo yo, caballero*" 89-117), o entre Ángeles Vicente y el escritor Miguel de Unamuno (1864-1936; Toro Ballesteros 1-20)–. Como muestra esta introducción, la mujer que en marzo de 1873 decidió comenzar un intercambio epistolar con un renombrado actor con fama de conquistador (Blasco Soler 135-148), cobijaba ya en su escritura a la autora en ciernes que unos años más tarde dejará como seña de identidad en sus obras la interrelación entre ficción y realidad (Simón Alegre "Gimeno de Flaquer and her Transatlantic).[22]

La motivación de Concepción Gimeno para iniciar esta correspondencia –de la que solo han sobrevivido las cartas que ella envió al actor y pese a que la escritora le pidió expresamente que las destruyera tras su lectura ("Rómpase"; Cartas 2 y 7)– fue que Manuel Catalina, otras personas aficionadas al teatro y ella misma representaran una función en el exclusivo Liceo Piquer de Madrid. Este no era un objetivo pequeño para poner en marcha, ya que Catalina nunca antes había actuado en este espacio y hacerlo con ella iba a repercutir positivamente en la carrera de la escritora. Mientras buscaban las obras adecuadas para este proyecto y los momentos idóneos para ensayar y ultimar los detalles de la producción, pasaron más cosas entre ellos, de las que Concepción Gimeno nunca llega a hablar explícitamente en esta correspondencia. Según las cartas 9 y 10, fue ella la que se encargó de parar lo que se hubiera iniciado entre ellos al margen de estos ensayos, especificándole que la única posibilidad que había era la de ser "hermanos" guiados por el dios Apolo (Cartas 1 y 10).

Este parón que sucedía en paralelo a la puesta en marcha del proyecto teatral pudo ser uno de los motivos para que Manuel Catalina dejara de mostrar interés por continuar en él. Concepción Gimeno se encargaría de presionar al actor para que cumpliera con lo prometido y al final –aunque un tanto apresuradamente– estrenaron la obra de teatro *Flor de un día* el 29 de mayo de 1873 en el Liceo Piquer (*La Correspondencia de España,* 30 Mayo 1873). Pero ese no había sido el libreto que habían comenzado a preparar, sino que habían elegido *Espinas de una flor* (Carta 3), segunda parte de *Flor de un día,* ambas escritas por el dramaturgo Francisco Camprodón (1816-1870). El cambio de una a otra coincide con el punto final que la escritora había puesto respecto a lo que estuviera ocurriendo entre ellos al margen de los ensayos. Como he expuesto en otros de mis trabajos en relación a esta

[22] En la investigación que realicé para el trabajo "Concepción Gimeno de Flaquer y el ocio" (433-466) indiqué que este encuentro se había producido durante la apertura del Teatro Apolo de Madrid, pero esta referencia es incorrecta, ya que esta inauguración se produjo en 1873, pero en noviembre. Consúltese la sección de cartas para más información al respecto.

correspondencia (Simón Alegre, "Diez cartas" 1-3 y "Concepción Gimeno de Flaquer y el ocio" 433-466), esta modificación es importante subrayarla, ya que deja entrever algo de lo que estaba pasando más allá de estos ensayos. En la reseña que el escritor Carlos Vieyra de Abreu publicó pocos días después del estreno de *Flor de un día*, señaló que aunque esta producción encantaba a las mujeres, en cambio no disfrutaba de "las mismas simpatías de parte de los maridos" por quedar el personaje masculino principal "sacrificado" ("Liceo" 5-7). Además Vieyra de Abreu indica que, en otra ocasión, Concepción Gimeno representaría *Espinas de una flor* –un año después lo hizo en el Liceo Piquer, sin Catalina–, un comentario que llama la atención y que conecta con la posibilidad de que en las invitaciones o "papeletas" que ya estaban preparadas –véase la carta 9– no figuraba el título de la obra que finalmente se había estrenado.

Al margen de las "fraternales miradas" entre Gimeno y Catalina mencionadas en las cartas, lo único cierto es que Manuel Catalina nunca se deshizo de la correspondencia ni la destruyó, a pesar de habérsele pedido (Carta 10). Por eso terminaron como parte de la colección del pintor Manuel Castellano –amigo de Catalina (Sepúlveda 318)– y uno de sus familiares se las vendió a la Biblioteca Nacional de España, junto con otros documentos (Onfray 87-107). Concepción Gimeno siguió su camino dentro de la República de las Letras y en el verano de 1879 se casó con Francisco de Paula Flaquer, que había actuado con ella y Manuel Catalina en la función del Liceo Piquer y también en otra ocasión más. El poeta Juan Tomás y Salvany, quien además había leído una poesía al terminar estas funciones, en fechas cercanas al enlace de la pareja dedicó a la escritora una poesía titulada "El paleto y el arpa" (480). Si se presta atención a lo que hay entre líneas insinuado en esta poesía, Tomás y Salvany le estaba recordando a la escritora que en sus relaciones del pasado ella no había sido la causa de que no salieran adelante: "Como las arpas son los corazones: / ¡Cuántos al tuyo arrebatar quisieron / Sonoras [sic] vibraciones, / Y paletos de amor y de ilusiones, –Está desafinado, –se dijeron!" (480).

Por último, hay que destacar de esta correspondencia cómo Concepción Gimeno utilizó su recién estrenada faceta de periodista en Madrid en 1873 para enviar mensajes a Manuel Catalina. Aunque no se han encontrado los artículos concretos a los que se refiere en esta correspondencia –"Cartas a una provinciana", *Ecos de Madrid* y "Hay mujeres fuertes" (Cartas 4, 8 y 10)– propongo la lectura del cuento "La vida sin amor" y el artículo "La pluma" como posibles ejemplos de los contenidos y mensajes entre líneas que esta escritora incluyó en estos textos todavía no localizados, además de los capítulos "Aptitud de la mujer para las artes" y "No hay sexo débil" de *La mujer española* (61-82 y 143-154), y su artículo "Luna de miel" –estos tres últimos textos no forman parte de los incluidos en esta edición crítica–. Como ya he comentado en el apartado "Pinceladas biográficas", Pedrós-Gascón ha propuesto que el artículo "Cartas a una provinciana", Gimeno de Flaquer lo publicó en 1884 con un nuevo título –"Cartas de una aldeana"– y bajo el seudónimo de María de la Mora ("Concepción Gimeno, agente" 53; nota 22). Según la carta 4, Concepción Gimeno firmó el texto de 1873 bajo la identidad de Edelmira, por lo que si se confirma la hipótesis de Pedrós-Gascón y los dos textos tienen un origen común, también la versión de 1884 decidió firmar usando un seudónimo, pero en este caso el de María de la Mora.

Como en la apertura de esta introducción he subrayado, Gimeno de Flaquer sacó en diferentes ocasiones y medios los mismos escritos, aunque en muchos casos en el producto final hubiera introducido toda una serie de cambios significativos de cómo estaba evolucionando su pensamiento político. Por lo que no sorprende que más de diez años después de que publicara "Cartas a una provinciana" decidiera usar este mismo texto, aunque adaptándolo. Como he apuntado en el apartado "Pinceladas biográficas" de esta introducción, el artículo "Cartas de una aldeana" hay que interpretarlo como una parte más de la respuesta pública que dio Gimeno de Flaquer a la tensa situación por la que estaba pasando en México tras haber publicado un grabado de doña Marina en la portada de su periódico el *AM* en 1884.

El artículo "Cartas de una aldeana" está compuesto de dos partes. En la primera de ellas, María de la Mora aporta una serie de detalles acerca de cómo ella y Gimeno de Flaquer habían pasado tiempo juntas y aprovechaba para agradecerle los periódicos que le había enviado (2). Por su parte, en la segunda sección, Mora arremete en contra del espiritismo y de la escritora Laureana Wright de Kleinhans, como he descrito en páginas anteriores. Esta sección tanto pudo ser completamente nueva o que también en el texto original de 1873 incluyera una sección donde arremetía contra alguien de su entorno y por lo tanto en la versión de 1884 solo cambió quien recibía sus críticas. A falta del original para cotejar ambas versiones, propongo que la primera sección es la que más probablemente vino del texto original de 1873, por lo que podemos estar ante los párrafos que Concepción Gimeno dedicó a Manuel Catalina tras uno de sus encuentros, tal y como en la carta 4 está indicado.

En esta primera parte de la misiva que supuestamente María de la Mora envió a Concepción Gimeno de Flaquer a México –publicada por el periódico *La Voz de México*– evoca los momentos que pasaron juntas, posiblemente se refiere a que lo hicieron en la ciudad de México, aunque en el texto original de 1873 correspondería con Madrid: "Cuando en medio de la triste soledad en que ahora vivo, después de los días de bullicio que pasé en esa capital" (Mora 2). Además, Mora remarca a Gimeno de Flaquer lo mucho que lo echaba de menos: "la distancia que nos separa se hace inmensa (…) que no volveré a oír de sus labios aquellas elevadas manifestaciones de sus nobles pensamientos"

(Mora 2). Aquí en el texto original, Concepción Gimeno –bajo la identidad de Edelmira– le estaría diciendo lo mismo, pero a Manuel Catalina. A continuación, María de la Mora aprovecha para enfatizar lo mucho que aprendió gracias a los encuentros con la escritora: "aquellas frases poéticas, sencillas, pero elocuentes, con que trataba de amenizar mi aprendizaje literario y todos los consejos que su talento, ilustración y conocimientos me daban" (2). En el texto de 1873 estas referencias corresponderían a los encuentros entre la autora y el actor para poner en marcha los preparativos necesarios para sacar adelante la obra de teatro que estrenarían en el Liceo Piquer. En la carta de Mora no se desvela el lugar donde se habían producido, al igual que he comentado en relación a Gimeno y Catalina, pero era donde todos ellos pasaron "horas inolvidables (...) escribiendo, leyendo, o hablando sobre cualquiera de las materias que usted daba por tema" (Mora 2). Lecciones que para Mora representaron más que un aprendizaje, pues su "palabra fluida, elegante y persuasiva, adquirió tanto dominio sobre una pobre muchacha" y dio paso a la que en teoría sería una serie de cartas para que "la distancia" dejara de existir entre ellas y así pudieran hablar "amigablemente como en otro tiempo" (2).[23] Si existieron más cartas intercambiadas con el actor todavía no se han localizado, pero la correspondencia conservada entre Concepción Gimeno y Manuel Catalina, si hay que destacarla por algo, es porque en ella queda patente cómo la escritora supo manejar una situación que tuvo que ser muy compleja.

3.2. Cuentos cortos: Desde vivir una vida sin amor hasta hacerlo a través de un espejo mágico

Es la primera vez que los únicos siete cuentos cortos firmados por Concepción Gimeno de Flaquer se reúnen conjuntamente en una edición crítica y actualizada. Todas estas narraciones aparecieron en el *AIA* entre 1895 y 1908, y aunque se conocían algunos de ellos –"Por no amar" (1895), "El secreto" (1897), "El beso subastado" (1899) y "Los tres velos" (1907)– es la vez primera que se añaden a esta lista tres nuevos títulos: la carta-cuento "La vida sin amor. Carta a una amiga" (1879), "Por la Pilarica" (1904) y "El espejo mágico" (1908).[24] En contraposición con sus artículos –que Gimeno de

---

[23] Si existieron más cartas de María de la Mora, todavía no se han localizado.

[24] Pedrós-Gascón identifica dos cuentos cortos más que al parecer escribió Concepción Gimeno de Flaquer y que firmó, uno con el seudónimo de Vestina, identidad que es probable que supliera a la de la autora, "La flor y la perla del Edén" en 1871 y "Niñerías. Cuadro pedagógico" que está firmado con una Z y que salió en el *AIA* en 1897 ("Concepción Gimeno (1869-1883)" 89-90 y *Concepción Gimeno. La cantora de la mujer* 40-41).

Flaquer irá publicando en diferentes medios y adaptando su contenido a la evolución de su pensamiento político feminista (Encinar 30-34)–, solo dos de estos siete relatos se publicaron en otras ocasiones. El primero de ellos es "La vida sin amor", que apareció por primera vez en 1879 en el periódico *El Correo de la Moda*, para –en 1883– salir en *La Ilustración* y, años después –en 1893 y 1907–, hacerlo en las páginas del *AIA*. Los cambios realizados desde su texto original hasta su última versión, si bien no alteran el contenido, son significativos.[25] El segundo y por ahora último de los cuentos cortos del que se ha encontrado otra versión más es "Por no amar", que fue publicado por el *AIA* en 1895 y dos años después el periódico *El Globo* lo incluyó entre sus páginas, ocupando su primera plana (véase la figura IV.1). Por otra parte, únicamente "El secreto" y "Los tres velos" se abren con una dedicatoria: una es para Carmen Romero Rubio de Díaz, mujer de Porfirio Díaz –no era la primera vez que le brindaba uno de sus textos (Simón Alegre "Introducción crítica")– y la segunda es para Carmen Alonso del Real, mujer que ejerció de mecenas en el despegue de la arquitectura modernista en Madrid y de la que todavía no hay mucha más información al respecto. Con estas dedicatorias, Gimeno de Flaquer subrayaba que todavía mantenía una conexión con personas sobresalientes de su vida en México y que en Madrid formaba parte de una comunidad exclusiva y vinculada con la llegada a la capital de nuevas tendencias y movimientos culturales.

El estilo predominante de estos siete cuentos cortos es el realista, donde la realidad misma es la llave que facilita cada una de las narraciones propuestas por Gimeno de Flaquer en estos relatos. Aunque el más representativo de este estilo es "Por no amar", ya que la escritora aprovechó la inauguración del pabellón de mujeres dementes en el manicomio de Carabanchel (Madrid) que se llevó a cabo el 28 de mayo de 1895 para compartir la historia de una de las pacientes que estaba allí hospitalizada.[26] El último relato, "El espejo mágico", es el único que no está ambientado en la contemporaneidad de la autora, ya que tiene como escenario Venecia en época renacentista. Una recreación histórica que permitió a Gimeno de Flaquer profundizar en los efectos que tenía en las relaciones entre mujeres, el abuso del coquetismo en los actos sociales y, sobre todo, la doble cara que presentaba el ejercicio de la caridad y la beneficencia liderado por las mujeres de las elites.

En su narrativa breve hay gran variedad de temas puestos en juego, como por ejemplo cuestiones relacionadas con el desamor, los nuevos inicios, las consecuencias psicológicas para las mujeres al reprimir sus sentimientos, la

---

[25] Consúltense las notas al pie de página que acompañan este relato en la sección de "Cuentos cortos".

[26] Ibid.

importancia del ahorro –en "El secreto" y "Por la Pilarica" se menciona a la compañía de seguros de vida La Equitativa–[27] y la imposibilidad de alcanzar la perfección moral. Las protagonistas de estos relatos son en su mayoría mujeres, al igual que en su prosa en formato largo. En estas narraciones solo la titulada "Por la Pilarica" rompe esta tendencia, pues aunque el comienzo de esta historia está protagonizado por un hombre, después van a ser las mujeres las que lideren su narración. También hay que destacar cómo la ciudad de Madrid sirve de escenario a muchas de estas historias, donde diferentes barrios emergen a partir de estos relatos. Además, Gimeno de Flaquer aprovechó para describir cómo las elites de esta ciudad pasaban el tiempo libre y mostrar lo que se escondía bajo diferentes apariencias de normalidad urbanita. No todos estos cuentos cortos transcurren en Madrid: además de "El espejo mágico", "El beso subastado" está narrado desde Biarritz (Francia) –uno de los lugares preferidos de la clase aristocrática y burguesa del momento para pasar las vacaciones–, y "Por la Pilarica" tiene la ciudad de Zaragoza como escenario que ambienta la historia, justo en los momentos previos a la pérdida de Cuba y Filipinas (1898).

Tanto en sus colaboraciones en prensa como en sus relatos cortos, Gimeno de Flaquer introdujo toda una serie de referencias que ayudan a saber lo que estaba leyendo y a quienes le interesaba destacar de su entorno. Gracias a que estos siete relatos no cuentan con múltiples versiones –como en el apartado siguiente se insistirá que así pasa en relación a sus artículos– es algo más sencillo hacerse una idea del contexto intelectual que rodeó al proceso de composición de estas narrativas breves. Aunque en las notas a pie de página que incorporan cada uno de estos relatos se profundiza en las referencias incluidas en ellos, es importante subrayar algunas menciones aquí relevantes. Por ejemplo, en "La vida sin amor" destacan el poema "Sillas del Prado" (1845), de Ramón de Mesonero Romanos (1803-1882), y una parte del libro *Las pasiones del joven Werther* (1849), de Johann Wolfgang von Goethe (1749-1832), referencias que conectan con las primeras lecturas de la escritora.

En "Por no amar" –además de la descripción del establecimiento madrileño del doctor Esquerdo– sobresale la alusión a los murales que realizó el pintor Eduardo Gil Montijano (1850?-1912?) para decorar este lugar. De otro lado, en este relato destaca el vocabulario empleado, que indica la familiaridad de Gimeno de Flaquer con un lenguaje relacionado con la medicina y los trastornos mentales. Es importante mencionar su cercanía con el mundo más vanguardista de la medicina de finales del siglo XIX, que tiene como referente su relación con el colaborador en el *AIA* el doctor Ángel Pulido (1852-1932; Simón Alegre, "Prensa, publicidad" 35-54). Por su parte, en "El secreto", por

[27] Ibid.

los guiños que hace a la obra del dramaturgo William Shakespeare y al pintor Diego Velázquez, refleja cómo las referencias al Siglo de Oro eran un tema recurrente. También en "Los tres velos" nos podemos acercar a otra temática a tener en cuenta en la época, como fue el incorporar referencias de la Antigüedad clásica y símbolos relacionados con el hinduismo en este tipo de escritos. Por último, en "El espejo mágico" sobresale la descripción minimalista de los entornos más emblemáticos de la ciudad de Venecia. Es importante resaltar el conocimiento de primera mano que la escritora usó en este relato, es posible que lo escribiera tras uno de sus viajes a Italia y que el acceso al folclore italiano le sirviera como base de inspiración para componer esta historia (Simón Alegre "Cartagena y Murcia").

Estos relatos no han llamado todavía lo suficiente la atención de los trabajos de crítica literaria sobre esta autora. Una de las pocas menciones a una de estas narraciones ha sido la de Pedrós-Gascón en la introducción a la edición facsímil de *Una Eva moderna* ("Prólogo" 1-13). En concreto, se refiere a "El beso subastado", indicando que la situación narrada en este cuento también la utilizó Gimeno de Flaquer en su novela *Una Eva moderna* (Pedrós-Gascón, "Prólogo" 11). Aunque la acción es la misma en los dos casos –subastar un beso– hay diferencias entre cómo el tema se presenta en este relato y la escena incluida en *Una Eva moderna*. Una de las diferencias es que en el relato es un viudo de Veracruz el que puja por el beso de una bella italiana, también viuda. En cambio, en *Una Eva moderna* es el potencial amante de la protagonista quien puja por el beso de una hermosa "cupletista", que termina ganando un argentino (Gimeno de Flaquer 16).

Merece la pena aportar algunas breves pinceladas acerca de cada uno de estos siete relatos. El que inaugura la sección, "La vida sin amor", acompañó a Gimeno de Flaquer desde sus comienzos como escritora –la primera versión de esta carta-cuento la firmó solo con su primer apellido para el periódico *El Correo de la Moda* en 1879, para sacar una última versión de este mismo texto –aunque con algunas modificaciones– casi al final de su etapa en Madrid, en 1907. Además, entre ambas fechas aprovechó para publicar este mismo texto en dos ocasiones más: en 1883, en *La Ilustración* y en 1893, en el *AIA*. La primera parte del título –"La vida sin amor"– siempre la mantuvo igual, pero cambió el subtítulo: en las primeras versiones fue "Carta a Celia", para después dejarlo en "Carta a una amiga". Al final, quitó el nombre de Celia en todo el texto y prefirió nombrar a la mujer a la que iba dirigida su misiva sencillamente como "amiga" o con el nombre de Alicia. Otra modificación para destacar fue la sustitución de la referencia al sustantivo "triaca" por "antídoto". El primero era un neologismo que significa concretamente un remedio a base de opio para tratar las mordeduras de animales, que la escritora cambió por una referencia más genérica a un medicamento contra un veneno. Una pregunta que surge al comprobar que un escrito como este la acompañó durante toda su carrera es cómo sería para ella, tantos años después, leer y reescribir uno de sus primeros trabajos. Si lo continuó sacando es porque sabía que tenía un sentido y un propósito hacerlo. A falta de un testimonio suyo de primera mano, lo que destaca es la importancia que dio Gimeno de Flaquer a asegurar que lo que había escrito permanecía, ya fuera en una versión o en otra.

Esta carta-relato es una misiva que la escritora envió a una amiga, Celia-Alicia, que acababa de sufrir un desengaño amoroso. No es desacertado unir este texto con las cartas que envió a Manuel Catalina y pensar que alguna de sus partes pudo haber estado incluida en ese texto no encontrado hasta el momento titulado "Cartas a una provinciana" (Carta 4). Por ejemplo esta frase puede que viniera del texto de 1873 "Cartas a una provinciana": "Creo inútil repetirte una vez más que quiero parte de tus penas; tengo el alma templada para el pesar; el dolor es mi lúgubre placer" ("Vida sin amor"). Como también en su primera novela destaca –*Victorina*–, la soledad y la melancolía son dos emociones que están latentes en esta narración. Además en "La vida sin amor" sobresale que es uno de los primeros textos de Gimeno de Flaquer donde la amistad entre mujeres queda subrayada y es lo que mantiene a flote a esa amiga que está sufriendo tanto. Hay paralelismos entre "La vida sin amor" y el artículo de Rosalía de Castro de 1865 "Las literatas. *Carta a Eduarda*" (655-659). En estos dos textos, la interlocutora amiga a la que estas misivas están dirigidas recibe unas duras reflexiones, tanto en relación al amor –en el caso del texto de Gimeno de Flaquer–, como acerca de la dedicación al mundo de las letras –para el escrito de Castro–, diluyéndose la identidad de autora y receptora entre diferentes posibilidades: son las escritoras hablando consigo mismas o son ellas también dialogando con sus amigas en general, advirtiéndolas, más que de sus errores, de los que ellas mismas habían cometido. La despedida de las dos cartas también deja con muchas incertidumbres, pues Gimeno de Flaquer anima a su amiga a que siga amando, pero elija mejor, y Castro recomienda continuar escribiendo, pero que ni se le ocurra publicar sus textos.

Respecto al relato "Por no amar" –que contó con su versión de 1895 y una más en 1897–, los cambios entre una y otra fueron solo para solventar alguna errata. Como ya he señalado, esta narración está inspirada en el acto al que acudió Gimeno de Flaquer el 29 de mayo de 1895 y del que también el periodista Salvador Rueda (1857-1933) reseñó.[28] Gracias a la descripción de una de las enfermas, Alicia, Gimeno de Flaquer nos acerca a las nocivas consecuencias que tenían para las mujeres el obligarlas a casarse y a silenciar

---

[28] Ibid.

sus sentimientos. En el caso de Alicia, al ser parte de una familia de recursos económicos, podía estar en un lugar como el centro del doctor Esquerdo, pero lo que Gimeno de Flaquer deja en el aire es cómo otras mujeres se enfrentaban a las consecuencias psicológicas de que se las obligara a vivir y sentir de una manera determinada. También es importante señalar aquí la forma en que Gimeno de Flaquer está planteando el tema del autocastigo físico de una manera similar a lo que la investigadora Nuria Godón ha trabajado en relación a la presencia del masoquismo dentro de la ficción de esta época ("Masoquismos" 101-118).

En el caso de "El secreto", la protagonista es Paz, que decide abandonar su posición en la alta clase para ponerse a trabajar como institutriz. En este relato, la actitud de Paz es la otra cara de la moneda respecto a cómo una mujer podía enfrentarse a su destino siguiendo el ejemplo de Alicia, aceptándolo y enloqueciendo, o al estilo de Paz, decidiendo el cambio de una posición social, pasara lo que pasara. En este caso, Paz es huérfana de padre, igual que lo era la escritora, y tras su muerte la chica había quedado en manos de una madre que usaba su casa para organizar orgías. Cuando Paz ya ha tomado la decisión de hacerse institutriz y marcharse de Madrid, su madre le desvela que su padre le había dejado una póliza en la compañía de seguros La Equitativa para que pudiera hacer de su vida lo que quisiera. Este dinero es el que le sirve para replantearse su vida.

El siguiente relato, "Por la Pilarica", tiene conexiones con "El secreto" ya que plantea como única solución para que una mujer viva la vida que ella termine eligiendo que alguien de su familia o una persona cercana a esa mujer le abra una cuenta en La Equitativa. Además, Gimeno de Flaquer aprovechó este cuento corto para subrayar la estrecha conexión que existía entre las apuestas, el mundo militar y el suicidio que se daba entre miembros de esta institución por pérdidas económicas que les llevaban no solo a ellos a la ruina sino a sus familias. También en "Los tres velos", Gimeno de Flaquer explora la cara más oscura del modelo de la masculinidad predominante en este momento. Gracias a una conversación entre una madre y una hija donde la madre le va explicando su vida a través de los diferentes velos que ha ido usando, hasta llegar al de viuda, nos acercamos al complejo mundo de las apariencias sociales. Cuando llega a lo difícil que fue para ella aceptar la muerte de su marido y ponerse ese velo, a continuación le confiesa a su hija cómo averiguó que su esposo tenía una doble vida. Tras este descubrimiento, la madre aconseja a la hija que siempre viva su vida, al margen de los convencionalismos sociales. Por último, en "El espejo mágico", de la mano de su protagonista, la condesa Julia Paravisinni, recorremos la Venecia renacentista. Tras la muerte de su marido, Julia recibe un espejo mágico que ayuda a saber cuándo una mujer ha sido virtuosa o no. Gracias a la necesidad que Julia tiene por intentar que el espejo confirmara el espíritu bondadoso que ella misma sabía que tenía, recorremos diferentes ambientes cortesanos venecianos. Este cuento pone un punto final a este apartado a destacar, pues Gimeno de Flaquer está introduciendo un inicio de lo que parece un cierto realismo mágico de cuño peninsular en su narrativa, que por ahora no sabemos si siguió explorando.

3.3. Selección de artículos periodísticos[29]

De entre los numerosos artículos que Concepción Gimeno de Flaquer publicó a lo largo de su carrera –principios de 1870 hasta 1919–, en este libro se han seleccionado diecisiete que son representativos del estilo y la evolución política que fue experimentando. Otras antologías de autoras de un periodo histórico similar al suyo han recogido parte de este tipo de trabajos, pero hasta este volumen ni se había dedicado uno exclusivo para reunir sus artículos, ni se había preparado una selección en la que se hubiera tenido en cuenta tanto si el texto en cuestión lo publicó en otras ocasiones, como las variaciones existentes entre unas versiones y otras, o los posibles motivos para introducir estos cambios, ni por tanto se habían añadido notas explicativas al pie de página para facilitar la comprensión de las numerosas referencias que Gimeno de Flaquer incluyó en este tipo de escritos.[30]

A falta de más documentación personal de esta autora, este conjunto de cambios se convierte en una fuente relevante para rastrear el camino que recorrió aupada en su activismo en defensa de la universalización de los derechos de las mujeres a la educación, el trabajo digno y el voto. Un ejemplo de lo útil que es fijarse en estas modificaciones lo encontramos en el artículo titulado "¡Plaza a la mujer!". La versión que se utiliza aquí, de 1908, es representativa de cómo Gimeno de Flaquer fue acortando los textos que ya antes había publicado para adaptarlos a un nuevo público lector. Para componer este texto usó parte de uno de los capítulos de su libro *La mujer española* de 1877, tomó secciones de su artículo "La obrera mexicana" de 1884 y lo sacó con el título de "¡Plaza a la mujer!" en 1891, 1906 y 1908.[31] Desde la versión de 1906 decidió prescindir de la referencia a la tradición francesa del

---

[29] Agradezco a Roberto Torres Blanco su ayuda en la edición de esta sección.

[30] Consúltense la bibliografía final sobre Concepción Gimeno de Flaquer para la lista completa de estas antologías. La Biblioteca virtual Miguel de Cervantes ha puesto a disposición de todo el mundo la transcripción –sin incluir ningún tipo de edición crítica o comentada– de algunos artículos de esta autora (http://www.cervantesvirtual.com/portales/concepcion_gimeno_de_flaquer/su_obra_articulos/)

[31] Consúltense las notas al pie de página que acompañan este relato en la sección de "Selección de artículos periodísticos".

"*trousseau* o la canastilla" para, en 1908, incluir en su lugar la sugerencia de que, como medio de asegurar que las mujeres siguieran su propio camino, sus familias les facilitaran un seguro, una pensión o una cuenta de ahorros, una propuesta que también incluyó en sus cuentos cortos "El secreto" y "Por la Pilarica".[32] Además, gracias a la minuciosa investigación a la que se han sometido estos artículos, ha sido posible localizar el texto que Gimeno de Flaquer escribió en francés "La femme" (1900; 228-230), que le sirvió para componer el artículo "La mujer de mañana" (1902), incluido en esta selección. En otro orden de cosas, cuatro de estos diecisiete artículos llevan una dedicatoria. Los dos primeros se los dedicó a hombres: "El amor" (1884) fue para Francisco de Paula Flaquer y "La pluma" para un amigo. Ambas dedicatorias fueron pasajeras, pues al publicar de nuevo estos textos las quitó. Los otros dos artículos se los dedicó a mujeres: "Cultura femenina" (1909) a las chilenas y "Feminología" (1904) a la infanta Eulalia de Borbón y Borbón (1864-1956) por su relación con el feminismo.

El periodo cronológico comprendido en estos artículos abarca desde 1877 hasta 1905. Aunque por la tendencia de Gimeno de Flaquer a publicar sus trabajos en diferentes ocasiones el límite es en realidad el año 1909. Por ejemplo, su trabajo "El quetzal" lo sacó en tres ocasiones diferentes: 1889, 1899 y 1909. Por otra parte, el artículo titulado "Cultura femenina", aunque el *AIA* lo publicó en 1909, no se ha colocado el último porque para escribirlo Gimeno de Flaquer usó textos que tenía preparados desde por lo menos 1879 y su versión final la complementó con otros materiales preparados ya en el siglo XX.[33]

Las transcripciones de los diecisiete artículos incluidos en este libro están elaboradas a partir de la última versión localizada del texto en cuestión, pero su orden responde a un criterio cronológico en relación a la primera vez que los publicó Gimeno de Flaquer. Aunque en este método de organización hay que destacar algunas excepciones. La primera de ellas es el artículo "La pluma", que cuenta con tres versiones correspondientes a los años 1888, 1901 y 1903. Los textos de 1888 y 1901 –versión que se reproduce en este trabajo– presentan pocas diferencias uno respecto al otro, no así el artículo de 1903, que incluye cambios importantes respecto al original. Como he comentado en el apartado en relación a la correspondencia entre Manuel Catalina y Concepción Gimeno, en el artículo "La pluma" se aprecian enlaces con este intercambio de cartas y la temática del texto en sí, pero respecto a las

[32] Consúltense las notas al pie de página que acompañan este relato en la sección de "Cuentos cortos".

[33] Consúltense las notas al pie de página que acompañan este relato en la sección de "Selección de artículos periodísticos".

versiones de 1888 y 1901. Coincidencias que no se perciben en relación al texto de 1903, ya que Gimeno de Flaquer lo redujo de manera considerable. El artículo "La obrera mexicana" sigue el texto de su versión de 1884, aunque en 1898 Gimeno de Flaquer publicó casi el mismo texto, pero cambiando su título por "Feminismo. La obrera" y sustituyendo cualquier referencia a México y a las mexicanas por menciones genéricas a la situación de las mujeres. Y por último, el texto "La mujer entre los aztecas" sigue la versión de 1893 pues, aunque lo publicó en dos ocasiones más –1900 y 1904–, no se han tenido en cuenta estas versiones porque reducen de forma considerable la información del artículo. El texto de 1893 parte de una de las secciones de la conferencia que la autora impartió en el Ateneo de Madrid en 1890, charla que sacó en formato de libro con el mismo título: *Civilización de los antiguos pueblos mexicanos* (64-77).

Además de seguir un orden cronológico en función de cuando aparecieron publicados estos artículos por primera vez (entre paréntesis incluyo el primer año en que se publicó y la versión usada para hacer su transcripción), también se han agrupado en tres secciones temáticas para facilitar una lectura detallada de cada uno de ellos. La primera sección se llama "Cajón de sastre: Un poco de amor, buenaventura y mucha conversación" e incluye los artículos: "El amor" (1877; 1884), "La buenaventura" (1880; 1883), "La pluma" (1888; 1901) y "Las tertulias" (1899; 1901). La segunda lleva por título "Encuentros de Concepción Gimeno de Flaquer con México y las mexicanas", que está compuesta de los siguientes trabajos: "La obrera mexicana" (1877; 1884), "La consejera de Hernán Cortés" (1884; 1901), "La mujer de Jalisco" (1889), "El quetzal" (1889; 1899) y "La mujer entre los aztecas" (1893). Por último, el apartado "Evolución del pensamiento feminista de Concepción Gimeno de Flaquer", incluye los siguientes textos: "¡Plaza a la mujer!" (1877; 1908), "Cultura femenina" (1879; 1909), "La mujer de mañana" (1897; 1902), "La mujer de Madrid" (1900; 1903), "El ángel del hogar" (1904), "Feminología" (1904), "Nuevo carácter del feminismo" (1904) y "43 913 mujeres" (1905; 1903).[34]

El primer apartado, "Cajón de sastre: Un poco de amor, buenaventura y mucha conversación", es en el que los artículos tienen un tono más personal. El texto "El amor" es importante por la dedicatoria que añadió para su marido, Francisco de Paula Flaquer: "Tú has sido, eres y serás mi única

---

[34] A partir de aquí y hasta el final del apartado se va a presentar cada sección de esta introducción y los artículos que forman parte de cada uno de ellos. En todos estos artículos se han incluido notas al pie de página que aclaran los temas que aquí se van a señalar brevemente por lo que es conveniente revisar las notas incluidas en su sección correspondiente.

pasión; y ya que has sabido inspirarme el afecto que describo". Gimeno de Flaquer, para incluir esta dedicatoria, modificó el escrito que ya había publicado en 1877 en su libro *La mujer española*, cambió unos versos con los que abría el capítulo –que tenía el mismo título que el artículo– por esas cariñosas palabras para Flaquer, de las que años después no quedará rastro (Gimeno 187-196). La manera de describir este tipo de sentimientos recuerda a la utilizada con Manuel Catalina en su correspondencia acerca de cómo ella entendía que era el amor. El artículo "La pluma" está dedicado a un desconocido amigo –dedicatoria en la que Gimeno de Flaquer destaca que es la primera vez que tiene este gesto con un hombre pero, como muestra el artículo "El amor", no era del todo cierto–. Este texto conecta tanto con la correspondencia entre la escritora y Manuel Catalina, como con el regalo que le hizo al terminar la función en el Liceo Piquer, una pluma de plata que tenía grabada una frase que le puso en las misivas que intercambiaron en 1873 ("El arte nos reconcilia con la vida"; Carta 1).

El texto de "La pluma" llama la atención porque, desde que Gimeno de Flaquer publicó su primera versión en 1888, es perceptible el cuidado que puso en la elaboración de su contenido. Por ejemplo, para componerlo empleó uno de los primeros artículos que había publicado a su llegada a Madrid, "La mujer y el poeta", de 1872 (Gimeno 1-3), además de partes de *La mujer española* y *Victorina*. Una buena pregunta es por qué esperó tanto tiempo para sacar este artículo –a menos que aparezca alguna versión anterior a 1888–. Uno de los motivos pudo ser –si este artículo tenía alguna conexión con su relación con Manuel Catalina– que Gimeno de Flaquer aguardó a que este estuviera muerto y ya poca gente se acordara de nada de lo que pasó entre ellos, allá por el lejano 1873 (Simón Alegre "Gimeno de Flaquer and her Transatlantic"). Este artículo incluye toda una serie de dobles sentidos en relación a la idea de la pluma en sí, por la referencia que hace a los pájaros y al utensilio que se usaba para escribir. Como detalle importante hay que recordar la carta que Concepción Gimeno de Flaquer envió a Emilia Pardo Bazán alrededor de 1881 en la que incluyó un dibujo de una pluma en la que se puede leer su nombre "Concepción" (*Cartas inéditas* 172).

Por otra parte, el artículo "La buenaventura" tiene por protagonista a una mujer perteneciente al pueblo gitano. En líneas generales, este texto es un intento de Gimeno de Flaquer de acercarse a una mujer de este pueblo intentando describirla sin caer en demasiados estereotipos. Identifica como mujeres "gitanas" –además de bellas e inteligentes– a aquellas que carecían de una residencia fija. Gimeno de Flaquer señala cómo las mujeres de una clase social y económica elevada eran responsables de que estas mujeres se dedicaran a cuestiones de adivinación, pues recurrían a ellas para saber el destino matrimonial de sus hijas (véase la figura IV.1). Este texto es importante porque muestra cómo Gimeno de Flaquer, desde los inicios de su carrera, tenía una predisposición a mirar más allá y reconocer que la rodeaban más mujeres a quienes quería acercarse, pero intentando referirse a ellas sin recurrir a arquetipos culturales, clasistas o de género. Y para cerrar esta sección, en el texto de "Las tertulias", la autora trata sobre cómo organizar una velada entre amistades en una casa para que fuera todo un éxito. Este artículo comenzó a perfilarlo durante su estancia en México, ya que en la segunda versión de su libro *La mujer juzgada por una mujer* de 1887 incluyó su alegato en defensa de la poesía que después formará parte de este escrito. Gimeno de Flaquer comenzó a poner en marcha sus propias tertulias en la ciudad de México, por lo que no es casualidad que el inicio de este artículo coincida con su estancia en este país. Cuando regrese a Madrid en la primavera-verano de 1890 iniciará sus famosas tertulias de los miércoles (Simón Alegre "Introducción crítica").

El siguiente grupo de artículos está reunido bajo el epígrafe "Encuentros de Concepción Gimeno de Flaquer con México y las mexicanas" pues, como a lo largo de esta introducción queda subrayado, los años que pasó Gimeno de Flaquer en este país fueron fundamentales para su carrera. "La obrera mexicana" abre esta sección y es uno de los mejores ejemplos en la escritura de esta autora del uso de un lenguaje no sexista. No era un escrito nuevo, ya que para componer este texto usó partes de su primer ensayo *La mujer española*, texto que ligó con el inicio de su estancia en México. Gimeno de Flaquer llegó a este país a finales de la primavera de 1883 y el 1 de julio participó como jurado en el certamen de las flores del barrio de San Ángel (Pintos 70). Además de ser este uno de sus primeros actos públicos en el país, este evento le sirvió para percibir la riqueza, variedad y diversidad humana que formaba parte de la ciudad de México. Unas semanas después de este acto, ocho obreras de la fábrica de tabacos "Los Aztecas" mandaron una carta a la escritora, fechada el 16 de julio de 1883, donde le agradecían cómo su trabajo de escritora intentaba conectar con todas las mujeres por el "fraternal contento" y "goces que causa la presencia de amigas queridas, de compañeras de desgracias e infortunios" (Obreras de la fábrica 'Los Aztecas', "Sra. Concepción Gimeno de Flaquer" 8). Le escribían para "rendir un débil homenaje de admiración a la escritora ilustre, a la eminente pensadora" (Obreras de la fábrica 'Los Aztecas' 8).[35]

---

[35] Las obreras que firmaron esta carta fueron: Pomposa Quintamar, Elena Vega, Antonia Arellano, Loreto Pérez, Secundina Sánchez, Concepción Rodríguez, Gertrudis Neira y Guadalupe Montes (Obreras de la fábrica 'Los Aztecas' 8). El periódico *El Socialista* publicó esta carta el 20 de julio de 1883 "Las obreras mexicanas" (Obreras de la fábrica 'Los Aztecas' 3; Pintos 87). Sus nombres están incluidos en el libro *Homenaje a Concepción Gimeno de Flaquer* (1883), editado por José Barbier y Filomeno Mata (8).

A partir de los siguientes artículos incluidos en esta sección, Gimeno de Flaquer comenzó a introducir tanto referencias a las culturas aztecas y mayas en sus textos como palabras en náhuatl. Además, hay que destacar que, en todos ellos, la autora presentó simetrías entre las cosmovisiones de las culturas mesoamericanas y grecorromanas. De esta manera, colocaba todo lo que había pasado y seguía ocurriendo en el continente americano como una parte más de la evolución de la humanidad en el Mundo. El primero de estos textos es "La consejera de Hernán Cortés" artículo originado en la que fue una de las publicaciones más controvertidas de Gimeno de Flaquer, "La inspiradora de Hernán Cortés" de 1884 (*AIA*; 11 Sep. 1884). Uno de los motivos para que este artículo resultara tan polémico es cómo Gimeno de Flaquer insistía en él en señalar la historia de doña Marina como una más para nutrir no solo a la genealogía femenina, sino el devenir histórico mundial ("La inspiradora de Hernán Cortés" 142-143). Pese a la polémica, Gimeno de Flaquer continuó usando este trabajo, aunque fue introduciendo algunos cambios para que doña Marina quedara mejor contextualizada. Además, insistió en la importancia de esta figura histórica como un referente tanto para el mundo mexicano como para el español: "Es preciso que enmudezcan por unos momentos mis sentimientos de española para que pueda hablar alto mi corazón de mujer en pro de la famosa hija del Anáhuac" ("La inspiradora de Hernán Cortés" 142-143). Lo que no dejó de insistir en ninguna de las versiones de este texto es en que doña Marina fue una figura histórica con poder político pese a seguir dando un gran peso en la narración a la relación sentimental-sexual que tuvo con Hernán Cortés y subrayar su conversión al cristianismo.

Por su parte, el artículo "La mujer de Jalisco" insiste en la conexión del mundo mexicano con todo lo que pasaba en Europa. Por eso presenta algunos datos de las tradiciones indígenas mesoamericanas, para después pasar a poner en conexión y paralelo las iniciativas de las mujeres en la zona de Jalisco con otros lugares. La primera vez que Gimeno de Flaquer sacó el siguiente texto de esta sección, "El quetzal" (1899), se lo dedicó al político guatemalteco José Salazar y Cárdenas (1835-?), aunque en las siguientes versiones de este texto la dedicatoria desapareciera. En este artículo, Gimeno de Flaquer insiste en la relación entre las aves, la libertad y el mundo de las mujeres. Al tomar un animal único y sagrado para la cultura mesoamericana –como es el quetzal–, Gimeno de Flaquer insistía en cómo los símbolos que están al otro lado del Atlántico eran parte también de los referentes que unían a todas las mujeres en esa ambición suya por alcanzar la extensión universal del derecho a la educación y a un trabajo digno. El artículo que cierra esta sección, "La mujer entre los aztecas", destaca por cómo Gimeno de Flaquer insiste en la forma en que las mujeres –independientemente de donde procedieran– habían contribuido desde siempre al devenir de las artes, las humanidades, las ciencias y, en especial, en el campo de la medicina.

El último apartado, "Evolución del pensamiento feminista de Concepción Gimeno de Flaquer", es en el que mejor se percibe cómo fue evolucionando políticamente la escritura de esta autora, lo que coincidió con su paulatina aproximación a posiciones cercanas al feminismo. Como ya he señalado en esta introducción en otras ocasiones, el primer artículo, "¡Plaza a la mujer!", es un ejemplo de cómo esta escritora fue transformando sus textos del principio de su carrera a medida que fue profundizando en las diferentes corrientes del pensamiento feminista. También este artículo permite apreciar cómo el mundo del trabajo estaba cambiando de paradigma, dejando cada vez con menos espacio a los trabajos manuales y con ello las posibilidades para que las mujeres pudieran trabajar en oficios tradicionales y no tuvieran que recurrir a hacerlo en labores relacionadas con la era de la industrialización. El texto de "Cultura femenina" también tiene un origen en los primeros años de su carrera. Para componer este texto tomó como referencia su artículo de 1879 "El estudio" y, sobre todo, la idea que allí expuso acerca de lo conveniente de fomentar, además de la educación entre las mujeres, su formación (Gimeno 218-219). Este texto es representativo de su insistencia en que las mujeres no perdieran la oportunidad de estudiar y formarse, cosa que ella no pudo hacer, aunque su gran interés por aprender, conocer, leer y los viajes que realizó, complementaron esta carencia.

Los artículos "La mujer de mañana" y "Nuevo carácter del feminismo" tienen en común el texto que Gimeno de Flaquer preparó para la conferencia que impartió en el Ateneo de Madrid el 6 de mayo de 1903 y que publicó poco tiempo después con el mismo título que su charla: *El problema feminista*. El primero de estos artículos le ayudó a preparar su presentación en el Ateneo y el segundo lo compuso después de este acto y motivada por las diferentes conversaciones suscitadas alrededor de su presentación (Ayala Aracil, "Concepción Gimeno de Flaquer" 291-301; Ezama Gil, *Musas* 165-170; Simón Alegre, "Ahora no pestañees" 119-142). En su texto "La mujer de mañana" destacan las dificultades que rodeaban a las mujeres y cómo Gimeno de Flaquer indicó que estas eran experiencias comunes a todas ellas, independientemente de su clase socio-económica. Además, esta escritora indicaba que el problema de la falta de preparación en las mujeres derivaba de cómo los hombres no permitían un uso de los recursos de forma equitativa. Es importante indicar que Gimeno de Flaquer escribió este texto al inicio del siglo XX, cuando estaba fuera del ámbito doméstico: disfrutaba de una exitosa carrera en el mundo periodístico madrileño, era una oradora de prestigio y su pensamiento tenía un público fiel. A pesar de su éxito, no le impidió señalar que todavía quedaban mujeres en España ligadas al espacio doméstico, una ligazón que las alejaba de cómo estaba evolucionando la sociedad. La escritora señalaba cierta falta de adhesión a la Modernidad en algunas mujeres como uno de los mayores problemas que existía en su contemporaneidad y al que debía darse solución.

Por su parte, en el texto "Nuevo carácter del feminismo" se percibe cómo Gimeno de Flaquer fue abriéndose al pensamiento feminista, y si al principio mostró reticencias fue porque un hombre, el filósofo François Marie Charles Fourier (1772-1837), había inventado la palabra sin conectarla con las propias mujeres. Parte de este inicial rechazo derivaba de que Gimeno de Flaquer observaba cierta desvinculación entre el nacimiento del término y todo el camino que ya llevaba recorrido este movimiento, sobre todo gracias a los esfuerzos de muchas mujeres antes de que Fourier presentara la palabra. Como ya había hecho en el artículo "Cultura femenina", continuó insistiendo en que las mujeres debían agruparse, intentando superar las divisiones que pudiera haber entre ellas en relación a cuestiones de clase socio-económica. Además, Gimeno de Flaquer insiste en la importancia de que los hombres –especialmente pide que tengan esta actitud proactiva a los políticos– se conviertan en aliados de las mujeres para que así la modificación de las leyes injustas fuera una realidad. En esta alianza, las mujeres tenían un papel político activo para que estas transformaciones se llevaran a cabo, como por ejemplo poniendo en marcha campañas para insistir en la necesidad de que el sistema de voto fuera universal y no ligado solo a los hombres. Es muy probable que este artículo le ayudara a preparar su conferencia de 1908 *Iniciativas de la mujer en higiene moral social*, en la que abiertamente reclamaba el voto para las mujeres.

Uno de los artículos más críticos y ácidos de Gimeno de Flaquer es el siguiente de esta sección: "La mujer de Madrid". Este texto trata de lo difícil que era para las mujeres no nacidas en esta ciudad adaptarse a la cultura madrileña. En su libro de 1904, *Mujeres de raza latina*, incluyó este mismo texto, pero en una versión ampliada donde aporta una serie de pinceladas acerca de cuestiones históricas sobre Madrid y las mujeres relacionadas con esta ciudad. Además, aprovechó este artículo para subrayar la importancia de la cultura madrileña de las tertulias. Del resto de los artículos que forman parte de esta sección hay que destacar que "El ángel del hogar" es un esfuerzo por parte de Gimeno de Flaquer de dar la vuelta a los estereotipos que rodeaban a las mujeres. El artículo "Feminología" está en relación con el texto que tituló "Feminismo" y que presentó en una reunión de la *Unión Ibero-Americana* en Madrid, publicado en el *AIA* el 7 de agosto de 1904 (Gimeno de Flaquer 338). Sorprende que el término "feminología" no lo volviera a usar más y parece que tampoco llegó a prosperar como una de las definiciones de la disciplina que trataba todos los amplios y multidisciplinares temas relacionados con las mujeres. Es posible que Gimeno de Flaquer tuviera este texto preparado desde 1902, ya que entre las críticas que incluye está la que hace a la conferencia del político Alejandro Pidal y Mon (1876-1913), que impartió ese mismo año. También es importante destacar las relaciones que hay entre este artículo de Gimeno de Flaquer y los textos que el profesor y abogado Adolfo Posada publicó en relación al tema del feminismo a principios del siglo XX.[36] Además, este texto también coincide con los momentos en que Carmen de Burgos y Concepción Gimeno de Flaquer estaban colaborando (Simón Alegre, "Activismo social" 119-142). Por último, el artículo que cierra esta sección –"43 913 mujeres"– es el más irónico de todos los que están recogidos en este trabajo. Este texto es uno de los mejores ejemplos de cómo Gimeno de Flaquer preparaba sus trabajos, ya que la primera parte es una noticia que le había llamado la atención sobre el censo de 1900 en relación a las mujeres solteras en Madrid, para a continuación insertar diferentes párrafos de otros escritos que ya tenía preparados.

Tras realizar la minuciosa edición crítica a la que se han sometido a estos diecisiete artículos, todavía quedan algunas preguntas en el aire. Concepción Gimeno de Flaquer combinó el uso de los textos de sus primeros años con sus nuevos escritos hasta el final de la publicación del *AIA* en 1909. Dado que hasta la fecha no se han localizado ni sus diarios, ni ningún otro tipo de material de escritorio como por ejemplo agendas o algún libro de registros, cabe preguntarse qué hizo –y qué pasó– con el archivo voluminoso de papeles que debía acompañarla y que, por su manera de escribir, manejaba como una rutina habitual e importante en su proceso de escritura. ¿Se quedaron estos papeles en la península ibérica, se los llevó a Argentina o decidió deshacerse de ellos? En la figura V.2 (fotografía tomada entre 1909 y 1910), una de las últimas imágenes que se han localizado de Gimeno de Flaquer, aparece sentada en su escritorio rodeada de numerosos papeles –de los que solo queda, por el momento, esta instantánea– que se han esfumado, desaparecido, pero que sabemos contenían algo tan valioso cómo su evolución en la República de las Letras, que a lo largo de esta introducción y en la edición crítica que sigue a estas páginas se ha ido recuperando, aunque no físicamente, a través de algunos de los registros o notas que incluían.

---

[36] Hay que destacar que Posada, en sus memorias, *Fragmentos de mis memorias* (1983) no habló de estos trabajos suyos, aunque mencionó su cercanía al escritor Antonio Balbín de Antequera (1842-1919), al que también conocía Gimeno de Flaquer (Simón Alegre "Gimeno de Flaquer and her Transatlantic").

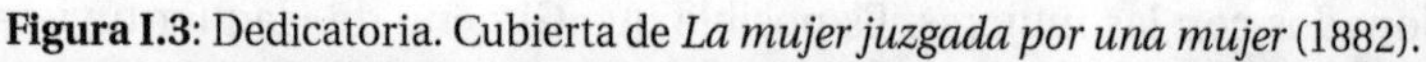

Figura I.3: Dedicatoria. Cubierta de *La mujer juzgada por una mujer* (1882).

Fuente: Colección privada.

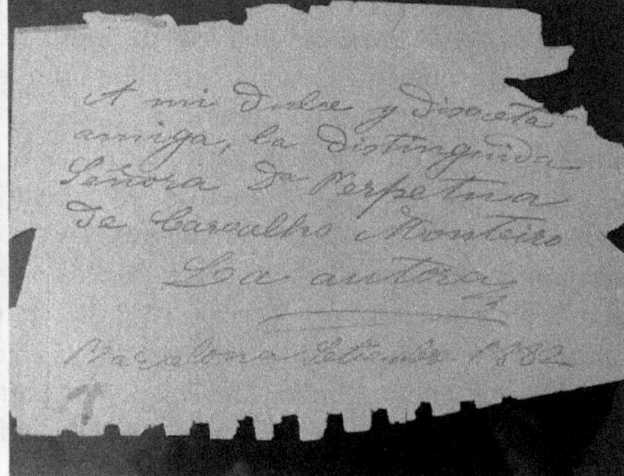

Fuente: Colección privada. "A mi dulce y discreta amiga, la distinguida Señora D[oña] Perpetua de Carvalho Monteiro". La autora. Barcelona, septiembre 1882.

No contamos con un álbum de firmas de Gimeno de Flaquer que sabemos que tuvo, y una posibilidad es que la propia autora lo fragmentara para incluir su contenido en sus periódicos y publicara esas notas, poesías y demás materiales que contenía, como hizo con la supuesta carta que el escritor Victor Hugo le mandó (Simón Alegre "Gimeno de Flaquer and her Transatlantic"). Tampoco tenemos noticia de lo que pasó con su biblioteca y esos libros que le regalaron y que incluían dedicatorias –como por ejemplo la del rey de Portugal (Simón Alegre "Cartagena y Murcia")–, puede que también terminaran reproducidas en sus periódicos. De esta manera, se aseguraba que de las redes a las que estuvo adherida quedaba una constancia clara y no efímera de su existencia y de que ella estaba incluida en ellas (consultar figura I.3). Tampoco se han localizado los múltiples ejemplares de sus libros que dedicó esta escritora. De estas dedicatorias han sobrevivido pocas y algunas aparecen –por ejemplo– en los catálogos de librerías de viejo, pero arrancadas del libro donde estuvieron, por lo que el camino que recorrió esa obra y la dedicatoria queda oscurecido, no así la firma de Concepción Gimeno de Flaquer, que es la que permanece, la que ha sobrevivido como un signo de su existencia, autoría y presencia en el mundo de las letras hispano-transatlánticas.

4. CONCLUSIONES: CONCEPCIÓN GIMENO DE FLAQUER, UNA ALIADA PARA LA ENSEÑANZA

De manera conjunta, la investigación recogida en este libro refleja cómo Concepción Gimeno de Flaquer se fue revistiendo a lo largo de toda su trayectoria de características cercanas al activismo por su apoyo constante en favor de la universalización de los derechos a educación, voto y trabajo digno a favor de las mujeres. Poco después de haberse cumplido un siglo de su muerte, rebrota en nuestra contemporaneidad como una escritora que formó parte activa de la comunidad de las Letras en español y con proyección transatlántica, a quien ya no se le puede negar por más tiempo el derecho a que figure dentro del canon peninsular. Y, por consiguiente, se incorpore de manera definitiva a los programas educativos por la calidad de su trabajo, sus numerosas contribuciones y su dedicación constante a la difusión de la literatura y la cultura en lengua española.

Así, los intentos del filósofo José Ortega y Gasset (1883-1955) de subrayar "la necesidad de librar a la escritura de sus connotaciones femeninas" (Medina y Zecchi 7) en que insistió en su ensayo "Deshumanización del arte" –publicado parcialmente en 1924 en el periódico *El Sol*– quedan cuestionados. En este trabajo, Ortega y Gasset reducía el espacio de las mujeres en esa nueva creación y arte nuevo de escribir a vivir lo que estuviera pasando, pero de forma contemplativa y no siendo una parte activa en él (361). Las mujeres, junto a los "viejo[s]" –según Ortega y Gasset–, debían dejar paso al "gobierno de los muchachos" que estaba guiado por la "varonía y la juventud" (385). A lo que Ortega y Gasset estaba respondiendo es que antes de la llegada del Modernismo y de las vanguardias en la literatura y el arte no había "un dominio uniformemente masculino" (Medina y Zecchi 9) y ahora en su 1924 quería que sí que existiera. Realidad que nunca se logró porque las mujeres siguieron escribiendo y siendo tanto espectadoras de lo que ocurría como ejecutantes de los procesos creativos y científicos que se fueron produciendo.

En relación a su activismo, Gimeno de Flaquer colaboró para que se mantuvieran activas las genealogías femeninas, por lo que también sus aportaciones al feminismo ibérico-transatlántico hay que destacarlas y tenerlas en consideración (Vicens, "Por una tradición propia" 371-395). Su agenda activista-feminista quedó señalada en cualquiera de los registros escritos en los que se expresara, ya fuera el personal –con su correspondencia–, el de la ficción –con sus relatos cortos marcados por el giro realista– o el de la opinión pública –con los periódicos que dirigió y con sus numerosas colaboraciones en prensa–. En relación con su papel como periodista, la selección de los artículos de este libro –y el rastreo de las diferentes versiones que creó de los mismos– insiste en cómo Gimeno de Flaquer se convirtió en una cronista de su contemporaneidad –esa "cantora de la mujer", usando la jerga de su tiempo para destacar este tipo de comportamiento–. En definitiva, fue una pensadora consciente del privilegio que había alcanzado al poder publicar, que tenía un compromiso con ella misma y con aquellas que no estaban en su misma situación, por lo que debía estar atenta a todo lo que la rodeaba y, a la vez, dejar constancia de su opinión al respecto.

Contar con cada vez más ediciones críticas de autoras como la que recoge este libro, y que además estén disponibles en español y en inglés, facilita poner en relación a diferentes escritoras, ya que este tipo de trabajos son tanto un acercamiento a la manera en que se desarrollaron los procesos de su escritura, como una oportunidad para profundizar y poner algo más de claridad respecto a la evolución de sus trayectorias vitales y profesionales, que en algunos casos, como el paradigmático de la propia Gimeno de Flaquer, han llegado hasta la actualidad fragmentadas. En este proceso de fomentar un diálogo entre diferentes autoras, hay un resquicio –como también Gimeno de Flaquer refleja al acercarse a la forma en que se entremezclaban su vida y su obra– para indagar en unas identidades a veces problemáticas, ya que son "indicio[s] y prueba[s] de que el mundo se transforma. Representaban la modernidad y eran tan enigmáticas como aquellos nuevos tiempos" (Capdevila-Argüelles, *Autoras* 233). Aunque Capdevila-Argüelles profundiza en la generación del 27 –las "Sinsombrero"–, como este trabajo muestra, ya en la época de Gimeno de Flaquer esa idea de modernidad conjugada con feminidad, feminismo y activismo estaba sobre la mesa. Con esta insistencia, se anima a que en el canon haya un espacio para todas, tanto las autoras de la generación de Gimeno de Flaquer, como "nuestras modernas [que] continúan siendo conceptualizadas como un fenómeno excepcional y, por lo tanto, de cuestionable presencia en el canon" (Capdevila-Argüelles, *El regreso de las modernas* 17-18).

Este libro se puede usar en cualquier tipo de clase –literatura, literatura comparada, estudios culturales, historia, traducción, estudios de género y sexualidades, de humanidades o de ciencias sociales, etc.–, ya que insiste en una de las figuras que se puede considerar como una de las abuelas –las mujeres de la generación del 27 serían las "madres"– del "pensamiento y la cultura feminista española" (Capdevila-Argüelles, *Regreso* 18). Situar en su contexto cultural, literario e histórico, a nivel tanto ibérico como transatlántico, a Concepción Gimeno de Flaquer y las mujeres que la rodearon –como por ejemplo a Julia de Asensi y Laiglesia–, y llevar su pensamiento, acciones y obras hasta la siguiente generación hace que, como señala Capdevila-Argüelles, "[e]l regreso de las modernas constituye una poderosa línea de acción feminista", y esta incorporación "está preñada de poder transformador" (*Regreso* 18-19) con el que estudiantes de un variado perfil pueden trazar conexiones con sus propias vidas, intereses y expectativas. Fomentar esta clase de trabajos en ediciones simultáneas en inglés y español ayuda a promover conversaciones en relación a cómo llevar la voz de una autora a otra lengua manteniendo la riqueza de significados y connotaciones, tal y como los escritos de Gimeno de Flaquer señalan. Al profundizar en el registro lingüístico, también se hace un ejercicio de comprensión de lo que la autora quería transmitir. De esta manera, se puede acceder a ese lenguaje entre líneas en el que las palabras con doble sentido tenían una importancia simbólica, ya que con ellas se dejaba entrever todo lo que no se podía o debía decir claramente para no ser sospechosa de irreverente, de rara, "queer" o de "literata", como fue señalada la propia Gimeno de Flaquer en diferentes ocasiones (Simón Alegre y Charnon-Deutsch 17-32).

Por último, quiero destacar la importancia que tiene este libro en el intento de descolonización de los currículos educativos, pues Gimeno de Flaquer permite acercarse a una autora que escribió desde otro lugar. Por ejemplo, sus iniciativas editoriales fueron un intento de crear puentes para la difusión de las voces de las mujeres en todos los campos del conocimiento. Lo importante de este esfuerzo es que hubo otras mujeres haciendo cosas similares y relacionarlas a todas ellas ayuda a comprender cómo a partir del siglo XIX ya todos los siglos van a ser los de las mujeres. También en la obra de Gimeno de Flaquer está el germen para que la voz de las otras, las que estaban fuera de las elites burguesas y también de los estándares raciales europeos, brotara y se hiciera visible en el espacio público. Solo me queda subrayar que la importancia de este libro no está tanto en lo que presenta, sino en lo que a partir de él se puede seguir indagando acerca de Gimeno de Flaquer y la comunidad de la que formó parte. Una autora a la que no solo se ha excluido del canon en épocas contemporáneas, sino que también durante su vida tuvo que luchar incansablemente para no quedarse fuera de él, cosa que hizo desde los inicios de su carrera. Gracias al proceso imparable de la digitalización –sobre todo de la prensa finisecular y de principios del siglo XX– que se está produciendo a ambos lados del Atlántico, cada vez la voz y trayectoria de escritoras como Gimeno de Flaquer va a resonar mucho más, y lo que en la actualidad pueden ser vacíos en sus biografías, quizá dentro de poco se conviertan en paraísos de información. En esta recuperación de voces con una personalidad tan propia como la de Concepción Gimeno de Flaquer, hay que dejar un espacio para esas relaciones que no salieron adelante y muestran también cómo fue la trayectoria de una escritora tanto en conexión con sus pares, como teniendo en cuenta su gestión, con sus puntos claros y obscuros, de las redes de conocimientos y contactos de proyección transatlántica.

II. COMENTARIOS A LA EDICIÓN EN ESPAÑOL

Concepción Gimeno de Flaquer: cartas, cuentos cortos y artículos periodísticos reúne tres tipos de escritos: epistolares (cartas de amistad y amor), de ficción (relatos cortos) y periodísticos (artículos de actualidad y opinión). Como he señalado en la introducción de este trabajo, Gimeno de Flaquer fue una autora prolífera y destacó sobre todo como escritora de artículos y libros de ensayo político, de corte feminista y relacionados con los movimientos de las mujeres finiseculares (Díaz Marcos, *Salirse del tiesto* 161-260). Aunque su faceta como escritora de ficción no hay que perderla de vista (Charnon-Deutsch, "El parto del feminismo" 49-70; Simón Alegre "Concepción Gimeno de Flaquer and her Transatlantic Journey"). Desde los inicios de su trayectoria en la República de las Letras, Concepción Gimeno se vinculó al mundo del periodismo combinando su faceta de redactora con la de asumir puestos de dirección, como en el periódico madrileño *La Ilustración de la Mujer* –lo dirigió desde 1873 a 1875– o poniendo en marcha sus propias publicaciones –ayudada por su marido Francisco de Paula Flaquer– como la mexicana *El Álbum de la Mujer* (*AM*; 1883 a 1890) o de nuevo uno en Madrid, *El Álbum Ibero-Americano* (*AIA*) –donde asumió su dirección desde 1890 a 1900– dejándola –teóricamente– en manos de su esposo hasta su final en 1909, sin que todavía sea claro por qué tomó esta decisión (Simón Alegre, "Prensa, publicidad y masculinidades" 29-75).

Durante todos estos años y hasta su muerte en 1919, también ejerció como una moderna *reporter*-corresponsal, ya que prácticamente estuvo de viaje desde el día de su boda con Flaquer en 1879 hasta su marcha a México en 1883. Gracias a este matrimonio se había convertido en una "escritora-exploratriz", una identidad que la acompañará toda su vida, ya que de la mayoría de los viajes que hizo y los eventos a los que la invitaron, se encargó de dar alguna noticia, publicar diferentes crónicas al respecto o incluso introducir algún detalle del evento en cuestión en su ficción (Simón Alegre, "Cartagena y Murcia antes de Carmen Conde" y "Gimeno de Flaquer and her Transatlantic"). En este libro hay dos ejemplos sobresalientes de cómo intercaló sus experiencias como una moderna *reporter*: véanse su relato "Por no amar" y el artículo "La consejera de Cortés", texto periodístico que compuso gracias –en parte– a sus diferentes viajes por México, cuyas experiencias le ayudaron a subrayar la importancia de las mujeres indígenas-mexicanas en el devenir histórico de este país (Simón Alegre "Introducción crítica").

La trayectoria de Gimeno de Flaquer, tanto en la literatura como en el mundo editorial, está en relación con el camino que otras mujeres del ámbito español y latinoamericano ya habían abierto y transitado, como fue el caso de la escritora Robustiana Armiño y Méndez (1821-1890; Fernández, "¿Una empresa de mujeres?" 11-41; Turc-Zinopoulos 119-135). No es una sorpresa que la crítica actual y las investigaciones en relación a Gimeno de Flaquer se hayan centrado más en su faceta de periodista y ensayista (Ezama Gil, "Concepción Gimeno periodista y escritora" 97-113) que en la de narradora de ficción (Charnon-Deutsch, "The Mute Muse" 243-262). Aunque como este libro muestra, sin tener en cuenta sus escritos más personales, como las numerosas cartas que debió escribir –de las que solo se han conservado las diez que incluye este trabajo– o sus obras de ficción, no es tan sencillo acercarse a cómo fue evolucionando como autora para ir definiendo su estilo, además de la transformación de su pensamiento político y que le llevó –en el último tercio de su vida– a abrazar el feminismo de forma incondicional, como subrayó en el artículo "43 913 mujeres" con el que se pone punto final a este libro.

El propósito de incorporar en este volumen ejemplos de las tres facetas de Gimeno de Flaquer como escritora es mostrar la forma en que su trayectoria personal y las diferentes etapas y vivencias profesionales por las que pasó marcaron y nutrieron tanto su ficción como su evolución ideológica –véase como ejemplo su texto "Nuevo carácter del feminismo", que está incluido en este libro–. Por ejemplo, si se hace una lectura conjunta de la carta diez, el cuento corto "El secreto" y el artículo "La pluma", esta permite trazar una serie de referencias entrecruzadas y paralelismos entre su manera de escribir donde se entrelazan lo personal, lo político y la ficción. Las lecturas simultáneas de los escritos que están incluidos en este trabajo son múltiples. Otro buen ejemplo para una lectura en combinación de estos materiales es que justo después de leer sus diez cartas –compuestas poco tiempo después de que Concepción Gimeno se instalara en Madrid con su familia– se lea el relato de "Por la Pilarica" (1904), que está ambientado en Zaragoza, donde esta escritora pasó parte de sus primeros años (Pintos 14-16)– y se termine con sus artículos "Las tertulias" (1901) y "La mujer de Madrid" (1903), que son un buen balance de su vida posterior en esta ciudad. Además, estos dos artículos destacan por el papel sobresaliente que Gimeno de Flaquer desempeñó en el espacio público madrileño y que entre los objetivos que tenía su participación en este ámbito, destaca el que quisiera asegurar que la presencia y las intervenciones de las mujeres nutrieran al mayor número posible de instituciones, como por ejemplo al Ateneo de Madrid (Gimeno de Flaquer *El problema feminista*).

El criterio seguido para ordenar las tres secciones de este trabajo ha sido el cronológico en función de cada apartado de los tres incluidos aquí. Hay que subrayar la importancia de seguir este orden, sobre todo en la sección de artículos periodísticos. De esta manera, sobresale cómo Gimeno de Flaquer fue evolucionando en su manera de escribir, en la que combinó su faceta de narradora con la de periodista, destacando además la larga vida que tuvieron algunos de sus primeros textos –véanse "¡Plaza a la mujer!" o "La obrera mexicana", escritos respectivamente en 1877 y 1883– por las diferentes versiones que de estos artículos fue publicando a lo largo de su carrera. Cuando un relato corto o un artículo presenta varias versiones se ha seleccionado la última de ellas localizada, aunque el texto aparezca cronológicamente indicado según la primera vez que Gimeno de Flaquer lo publicó. En el apartado de "Bibliografía citada", si un texto presenta más de una versión se han incluido entre paréntesis los diferentes artículos localizados al respecto. Hasta esta investigación, ni los cuentos cortos ni la selección de sus artículos periodísticos más representativos se habían reunido en una edición conjunta. Aunque desde aproximadamente 1998 algunos de sus textos en prensa comenzaron a formar parte de diferentes antologías –consultar el apartado "Obras de Concepción Gimeno de Flaquer" al respecto– estos trabajos no están dedicados exclusivamente a ella como sí que hace el volumen que se presenta en las siguientes páginas. Además, este libro incluye las diez únicas cartas que se conservan de Gimeno de Flaquer con un tono más íntimo y personal. La transcripción de esta correspondencia es nueva y está actualizada respecto a la versión que publiqué en el trabajo "Concepción Gimeno y el ocio teatral madrileño, en 1873" (Simón Alegre 445-458).[1]

Las cartas, los cuentos cortos y artículos en prensa, además de estar transcritos siguiendo los originales, para elaborar sus textos actuales se han cotejado las diferentes versiones que Gimeno de Flaquer publicó de ellos.[2] En ningún caso se ha suprimido parte alguna que incluyera la autora o se han hecho añadidos que no correspondieran, exceptuando el incluir notas al pie de página aclaratorias de las referencias citadas o los contenidos mencionados que al leer estos trabajos –más de un siglo después de su publicación– son necesarios para hacer comprensible el mensaje que la autora estaba tratando de comunicar. Las modificaciones introducidas han sido para modernizar la acentuación de las palabras, siguiendo las normas actuales que recomienda la Real Academia Española (RAE). También se han incluido los signos de exclamación e interrogación al inicio de este tipo de oraciones y cuando el texto lo ha requerido –para facilitar su comprensión– se han añadido comas, incluyéndose entre corchetes ([ ]). En la sección de cartas, también se ha

---

[1] Investigación previa que recibió el primer premio en la XIV edición de los premios SIEM "Concepción Gimeno de Flaquer" en 2011 (consultar en: https://siem.unizar.es/sites/siem.unizar.es/files/users/siem/Premio/xiv_premio_investigacion-ana_simon.pdf)

[2] Se ha seguido el libro *Manual de crítica textual* de Alberto Blecua.

introducido entre corchetes diferentes posibilidades que presenta la transcripción de alguna de las palabras incluidas en estos manuscritos, dada la complejidad que presenta la escritura de Concepción Gimeno. Siempre que el escrito original incluye palabras en cursiva, subrayadas o letras marcadas en negrita se han dejado tal cual. En las cartas ha sido difícil reproducir las matizaciones gráficas que la autora incorporó en algunos casos. Esta situación se ha solventado añadiendo información adicional acerca de estos subrayados en las notas al pie de página correspondientes.

Además hay que subrayar que se han introducido dos modificaciones significativas respecto a los textos originales. La primera de ellas ha sido el de tender a agrupar los párrafos en unidades algo más extensas que en las que se presentaron los textos originales. Y la segunda rectificación ha sido actualizar la forma del uso de verbos seguidos de pronombres que se han transcrito poniéndolos según la regla actual. De esta manera, se facilita tanto su traducción como la lectura de estos escritos entre un público lector del siglo XXI especialista de este periodo histórico-cultural y literario junto con uno que se acerque por primera vez a una autora de esta etapa cronológica.[3] Todas estas mejoras respecto al texto original siempre han respetado el trabajo de Gimeno de Flaquer. Estos cambios han pretendido facilitar el acceso al pensamiento de esta gran escritora en lengua española para así colaborar con los esfuerzos de abrir el canon de autoría a personas que estuvieron fuera de las elites económicas y sociales. Así se fomenta la descolonización de los programas universitarios para que incluyan en sus clases de historia de la literatura, crítica literaria y todos aquellos cursos con componentes relacionados con los estudios de género que en definitiva reflexionen acerca de las etnicidades y las sexualidades desde el pasado hasta el presente.

---

[3] Otra opción es la que presenta el trabajo de las investigadoras Jessica Enoch y Cristina Devereaux Ramírez (1-22) en el que se ha optado por mantener el texto en español sin introducir ninguna modernización, aunque al realizar la traducción en inglés se siga una opción más actual de los artículos periodísticos.

III. DIEZ CARTAS DE CONCEPCIÓN GIMENO PARA MANUEL CATALINA (DE MARZO A MAYO DE 1873)

Carta 1

[19 de marzo de 1873]

Sr. [Señor] Dn. [don] Manuel Catalina:

Muy señor mío y de mi más alta consideración:

Ayer asistí a su elegante coliseo rompiendo el compromiso que tenía contraído de leer una composición mía en una reunión literaria. Quise hacer que pasaran a usted una tarjetita manifestándole el deseo de darle las gracias personalmente por su galante y cortés obsequio,[1] mas me detuvo la idea de molestarle y resolví demostrar a usted mi gratitud por deferencia tal, sujetándome a la palabra escrita.[2] Si mi admiración, si el entusiasmo de mi

---

[1] Una posibilidad acerca del obsequio al que se refiere aquí Concepción Gimeno son las entradas para la obra a la que asistió un día antes de escribir esta primera carta. Según el *Diario Oficial de avisos de Madrid* del 18 de marzo de 1873, Manuel Catalina tenía función ese día en el Teatro del Circo de Madrid, a las ocho y media de la tarde, interpretando a Jaime en el drama *Cuerdos y locos* (1873), del dramaturgo Ramón Campoamor (1817-1901; Anónimo, "Variedades" 4), que era la penúltima representación de esta obra. Gimeno indica al final de esta carta que ya había visto actuar a Catalina antes, y durante esta época colaboraba en *La lira española* (desde diciembre de 1872), donde había frecuentes referencias a las actuaciones de Catalina (Mefistófeles, "Teatros" 8).

[2] Con mucha cautela, Gimeno comenzaba su acercamiento a Catalina, personaje muy conocido en este momento, y al que rodeó cierta fama de seductor (Blasco Soler 135-148). Gimeno no quería que el inicio de su amistad fuera público y por esto decidió posponer el inicio de un intercambio de correspondencia con el autor para el día siguiente. En su primera novela, *Victorina o heroísmo del corazón* (1873), situó la causa de la separación de Victorina y su marido en los comentarios maliciosos que circulaban en las tertulias de los cafés sobre ella y el poeta Mario Alcaraz (103-123; volumen II). Además, en sus ensayos Gimeno de Flaquer hace hincapié en el cuidado que debían tener las mujeres a la hora de revelar todos los detalles de su vida: "En la sociedad se anida la calumnia, la envidia y la ingratitud [...]. La calumnia revela infamia de corazón, y generalmente son seres pigmeos los cobardes que se atreven a blandir esa arma" (*La mujer juzgada por una mujer*, 37; 1887).

alma eminentemente artista, supone para usted una hoja de laurel, puede añadirla desde luego a su corona de gloria.

He visto a usted tan gigante en las esferas de la inteligencia y en los ilimitados horizontes del arte, que no encuentro pedestal digno de su figura. Yo que cultivo las letras, con vehemente placer, y que rindo culto al arte de Roscio y Talma, siento orgullo, inefable júbilo, y alegría inmensa, al apellidarle hermano en Apolo.[3] ¡Cuán bello es el arte! ¡El arte nos reconcilia con la vida!

Las almas sublimes se ahogarían en la mefítica atmósfera de este *erial*, si no las fuera dado alzar el vuelo a los mundos ignotos que solo seres privilegiados pueden habitar.[4] El arte es el sentimiento, el arte es después del amor, lo más bello, lo más divino del corazón del hombre; ya lo revele la música con la nota, la pintura con el colorido[,] la literatura con la palabra y la arquitectura con la línea. Más de una vez al contemplarle en el palco escénico, han oscilado las níveas gasas que me cubrían, a impulsos de los múltiples latidos

---

[3] Gimeno se refiere con Talma a François-Joseph Talma (1763-1826), actor y empresario teatral de elevada fama. Quinto Roscio (126 a. e. c.-62 a. e. c.) fue un actor romano, admirado por Cicerón, a quien el político y amigo de la escritora, Antonio Balbín de Unquera (1842-1919) nombrará, años después, al hacer un balance de la profesión de actor (472). En esta carta la primera vez que Gimeno emplea la referencia a estos dos actores para destacar el talento de una persona en el teatro, y pocos meses después de terminar esta correspondencia los usó en su artículo "La mujer y el álbum" (1873; 2). Este texto, con ciertas modificaciones, lo incluyó en su libro *La mujer juzgada por una mujer* (145-158; 1887) y después lo volvió a publicar en diferentes ocasiones en formato de artículo y con su nombre de casada, Gimeno de Flaquer (1892; 2-3 y 15-16 y 1899; 314-316). Cuando en 1890 Gimeno de Flaquer ponga en marcha su periódico *El Álbum Ibero-Americano* (*AIA*), usará esta referencia para destacar una buena actuación ("Crónica femenina y feminista. La Duse y Sarah Bernhardt" 230). Con la referencia a Apolo, Gimeno marcaba una guía a Catalina acerca de la relación que le interesaba tener con él. Además, le indicaba que ambos estaban unidos en un plano similar, el cultivo de las artes, por lo que su relación debía establecerse en términos de igualdad. Gimeno usó esta referencia en su ficción para definir las relaciones entre mujeres y hombres que por algún motivo no podían comenzar una relación amorosa convencional (Simón Alegre "Concepción Gimeno de Flaquer and her Transatlantic Journey").

[4] Parte del lenguaje que empleó Gimeno en estas misivas es cercano al de la masonería, las sociedades secretas o los círculos esotéricos (Arkinstall, *Spanish Female Writers* 3-21; Charnon-Deutsch, "Women Moved by the Spirit" 33-50). La idea de representar el mundo que la rodeaba como un erial, Gimeno la tuvo presente en sus ensayos posteriores. Con "erial", Gimeno de Flaquer definía tanto a un día a día lleno de dificultades en el que las artes intervenían para limar cualquier tipo de aspereza como a un mundo intelectual con pocos atractivos: "El hombre o la mujer poeta nos esmalta las sendas de la vida con odoríferas flores; nos poetiza los eriales y llena los vacíos de nuestro corazón" (*Mujer juzgada* 222; 1887).

de mi corazón, latidos que jamás han pertenecido a hombre alguno, y que pertenecerán al **genio** sin que se profanen jamás.

Termino por no molestar su atención que tanto vale: mas no lo haré sin suplicarle me permita ser su Aristarco y sin ofrecerle mi sincera amistad y humilde pluma.

BSM[5]
M.ª de la Concepción

Figura III.1: Retrato. Concepción Gimeno.

Fuente: Imagen procedente de los fondos de la Biblioteca Nacional de España (Sala Goya. Signatura: IH/3775/1).

Figura III.2: Tarjeta de visita. Manuel Catalina.

Fuente: Tarjeta de visita hecha por Eusebio Juliá (1855-1864). Imagen procedente de la Biblioteca Nacional de España-Biblioteca Digital Hispánica.

[5] Aristarco fue el mejor compañero de prisión de Pablo el Apóstol, con quien estuvo en su tercer viaje a la ciudad de Éfeso. "BSM" significa "Beso su mano" y es una fórmula cortés en desuso para terminar una carta.

Carta 2[6]

Distinguido amigo:

Ha principiado para mí una *era* de inefable dicha desde que usted me hizo la solemne promesa de aceptar un papel en el *drama* que tanto [nos/me] encanta.[7] Al realizarse una de mis más nacaradas ilusiones, veo abiertas las [nuevas/asirias] puertas del alcázar de la [felicidad/dicha]. No sabría con qué piedra señalar este suceso, si no estuviera grabado en mi alma con buril de fuego.[8] Estoy vivamente interesada en poner el drama: parece que se alzan algunas dificultades, mas tengo la seguridad de allanar escollos y hacer alejar óbices que siempre son insignificantes tratándose de mi perseverancia y enérgico carácter.[9] Fío en que usted me secunde, librándose de compromisos que en la apariencia se presentan como ineludibles. Las armas del ingenio son poderosas y usted tiene gran arsenal. Deseo me escriba usted manifestándome a qué hora podrá dedicarme un rato para avisar a la señorita de Moya con objeto de pasar los papeles rápidamente procurando no molestar su atención.[10]

---

[6] Esta carta no tiene fecha. Parece que entre la primera y la segunda carta se produjo un encuentro entre Gimeno y Catalina donde hablaron de una obra de teatro para representar juntos.

[7] Gimeno se refiere al drama *Espinas de una flor* (1852), del dramaturgo Francisco Camprodón (1816-1870), que se estrenó en Madrid en 1852. Era la segunda parte de otra obra del mismo autor, *Flor de un día* (1851), estrenada también en esta misma ciudad, pero un año antes (1851).

[8] Esta referencia está en relación con una metáfora que Gimeno utilizó en otros de sus trabajos. Para Gimeno de Flaquer, las experiencias en la vida de las mujeres eran como las hojas que componían un álbum. A veces, los hombres incluían sus ideas en estas experiencias-hojas sin dialogar con la mujer, en una especie de acto que arrebataba su "candor" e inocencia (*Mujer juzgada*, 14 y 148; 1887). La escritora está indicando a Manuel Catalina que ella sabía cuál era su camino y que no iba a dejar que nadie lo destruyera. El buril es una herramienta de grabado en metal.

[9] "Óbice" significa obstáculo.

[10] Se refiere a la poeta y música Julia de Moya, escritora de la que todavía hay que seguir indagando en su biografía (Simón Palmer, *Escritoras españolas del siglo XIX* 455). Moya, además de ejercer como secretaria-escribiente de Gimeno, colaboró en la revista *Cádiz* (Martín Villareal 106-110). Justamente en los números de primavera-verano de 1878 de la publicación *Cádiz*, Concepción Gimeno publicó una serie de tres cartas artículos que dedicó a Moya ("Viaje a Valencia. Cartas a la señorita de Moya" 19-20; 77-78 y 85-86; Ezama Gil, "Relatos de viaje" 333-334). Gascón-Pedrós ha localizado una versión de estas cartas en el periódico *El Álbum: Revista semanal de literatura, artes, teatros, salones y modas* en su número del 14 de diciembre de 1873 ("Concepción Gimeno (1869-1883)" 93).

¿Se ha repuesto usted de la impresión? En el hombre desaparecen los más fuertes, cual la estela surcada en el mar por la velera nave.[11]

Le remito el drama: para el lunes sabré mi papel, y usted puede disponer los ensayos en la forma que más le agraden.

En el mundo de las ideas, en las esferas de la inteligencia y en la vida del arte, se encontrarán nuestras almas cual dos *alas* del mismo espíritu. Le permito *asociar* mi recuerdo a todo lo célico, sublime y santo.

Débora.[12]
Marzo 1873. (Rómpase).

Carta 3[13]

[Abril, 1873]

Distinguido e incomparable amigo:

[H]e leído *Espinas de una flor* y encuentro bastante descarado el papel de la doncella para destinarlo a mi bella amiga Julieta.[14] Por tanto[,] en atención a que le es a usted indiferente poner el drama titulado *Borrascas del corazón*[,] *Hija y Madre* o *Eres un ángel*, puede usted tomarse la pena de remitirme estos tres, y yo elegiré el más conveniente. Los espera mi escribiente para copiar los papeles.[15]

No olvide usted tenemos varias discusiones pendientes: discusiones que no fio a la palabra escrita. No puedo ser tan generosa que renuncie a reconvenirle

---

[11] No es fácil identificar a quién se refiere aquí Gimeno. Puede ser el poeta Juan Bautista de Sandoval que murió unos días antes de que Gimeno escribiera esta carta del 21 de marzo de 1873 (Asmodeo, "Ecos de Madrid" 4).

[12] Desde el 12 de abril hasta el 5 de julio de 1873, el periódico *La Época* publicó en su sección de folletín la primera novela de Concepción Gimeno, *Victorina*. Al final de esta novela, la única relación posible para los protagonistas de esta historia será la que aquí Gimeno propone a Catalina (Simón Alegre "Gimeno de Flaquer and her Transatlantic"). El adjetivo célico es sinónimo de celeste. Débora fue una poeta, profetisa y jueza de Israel del Antiguo Testamento, a la que Gimeno de Flaquer citó en varias de sus obras (*Mujer juzgada*, 255; 1887).

[13] Esta carta no contiene fecha. En el añadido posterior solo se indicaba la ciudad y el año.

[14] Se refiere a la escritora Julia de Asensi y Laiglesia (1849-1921), colaboradora y amiga de Gimeno desde 1873 hasta por lo menos el final del *AIA* (1909; Simón Alegre, "No pestañees: Activismo, identidad y firma visual" 125; Simón Palmer, *Escritoras* 71).

[15] Se refiere respectivamente a las obras de teatro de Tomás Rodríguez Rubí (1877), Pedro Gorostiza y Cepeda (1838). De la obra *Eres un ángel* no se ha podido identificar quien la escribió.

en estos momentos por algunas frases que hirieron fibras muy delicadas en mi corazón. ¿Usted cree, que mi deseo de poner el drama es únicamente por colgar un trofeo en el alcázar de mi amor propio? Está usted en un error: yo no pondría el drama con un actor que no fuera usted, por más que disfrutara alta reputación artística. En usted hay dos entidades completamente distintas, el hombre y el actor: yo no pondré el drama con "*Catalina*" y sí con "*Manuel*". Por más que yo quiera criticarlo, –pues estoy fatigadísima de verme en letras de molde– el nombre de usted y el mío volarán unidos en alas de la publicidad, tras la representación; y yo soy demasiado soberbia para permitir se enlace mi nombre al de un individuo que no sea más que *actor* y hombre.[16] Usted antes que actor es caballero de levantados sentimientos, alma gigante[,] noble corazón y de educación brillante: usted es eminentemente distinguido y cortés.

Guardo en mi alma ciertas palabras de nuestro último y encantador diálogo, como se guardarían a ser fácil las notas de las melodías de Mozart o las armonías de las arpas eólicas.

Au revoir: soyez heureux et n'oubliez pas à... cette femme... [sic].

Toujours...
[Mari/Moi].[17]

Carta 4 [Membrete: *La Ilustración de la Mujer*][18]

[Abril, 1873]

Distinguido amigo:

Ruego a usted se digne leer la Revista que le remito, y muy especialmente las "Cartas a una provinciana" donde me ocupo de usted ocultándome bajo el seudónimo de Edelmira.[19]

---

[16] Esta transformación en la relación, de un plano artístico a uno más personal, llegará hasta la carta séptima.

[17] Gimeno insinúa a Catalina el efecto romántico y amoroso que le causa el recuerdo de una conversación que habían tenido. Gimeno usará este tipo de alusiones como la evocación de la música para hablar de sentimientos personales: "Un alma enamorada es un arpa eólica, una lira pulsada por ángeles y serafines" (*Mujer juzgada* 42; 1887). Original en francés: *Hasta luego. Disfrute y no se olvide de... esta mujer... Siempre....* No es claro si pone "Moi", una referencia a que ella era la única, o una abreviatura de su nombre María por Marí, por eso se ha optado por indicar ambas posibilidades.

[18] Según la revista *La lira española* –donde Gimeno era una de las colaboradoras–, el primer número de *La Ilustración de la Mujer* salió el 10 de marzo de 1873 (Vieyra de Abreu, "Bibliografía" 5). La fecha es un añadido posterior.

Muy en breve será conveniente me escriba usted indicándome cuándo puede consagrarme un rato para pasar los papeles. No deje usted de anunciármelo, para avisar a la bella señorita que desempeñará el papel de Elena.[20] Mi entusiasmo por *Espinas de una flor* se acrecienta. El papel de Diego es sublime y usted estará en él admirable. Nuestro drama notablemente ejecutado causará asombro universal.

No olvide usted a Débora.

Figura III.3: Carta manuscrita de Concepción Gimeno a Manuel Catalina.

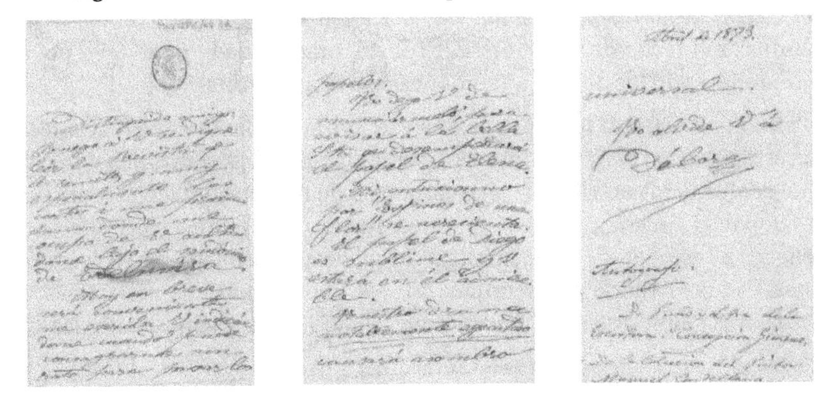

Fuente: Imagen procedente de los fondos de la Biblioteca Nacional de España (Sala Cervantes. Signatura: Mss/12945/49).

Carta 5

[Jueves, abril de 1873]

¡Qué día tan esplénico![21] ¡Hoy no ha amanecido en mi alma!... Me hallaba un poco delicada y he abandonado el lecho por recibir a usted. A pesar de no

---

19 No se ha localizado ni la revista ni el artículo a los que aquí se refiere Gimeno. Edelmira es un nombre de origen germánico que significa realeza. Consúltese, en la introducción, el apartado dedicado a estas cartas para ampliar la información acerca de este artículo.

20 Se refiere a la escritora Julia de Asensi Laiglesia.

21 Según el Diccionario de la Lengua Española (DRAE) de 1869, "esplénico" es un adjetivo que significa perteneciente o relativo al bazo y aquí Gimeno lo emplea para expresar un cierto estado o sentido melancólico (177).

estar acostumbrada a esperar,... no me he fatigado,... por ser usted... a quien esperaba___[.][22]

No analice usted el recuerdo que le consagré. ¡¡El análisis destruye, mata!! Las dos flores, bastante imperfectas, son obra mía. Nunca las hago para mí (porque me falta paciencia) jamás las prodigo... y tienen por mérito haber empleado mi débil vista en ellas.[23] Dedicar a usted una corona de laurel me pareció vulgar; ordené que compusieran un ramo de flores frescas formando una *lira*, y no supieron: así es que resolví ofrecerle una flor nacida en el jardín de mi fantasía, una azucena de mi alma, adoptando como forma material, *el pensamiento escrito.*[24] Tengo la seguridad de que entre la bóveda de laurel que le cubre, y la alfombra de mirto que pisa, no ha brotado una flor igual a la mía... *porque en todas las almas no nacen azucenas*... Mi único objeto, fue adornar mi recuerdo, con el sello de la originalidad, para que no se confundiera con los demás... (Perdóneseme esta soberbia).

Permítame usted la forma en que le escribo: su brillante inteligencia leerá correctamente en el vacío... ¡El silencio es muy elocuente para quien tiene tan inteligentes oídos en el alma! ¡¡Las armonías de un corazón llegan a otro sin pasar por el órgano auditivo!! Si usted fuera un hombre vulgar me vería obligada a seguir en mi estilo la rutina del lenguaje epistolar, mas yo escribo a usted como escribiría a Lamartine; esto es traduciendo mis emociones en líneas, mis impresiones en frases, convirtiendo estas páginas en hojas del

---

[22] Gimeno vivía en Madrid en la calle Florida n.º 14, piso principal, con su madre, sus hermanastros Maximiliano y Rosario y una "sirvienta" (Pintos 25).

[23] En esta carta, Gimeno se refiere en varias ocasiones a que no gozaba de una salud fuerte y por eso su familiaridad con el lenguaje médico. Cuando alrededor de finales del mes de julio de 1873, Gimeno publique *Victorina* en formato de libro, poco después de que se terminara de salir en el periódico *La Época* (5 Jul.), entre las modificaciones más interesantes estará la supresión de los detalles que ofrece de la enfermedad que padece la prometida de Mario, Cándida: una pericarditis o endocarditis ulcerosa (*Victorina o heroísmo del corazón* 29-32; volumen I).

[24] Que Gimeno modificara el regalo que dio a Catalina, una lira de flores, por una poesía que denomina "azucena de mi alma", supone que la escritora transmitía alguna señal al actor de que podía estar abierta a avanzar en su relación con él en un plano de índole más personal. Siguiendo al escritor chileno Clemente Barahona Vega (1863-1918), las azucenas, junto con las rosas, ayudaban en comunicar amor en los escritos: "o para describir el amor, del cual la amistad es una emanación y un delicado reflejo, —habría que empapar la pluma en el cáliz de las rosas y las azucenas, escribir sobre las aterciopeladas hojas" (326).

álbum de mi existencia, en gotas de la ternura de mi alma en *siemprevivas* del **Edén** de mis recuerdos.[25]

Reservo para nuestra visita una discusión.

¡¡Haga usted que mañana sea día de fiesta en el almanaque de mi corazón!!...

Le espera
Safo.[26]

Carta 6

Hoy [es] 25 de abril de 1873

Distinguido amigo:

Afecta más que a mi *amor propio,...* a mi *alma*, su *mutismo* y prolongada *ausencia*. Me complace infinito gozar los encantos que ofrece su elegante e ingeniosa conversación, cual su distinguido trato y usted___ es avaro para dar la felicidad...... Supongo habrán entregado a usted una carta en que le participaba [la] marcha de *nuestra Elena* del A [marido] y urge poner el drama.[27]

---

[25] Se refiere a Alphonse de Lamartine (1790-1869), político, poeta y escritor francés. Lamartine fue una referencia frecuente tanto entre las escritoras de la generación de Gimeno como para la anterior a la suya. Por ejemplo, en 1847, la también escritora y mentora de Gimeno, Carolina Coronado (1820-1911), le dedicó un poema ("A Alfonso de Lamartine": https://www.cervantesvirtual.com/obra/poesias-de-la-senorita-dona-carolina-coronado-1009796/; Simón Alegre "Gimeno de Flaquer and her Transatlantic"). Además, la escritora la Baronesa de Wilson, Emilia Serrano (1833-1923), fue una de las traductoras al español de Lamartine, a quien conoció personalmente en París (Mena Mora 29-30; Charques Gámez 106; Fernández, *365 relojes* 89-103). Para Gimeno de Flaquer, la poesía de Lamartine significaba "los afectos dulces, tiernos y tranquilos" y era "pudoroso como una virgen" (*Madres de hombres célebres* 184). Con esta referencia, Gimeno indicaba a Catalina el sentido de sus sentimientos.

[26] Safo de Lesbos (630 a. e. c.-579 a. e. c.) fue una poeta griega, de gran importancia para las escritoras de este periodo (Morilla Palacios 279-296). Gimeno usa este nombre como seudónimo para indicar a Catalina que quería una vida libre y propia tanto para ella como para sus congéneres que facilitase el desarrollo de sus habilidades: "Siempre nos ha parecido mejor la lira en manos de Safo que en manos de Apolo" (*Mujer juzgada*, 167; 1882). En los ensayos de Gimeno de Flaquer es frecuente encontrar la referencia a Safo, como por ejemplo en *Mujeres: Vidas paralelas* (165-170).

[27] La carta a la que se refiere Gimeno no se conserva. En *Espinas de una flor*, Julieta-Julia de Asensi y Laiglesia haría el papel de Elena de Villena, esposa de Diego Carvajal, interpretado por Catalina (Camprodón 3). Todavía hay que avanzar más en los estudios biográficos de Asensi y Laiglesia para conocer la identidad de ese supuesto marido al

Ya están imprimiendo los billetes de invitación, y se ocupan de hacernos la decoración de convento.[28] Ya que usted no irá de paseo el domingo por ser muy ***cursi*** pasear en día festivo podríamos pasar los papeles. Estoy dispuesta a la hora que sea conveniente para usted: mis más serios cargos y graves ocupaciones serán pospuestas al drama. ¡No me apellide usted frívola! Al poner el drama se realiza mi más rosado sueño, la más riente de mis esperanzas y la más nacarada de mis ilusiones. Soy ***atea*** para la dicha, y muy escéptica para la *ventura* y sin embargo creo que el *fatalismo* no se opondrá a la realización de mi vehemente deseo. Necesito saber si puede usted consagrarme un rato el domingo.

Distribuya usted bien el tiempo..... y que no falte para mí.........................

Siempre...
Argentina.[29]

Carta 7

Rómpase. [Mayo de 1873]

Escribo a usted... porque este pliego de papel no es una carta... ***Conste que no falto al compromiso entablado conmigo misma***... Estas líneas son la continuación de un *diálogo interrumpido*... estas líneas son ***girones*** de ideas que asomaron pálidamente, pedazos de pensamientos no revelados, tal vez párrafos de páginas íntimas y misteriosas, acaso hojas del libro de la vida[,] todo... [*menos*] *una carta*.

Si anoche dio la amiga un giro *inesperado* a la conversación, no fue por debilidad de la ***mujer***, de ningún modo: la amiga y la mujer *retan* a usted para un pugilato intelectual que dilucidará arduas cuestiones.[30] Fio a su ingenio

que se hace referencia en esta carta (Castro Antonio 1-20). En el trabajo de Isabel Díez Ménguez, no se menciona que Asensi Laiglesia llegara a casarse nunca (20-42).

[28] Como Gimeno indica en la carta 8, el teatro donde se representó esta obra era el Liceo Piquer de Madrid. El convento al que se refiere es donde acabará recluida Lola, la Marquesa de Montoro, personaje interpretado por Gimeno.

[29] Gimeno, al terminar la carta con este adjetivo, indica a Catalina que no debe olvidar lo valiosa que era ella y lo llena que estaba de tesoros por descubrir, al igual que la leyenda de la Sierra de la Plata planteaba para esta región de América del Sur.

[30] Gimeno cultivó este desdoblamiento de entidades como mujer-amiga o, del modo que en la carta 3 plantea, entre el hombre y el actor, también en su obra de ficción. En *Victorina*, cuando la protagonista (Victorina) tiene que rechazar el inicio de una relación amorosa con Mario, recurrirá a escribirle combinando estos dos términos (244; volumen I).

saber encontrar la oportunidad del momento____ [.] Precisamente me gusta discutir con usted porque le encuentro una *elocuencia de alma* que pocos seres poseen... Hay algo que hará divergentes nuestras opiniones (siquiera en la apariencia) y es que usted *resolverá* con el *criterio del sentimiento* y yo estoy obligada a resolver con el *criterio de la razón.*— ¡¡Hay tanto hielo en la razón!! No crea usted que tengo miedo a la lucha: ayer fue mi apatía hija de un dolor mudo que me enervó. Ayer tuve un día de melancolía desgarradora e *inexplicable*, ayer ardían cirios fúnebres en mi alma, ayer mi corazón vestía las galas de los muertos. Esto no es romanticismo, es amargura (¡[pero/que] no se equivoque!). Fui al teatro por aturdirme como voy a los salones buscando la embriaguez o el narcótico.[31] *En el teatro de la vida real el hombre puede salir a la escena...* a pesar de...: la mujer está obligada a permanecer *entre bastidores*...[32] Muchas veces la palabra de una mujer severa e inflexible oculta sus ideas en lugar de desenvolverlas. Las personas vulgares creen que el silencio es la *nada* ¡qué error! La palabra disfraza las ideas, la palabra *desorienta* (cuando le place) la palabra es un antifaz de *estameña burda* o de fino glasé, esto depende de la aristocracia *de la inteligencia... que la usa*...[33] No continúo, por no manifestar lo mucho que le conozco. Todos los que intentan retratar su alma, hacen una ridícula caricatura: le prometo un boceto bastante exacto. (Termina la mujer)______[.]

---

[31] Es difícil precisar a qué evento teatral se refiere aquí Gimeno. Siguiendo la información "Revista de Teatros" firmada por alguien que se ocultaba bajo el seudónimo de Mefistófeles a principios de mayo de 1873, en el Teatro del Circo se puso en marcha una obra de teatro en la que todos los beneficios estaban destinados a Manuel Catalina (7). Respecto al tema de la embriaguez, Gimeno de Flaquer no lo desarrolló del todo en su obra. El escritor Carlos Ossorio y Gallardo (1864-1921) en 1893 le dedicó a Gimeno de Flaquer un artículo un tanto enigmático "El último cotillón" (en *Crónicas madrileñas* 95-97). En él, este autor describía el estado lamentable en el que quedaban las mujeres que habían aguantado hasta el final del último baile de Carnaval (*Crónicas madrileñas* 96). Por otra parte, la referencia a los "narcóticos" es frecuente en la obra de Gimeno. Por ejemplo, en *Victorina* los menciona en relación a su efecto somnífero y cómo permitían dormir sin despertarse, aunque el descanso que procuraban no era del todo real (Gimeno 195; volumen I y 14; volumen II).

[32] En *Victorina*, Mario, en su primera carta a Victorina, le dice que ha tenido que recurrir "a los bastidores de una correspondencia sincera y espontánea" para mostrarle sus sentimientos (Gimeno 99; volumen I). Esta carta de Mario había aparecido en *La Época* (30 Abr.) unas semanas antes de que Gimeno le dijera algo parecido a Catalina en su correspondencia (Simón Alegre "Gimeno de Flaquer and her Transatlantic").

[33] La estameña es un tejido de lana sencillo. También el glasé es un tejido, pero de seda y combinado con un metal. Gimeno parece insinuar que se encontró a Catalina con otra mujer en el teatro.

(Habla la amiga) Como el 15 no tiene nadie oficinas y supongo que usted no es adicto a las fiestas populares podemos ensayar de 3 a 5. El 15 es el próximo jueves.[34] He calmado la exasperación de Julieta ofreciéndole que pondrá con usted y conmigo una pieza en un acto de los que usted domina.[35] Esto no molestará a usted en atención a que el drama es corto.[36] Algo hay que hacer en favor de una niña que por el gusto de trabajar con usted y conmigo violenta sus aspiraciones. Julieta desobedece a su *Romeo* y lo arrostra todo por usted y por mí.— Hasta que usted guste.— El jueves estarán puntuales los aficionados.

Le espero.
Yo.

¿Y su hermana?
¿Cómo *se halla*?[37]

Carta 8

[Mayo, 1873]

Ciertas horas... son un siglo *en la edad del corazón.*

He resuelto poner en escena *Flor de un día.* Al complacerle a usted me complazco a mí misma.[38] Algunos escollos y barreras he encontrado pero usted conoce mi enérgico carácter y comprenderá que no me amilanan las dificultades. Julieta[,] algo susceptible, creyó que esta nueva resolución la dictaba usted por no creerla apta para el papel de Elena.[39] Puede usted estar

---

[34] Se refiere a la festividad de San Isidro y a su correspondiente popular verbena en Madrid.

[35] Julia de Asensi y Laiglesia.

[36] Catalina ya no quería representar *Espinas de una flor* y Gimeno le recuerda que es una obra que conoce y no muy larga, pues el libreto solo tiene setenta y una páginas.

[37] Romeo, apodo que proviene de la obra de teatro de William Shakespeare, *Romeo y Julieta* (1597). También aquí la escritora se puede estar refiriendo al actor y empresario Julián Romea y Parra (1848-1903). Manuel Catalina tuvo una hermana, Dolores Catalina y Rodríguez (1846-1913) que se casó con Julián Romea y Parra. Gimeno puede estar refiriéndose a esta hermana o a alguna de las otras dos que tenía el actor, pero también cabe la posibilidad que fuera a otra mujer a la que no quiere nombrar. Con "aficionados" se refería a otras personas que iban a participar en esta representación, como por ejemplo su futuro marido, el periodista Francisco de Paula Flaquer y Fraisse (1839-1918); consúltese la introducción para más información.

[38] Es la primera parte de la historia creada por Francisco Camprodón.

[39] Julia de Asensi y Laiglesia.

tranquilo, he llevado la convicción a su ánimo con razones oportunas y he alejado de su mente tan errónea creencia. No puedo escribir más: la fatiga me rinde. Anoche tuve que asistir al concierto del conservatorio[,] me acosté a las 3 y hoy estaba en pie a las [7/9] para hacer el original del periódico. En los *Ecos de Madrid* he buscado un motivo para consagrar a usted un recuerdo.[40] Espero a usted mañana. Una eternidad no sería suficiente para contestar a todo lo que usted dice... donde no traza líneas. Emilia Piquer me dice que surge la representación porque le piden el Liceo.[41] "Estoy débil y febril". Termino.

Hasta mañana.

Toujours...[42]
[Mari/Moi].

Carta 9

6 de mayo

Distinguido amigo:

No puedo dejar sin contestación una frase suya que envuelve cierta *dulce ironía.*— Admítase la antítesis. He dicho dulce ironía porque la ironía punzante y mordaz es patrimonio de almas *secas* y usted tiene un Edén en el alma, un inagotable manantial de infinita ternura... ¡El imposible! Sí[,] amigo mío[,] el *imposible* existe... porque existe *el "deber".* Existen ciertos imposibles que los seres delicados respetamos siempre: hay *imposibles* a los cuales

40 Es posible que Gimeno se refiera a una de las secciones –*Ecos de Madrid*– de su periódico *La Ilustración de la Mujer* que, según "Sueltos bibliográficos" de la revista *La lira española*, formaba parte del número cuarto de su publicación (Anónimo 7-8). Durante el mes de mayo de 1873 hubo numerosos conciertos en Madrid, quizás Gimeno esté indicando el evento benéfico que dio el pianista Pablo Barbero (1847-1904) en el Conservatorio de Madrid (Anónimo, "Tercera edición" 3).

41 Este teatro de aficionados estaba en la calle Leganitos n.º 30 de Madrid y lo dirigía la viuda de su fundador, el escultor Josep Piquer i Duart (1806-1871), Emilia Llull y Mitjavilla de Piquer (o Emilia Piquer; fallecida en 1891). El Liceo Piquer funcionó desde 1860 hasta 1885 (Freire López 129-140.)

42 En francés original: *Siempre.*

podríamos aplastar la cabeza y sin embargo *doblamos ante ellos la cerviz.*[43] Yo que tengo la palabra ***deber*** *estereotipada* en el corazón, yo que me inmolo en esos santos altares, figúrese usted sí comprenderé *ciertos imposibles.*

El *deber*, es el fuerte dique, el muro de bronce[,] la barrera en que se estrellan las pasiones de los corazones *vehementes y puros...* Usted pronunció al azar la palabra *imposible* y no sabía que tocaba usted *a muerto en la morada de un agonizante...* Según las leyes de nuestra sociedad la mujer está obligada a fingir y siempre dice lo contrario a lo que siente... yo rara vez aparezco cual soy... A pesar de que usted tiene mucho mundo, como la mujer se escapa al minucioso examen del sabio, y al escalpelo del filósofo, me permitiré decirle que no conoce bastante a la mujer. No hay farsa más indescifrable que aquella que se presenta con la expresión del candor... esta *suele ser la de ciertas mujeres.* Cuando vea usted que una mujer reniega del amor no la apellide usted... ¡¡hielo!! Los niños cuando se ven en la *oscuridad cantan de miedo*. El amor es el iris que ilumina a la mujer desde la cuna a la [rueca/huesa]... ninguna se libra de esta ley del corazón, la que ***parece*** rechazar el amor, es la mujer *enérgica* que lucha cual el náufrago, es la mujer que se defiende de un *terrible y bello enemigo*[,] es la que quiere salir victoriosa, aunque su corazón quede hecho trizas... es la que más ama... Puedo decir esto, porque *usted y yo* quedamos fuera de estas *batallas......* Sin embargo[,] la mujer es un enigma y yo he entregado a usted la clave: si mi sexo lo supiera no me lo perdonaría. Lo que he hecho es muy grave: he conducido a usted de la mano al arsenal del sexo *débil* y le [he] mostrado nuestras armas de ataque y defensa.[44] Puede fiar mi sexo en que Usted es generoso, y *devuelve las armas sin probar el temple de ellas.* ¡¡Cómo dudarlo!! Basta de jocosa filosofía... con mis divagaciones me aparto del objeto de esta carta.

He comprendido que el único obstáculo que hay para que usted me cumpla su promesa *solemne* es la falta de tiempo para estudiar el papel de Diego. Por tanto, rompiendo dificultades autorizo a usted para que elija la comedia que más domine y que me comprometo a estudiar en 24 horas. Mientras mi papel sea importante admito el género cómico como el trágico. Julia que no quiere renunciar al placer de salir a la escena con usted hará un papel de cualquier género por secundario que sea, pues es una señorita angelical y humilde. Teniendo en cuenta la marcha de usted yo me encargo de activarlo todo. No

---

[43] Una expresión muy parecida está incluida en *Victorina* en relación al compromiso que tenía Mario con Cándida, su prometida, antes de conocer a Victorina. Es probable que Gimeno estuviera ya comprometida con Francisco de Paula Flaquer (Simón Alegre "Gimeno de Flaquer and her Transatlantic") e insistiera a Catalina en la existencia de un "imposible" que no llega a describir y es posible que fuera la existencia de este noviazgo.

[44] Huesa es un hoyo para enterrar un cadáver. A medida que Gimeno vaya perfeccionando su escritura y definiendo su pensamiento dentro del feminismo, desaparecerán estas referencias belicistas (Ayala Aracil, "*Una Eva moderna*" 61-73).

hay dificultades para usted salvando la del estudio: tres ratitos para ensayos los podrá usted conseguir.

Debo advertirle que no poner la comedia en cuestión, sería una *derrota* para mi amor propio y no lo espero de usted... Emilia Piquer como usted sabrá, cede el Liceo a las compañías de aficionados y desde que hablé a usted del drama he tomado yo a mi cargo el Liceo y no se lo he concedido más que para un beneficio: de modo que estoy perjudicando a Emilia.[45] Todo el mundo está apercibido de la prometida función; y las 270 papeletas de convite, impresas. Como mi alma viste la librea del pesar, como mi corazón lleva luto y vive muy solo[,] el placer de estar en escena con usted es una de mis más recientes ilusiones. No marchite usted mi ilusión, sería usted más cruel que el leñador al cortar un arbusto poblado de odoríferas flores... Si usted no puede consagrarme mañana más rato, remítame usted el drama o comedia que designe, y haré que mi escribiente copie los papeles.[46] Es preciso que hagamos la comedia en la actualidad porque la sociedad la espera.[47] Si usted se resiste creeré que me pospone *a alguna severa exigencia.* Usted que tiene un espíritu tan levantado, *debe* ser *independiente*[;] lo contrario sería descender del pedestal [al] que le ha alzado mi tierna amistad.

Reclamo su promesa.

Observo que soy prolija: muchos anhelan dos líneas mías autógrafas y no las consiguen, y usted tal vez esté fatigado de tanta línea...

Hago votos por la ventura de su hermana.[48]

Le espera siempre
Safo.[49]

Resuelva usted pronto respecto a la elección de comedia.

Carta 10

Hoy [es] 14 de mayo

Contésteme. Además le espero mañana a las 3. Tengo su palabra.

La carta de hoy no era para mí, se ha equivocado usted al poner el sobre. Aquella carta era para una mujer, y yo tengo el alto honor de no parecerme a

---

[45] Consúltese nota 41.

[46] Julia de Moya.

[47] Gimeno, con "la sociedad", se estaba refiriendo a las personas que formaban parte del Liceo y pagaban por las entradas de las obras antes del estreno (Freire López 129-140).

[48] Véase nota 37.

[49] Consúltese nota 26.

ninguna...... ¿Ha olvidado usted que tengo espíritu muy analítico, y que todo lo someto a la gélida razón? Debe usted tener presente que pienso con el corazón y con la cabeza así es que no hago nada inconscientemente *y* lo *que hago no puede obligarme a **nada** jamás.*

Mis miradas... ¡¡qué mal interpretadas!! [¡]Mis miradas fueron el ***saludo*** de la amiga[!][50] No dé usted importancia a miradas que llegan desde **tan** lejos... Parece que el haberle yo dicho que haría un boceto de su alma le ha dado ciertos vuelos... ¿Qué tiene de particular que yo haga su boceto? Puedo hacer el de cualquier hombre a la tercera vez que le haya hablado. *¡Se dejan ustedes conocer tan fácilmente!* Voy a hacer el retrato de su fisonomía moral ya que nadie en el mundo le conoce cual yo. Empiezo por perdonarle sus frases de hoy porque se halla enfermo y me inspira conmiseración. Sí[,] usted es un enfermo rebelde. Desde el fondo de mi gabinete estoy viendo el asombro reflejado en su semblante al leer estas líneas.[51]

Escúcheme atento.

Usted es un ser que ha pisado todo el cieno de la vida y que sin embargo conserva las alas de su alma, inmaculadas, usted tiene todavía una dosis de candor, pero le han envenenado el corazón... Pero le extrañe no apercibirse: *Mitrídates se había acostumbrado a los venenos.*[52] Usted es un *niño **mimado**, caprichoso,* tiene usted el corazón muy mal *educado,* no es usted culpable: *lo son sus antiguas preceptoras.* Ha tenido usted la desdicha (sí que lo es) de tratar mujeres fáciles para el amor, muy débiles y las cree a todas iguales.

---

[50] Concepción Gimeno de Flaquer tenía una mirada bonita, así lo señalaron los escritores Eduardo del Valle (1843-1910), "Como en su mirada dulcísima de ángel irradian los fulgores del genio", y Juan de Dios Peza (1852-1908), "Sobre unos ojos de color de cielo. Y esos ojos aquí fijos y duros que nada quieren ver ni nada inspiran, son dos astros de luz, tiernos y puros, que hablan en dulce idioma cuando miran" (*¿Culpa o expiación?* 9 y 18-19).

[51] No es fácil precisar dónde estaba este gabinete. Según el escritor Ricardo Sepúlveda (1846-1909), en esta época existió el Saloncillo, una especie de club (formaba parte del Teatro del Príncipe) para que actores y autores se encontraran con sus seguidores (317-324). Sepúlveda insiste en la presencia frecuente de Manuel Catalina allí con diferentes mujeres (318). También con gabinete, Concepción Gimeno puede indicar la referencia al mueble donde se despachaba la correspondencia.

[52] Mitrídates IV (134 a. e. c.-63 a. e. c.) fue rey de Ponto y Armenia y luchó contra Pompeyo. Para asegurar que no moriría envenenado, tomaba pequeñas dosis de veneno para hacerse inmune. En *Victorina*, Gimeno también cita a este rey, referencia que salió en *La Época* unos días antes de que Gimeno mandara esta carta a Catalina (10 May.; *Victorina* 152; volumen I).

[Cuán] oportuna fui al entregarle mi artículo titulado "Hay mujeres fuertes".[53] ¿Creyó usted que la mujer no estaba identificada con lo que decía la escritora?

¡Ay! Todavía no es tarde[,] aún puede usted curar de una enfermedad que es el preludio del *hastío.* Yo sería el Galeno de su alma, pero para serlo necesitaba ser *viuda.*[54] Usted tiene cierta predisposición a todo lo grande[,] sublime[,] puro y espiritual: usted tiene facultades brillantes para vivir en la atmósfera de la pureza en elevada región y le hacen vivir en atmósferas muy *densas* y *ardientes.* Las mujeres en general son estúpidas.[55] Todas se han hecho *amar* por las concesiones[,] a ninguna se le ha ocurrido hacerse *amar* por las negativas... Cuando una mujer haga adorables sus negativas por la gracia con que las engalane, cuando una mujer tenga el ingenio suficiente para alimentar a un hombre *de esperanzas* únicamente, ha triunfado: su reinado es eterno.

Si yo fuera *viuda* tomaría a mi cargo la *regeneración* de usted –emplearía para *purificarle* recursos que por lo nuevos le parecerían encantadores y haría de usted una gran obra... porque usted después de todo (lo digo en voz baja) *es dócil.* ¡Hombres no lo dudéis vale más la mujer que os impone sus virtudes, que la que acepta vuestros vicios! ¡Me dice usted que no me asuste! ¿Cuándo ha retrocedido del campo el que conoce el temple de sus armas? ¡Usted debía haber comprendido que no soy cobarde! Todo lo contrario, el peligro me atrae: soy muy soberbia y desafío al peligro. Me gusta *tocar el fuego* y no abrasarme, colocarme en la pendiente y no *rodar,* me gusta luchar con *gigantes* y vencerles, me gusta la lucha con usted porque es usted tan soberbio como yo... porque se cree un *titán*... Si yo no me he cuidado de ponerme antifaz en mi

---

[53] Este artículo todavía no está localizado, pero en uno de sus trabajos posteriores, *La mujer española,* en el capítulo "No hay sexo débil" (143-154), Gimeno incluyó algunas referencias relacionadas con este intercambio de cartas: "Los que denomináis fácil a la mujer, es porque habéis tratado mujeres que valían muy poco; no conocéis del sexo más que la escoria. No conocéis a las mujeres fuertes, porque ocultan las luchas bajo un velo de indiferencia y frialdad" (146).

[54] Galeno (130-200) fue un médico griego. En *Victorina,* Mario describía su enamoramiento por Victorina como una "fiebre del alma y para esta no hay Galenos" (Gimeno 96; volumen I. Esta referencia apareció cuando *Victorina* estaba saliendo en *La Época* en formato de folletín, en concreto el 26 de marzo de 1873; Simón Alegre "Gimeno de Flaquer and her Transatlantic"). Gimeno no se casó hasta 1879 por lo que con la alusión a "*viuda*" puede indicar la existencia de su ya ineludible compromiso con Francisco de Paula Flaquer.

[55] Gimeno llamaba "estúpidas" a las mujeres que no protegían su vida íntima y la dejaban expuesta a comentarios e interpretaciones maliciosas. Años después de esta correspondencia, la escritora Carmen de Burgos (1867-1932) creará el personaje "la emperatriz de las cursis", inspirada en Gimeno de Flaquer y burlándose de cómo usaba este tipo de expresiones (Simón Alegre, "Queer Literary Friendships in Salons" 51-83).

correspondencia ha sido porque mi *afecto* no podía confundirse con la *pasión*[,] si yo hubiera estado apasionada no lo hubiera usted conocido jamás.

¿Pero sabe que la farsa no me violenta, que soy completamente dueña de mí, y que aparezco *cual quiero aparecer*? En este *lance* el peligro ha sido tratar una mujer que no se parece a las demás: para usted ha sido el peligro *pues no ha sabido a qué atenerse*. Es muy difícil conocer a una mujer cuando esta se empeña en no ser conocida. ¿No recuerda usted que le dije un día me complacía en sofocar pasiones[,] avasallar la voluntad y matar sentimientos? Entonces[,] ¿a qué dudar de mi fortaleza?

Me pregunta usted ¿qué soy? Se lo diré por más que esta concesión no la vuelva a hacer a nadie. Soy una amalgama de ternura y severidad, de rigor y dulzura, de soberbia y bondad, de fuego y hielo... Mi corazón que es tiernísimo jamás me sorprende porque las riendas de *él las llevo en la cabeza. Solo así podría yo penetrar impasible en el "campo enemigo"*. Están ustedes tan hastiados de mujeres fáciles que las *inexorables* les fascinan...... Ya que usted se permite decir lo que ha soñado, voy a permitirme decirle lo que *adivino*. Hoy usted querría borrar su *pasado*[,] corregir su *presente* y romper lazos –*que le ahogan* porque *moralmente* son ***indisolubles***. ¡Resignación! ¡¿Qué consejo se puede dar?! Me pide usted le revele mis sueños, mis deseos[,] mis proyectos y mis aspiraciones. ¿Sabe usted lo que me pide? Todo lo más que yo puedo conceder. Esto es querer ver mi alma desnuda. Usted es muy aficionado a la Venus de Milo porque está desnuda, y a mí me gustan los *velos*.[56]

(Una revelación) *Estímela en lo mucho que vale.* Bien merece usted por su ingenuidad un momento de sinceridad mía. Tiene usted que perdonarme algo: al permitirme arrancar los crespones de su *alma*, al revelarle su *muda* desesperación, me he vengado de que un día me llamó usted (*niña*) probándole que soy *mujer*. Los años no suponen nada, la inteligencia lo es todo: yo me voy muy lejos, y pinto situaciones por las cuales no he atravesado; a fuerza de pensar tengo *arrugas* en el *cerebro* y canas en la razón. Mi criterio es muy viejo.

No merecía usted el desenlace que le reservo... ¡¡Vanidoso!![57] Ya que quiere saberlo, sepa usted que me inspira un afecto fraternal y que le permito

---

[56] La Venus de Milo es una escultura de la diosa griega Afrodita del periodo helenístico realizada entre el 130 a. e. c. y el 100 a. e. c. Desde su descubrimiento en 1820, esta estatua ha estado en el Museo Louvre de París, que posiblemente Gimeno de Flaquer visitará en 1880 en su viaje con su futuro marido (Pintos 60).

[57] Esta calificación tendrá un significado muy importante en la obra de Gimeno de Flaquer. Esta escritora referirá en sus ensayos posteriores a 1873 que el defecto de la vanidad salpicaba a hombres y a mujeres, aunque los hombres intentaban ocultarlo "con gran empeño, porque la vanidad siempre se ha considerado pasión femenina" (Gimeno, *La mujer española* 78).

colocarme en el pedazo de *alma que no tiene enfermo*. Quiérame usted mucho guardando siempre la respetable *distancia que yo merezco*. Ya sabe usted que tengo 40 años[,] ahora ya podemos razonar y discutir: en las esferas de la inteligencia *vivimos juntos*, ahora seré toda verdad para usted[,] y como a usted le pueden comprender muy pocas mujeres[,] cuando moralmente se halle usted solo, venga a mí: yo le aconsejaré[,] yo disiparé las nubes de su horizonte[,] yo seré *su médico moral*.[58] ¿Puede ofrecer más una mujer cual yo?

Yo quiero que me ame usted como Lamartine a Madame Girardin.[59] ¿Sabe usted que dijo Lamartine al morir esta mujer que encantó con su talento? “He amado a Delfina sin *acordarme nunca de que fuera mujer*”.[60] ¿No es verdad que siente usted refrescar su espíritu al colocarlo cerca al mío? Sí, me necesita usted en la vida moral. Cuando tenga usted penas pártalas conmigo, mas placeres no los quiero conocer. Ya sabe usted que por enigmático que sea le entenderé siempre: donde usted se detenga, yo llegaré. Contez toujours avec au *battement* du *cœur* de votre tendre *sœur*...

Toujours. [Mari/Moi].[61]

Exijo contestación a esta carta. *No* le falta a usted asunto nuevo...

Adiós hermano mío.

Mañana le esperamos a las 3 y se encontrarán nuestras fraternales miradas.

---

[58] Concepción Gimeno solo tenía 22 años cuando estaba ocurriendo esta correspondencia. Al haber rechazado a Manuel Catalina le mostraba que era una mujer con experiencia en la vida.

[59] Gimeno vuelve a referirse al escritor Lamartine (Carta 5), y aquí añade a la escritora francesa Delfina Gay Girardin (1804-1855). En 1885, esta escritora ocupó la portada de *El Álbum de la Mujer* (*AM*) y, además, Gimeno de Flaquer le dedicó el artículo “Bocetos históricos. Mme. Girardin” (72-73), que en 1902 volvió a publicar con el mismo título en el *AIA* (26-28), dedicándolo a la artista Julia Argumosa de León, que participará en junio de 1903 en la tercera edición de exposiciones femeninas, que tuvo lugar en el madrileño Salón Amaré (Contreras y Camargo 281). Para ampliar la información sobre Lamartine, consúltese nota 25.

[60] Esta frase es la expresión del amor platónico para la escritora. Gimeno de Flaquer volvió a utilizar esta referencia, con alguna modificación respecto a esta mención, en el artículo sobre *madame* Girardin de 1902: “He amado a Delfina sin *acordarme de que fuese mujer; la había visto diosa en Terni*” (“Bocetos históricos” 27).

[61] Está en francés en el original y su traducción es: Cuente siempre con el *latido del corazón* de vuestra tierna *hermana*... Siempre. [Mari/Moi].

IV. CUENTOS CORTOS DE CONCEPCIÓN GIMENO DE FLAQUER (1879-1908)

La vida sin amor. Carta a una amiga[1]

Tus desconsoladoras líneas, me impresionan tan fuertemente, que me hacen romper un prolongado silencio que solo tu bondad puede disculpar. No quiero referirte nada de mi vida, porque el deber me exige imperiosamente ocuparme de ti, consagrándote unos momentos que contaría entre los más felices de mi existencia, si pudiera devolverte la tranquilidad, aliviando tu angustioso estado. Hoy necesitas una palabra cariñosa y consoladora que rasgue la negra bruma de los encapotados horizontes de tu dicha, una mano amiga que te arranque violentamente del aislamiento y soledad en que vives; porque soledad no es solo la carencia de personas y la negación de sucesos, no; hay soledades más espantosas, y estas son las del alma.

Tú sabes, Alicia amada, que las fibras de mi corazón difícilmente responden a los acentos de la alegría, que siempre permanecen mudas para ellos, y que un ¡ay! las conmueve, cual el leve suspiro de la brisa, haciendo vibrar las cuerdas de un arpa eólica.[2] Creo inútil repetirte una vez más que quiero parte de tus penas; tengo el alma templada para el pesar; el dolor es mi lúgubre placer. Para amortiguar las desventuras se necesita invocar un corazón que sepa sentir, corazón nunca sordo a los gemidos del que padece, corazón gigante que olvide las pequeñeces y miserias en que se envuelve lo que nos tortura. Yo anhelo que encuentres ese corazón en mí; deseo hacerte comprender los sentimientos míos; pero las ideas son frías e insuficientes para perfilar, siquiera pálidamente, el boceto de mi alma. Aunque no me inspirases tan inmenso cariño, en mi gratitud encontrarías una adhesión eterna.

---

[1] Concepción Gimeno de Flaquer publicó esta carta-cuento corto al menos cuatro veces desde 1879 hasta 1907. Los cambios más llamativos que hizo están en la última versión, del 7 de agosto de 1907 y que sacó en *El Álbum Ibero-Americano* (*AIA*). Esta es la versión utilizada aquí, modernizada por la autora respecto al texto original de 1879 que tituló "La vida sin amor. Carta a Celia" (77-78; *La Ilustración*, Feb. 1883, 139-142), y después cambió el nombre de Celia por el de "una amiga" y además por el de Alicia (*AIA*, Ene. 1893 41-44 y Ago. 1907, 338-340).

[2] A lo largo de esta carta-cuento, Gimeno de Flaquer combina referencias a un lenguaje cercano a la masonería con uno conectado más con el catolicismo. Esta manera de escribir la mantendrá a lo largo de toda su carrera (Blasco Herranz 183-202).

¡Cuánto te debo, amiga mía! Te he visto alzarte grande en muchos momentos, olvidando tus aflicciones para consolar las ajenas. Ajenas... dije mal: mis pesares son los tuyos, tus alegrías nuestras satisfacciones. ¡Cuán bella es la vida con esta unificación de sentimientos! Si llegara a faltar, equivaldría a definir la muerte. Al reiterar mis amistosas reconvenciones en esta carta, no querré indicarte que te muestres indiferente a cuantos luctuosos acontecimientos se ciernan sobre ti; no, eso sería mutilarte moralmente; al ahogar tu sensibilidad, tu alma se convertiría en páramo a falta de ese rocío bendito que la fertiliza; por otra parte, no es oportuno usar contigo un rigor severo, cuando te hallas en el paroxismo de la desesperación y tantos consuelos necesitas.[3] Comprendo perfectamente que hay dolores profundos en el alma que se enuncian por un vacío desconsolador, como hay en el mundo físico silencios que perciben los oídos. Terribles dolores que no se pueden estimar sino en su intensidad, que es infinita, por un regulador que marca desencantando, enloqueciendo. Mas debo decirte que en circunstancias tales hay un lenitivo muy poderoso, los consuelos de la religión: un bálsamo muy eficaz, la resignación bendita y santa. Es humillante doblar la cerviz ante el capricho de la adversa suerte; es una pequeñez de espíritu dejarse morir de pena; es cometer un suicidio menos vulgar que el del veneno, pero suicidio al fin y como tal cobarde.

Has sido víctima de un desengaño: ¡ay! ese es el doloroso precio de la experiencia. ¿Qué corazón no fue atravesado alguna vez por el puñal del *desamor*? Mas no te aflijas: si un amor mata otro salva; si el amor aniquila, el amor, crea. ¡Esperar! He aquí el evangelio. Hay en tu carta un párrafo que me hace mucho daño. Refiriéndote a un álbum, que parece ser el de tu existencia, dices que has rasgado la única hoja que había escrita en él, y que las restantes permanecerán en blanco toda tu vida.[4] Ese desaliento helado y al parecer tranquilo, ¿qué quiere decir? ¿Significa que has muerto para la vida del alma, para la vida de la juventud, para el amor? No, esto no puede ser. Esas son palabras frías que revelan gran acaloramiento. Tales resoluciones llevadas a cabo por un rostro sereno y dictadas con voz firme, no son más que mentidas apariencias con que se encubre la debilidad humana en los momentos de

---

[3] A partir del *Diccionario de la lengua castellana* (DRAE) de 1884, la palabra "paroxismo" se escribe siempre con x y define el estado de inconsciencia en el que una persona queda tras sufrir un grave accidente (Real Academia Española –RAE– 792).

[4] Gimeno estaba usando la referencia a los álbumes (cuadernos donde diferentes amistades escribían, dibujaban e incluso añadían fotografías) desde sus primeros artículos en prensa, como en "La mujer y el álbum" (1873; 1-3). El álbum de la escritora Julia de Asensi Laiglesia (amiga de Gimeno de Flaquer, ver sección de cartas de este libro para más información, está disponible en la Biblioteca Digital Hispánica de la Biblioteca Nacional de Madrid: http://bdh-rd.bne.es/viewer.vm?id=0000207269&page=1

triste perturbación. Retira esas palabras de hoy para que tus sentimientos de mañana no den un mentís a resoluciones del pasado.[5]

¿Crees que no te hallas en condiciones para volver a amar? Error, lamentable error. Si meditas un momento sobre este punto, te convencerás de lo que no presientes, de lo que no adivinas; de que tu opinión no radica en el fondo del alma. ¡Imposible! Porque un hombre haya emponzoñado las ilusiones de tus quince años, llenando de intranquilidad tu ánimo, de desgarradora lucha tus horas más tranquilas y de lágrimas tus ojos, ¿quieres renunciar al amor? Si un hombre, faltando a lo que se debe a sí mismo, miente amores que jamás sintió, ¿serán culpables los sentimientos que puso en juego sacrílegamente para satisfacer su vanidad o sus raquíticas aspiraciones? Cuando uno comete un crimen, ¿quién es el castigado, el reo, o el arma que hizo saltar la sangre de la herida? El hombre es responsable de sus actos; por eso hay para él gloria y vilipendio, honores y castigos.

¡¡¡Que no amarás otra vez!!! Crees perdidas todas tus ilusiones y aún tienes una: la de afirmar que esto has de cumplir. Renegar del amor sin conocerlo es injustificado; renegar del amor conociéndolo es injusto. La finísima aguja en que remata un edificio no forja las tempestades, pero atrae al rayo cuando salta entre las nubes: el alma de la mujer no crea las pasiones, mas acoge el amor que brota entre dos miradas; que hay leyes morales, como hay leyes físicas, y si negando las segundas se falta a la ciencia, negando las primeras se falta a Dios.[6] Dices que te atormenta lo pasado, que te asusta lo presente y que tiemblas ante lo por venir. No hablemos de tiempos que fueron y a los cuales debemos abrir honda sepultura; tampoco hablemos del presente, que apenas existe, pues que dura menos que la emisión de la palabra y es más breve que la acción del pensamiento. Fijémonos en lo futuro abandonando esas ideas que anublan las bellas lontananzas en que se mecerán venideros días.[7] ¿Supones que lo pasado regula lo presente o sirve de norma a lo por venir? No lo creas. Tú no puedes ni debes renunciar al amor. El amor es la gota de esencia que los ángeles vierten en el amargo cáliz de la vida. Escucha a un inspirado poeta en los siguientes versos:

> ¿Qué es el no amar? Rodar en la agonía,
> sin ensueños, sin gloria, sin temor,

---

[5] "Mentís" significa desmentir a una persona, pero de manera injuriosa (RAE 695; 1884).
[6] Se refiere al pararrayos.
[7] "Lontananza" significa algo que está a lo lejos (RAE 652; 1884).

igualar con la noche el claro día
y dormir en fatídico estupor...[8]

Tú amabas a ese hombre con la ferviente idolatría de Carolina Lamb hacia lord Byron y has querido ser amada con la frenética ceguedad con que amaba a Beatriz de Silva el conde de Miranda.[9] Nunca tiene los mismos grados de calor la atmósfera moral de dos corazones. Quizá le hubieses retenido con más desdén y con menos amor. Somos tan imperfectos que hasta la felicidad nos hastía cuando no nos la dan en pequeñas dosis. Tú estabas ciega y te has dejado arrastrar por la corriente del sentimiento sin el valioso dique de la razón. Mas no te desalientes, la inconstancia de ese hombre revela dureza de corazón, falta de ternura y tú necesitas un alma ternísima.

Procura no incurrir en la vulgaridad de lamentarte constantemente, afirmando que ningún hombre merece ser amado. Eso sería ser injusta y dar gran importancia a quien debes despreciar. Modera tu dolor, calma tu pena: todo está marcado en este mísero valle con el sello de la inconstancia. Ten presente en lo sucesivo, aunque te sea muy doloroso, que algunos hombres no suelen dar importancia a los juramentos de amor; no les des tú valor alguno para que el terrible espectro de la realidad, al estrecharte con sus brazos descarnados, no te deje el corazón convertido en témpano de hielo.

Ama para que no se atrofie tu corazón: pero procura amar sin que te arrastre el sentimiento. Amar es sufrir; mas es preferible amar a vivir en el vacío.[10] Tú no estás en condiciones de ver en el mañana el epílogo de historias tristes o el desenlace de sucesos funestos. Hay algo más para ti. No te preocupe un momento la ingratitud de ese hombre. Se ha unido a otra mujer; compadece a

---

[8] Esta poesía es del escritor Ramón de Mesonero Romanos (1803-1882) y forma parte del poema "Sillas del Prado", incluida en su libro *Escenas Matritenses por el curioso parlante* (1845; 376). Gimeno de Flaquer también usó partes de este poema en su libro *En el salón y en el tocador* (1899) para hablar del amor (193).

[9] Caroline Lamb (1785-1828) fue una novelista inglesa-irlandesa que tuvo una relación con el poeta inglés *lord* Byron (George Gordon Byron, 1788-1824). Gimeno de Flaquer definió a Byron como un "cantor del libertinaje" (*Madres de hombres célebres* 184). Beatriz de Silva (1437-1492) fue la fundadora de la Orden de la Inmaculada Concepción. Con el conde de Miranda, Gimeno de Flaquer se refiere a Pedro de Zúñiga y Avellaneda (1448-1492).

[10] En las versiones anteriores a esta carta-cuento de 1907, Gimeno de Flaquer incluyó la siguiente frase: "En los piélagos tenebrosos de la vida no hay otra perla que el amor" (78; 1879 y 42; 1893). La escritora eliminó esta frase para que el relato sonara más acorde con un estilo literario de principios del siglo XX. La modernización de sus textos fue una práctica que Gimeno de Flaquer desarrolló, por ejemplo, en su novela *Victorina o heroísmo del corazón* (1873; Simón Alegre "Concepción Gimeno de Flaquer and her Transatlantic Journey").

la infeliz que le ha fiado su porvenir, su amor y su ventura. ¿Qué puede esperarse de un corazón que no ha vibrado más que al sonido del vil metal?

Voy a terminar porque esta carta se va haciendo demasiado larga, mas no lo haré sin recordarte que ese lazo, al estrechar con vínculo tan fuerte e indisoluble a dos seres, es una barrera poderosa que impide ver lo pasado y que rechaza los recuerdos del ayer. Amar sin esperanza puede ser una virtud; pero amar lo que Dios apartó del corazón por medio de un sacramento es un crimen. Lo pasado no puede relegarse al olvido momentáneamente, pero hay una solución práctica para que no mortifique. En los circos romanos, para que el lugar de la lucha no horrorizase a los espectadores, como la continuidad de la fiesta no permitía borrar huellas sangrientas, arrojaban de los anfiteatros sobre la arena enrojecidas flores que encantaban la vista y embalsamaban el ambiente. Esto es lo lógico y lo indispensable. Si en un amor has encontrado el veneno en otro encontrarás el antídoto.

Un amor te hirió, otro cicatrizará las heridas que el primero abrió. La vida sin amor es un día sin sol, una noche sin estrellas, un desierto sin oasis. Goethe lo ha dicho admirablemente: "Sin el amor es el mundo para nosotros lo que una linterna mágica sin luz".[11] Espero escuches los consejos que a tu bien convienen de un modo tan directo y tan claro.

Tuya siempre,
Concepción Gimeno de Flaquer

Por no amar[12]

El manicomio del eminente mentalista Esquerdo se hallaba de fiesta con motivo de la inauguración de un espléndido comedor para señoras, cuyos testeros, engalanados con alegres paisajes debidos al pincel de Gil Montijano, recrean la vista y el espíritu.[13] Los numerosos invitados al banquete recorrieron

---

[11] Gimeno de Flaquer se refiere al escritor alemán Johann Wolfgang von Goethe (1749-1832). La frase exacta es esta: "Guillermo, sin el amor, ¿qué es el mundo para nuestro corazón? Lo que una linterna mágica sin luz" (Goethe 54).

[12] Gimeno de Flaquer publicó este cuento corto al menos en dos ocasiones: en 1895 (*AIA*; 357-358) y en 1897 (*El Globo* 1). No hay cambios sustanciales entre una versión y otra. A continuación se reproduce la última versión de 1897 que publicó en el periódico *El Globo* el 23 de agosto de 1897 (véase la figura IV.1).

[13] Gimeno de Flaquer se refiere al médico José María Esquerdo Zaragoza (1842-1912). El lugar donde se desarrolla este cuento es en una fiesta organizada en el Sanatorio Esquerdo de Carabanchel (Madrid) que fundó Esquerdo en 1877 (Villasante Armas 91-97) y aún continúa funcionando. El evento en cuestión ocurrió el 26 de mayo de 1895 y, tal y como describe Gimeno de Flaquer aquí, se reunieron personas relevantes de la sociedad

el vasto establecimiento admirando los prodigios realizados por su sabio director para quitarle el triste aspecto de aquellos antiguos manicomios semejantes a cárceles, en los que se acrecentaba la locura del paciente. Don Santiago Esquerdo, sobrino del famoso frenópata, con quien comparte el cuidado de los enfermos, me guió en aquel inmenso hotel en donde se vive fastuosamente, no encontrándose por ningún lado la más leve huella de hospital.[14] El cariño con que hablaban al distinguido alienista los vesánicos que nos salían al encuentro, manifiesta que son tratados con solicitud paternal, porque en aquel tempestuoso océano de pasiones sin dique ni freno, brilla en todo su apogeo la verdad: los locos se diferencian de los cuerdos en no saber mentir.[15]

Alentada por el afable trato de mi acompañante [le] dirigí varias preguntas respecto a los enajenados, que satisfizo con gran cortesía. Según mis observaciones, la mayor parte de aquellos enfermos sufren *megalomanía*, delirio de grandezas, y las mujeres *demonofobia* y *frenalgía*, lesión de la sensibilidad moral.[16] Encontré perfectamente definidas las pasiones de los

---

madrileña para celebrar la inauguración del comedor de mujeres de este lugar. La palabra "testero" indica la fachada principal (RAE 1022; 1884). El pintor encargado de decorar este espacio fue Eduardo Gil Montijano (1850?-1912?). El escritor Salvador Rueda (1857-1933), en la crónica que publicó de este evento (1895), subrayó la presencia de Gimeno de Flaquer y –además de describir las obras de Gil Montijano– destacó que el recinto contaba con luz eléctrica (Rueda 251). En otra reseña de este evento, el periodista Francisco de Paula Flaquer subrayó cómo las personas asistentes a esta inauguración, después del banquete, pudieron visitar este manicomio tal y como Gimeno de Flaquer incluye en este cuento corto (Flaquer, "Crónica general" 230).

[14] "Frenópata" era el médico que estudiaba la frenopatía, que era la manera de denominar a las enfermedades mentales en esta época. Gimeno de Flaquer se refiere al sobrino del doctor Esquerdo, Santiago Esquerdo Lloret, que trabajó con su tío en el establecimiento de Carabanchel (Fauda Pérez y Fernández Sanz 2-29). La referencia a "hotel" es para nombrar al manicomio de Esquerdo.

[15] "Vesánico, ca" procede de la palabra vesania, que significa locura (RAE 1016; 1899). El sustantivo "vesania" entró en el DRAE en la edición del año 1869 (790) y el adjetivo vesánico, ca comenzó a aparecer en este diccionario solo a partir de la edición de 1899 (RAE 1016). El uso de este tipo de terminología muestra cómo Gimeno de Flaquer estaba familiarizada también con ideas relacionadas con las enfermedades mentales.

[16] La palabra "megalomanía" no apareció en el DRAE hasta su edición de 1914 y significa delirio de grandeza (RAE 1072). Ni "demonofobia" ni "frenalgía" están recogidas en este diccionario. La primera significa miedo a los demonios y la segunda hace referencia a un dolor moral o una ansiedad. "Frenalgía" sí que está registrada dentro del diccionario del filólogo José Alemany y Bolufer (1866-1934) de 1917 (797) que la indica como sinónimo de melancolía e indica que es un término acuñado por el médico belga Joseph Guislan (1797-1860; https://museumofthemind.org.uk/projects/european-journeys/bios/joseph-guislain).

dos sexos, predominando entre los locos, como entre los cuerdos, en las mujeres el misticismo y el amor; en los hombres la ambición. El conocimiento del cerebro, el órgano más noble de nuestro ser, foco de los sentimientos y las ideas, enlace de la vida fisiológica y la vida moral, es tan difícil y de tan alta importancia, que me hace considerar al médico mentalista como un hombre superior a sus semejantes. ¡Penetrar en las misteriosas células y localizar en ellas, no solo la palabra sino hasta el pensamiento, es una audacia admirable!

Figura IV.1: *El Globo*. Plana del Lunes.

EL GLOBO

PLANA DEL LUNES

Del "Idearium español."

Los dos caminos

Óyeme

Escena íntima

El secreto sorprendido

Cuentos breves

Fuente: "Por no amar". *El Globo*, 23 Ago. 1897, p. 1. Imagen procedente de la Biblioteca Nacional de España.

Paseando por aquellos jardines que tienen por eterno vecino al Guadarrama, envuelto en níveo sudario, cual fantasma petrificado, encontré locos dignos de estudio por su notable semejanza con los cuerdos.[17] Llamaron mi atención un melómano que, armado de un violín, aseguraba que la palabra no es necesaria porque las notas lo dicen todo, no encontrándose frase que la música no pueda expresar;[18] a un paisajista que maldecía de los jurados de las exposiciones, pretendiendo colgar sus cuadros en el espacio para tener el gusto de verlos colocados una vez siquiera a buena luz; a un actor dramático que, teniendo buen registro para el recitado y muy malo para el canto, [se] desesperaba lanzando mil denuestos contra los empresarios que le negaban contrata para el Teatro Real;[19] a un banquero que intentaba reducir los sentimientos a ecuaciones algebraicas; a un entusiasta del naturalismo que se empeñaba en ir desnudo; a un partidario de Schopenhauer,[20] que pretendía formar un lago con las lágrimas de la humanidad, y a dos enfermas que se dirigían miradas tan agresivas como las que se dirigen dos reinas de una fiesta. Parecían no tener alteradas las funciones cerebrales, porque se odiaban como dos mujeres cuerdas.

Después de recorrer los jardines entré en la capilla, quedándome meditabunda al advertir que se halla consagrada a Santa Rita.[21] Tal advocación ¿es atrevida o tímida? ¿Pretende desafiar al imposible o se doblega ante él? No es lógico creer esto, porque el director del manicomio tiene gran fe en la ciencia. ¡Acaso sea tierno recuerdo dedicado al nombre de la madre que no existe! El escepticismo de nuestra época nos hace buscar los móviles de todas las acciones fuera del sentimiento, por temor de equivocarnos. [Me] hallaba sumida en estas ideas cuando me distrajo la contemplación de una hermosa joven, arrodillada con fervorosa actitud: al acercarme se puso en pie y pude admirar su espléndida belleza. Era una mujer alta, esbelta, pálida como la

---

[17] Este sanatorio-manicomio estaba considerado un lugar de lujo, entre otros motivos, por las excelentes instalaciones con las que contaba (Villasante Armas 91-97). La Sierra de Guadarrama rodea la ciudad de Madrid y desde Carabanchel los días despejados se puede observar este lugar.

[18] "Melómano" significa persona fanática de la música y no apareció en el DRAE hasta su edición de 1899 (649).

[19] Gimeno de Flaquer se refiere al Teatro Real, también conocido como "El Real" de Madrid, inaugurado en 1850 y que todavía sigue funcionando. Principalmente se representan óperas (https://www.teatroreal.es/es/historia-del-teatro).

[20] Gimeno de Flaquer está hablando del filósofo alemán Arthur Schopenhauer (1788-1860). Para ampliar la opinión negativa que la escritora tenía de este pensador, consúltese en la sección de artículos y en concreto el titulado "43 913 mujeres".

[21] Santa Rita (nacida como Margherita Lotti; 1381-1457) es la protectora de las personas enfermas y además ayuda para las causas imposibles.

gardenia, de grandes y rasgados ojos negros y abundosa cabellera ligeramente ondulada con reflejos de azabache. Vestía traje claro, sencillo y elegante y sus gruesas trenzas descendían sobre las caderas sin ocultar su delgada cintura que se doblaba como un junco. Salió de la capilla, la seguí algunos pasos y al verla desaparecer por un *parterre* de geranios y claveles, [me] dirigí al doctor Esquerdo, preguntándole por el padecimiento de aquella interesante enferma.[22] Pronto satisfizo mi curiosidad.

—Alicia –me dijo– sufre *lipomanía*, tristeza morbosa, una especie de vesania moral, una profunda melancolía que se ha denominado *patofobia*.[23]

—¿Quizás será el amor la causa de su mal? –exclamé.

—No, la falta de amor.

—Raro caso. ¿Quiere usted referirme la historia de esa enferma, doctor?

—Con mucho gusto. Alicia tiene más horas de lucidez que de locura, y cuando se irrita nunca llega al frenesí. Su monomanía consiste en querer destrozarse el corazón. Por eso observará usted que su doncella no le pone horquillas ni alfileres; si al hallarse excitada encontrara un objeto punzante, se lo clavaría en esa entraña que, como dice en momentos de lucidez, no obedece a su voluntad. Pasa la vida en la capilla o en el jardín, elaborando con tierra y agua una masa compacta que divide en muchos trozos, a los cuales da forma de corazón; pero una forma perfecta, porque sabe dibujo. Cuando ha reunido un batallón de corazones los tritura uno a uno: es su tarea predilecta.

Pertenece a familia distinguida: fue educada severamente, teniendo por costumbre obedecer la más leve indicación de su padre sin analizarla. [Le] manifestó este la conveniencia de que se casara con uno de los amigos que visitaba la casa, y aunque Alicia no le amaba, accedió a casarse, respetando el deseo paternal, sin encontrar razones que oponer contra un candidato bondadoso, rico, fino y afable. Es un perfecto caballero, no le ha faltado más que arte para hacerse amar. Los padres de Alicia creyeron, como ella, que el trato íntimo con un esposo amante, dotado de excelentes condiciones, tenía

---

[22] "Parterre" es una parte del jardín donde hay abundantes flores y algunos pasillos, es una palabra de origen francés que no se admitió en el DRAE hasta su edición de 1927 (RAE 1447).

[23] "Lipomanía" es un delirio triste y suele escribirse como "lipemanía", y así apareció en el DRAE de 1914 (632). El término "patofobia" no está recogido en el DRAE y solo el diccionario de Alemany y Bolufer indica su significado, que es miedo a contraer enfermedades (1277).

que engendrar cariño indefectiblemente; pero se equivocaron. Cuanto más se esforzaba en quererle, [se] rebelaba más su voluntad; y es que el amor nunca nace de la reflexión o la gratitud, brota espontáneo o no es. Independiente y arbitrario el avasallador de todas las leyes no es posible que se sujete a ninguna: ¿cómo ha de aceptar tiranías el mayor de los tiranos?

Ocho años ha vivido ese desgraciado marido soportando con resignación el desamor de su mujer, viendo convertida en infierno la existencia de los dos: Alicia, dotada de severa conciencia, ha enloquecido de remordimiento por no poderle amar. Él no se decidió a sacarla de su casa hasta que la encontró, en un acceso, tratando de clavarse un cuchillo en el corazón. Viene a verla todas las semanas a pesar de sufrir bruscos rechazos y humillaciones de amor propio al ver el horror que le inspira; muchas veces se esconde entre los árboles, la contempla un rato y se marcha sin presentarse a ella. Rodéala de todas las comodidades y hace colocar en sus habitaciones cuanto le puede ser grato, teniendo que ocultar que él lo envía para que sea aceptado.

Profundamente conmovida por tan triste historia, pregunté al doctor:

—Usted que ha realizado milagros en los enfermos, ¿no tiene esperanza de curarla?

—Ninguna: mi ciencia ha iluminado algunos cerebros con la luz de la inteligencia, pero no alcanza a caldear un corazón con el fuego del amor. Para curarse Alicia necesitaba amar.

El secreto[24]

A mi bella amiga la Excma. Sra. doña Carmen R. R. de Díaz[25]

---

[24] Publicado en *AIA* el 7 de diciembre de 1897 (536-537).

[25] La dedicatoria es para la mexicana Carmen Romero Rubio de Díaz (1864-1944), segunda mujer del militar y político-dictador mexicano Porfirio Díaz (1830-1915). No era la primera vez que Gimeno de Flaquer dedicaba a esta mujer uno de sus trabajos, ya lo había hecho con su novela *Maura* (1888). Además, Gimeno de Flaquer incluyó el retrato de Romero Rubio de Díaz como portada en varios números de sus periódicos, por ejemplo, en *El Álbum de la Mujer* (*AM*) del 1 de enero de 1888 por haber fundado el Asilo "Casa de la Amiga" de México. Este establecimiento tenía el objetivo de hacerse cargo de los hijos e hijas de las trabajadoras. Gimeno de Flaquer describe a Romero Rubio de Díaz como una figura con un peso político importante dentro del gobierno del presidente Díaz: "Ella es un apóstol del bien, que lo [a Porfirio Díaz] hace amar, una mensajera celestial encargada de inspirar la bondad" (Anónimo, "Explicación de las ilustraciones" 8). En *Mujeres de raza latina* (1904), Gimeno de Flaquer describe el

Los vecinos del paseo de Recoletos, ricos en su mayor parte y ociosos en la totalidad, tenían una preocupación constante, la tristeza de la hermosa joven a quien dieron el nombre de Ofelia, por semejarse a la heroína de Shakespeare y por ignorar su verdadero nombre.[26] Paz, que así se llamaba la interesante joven, era una muchacha alta, esbelta, rubia, pálida, de cutis transparente, de grandes y rasgados ojos azules y de facciones delicadas. En su boca, de un dibujo perfecto, parecía muerta la sonrisa; su mirada melancólica, revelaba hondo pesar. Para un observador, Paz era uno de esos seres idealistas, que sufren nostalgia de todo lo soñado, que viven protestando de las realidades de la vida. La imposibilidad de adivinar la causa de la tristeza de Paz excitaba más y más la curiosidad, porque su madre, poco hospitalaria con la vecindad, no había pasado tarjeta a nadie al instalarse en aquella suntuosa [morada], cuyos balcones, velados siempre por dobles cortinas de raso y encajes, no dejaban penetrar miradas indiscretas.[27] ¿Qué tortura podía tener en su existencia una joven de veintidós años de edad, hermosa, rica,

---

prototipo de una mujer, Ofelia, que es valiente, "blanca, delicada y rubia" (41). Para Gimeno de Flaquer, Ofelia representaba un referente positivo femenino; por eso, la escritora acuñó este sobrenombre para la protagonista de este relato. Ofelia es uno de los personajes principales de la obra *Hamlet* (1603), del escritor William Shakespeare.

[26] El paseo de Recoletos es una de las grandes avenidas de Madrid. Durante los siglos XIX y XX, fue uno de los espacios relacionados con la burguesía y referente de la modernidad de esta ciudad. Por ejemplo, el escritor El Abate San Román (Román Martínez) señalaba cómo aquí se podían comer merengues (341). Además, en este paseo y su aledaño, el del Prado, se celebraba el desfile de carruajes de Carnaval (García Ladevese 75-76). Gimeno de Flaquer admiraba a Shakespeare, aunque también lo criticó. Por ejemplo, en su libro *Ventajas de instruir a la mujer y sus aptitudes para instruirse* (1896), cita una frase de Shakespeare en *Hamlet* ("Fragilidad, tu nombre es de mujer") como ejemplo de "injurias o elogios dirigidos al sexo femenino [que] han obedecido siempre a convencionalismo de época, determinado sistema filosófico, rutina de partido político o estado pasional del individuo" (Gimeno de Flaquer 5).

[27] Durante el siglo XIX y parte del siglo XX, entre las clases medias y altas de las ciudades era costumbre que cuando alguien se cambiaba a una nueva vivienda repartiera sus tarjetas de visita entre la vecindad. Era la manera formal de invitar a la gente a visitar a esa persona. Gimeno de Flaquer, *En el salón*, indicaba la importancia de mantener la práctica de hacer visitas e intercambiar tarjetas: "las visitas son el lazo que une a la gente, sin que pueda romperse sin romper también con la sociedad" (41). Para ampliar la información sobre las visitas a las casas y las tertulias, consúltese el texto "Las tertulias" de la sección de artículos de este libro.

sana, sin desencantos ni desengaños, por no conocer todavía amarguras de la existencia, ya que acababa de salir del *Sacré-Cœur*?[28]

[Se] presentaba todas las tardes en el Retiro con su tierna madre, luciendo elegante carruaje; asistía a los teatros en días de moda; pero se hallaba en todas partes como si la llevaran a la fuerza; [se] veía claramente que estaba violenta, contrariada.[29] ¿Sentía acaso antipatía a la sociedad y afición al claustro? No. ¿Amaba sin ser correspondida? Tampoco. Paz, cuyo espíritu vivía siempre en guerra, quería a un pintor y era correspondida; entablaron relaciones cuando la retrató, haciendo al retratarla una obra maestra. *Velazquín*, como llamaban sus compañeros al artista, glorioso apodo que debía a la verdad de su pincel, era un muchacho serio, de buena reputación, enemigo de las juergas, vehemente en su amor al arte y a Paz, retraído de la bohemia artística, y consagrado al cuidado de numerosa familia, a la que tenía que sostener, por hallarse su padre paralítico.[30] El mérito de *Velazquín* era poco conocido; no lo conocían más que los compañeros de arte, y los más entusiastas aficionados, porque el pintor, por su carácter tímido, no se había abierto paso en sociedad. Era uno de esos seres incapaces de buscar honores y gloria, uno de esos seres que esperan recibir el beso de la celebridad sin pretender arrebatárselo a la diosa. A la madre de Paz no le era simpático el artista, pero no hacía una oposición directa a las relaciones, y no atreviéndose a sacrificar el corazón de su hija, fingía no enterarse de las entrevistas que se proporcionaba en casa de una tía del pintor, amiga de la institutriz que acompañaba a Paz cuando su madre no quería salir de casa.[31]

---

[28] Esta institución educativa, a la vez que convento, fue un lugar al que se mandaba a las niñas europeas de la clase media alta. Gimeno de Flaquer, en sus novelas *Victorina* (162; 166; 172-173; 189-190; volumen II), *El doctor alemán* (1880; 40-78) y *Una Eva moderna* (1909; capítulo XI) aporta detalles de este lugar en una línea crítica respecto a la gestión que las monjas hacían de él. Gimeno de Flaquer conocía bien este colegio, pues señaló que la escultora francesa Manuela (seudónimo de la Duquesa de Uzés, nacida como Marie Adrienne Anne Victurnienne Clémentine de Rochechouart de Mortemart, [1847-1933]) había preparado un grupo escultórico para la capilla de dicho colegio dedicada a san Humberto (*La mujer intelectual* 155).

[29] El parque de El Retiro es un lugar muy frecuentado tanto de la época de Gimeno de Flaquer como en la actualidad.

[30] *Velazquín* es el diminutivo del apellido del pintor español del Siglo de Oro, Diego Velázquez (1599-1660).

[31] Aquí Gimeno de Flaquer describe la costumbre de la época de que una mujer y un hombre solteros no pudieran verse a solas, sin la presencia de otra persona, preferiblemente una mujer. Si esta condición no se cumplía podían producirse malentendidos y provocar murmullos que comprometían a la mujer envuelta en encuentros sin vigilancia (Martín Gaite 175-188).

Una mañana, antes de levantarse de la cama, recibió esta señora la siguiente carta:

> Madre mía:
>
> Siento muchísimo el disgusto que mi resolución te ha de causar, pero una fuerza superior, invencible, me impulsa a buscar nuevo género de vida. Yo no puedo vivir en la ociosidad, siento gran deseo de ganarme el sustento, quiero aprovechar la esmerada instrucción que te debo, y acabo de ser admitida en casa de una condesa, para dar a sus niñas lección de francés y llevarlas todos los días a misa y a paseo.
>
> No encuentro palabras para pedirte me perdones tal atrevimiento; yo te aseguro, por la memoria de mi padre, que te quiero con toda mi alma y te respeto, pero en la ociosidad me mata la tristeza, y busco en el trabajo el contento. Si Escalona tuviera fortuna me casaría, pero le amo demasiado para agravar su situación con nuevos deberes.[32] Casada con él, sería feliz; las tareas domésticas ocuparían mi actividad; nuevas atenciones, sagrados deberes, alejarían esta melancolía que me mata y con la cual enveneno tu existencia.[33] La condesa se establece en Sevilla; marchamos mañana.
>
> Perdóname, madre querida, te lo ruega humildemente tu hija,
> PAZ.

¿Qué móvil inspiró a la *Ofelia de Recoletos*, como la denominaban en el barrio, tan extraña resolución? La más exquisita delicadeza. Cuando la joven se acostaba, [se] ponían en aquella elegante casa mesas de juego; acudían hombres y mujeres de vida alegre; llegaban al lecho de la virgen rumores que ella no podía comprender, rumores de orgía; [se] alarmaba su pudor, y pasaba terribles noches soñando sucesos siniestros, que le sugerían fatídicas ideas

---

32 Se refiere a *Velazquín*, el novio de Paz, del que Gimeno de Flaquer solo da su apodo y su apellido.

33 Este comentario hay que leerlo en paralelo con algunos de los artículos de Gimeno de Flaquer incluidos en este libro ("¡Plaza a la mujer!", "La mujer de mañana", "El Ángel del Hogar", "Nuevo carácter del feminismo" y "43 913 mujeres"). En este relato hay algo más que Gimeno de Flaquer presenta, pues aunque Paz ha elegido ese amor, a la chica le rodea un aura de melancolía que la escritora no nos aclara si consigue dejar de lado al tomar la decisión de casarse con *Velazquín*. Gimeno de Flaquer trató de lo nocivo que era para las mujeres el tedio en su artículo "La enfermedad misteriosa" (1904; 326-327).

durante el día.[34] Paz había comprendido que su madre hacía una vida incorrecta, y como no quería reconvenirla, antes que seguir disfrutando esplendores comprados con el dinero del vicio, determinó dedicarse a un trabajo honroso.

Tan pronto como la madre de Paz leyó la carta, pidió el coche, [se] dirigió a casa de la tía del pintor, averiguó la dirección de la condesa en cuya casa se había refugiado su hija, y [se] presentó allí, cubierto el rostro con denso velo.[35] La escena fue dolorosa para su corazón de madre; pero considerándola como expiación de sus culpas, no lanzó ni una queja. Pidió ver a su hija, la estrechó contra su corazón, y le dijo profundamente conmovida: puedes hacer vida independiente, sin tener que avergonzarte de mí; antes de morir tu padre, me entregó esta *póliza dotal de La Equitativa*, con la que cobrarás a su presentación 62.000 duros.[36] Escalona es un artista de buen porvenir y sabrá hacer dichosa a una mujer, digna como tú, de la mayor felicidad.

El beso subastado[37]

En apacible tarde del mes de septiembre, hallábase gran parte de la elegante colonia cosmopolita que veranea en Biarritz contemplando desde la terraza del Casino el mar convertido en espejo de esmeralda tras la pasada tormenta,

---

[34] La descripción de la casa de la madre de Paz está en la línea de las novelas del escritor Eduardo López Bago (1855-1931) y, en concreto, su libro *La prostituta* (1884; Fernández, *Mujer pública y vida privada* 175-180). La escritora Carmen de Burgos llegó a insinuar que la casa de Gimeno de Flaquer era un lugar con similitudes al de la casa de Paz (Simón Alegre, "Queer Literary Friendships in Salons" 74-77).

[35] Gimeno de Flaquer describe los velos que llevaban las mujeres en diferentes épocas de su vida en el relato "Los tres velos", incluido en este libro.

[36] La Equitativa fue una compañía de seguros de vida de origen estadounidense que se estableció en Madrid en 1882 y desapareció en 1998 (Buley 89-293). La referencia a este tipo de pólizas también aparece en el cuento de Gimeno de Flaquer "Por la Pilarica" –incluido aquí– y en la sección de artículos, en relación con el titulado "¡Plaza a la mujer!". Antes de que comenzara a anunciarse esta empresa en los periódicos de Gimeno de Flaquer, en el *AM* está recogida la publicidad acerca de otra agencia de seguros también de origen estadounidense, La Mutua (Anónimo, "La Mutua" 192). La investigadora María Vicens destaca cómo era una práctica frecuente entre las escritoras a ambos lados del Atlántico de este periodo incluir referencias publicitarias en sus novelas ("Ensayos profesionales" 83). Desde 1866 hasta 1999, la moneda oficial de España fue la peseta, pero en el habla popular era muy frecuente calcular el precio de las cosas en duros. Un duro equivalía a 5 pesetas. La escritora Rosario de Acuña Villanueva de la Iglesia (1850-1923) dedicó un cuento corto a esta moneda que publicó en el *AIA* (51).

[37] Gimeno de Flaquer publicó este cuento corto en el *AIA* el 6 de febrero de 1899 (58). En su última novela, *Una Eva moderna* (1909), incluyó un episodio parecido, tal y como aparece explicado en la introducción de este libro.

cuando circuló entre los concurrentes la noticia de haberse ido a pique tres lanchas, habiendo sido sepultados en los abismos del mar, todos los pescadores que las tripulaban.[38] Las exclamaciones de dolor lanzadas por algunos bañistas fueron tan vehementes que hubo en el Casino gran perturbación. [Se] suspendieron los diferentes juegos con que se distraían en el gran salón los veraneantes, los músicos abandonaron el kiosco de cristal desde donde deleitaban a los asiduos concurrentes a la terraza, y más de una española o francesa soñadora soltó el anteojo con que estaba contemplando a la Virgen de la Roca que se alza esbelta sobre un pico de la playa pareciendo surgir entre montañas de espuma.[39]

El relato de la desgracia era verdaderamente conmovedor. Ocho mujeres habían quedado viudas, con numerosos hijos y en la mayor miseria.

---

[38] Biarritz es una ciudad costera francesa y desde mediados del siglo XIX era el lugar de moda para pasar las vacaciones, sobre todo de las clases altas o aristocráticas europeas (Laborde 52; Nombela 155-158). Gimeno de Flaquer tuvo que frecuentar este lugar de veraneo, pues el militar y escritor Ignacio Pintado (1857-1930) le dedicó la poesía "En la playa de Biarritz" (1907), donde destacaba cómo sobresalía la escritora en este lugar (440). Entre otros lugares de veraneo que Gimeno de Flaquer frecuentó se encuentran los alrededores de Llanes (Asturias; "Crónica veraniega" 386-387). En La Biblioteca Digital Hispánica de la Biblioteca Nacional de España se puede consultar una serie de postales de Biarritz, fechadas alrededor de 1905, entre las que se encuentra una dedicada al casino que describe aquí Gimeno de Flaquer: http://bdh-rd.bne.es/viewer.vm?id=0000170389&page=1. En esta época, el periodo de vacaciones abarcaba desde agosto hasta principios de octubre.

[39] La palabra "veraneante" es un neologismo que se incluyó en el DRAE de 1914 (1233) y se refiere a la persona que veraneaba. Por su parte, "veranear" y "veraneo" aparecen en DRAE desde su edición de 1803 (882). La referencia al "kiosko de cristal" no se ha encontrado, pero parece que sí que existió un quiosco en el Hotel Biarritz-Salins que destacaba porque estaba adornado por flores y ofrecía una de las mejores vistas del lugar (Millán 84). La escritora Emilia Pardo Bazán (1851-1921), en su novela *Un viaje de novios* (1881), que el *AM* publicó por entregas en 1885, incluye una descripción de la virgen que menciona aquí Gimeno de Flaquer: "Una estatua erigida sobre unos peñascos... Al ponerse el sol, es un efecto maravilloso: la estatua parece de oro, y la rodea un mar de fuego. Es una aparición" (130). Se pueden consultar dos postales de este lugar en: http://bdh-rd.bne.es/viewer.vm?id=0000170389&page=1 (Biblioteca Digital Hispánica, Biblioteca Nacional de España, alrededor de 1905). Según el escritor Pascual Millán (1845-1906), visitar el lugar donde estaba esta virgen era una parada obligatoria para quien estuviera en Biarritz porque representaba un ejemplo del avance de la modernidad y el dominio de la naturaleza: "encadenada a la tierra firme por un puente, parece simbolizar la unión de lo pasado con lo actual, de lo que fue con lo que existe [...] representada por el elegante puente de hierro como símbolo de nuestras industrias fabriles, trata de aprisionar y hacer su esclava a aquella mole de piedra, [...] recuerdo de otras edades" (54).

Transcurrida una hora de lamentaciones, una dama propuso que se demostrara la compasión en una forma más práctica, y [se] acordó socorrer a los desgraciados.[40] Alguien indicó que podía representarse una comedia por aficionados aristocráticos destinando los productos a los huérfanos de los pescadores, pero [se] desechó tal proyecto por no considerarlo de fácil realización. Después de muchas discusiones se acordó organizar una rifa, regalando objetos artísticos, y encargándose de la venta de papeletas las señoras y señoritas jóvenes. Para mayor atractivo de la fiesta, [se] resolvió que todas las vendedoras vistieran el traje de aldeanas de sus respectivos países.[41]

El 1 de octubre [se] organizó la *kermesse* en el gran salón del Casino, entre los armoniosos acordes de una orquesta que hizo escuchar aires nacionales de todos los pueblos, representados por la indumentaria de las bellas vendedoras.[42] Los grupos formados por españolas, rusas, alemanas, inglesas y francesas, resultaron pintorescos, no faltando entusiastas de Apeles que

---

[40] Gimeno de Flaquer en este relato, además de en "El espejo mágico" (1907)– y en *Una Eva moderna*, describe tanto la implicación de las mujeres de clase media y alta que estaban de veraneo organizando actos benéficos para paliar las desfavorables circunstancias que ocurrieran como la organización de talleres de costura en las ciudades. Desde mediados del siglo XIX, las mujeres de estos estratos sociales desarrollaron labores de caridad a las que poco a poco se fueron sumando mujeres de otros grupos y clases sociales o incluso formando sus propios espacios (Vialette, *Intellectual Philanthropy* 169-232).

[41] En la sección "Revista de modas" del *AM* del 14 de agosto de 1887 queda recogido cómo las mujeres que se iban de veraneo debían pensar en qué atuendos de los que llevaban les permitirían disfrazarse: "según las circunstancias. Ya se sabe que no puede salir de Madrid una jovencita con uno o dos vestidos marineros, pescadores o campesinos" (Correo de la Moda 51). Así, estas veraneantes podían estar listas para formar parte de un acto benéfico parecido al que Gimeno de Flaquer describe en este cuento.

[42] La celebración de "kermesse" podía implicar tanto una rifa como una tómbola para recaudar fondos. Las personas destinatarias de estos socorros solían ser gente en situaciones desfavorecidas, como la que se celebró en junio de 1893 en el parque de El Retiro para "los pobres" (Gimeno de Flaquer, "Crónica española y americana" 466) o la celebrada en Madrid en mayo de 1895 para recaudar fondos para las personas afectadas por el naufragio del barco Reina Regente (ocurrido en marzo de 1895; Flaquer, "Crónica española y americana" 218); o se realizaban recaudaciones de dinero para alguna institución en concreto (Anónimo, "Informaciones" 430). También la "kermesse" podía tener un sentido más lúdico (Asensi Laiglesia, "Kermesse" 412). La palabra "kermesse" es de origen neerlandés (*kerk*, holandés para iglesia, y *mis*, holandés para misa), apareció por primera vez en el DRAE en 1927, y se aceptaba también como "quermese" (RAE 1551). La última vez que el DRAE registró esta palabra fue en su edición de 1950 (RAE 903 y 1269) y no volvió a aparecer hasta la edición de 1984, pero ya escrita como "kermés" (807). En alemán, la palabra "kirmess" significa feria para la diversión. Agradezco a Catarina J. von Wedemeyer sus comentarios acerca del significado de esta palabra.

hicieron bosquejos para trasladarlos al lienzo.[43] [Se] vendieron los billetes a muy altos precios, [se] agotaron los *bibelots* por las mil papeletas premiadas, y, sin embargo, la cantidad recaudada pareció muy poca a los circunstantes.[44] Una dama española [se] desprendió de un brazalete de brillantes que fue subastado inmediatamente; dos inglesas, imitando su generosa iniciativa, sortearon el reloj y un alfiler de perlas. La fiebre de la caridad había enardecido los corazones de tal modo que, viendo una hermosa dama italiana que nada podía ofrecer, porque su luto no la permitía usar joyas, [se] puso en pie, y con ardiente exaltación exclamó:

—Yo subasto un beso.

[Se] recibió el ofrecimiento entre aplausos atronadores. La italiana era una encantadora viudita de 26 años de edad, que tenía perturbados a los bañistas con su hermosura. Alta, esbelta, de talle cimbreño, cutis de nardo, grandes ojos negros y boca perfectamente dibujada, con labios carnosos, rojos como la flor del granado; al dirigir su fulgurante mirada cautivaba corazones, sin proponérselo, porque no era coqueta.[45] La animación de la subasta fue inaudita. Empezó un inglés por ofrecer mil duros, un ruso, que figuraba entre sus admiradores, ofreció dos mil, un alemán elevó la puja hasta cinco, y, por último, un elegante caballero veracruzano gritó: *doy quince mil pesos mexicanos.*[46] El asombro de la reunión fue indescriptible, todos enmudecieron. Las atónitas miradas [se] desviaron del rostro de la fascinadora italiana para

---

[43] Apeles (352 a. e. c.-308 a. e. c.) fue un pintor griego del periodo de Alejandro Magno (356 a. e. c.-323 a. e. c.). Gimeno, en su primer libro de ensayos, *La mujer española* (1877), mencionaba a este pintor (65 y 71).

[44] "*Bibelots*" es una palabra de origen francés que el DRAE recogió en su edición de 1927 y hace referencia tanto a un muñeco como a una alhaja (RAE 272). En su edición de 1936 amplió su significado a un objeto pequeño de arte (RAE 210).

[45] Gimeno de Flaquer, con el adjetivo "cimbreño", se refiere a que Laura Charetti era delgada y se movía con facilidad (RAE 242; 1884). En relación al prototipo de la mujer coqueta, Gimeno de Flaquer dedicó numerosas páginas a presentar este arquetipo tanto en su obra de ficción –en *¿Culpa o expiación?* (1890) la protagonista, Margarita es un buen ejemplo de una mujer coqueta– como en sus ensayos. Por ejemplo, en *La mujer española* subrayaba de las coquetas que "creen que su única misión en la tierra es agradar; este es un absurdo que debe destruirse" y que los hombres las aceptaban más que a las mujeres filósofas "o permite[n] a la mujer ser frívola, vana, aturdida, ligera, superficial, beata y coqueta, pero no le permite ser escritora" (Gimeno 135, 206 y 211).

[46] Para la referencia a "duro", consúltese nota 36.

fijarse en el mexicano, que, sin ser un Alcibíades por su hermosura, poseía una figura arrogante, varonil y distinguida.[47]

Laura Charetti, que así se llamaba la bella italiana, enrojeció y su pudor la hizo más interesante. Con la vista baja, trémula y la respiración fatigosa esperó su sentencia. La impaciencia de todos crecía al observar el contento en el rostro del mexicano y el temor en el de la italiana. Súbitamente [se] levantó aquel y dijo con firmeza:

—No renuncio al beso subastado.

—Pagaré –repuso Laura con melancólica resignación.

En aquel instante el mexicano levantó en sus brazos a un niño de seis años de edad, hermoso como un querubín, y acercándole al rostro de la mujer de quien estaba enamorado, exclamó: *El beso* [es] *para mi hijo.* ¿Quiere usted ser su madre?

No se oyó ninguna contestación. [Le] dirigió Laura la mirada más tierna, más dulce y más apasionada que puede recibir el más feliz de los amantes, y el mexicano no volvió a preguntar nada más.

Por la Pilarica[48]

Apacible estaba la tarde: el ingente moncayo contenía su aliento, cuyos resoplidos hacía tiempo que no se oían en la heroica Zaragoza; el cierzo dormía

---

[47] Las alusiones al mundo mexicano de este relato son una reminiscencia de los años que Gimeno de Flaquer pasó en México, entre 1883 y 1890. A su regreso a Madrid (España), puso en marcha una tertulia a la que siempre acudían personas relevantes del ámbito latinoamericano, como por ejemplo el poeta nicaragüense Rubén Darío (1867-1916; Ruiz Contreras 475). Gimeno de Flaquer nombra al militar y orador Alcibíades Clinias Escambónidas (450 a. e. c.-404 a. e. c.) que destacó por su genio y su belleza. Este nombre aparece en varios de los trabajos de Gimeno de Flaquer, como en *El problema feminista* (1903; 18).

[48] Publicado en el *AIA* el 22 de septiembre de 1904 (416-418). Pilarica es el diminutivo de la virgen que se venera en la Catedral-Basílica de Nuestra Señora del Pilar en Zaragoza (España), y hace referencia al tamaño reducido de esta imagen. Su fiesta se celebra el 12 de octubre (Gimeno de Flaquer, *La Virgen Madre y sus Advocaciones* 111-115). Gimeno de Flaquer nació en la localidad turolense de Alcañiz (1850) y, según la investigadora Margarita Pintos, vivió en Zaragoza desde 1855 a 1868 (16). Tanto en el *AM* como en el *AIA*, Gimeno de Flaquer siempre se ocupará de mencionar unas líneas en relación a las fiestas en honor a esta virgen (como en el número del 7 de octubre de 1896 del *AIA*). También Gimeno de Flaquer escribió algunos artículos destacando a las mujeres de esta región, Aragón: "La mujer aragonesa" (1896) que dedicó a su amiga Matilde Fortín de Felez (452-453).

entre las ramas de los árboles, la Naturaleza sonreía majestuosamente.[49] De las huertas regadas por el Ebro, el Gallego y el Huerva salían fornidos mozos con carros, mulas y pollinos llenos de roscaderos conteniendo hermosos melocotones de aterciopelada piel roja y amarilla, ricas uvas, grandes peras de agua de donguindo y de la reina, y almibarados melones que compiten con los valencianos.[50] Los baturros [se] dirigían a los mercados de la ciudad, preparando la venta para el día siguiente, canturreando coplas en honor de la Virgen del Pilar, que es en Aragón la esencia de la fe y el patriotismo.[51] Animado

---

[49] Este cuento está situado en Zaragoza, una ciudad donde sopla con intensidad el viento todo el año. Gimeno de Flaquer comienza este relato hablando de que ese día no había mucho viento, algo inusual en esta zona. El cierzo o el moncayo se refieren al aire fresco y seco que llega hasta esta ciudad y sus alrededores por la presión causada entre los vientos que se encuentran aquí desde el mar Cantábrico y el Mediterráneo. Gimeno de Flaquer señalaba que las personas de esta zona tenían un carácter excepcional por lo difícil que era resistir este tipo de viento: "El suelo de Aragón, erizado de abruptas montañas y escarpadas rocas, su clima seco, los fríos vientos del Moncayo y la aridez del suelo, parecen haber formado el carácter de los descendientes de Alfonso el Batallador, que se distingue en los hombres por el arrojo llevado hasta la temeridad, y en las mujeres por la constancia y la altivez, llevada hasta el quijotismo" (Vestina 93). Gimeno de Flaquer usó el seudónimo de Vestina para firmar esta crónica

[50] Gimeno de Flaquer inicia este relato describiendo cómo llegaban a Zaragoza las verduras y las hortalizas que se producían en las huertas que estaban en las afueras de esta ciudad. Estos espacios de cultivo a pequeña escala, algunos de los cuales todavía existen en la actualidad, eran muy fértiles porque gracias a un sistema de canales el agua de los ríos Gallego y Huerva, que son afluentes del Ebro, llegan a estas huertas. El Ebro es el río que atraviesa Zaragoza. Gimeno de Flaquer describe tanto la manera en que se transportaban estos productos como la propia mercancía. Los animales de carga que se empleaban eran la "mula" (cruce entre un burro y una yegua) y el "pollino" (un asno joven). Los productos de estas huertas se ponían en los "roscaderos", cestos de mimbre que asemejan la forma de una rosca y están hechos especialmente para llevar este tipo de productos sin que nada se estropeara. "Roscadero" es una palabra que procede del ámbito rural aragonés y el DRAE la incluyó a partir de su edición de 1925 (RAE 1071). Gimeno de Flaquer describe dos clases de peras que se cultivan en la zona: las de donguindo, que son grandes, y las de la reina, también conocidas como de San Juan, que son muy pequeñas. Otra zona española que destaca por sus huertas y los productos que se sacan de ellas es Valencia, por eso Gimeno de Flaquer indica que los melones de esta zona de Zaragoza son parecidos a los que se producen en el Levante.

[51] "Baturro, ra" es como se le llamaba al campesino o jornalero de esta zona en España. Esta palabra formó parte del DRAE a partir de su edición de 1914 (137). Gimeno de Flaquer describe con cierta idealización el momento en que estas personas se dirigían a la ciudad con sus productos, remarcando el ambiente festivo que les rodeaba. Además, Gimeno de Flaquer insiste en la importancia que tenía el cante al hacer este camino. Las coplas que cantaban eran canciones populares que se aprendían de memoria y que trataban de temas y acontecimientos que habían marcado la historia del lugar. Según el

cuadro ofrecían aquellos hercúleos labradores al volver de sus faenas campestres con la alegría en el rostro, satisfechos de su trabajo, luciendo bajo el obscuro calzón corto la robusta y bien modelada pierna, cruzada por cintas de la alpargata semejante a sandalia, la morada faja de merino enrollada en la cintura y el diafragma, y en la cabeza el pañuelo de seda de color claro a modo de turbante inclinado coquetamente sobre la oreja.[52]

Era la hora del crepúsculo y [se] retiraban del paseo de Torrero los carruajes, quedando ya pocos transeúntes pedestres. Por una de las márgenes del canal de Pignatelli caminaba un capitán de Infantería, mohíno, cabizbajo, con fruncido entrecejo, con paso indeciso, contemplando la tranquila superficie del agua, en la que dejaban leve estela los remos de algunos barquichuelos semejantes a trirremes y piraguas que llevaban hortalizas a la ciudad.[53] De los

---

escritor Mariano Vallejo (1843-1911), tanto estas coplas como la jota tienen origen en la Edad Media y, en concreto, en el periodo musulmán que vivió esta zona (170). Vallejo recoge algunas de las más populares durante el final del siglo XIX: "La Virgen del Pilar dice / que no quiere ser francesa / que quiere ser capitana / de la gente aragonesa" (170). Esta copla estaba compuesta en honor a la Virgen del Pilar y destaca por cómo la imagen y la gente de esta zona se opuso al dominio francés entre 1808 a 1813. Gimeno de Flaquer, en su libro *La Virgen Madre*, dedicó un capítulo a la Virgen del Pilar (111-115). Para Gimeno de Flaquer, esta advocación de la virgen estaba unida "a hechos grandiosos, a gloriosas hazañas" relacionados con "el amor a la patria" (*Virgen Madre* 111). Además, invocar esta advocación presentaba una "inmemorial tradición de mover los corazones al sacrosanto sacrificio por la madre patria y levantar el espíritu" y "bajo cuyos auspicios se había realizado prodigios inmensos en esta nación" (*Virgen Madre* 111-112). Años después, la Dictadura de Francisco Franco (1939-1975) se apropiará del valor simbólico patriótico de esta virgen para legitimar su llegada al poder (Naldi 2-15).

[52] Gimeno de Flaquer describe la indumentaria del baturro. En su periódico el *AIA*, dedicó varias ilustraciones a hombres vestidos así; por ejemplo, destaca el número del 7 de septiembre de 1907, donde un baturro ocupa la portada. En el *AIA* publicó una imagen del músico aragonés Santiago Lapuente (1855-1933) y el cantante baturro Moreno, también conocido como El Niño Moreno (José Moreno, 1881-?; La Redacción, "Nuestros grabados. Célebre cantador de la jota y su maestro" 442). El calzón es una especie de pantalón, las alpargatas son un calzado que está hecho de cáñamo o esparto y se ata con cuerdas a la pierna. Lo más característico de la indumentaria del baturro es el gorro y la faja que lo acompaña, tal y como Gimeno de Flaquer destaca en esta descripción.

[53] Con el "paseo del Torrero", también conocido como "caminico" de Torrero y actualmente parte del "paseo de Sagasta", en Zaragoza, Gimeno de Flaquer se refiere a un lugar muy frecuentado en esta época tanto para pasear como para acceder a la ciudad (Muñoz 1). Respecto al "Canal de Pignatelli", también conocido como "Canal Imperial", hace referencia a las obras que se llevaron a cabo desde el siglo XVIII hasta el XIX para llevar el agua del Ebro a Zaragoza y distribuirla por diferentes canales a zonas periféricas. Uno de los impulsores de este proyecto fue el canónigo Ramón de Pignatelli y Moncayo (1734-1793; Ayuntamiento de Zaragoza 1-27). Este lugar, que todavía existe,

jardines que bordean el canal salió un anciano de noble aspecto, que al divisar al capitán [le] dijo:

—¿Qué hace usted tan ensimismado?

—Estaba sumergido en fúnebres ideas y usted viene quizá providencialmente a librarme de ellas.

—Mucho me complace; pero mi compañía le durará a usted poco, porque tengo que ir a buscar a mi familia, que se halla en la torre. El coche se acerca; si usted quiere puedo dejarle en el puente del molino de Villarroya y me contará usted, sus tristes impresiones, que deben ser romanticismos de los que asaltan a los seres dotados de ardiente imaginación, cuando expira el día.[54]

—Señor Aranda, lo que me ocurre es grave: no me parece este momento oportuno para revelárselo. ¿Puede usted recibirme mañana en su despacho?

—A la hora que usted quiera.

—Cuanto más temprano, mejor.

—A las diez le espero.

—Seré puntual.

Con gran ansiedad aguardó el capitán la hora prefijada: salió de su casa tan preocupado, que ni dijo adiós a su mujer, ni acarició a su nena primer fruto de su amor. Pocos instantes tardó en llegar desde su casa de la calle Cinco de

---

está rodeado de jardines y cuenta también con una iglesia (Basílica de San Antonio). A principios del siglo XX, en la época en que escribió este relato Gimeno de Flaquer, este paseo era un lugar que frecuentaban tanto las clases populares como las medias-altas de la ciudad, tal y como muestra el grabado que se reprodujo en varias ocasiones en el *AIA* (1894, 1903, 1906 y 1908), titulado "Zaragoza. Paseo de Torrero", y tenía similitudes con el parque de El Retiro de Madrid (La Redacción, "Nuestros grabados. Zaragoza" 435). "Trirreme" es una embarcación antigua con tres órdenes de remos.

[54] No es fácil precisar los lugares dentro del Canal a los que se refiere Gimeno de Flaquer aquí. Con la referencia a "la torre" puede indicar la atalaya que forma parte de la Basílica de San Antonio, y el puente del molino de Villarroya puede ser la actual esclusa de Casablanca (conocida como el Salto del molino de Casablanca), cerca de la Fuente de los Incrédulos (Ayuntamiento de Zaragoza 20 y 17).

Marzo a la calle de Don Jaime el Conquistador, donde vivía el banquero Aranda.[55] Le recibió este señor con la benévola sonrisa que le era habitual.

—¿En qué puedo servir a usted? –[le] dijo con afectuosa entonación–.

—De usted depende mi vida: hoy, como día primero de mes, tengo que hacer los pagos acostumbrados, y he cometido la imprudencia de jugar cinco mil duros tomados de la caja del Regimiento.[56] Me cegué con la idea de resarcirme de las primeras pérdidas; enloquecí. Si usted no me los presta, no me queda más recurso que el suicidio, del que me libró ayer la presencia de usted. Si quiere salvarme, firmaré un pagaré entregándole todos los meses la cantidad que estipulemos.

—¡Pero desgraciado, si la paga de usted es tan corta que no es posible cercenarla!

—Tengo una cruz pensionada que aumenta mi sueldo.[57]

—Sea lo que usted quiera: ahora no le digo lo que pienso, porque un favor no debe acompañarse de una reconvención.

---

[55] Estas dos calles están muy cerca la una de la otra. La calle de Don Jaime el Conquistador también se conoce como Don Jaime I. No es fácil saber en quién se inspiró Gimeno de Flaquer para crear el personaje de este banquero y el de su hermano.

[56] Consúltese nota 36 en relación a la referencia a "duros". En este cuento corto, destaca el conocimiento que tenía Gimeno de Flaquer del mundo militar. Esta escritora estaba familiarizada con esta institución, ya que su padre había formado parte de ella (Pintos 14-16). Gimeno de Flaquer señala aquí varias cuestiones importantes en relación con el ejército. Durante este periodo se había extendido considerablemente la práctica de que algunos oficiales usaran el dinero que tenían para mantener adecuadamente a los soldados a su cargo en apuestas y juegos de azar. Debido a los resultados adversos en estas actividades, muchos oficiales perdían lo que habían tomado prestado y eran incapaces de devolverlo, por lo que algunos terminaban suicidándose (Simón Alegre, "El suicidio en el ejército español" 83-102). Para Gimeno de Flaquer, el tema del suicidio era importante, y sobre todo el protagonizado por hombres, ya que trató esta cuestión tanto en su ficción (*¿Culpa o expiación?* 215-219) como en sus ensayos (Simón Alegre, "Prensa, publicidad y masculinidades" 54-60).

[57] Un "pagaré" es un papel de obligación donde se estipula la cantidad que se debe abonar periódicamente hasta cubrir lo prestado (RAE 726; 1899). Los militares disfrutaban de complementos monetarios por las acciones destacadas en las que habían participado, tal y como subraya aquí Gimeno de Flaquer. La escritora conocía de primera mano estos complementos, ya que ella al ser huérfana de padre (murió en 1853) contó con una pensión del ejército en la que estaba incluida una cantidad extra por las acciones destacadas en las que este militar había participado (Pintos 14-16 y 58-60).

El banquero abrió la caja de caudales y le entregó los cinco mil duros.[58] Tan pronto como se marchó el capitán entró en el despacho el hermano y socio del banquero gritando:

—Todo lo he oído, eres incorregible: tu blandura es criminal, porque fomentas el vicio amparando al vicioso.

—¿Querías que se matara?

—Un truhan menos: el jugador es un ladrón, cobarde e infame, que roba a su familia contando con la impunidad. ¿Qué pierde la sociedad con que se disgregue de ella un individuo gangrenado por el vicio?

—Se hubiera pegado un tiro, estoy [en lo] cierto, es hombre de honor.

—¡Qué concepto ha de tener del honor el que dispone de fondos que no son suyos! Todos los jugadores que pierden os hablan del honor a los incautos que no sabéis contestarles; que el honor consiste, más que en pagar las deudas, en no contraerlas. El que tiene familia, si es hombre de honor, no juega.

—¿Acabarás de perorar? Siempre aprecias las cosas con tu frialdad de comerciante y de solterón. Yo soy padre, y he pensado en la esposa y la niña de ese desdichado.[59]

Pasaron algunos años: el capitán no dejó de entregar al banquero la cantidad convenida ni un solo mes. Pidió para marchar a la guerra que sostenía España con los Estados Unidos, y sus proezas [le] valieron el ascenso a comandante, que disfrutó pocos meses, porque el mortífero clima de Cuba [le] proporcionó la fiebre endémica, que acabó con su vida, fiebre más destructora para los españoles que las balas de los yanquis.[60]

---

[58] Consúltese nota 36.

[59] "Perorar" significa hablar en una conversación familiar como si se estuviera dando un discurso (RAE 768; 1899).

[60] Gimeno de Flaquer se refiere a la guerra en Cuba entre España y los Estados Unidos de 1898. Hay que remarcar la mención que Gimeno de Flaquer hace aquí a cómo la causa de la muerte de muchos soldados y militares durante esta contienda tuvo que ver más con las situaciones climáticas adversas que vivieron que a los enfrentamientos en sí. Los efectos secundarios de las enfermedades que padecieron en Cuba fueron los responsables de que muchos de los militares que regresaron a la península murieran al poco tiempo (Simón Alegre, "El suicidio" 90-97). La palabra "yanqui" apareció por primera vez en DRAE en su edición de 1899 y se refería a los "norteamericanos" (RAE 1033).

Zaragoza se preparaba a festejar a su querida Patrona: era el 11 de octubre. [Se] hallaban las calles inundadas de forasteros; los chiquillos alborozados seguían a los gigantes y cabezudos que recorrían la bulliciosa ciudad; todo era algazara, ruido, regocijo; la gente sentía de un modo desbordado la alegría de vivir.[61] Entre aquella abigarrada heterogénea multitud, una mujer de aspecto distinguido y melancólica expresión [se] deslizó difícilmente entre los grupos que obstruían el paso por la calle de Jaime I y penetró en casa del banquero Aranda.

—Soy la viuda del comandante Gutiérrez –[le] dijo al potentado–; mi marido me encargó que si moría siguiera yo pagando todos los meses la deuda que él contrajo con usted.

—Señora, no me debe usted nada: al regresar un hermano mío de Filipinas me ha manifestado que el padre de su marido de usted hizo algo grande por nuestra familia, y la gratitud oblígame a entregarla el pagaré que su marido firmó.[62]

—¡Pero si aún queda gran cantidad por pagar!

—No importa.

—¡Ah, señor, cuan bueno es usted! ¡Son tan pocas las personas que saben agradecer...! En nombre de mi adorada Carlota doy a usted las más expresivas gracias.

—¿Cuántos años tiene la hija de usted?

—Diez.

---

[61] Gimeno de Flaquer se refiere a la fiesta en honor de la Virgen del Pilar que se celebra el 12 de octubre, pero recoge que ya desde el día anterior hay diferentes actividades festivas. Como, por ejemplo, el pasacalle de "Gigantes y cabezudos", que es uno de los más antiguos registrados en la península ibérica. A principios del siglo XX, esta comparsa constaba de ocho gigantes y ocho cabezudos a los que todo el mundo en Zaragoza sabía identificar por sus apodos: https://www.soydezaragoza.es/historia-gigantes-cabezudos-zaragoza/. Gimeno de Flaquer incluyó una imagen de varias de estas figuras en el *AIA* (7 Oct. 1900), donde se puede ver a dos de los cabezudos, "el tuerto" y "el morico", y dos de los gigantes, el duque de Villahermosa y don Quijote, ambos personajes de la novela *El Quijote*, del escritor Miguel de Cervantes. "Algazara" proviene del árabe y en la Edad Media se refería al grito que proferían los soldados musulmanes en la península cuando descubrían a enemigos, y pasó al español como sinónimo de mucho ruido y alegría (RAE 46; 1899).

[62] No es fácil precisar a quién se puede referir aquí Gimeno de Flaquer, pero en la ciudad de Zaragoza estaban establecidos los frailes Agustinos que tuvieron sus misiones en Filipinas hasta 1898.

—Los mismos que mi nieta Pilar.

La viuda salió de casa del banquero trémula de contento por haberse librado de una obligación que le imponía muchas privaciones. Al día siguiente, día de la Virgen del Pilar, cuando se preparaba para ir a misa, [la] anunciaron una visita. Era el banquero llevando de la mano a una preciosa chiquilla rubia como una Ofelia.[63]

—Señora, –dijo a la viuda–: he querido que mi nieta, huérfana también como la hija de usted la conozca para que sean amiguitas. Permita usted, a su Carlota, que acepte de mi Pilar esta cajita.

La viuda del comandante abrió la artística caja de ébano, donde apareció una linda muñeca que tenía en la mano una póliza de La Equitativa a nombre de Carlota Gutiérrez. Dicha póliza, cobrándose a la mayor edad de la niña, formaba su dote.[64] Eran las cantidades que el banquero Aranda había recibido del militar.

—Señor, esto es demasiado –exclamó la viuda–; no lo puedo aceptar.

—Señora, ruego a usted, que no me contraríe: tengo acostumbrada a mi nieta a que en este día, el más solemne del año para los aragoneses, haga alguna buena acción en nombre de la Pilarica. No extrañe usted que nombremos tan familiarmente a nuestra Patrona, un aragonés encierra en esta palabra sus más dulces, tiernos y hondos sentimientos.

—Carlota, besa la mano de este noble anciano.

—No: que se besen las dos huérfanas y que ese beso sea el germen de una amistad fraternal.

Los tres velos[65]

A la Sra. doña Carmen Alonso del Real[66]

---

63 Consúltese nota 25.

64 De nuevo, Gimeno de Flaquer se refiere a la compañía de seguros La Equitativa (véase nota 36) para insistir en la importancia de pensar en el futuro económico de las mujeres desde que son niñas. La "dote" se refiere al dinero que una mujer debía aportar cuando se iba a casar y que en muchos casos significaba para la mujer en cuestión el poder disfrutar de cierta independencia económica mientras estaba casada. Para Gimeno de Flaquer, las muñecas eran un elemento importante en el desarrollo de las niñas. Así lo expuso en su libro *La mujer juzgada por una mujer* (1887), donde recomendaba a las madres que hicieran lo posible por darles una muñeca a sus hijas porque este objeto representaba "su primera amiga" (15).

65 Publicado en el *AIA* el 14 de julio de 1907 (305).

I

GUARDABA la Baronesa de Colbert [una] caja de ébano, como Darío la famosa caja que encerraba *La Ilíada*: Darío, vencido por Alejandro, [se] desprendió de la caja para regalársela al Conquistador; la baronesa había ofrecido la suya a su hija Margarita, que al volver del viaje de novia la reclamó.[67] Contenía la misteriosa caja tres cajitas marfilinas de esas que fabrican los chinos con artística perfección. Margarita abrió la primera forrada de raso azul y encontró un velo de tul blanco; su madre [le] dijo: "Este velo es el de mi primera comunión, representa el día más feliz de mi vida; [se] convirtió en espejo que solo reflejaba cuadros de ventura. Semejante al mágico velo de Maya, [lo]

---

[66] Todavía no disponemos de muchos datos de quién fue Carmen Alonso del Real, excepto que frecuentaba las fiestas de la clase alta madrileña, como la que se organizó a principios de 1906 en la casa de la familia Ribot (Prat y Gil, "Vida social" 274). Alonso del Real acudió por lo menos a una de las tertulias que celebró Gimeno de Flaquer en su casa de la calle Campoamor n.º 3 principal en mayo de 1907 (Anónimo, "Informaciones" 201), y que era "una dama muy culta" que seguía el movimiento literario en Europa (Anónimo, "Informaciones" 274). Además, en la sección "Informaciones" del *AIA* del 22 de junio de 1907, unas semanas antes de que Gimeno de Flaquer publicara el relato de "Los tres velos" (14 Jul.) dedicado a Alonso del Real, una firma anónima destacaba las reuniones para tomar té que esta mujer había empezado a celebrar en su "magnífica casa de la calle Almagro" construida "por artistas catalanes, [donde] domina el arte aplicado a todos los adelantos modernos inventados para la comodidad de la vida" (Anónimo, "Informaciones" 273). Este edificio, que todavía está en pie en la calle Almagro n.º 28, lo edificó el arquitecto Felipe Mario López Blanco (1865-1921) entre 1905 y 1907 (Santos Requena pos. 484) y Alonso del Real supervisó estas obras (Anónimo, "Informaciones" 273).

[67] Hasta el momento no sabemos en quién se inspiró Gimeno de Flaquer para construir el personaje de esta baronesa. Una posibilidad es que tomara el nombre de la filántropa de Turín (Italia) Julieta Francés Colbert de Maléver, la Marquesa de Barolo (1785-1864; agradezco a Roberto Torres Blanco esta sugerencia) para nombrar a la protagonista. Parece que Alejandro Magno arrebató esta caja al rey Darío III (380 a. e. c.-330 a. e. c.), que contenía una copia de *La Ilíada* escrita por Homero en el siglo VIII a. e. c. Era tal la adoración que sentía por este objeto que Alejandro Magno dormía con él (Puchner 4-13). Con el "viaje de novia", Gimeno de Flaquer se refiere al viaje de novios también conocido como "luna de miel". Los motivos para que Gimeno de Flaquer usara esta fórmula en singular y en femenino no son claros. Es posible que así quisiera enfatizar que estaba hablando de la hija de la protagonista y que esa experiencia, que la viven dos, la experimentó la chica de una manera más solitaria, o porque el marido no estaba interesado en disfrutar de ese momento, o porque tuvo que viajar sola. Esta referencia permite plantear conexiones entre este relato y la novela de Pardo Bazán, *Un viaje de novios* (Arbaiza 443-458).

envolvía todo en rosáceas tintas; no permitía ver nada luctuoso.[68] Al través de ese velo las manifestaciones de afecto de mis condiscípulas [me] parecían sinceras, creí deberlas a sus angelicales sentimientos; agradecía las deferencias de mis profesoras considerándolas efecto de su bondad; después, al dejar de ser rica, las ternezas de unas y otras desaparecieron.

Los cartagineses no conservaban el velo de la diosa Tanit con más veneración que yo he conservado este, simbolizador de la mañana de mi vida, bella, apacible, serena.[69] Si el velo de la diosa de Cartago hacía invulnerable a quien lograba envolverse en él, mi velo de comunión, el velo de la inocencia, [me] hizo vivir en un mundo de alegrías inefables. Pero no ha tenido para mí el poder que se atribuyó al velo de Maya, pues según la leyenda india, al romperse las mallas del velo de la diosa volvían a unirse, semejando a las ilusiones, que del marchito tallo de una brota nuevo capullo lleno de frescura, fragancia y color. Este velo que pobló mi fantasía de ensueños edénicos, que me proporcionó alegrías inefables, al dejar de usarlo [se] llevó todos mis optimismos".

II

Color de rosa en su interior era la segunda caja, que contenía un largo velo de níveo encaje. Con gran emoción [lo] presentó la baronesa a su hija, exclamando: "He aquí el velo nupcial, que produjo en mi mente inquietudes, zozobras y esperanzas, arrancándome una pregunta a lo por venir... Espumoso como el Océano, es emblema del amor, que, como el mar, tiene suaves brisas y tempestades. El amor es el más complejo de los sentimientos, por la

---

[68] El velo de la primera comunión es uno de los complementos del traje que las niñas llevan en este día, el primero en el que pueden tomar el cuerpo –la hostia consagrada– y la sangre –el vino de misa– de Jesucristo en el ritual católico. La escritora Joaquina Balmaseda (1837-1911), en su "Sección de Modas" del *AM* (1888), recomendaba a las madres que no hicieran "alarde de riqueza" con estos vestidos de primera comunión y recordaran que debían cultivar "la sencilla severidad", por lo que deberían "preferir la muselina de algodón o de lana" en vez de elegir "telas costosas" (123). Gimeno de Flaquer, con el "velo de maya", se refiere a la creencia que existe en el hinduismo donde con "maya" se refieren a algo que no es real. La escritora Emilia Pardo Bazán tiene un cuento corto titulado "El velo" (1903) que trata de cómo ese "velo de maya" juega con las apariencias (14-15).

[69] Para esta referencia, Gimeno de Flaquer se inspiró en la obra del escritor francés Gustave Flaubert (1821-1880) *Salambó: la princesa de Cartago* (*Salammbô*; 1862). Una de las partes importantes en *Salambó* es evitar que el velo de la diosa Tanit salga de Cartago, ya que si lo hace, como termina ocurriendo, la defensa de esta ciudad contra cualquier enemigo será difícil. En 1903, algunos años antes de que Gimeno de Flaquer publique este cuento corto, en el *AIA* el periodista Pedro González-Blanco (1879-1961) sacó un artículo sobre las novelas de Flaubert donde hablaba entre otras de *Salambó* (461-464).

diversidad de aspectos con que se presenta y la diversidad de efectos que produce. Su inconmensurable voluntad transforma el mundo, cual los cataclismos geológicos; por él [se] destruye Troya, sucumbe Muley Hacén con el valeroso pueblo sarraceno, pierde un imperio Marco Antonio. El amor es lanza de Aquiles que abre honda herida y derrama en ella bálsamo delicioso; es un buen médico del alma, porque cura todos los hastíos; cuando el amor acaba, debiéramos morir.[70] Sobrevivir al amor es sobrevivirnos a nosotros mismos, es convertirnos en cadáveres galvanizados, porque el amor es luz, calor, polen fecundante, aire vital.[71] Su taumatúrgico influjo esmalta de hermosos espejismos la existencia, cristaliza el fango, hace brotar en el corazón florescencias y gorjeos.[72] El amor llenó mi vida mientras vivió tu padre; los escritores y filósofos me hablaban de la inconstancia de ese sentimiento, tu padre me hizo creer en la inmortalidad del amor".

III

Al oprimir un resorte de la tercera caja [se] alzó un negro y espeso velo cual densa nube: la baronesa tomó la palabra, diciendo a su hija: "Este velo es dos

---

[70] También Pardo Bazán tiene un relato donde el velo nupcial es el protagonista: "El encaje roto" (1897; Hoffman 238-245). Por otro lado, la destrucción de la ciudad de Troya se sitúa en 1184 a. e. c. Muley Hacén (1436-1485) fue el penúltimo sultán nazarí que luchó por mantener la independencia de Al-Ándalus de la influencia cristiana en la península ibérica. La mención a Marco Antonio (83 a. e. c.-30 a. e. c.) indica la relación amorosa que sostuvo con Cleopatra (69 a. e. c.-12 a. e. c.) y fue una de las causas de su declive como político en Roma y posterior muerte. La "lanza de Aquiles" está relacionada con un episodio de la *Ilíada*, donde para curar una herida que esa lanza provocó se debe pasar por encima de ella. Estas mismas referencias Gimeno de Flaquer ya las había usado en su libro *En el salón* para describir la fuerza del amor (196-197).

[71] "Cadáveres galvanizados" significa que a cuerpos sin vida se les aplica una técnica eléctrica para dar energías a los músculos. "Galvanizado, da" no apareció en el DRAE hasta su edición de 1984 (RAE 673), aunque "galvanizar" sí que está recogido en este diccionario desde su edición de 1852 (RAE 341). El diccionario del escritor Ramón Joaquín Domínguez (1811-1848), publicado por primera vez entre 1846 y 1847, recoge ambas palabras (840). Domínguez destaca que "galvanismo" y, por tanto, todas sus palabras derivadas, tenían un mismo origen lingüístico en el apellido del médico italiano Luigi Galvani (1737-1798), que había realizado una serie de observaciones en relación a los movimientos eléctricos que aparecían y que no tenían que ver con la electricidad ordinaria (840). Esta misma frase ya la había usado Gimeno de Flaquer en 1894 en su artículo "El amor" (86), que no es igual al de la versión de 1884 incluida en la sección de artículos de prensa.

[72] El adjetivo "taumatúrgico, ca" no está incluido en el DRAE hasta su edición de 1936, donde remite a la palabra "taumaturgia" (RAE 1202). Por su parte, "taumaturgia" apareció por primera vez en el DRAE en su edición del año 1925 y significa la facultad de hacer prodigios (RAE 1153).

veces fúnebre: al morir tu padre, la desesperación se apoderó de mí, pedí a Dios la muerte como el mayor don. Cuatro meses permanecí sin querer ver a nadie: ni Andrómaca ni Artemisa lloraron más que yo a sus eternos ausentes.[73] Necesitaba algunos documentos que no se encontraban en parte alguna, y era preciso que los buscara en el pupitre que tu padre tenía en el Casino, pero yo retrasaba cuanto podía el salir a la calle.[74] A nadie le era permitido abrirlo más que a mí; por primera vez me puse el velo de viuda, por primera vez salí a la calle, después de cuatro meses, y por primera vez pisé un casino. Me traje a casa todos los papeles que encontré en el pupitre, [me] encerré en mi cuarto y, profundamente emocionada, registré diferentes pliegos. Entre ellos hallábase un paquetito atado con cinta roja: desanudé la cinta y [se] esparcieron sobre mi falda varias cartas escritas en elegante papel de estilo japonés.[75] Brotó de ellas un penetrante aroma femenil, [me] perturbó momentáneamente, y al serenarme leí algunas páginas apasionadas,

---

[73] Ambas mujeres han pasado al pensamiento occidental como símbolos de la abnegación ante la muerte de sus cónyuges. Andrómaca hace referencia a *La Ilíada* y a cómo esta mujer mostró su dolor ante la muerte de Héctor en Troya. Artemisa fue la esposa del rey Mausoleo y, tras su muerte, entre las acciones que llevó a cabo para honrar a su difunto marido, destaca la de cortarse las trenzas y enterrarlas junto a él (Gimeno de Flaquer, *En el salón y en el tocador* 118). Gimeno de Flaquer mencionó a estas dos mujeres como ejemplo más perfecto de viudedad en su artículo "Semblanzas femeninas. La hija de la princesa Rattazzi" en 1899 (14), que volvió a incluir en su libro de 1901 *La mujer intelectual* (83) para destacar cómo afrontó este periodo de su vida la escritora francesa Isabel Roma Rattazzi (1831-1902). Gimeno de Flaquer también empleó la referencia a Andrómaca y Artemisa para destacar cómo afrontaba su viudedad la reina Margarita Teresa de Saboya (1851-1926) en un artículo dedicado a esta mujer en 1906 ("Margarita de Saboya" 423) y que incluyó en su libro *Mujeres de regia estirpe* (1907; 186). Años antes de que Gimeno de Flaquer incluyera estas referencias en sus trabajos, el político Emilio Castelar (1832-1899) publicó en el *AM* un artículo titulado "Las mujeres homéricas" (1887), donde destaca cómo Andrómaca y otras mujeres habían expresado su pena al perder a sus maridos y se habían convertido en referentes: "cómo las lágrimas de los femeniles ojos evaporadas suben al cielo después de haber aliviado nuestras penas y henchido nuestras almas tanto de consuelos como de esperanzas con su celestial rocío" (Castelar 194).

[74] Gimeno de Flaquer se refiere al Real Casino de Madrid, fundado en 1836 (solo admitía a hombres como socios), y que actualmente sigue en funcionamiento (está en la calle Alcalá n.º 15). Cuando Gimeno de Flaquer publicó este relato en 1907, todavía sus socios se reunían en el edificio de La Equitativa en la calle Alcalá n.º 14, aunque desde 1902 se había aprobado su traslado a la zona donde actualmente se encuentra. Para ampliar las cuestiones en relación a este centro, la investigadora María Zozaya ha analizado la conexión del Casino con el desarrollo de la masculinidad burguesa de las elites madrileñas en su libro *Identidades en juego* (17-38).

[75] Gimeno de Flaquer puede referirse al papel japonés estilo washi (González Alberdi 109-134).

candentes, fogosas; no tenían nombres ni fechas, me tranquilicé. Podían ser cartas que le había confiado algún amigo; abrí un sobre cerrado y encontré un retrato de [una] mujer desnuda, tendida sobre un diván cubierto con [una] sábana de terciopelo negro.[76] La blancura de aquella mujer destacándose sobre el negro fondo, una blancura radiante, me deslumbró, me cegó por el momento; al reponerme de la impresión, que más que ocular era psíquica, leí en el reverso del retrato [una] tierna dedicatoria a tu padre con promesas de amor ardiente, voluptuoso; y bajo ellas, tras el nombre de Alicia, lo más cruel para mí, una fecha reciente.

¡Terrible desencanto! Aquel ser tan adorado, aquel hombre que pasaba en sociedad por marido modelo, que yo consideraba impecable, me había engañado. El primer día que me puse el velo de viuda, hice el doloroso descubrimiento, experimentando cruel pesadumbre tan intensa como la que me ocasionó la muerte de tu padre, porque sentí que no podía inspirarme su memoria el respeto de que mi pensamiento la rodeara. La decepción sufrida secó para siempre mis lágrimas. Cuatro meses había estado llorando sin salir de casa: Hija mía, si enviudas y tu marido tiene pupitre en el casino, no tardes tanto tiempo como yo en ir a abrirlo".

El espejo mágico[77]

En la ilustre familia veneciana Paravisinni, heredaba al ser mayor de edad el primogénito, con joyas y objetos históricos, un espejo de plata de forma oval enguirnaldado con trifolios argentinos, que terminaban en el mango incrustado de turquesas. [Se] refería que un hada [lo] había dejado en la cuna de una

---

[76] Desde principios del siglo XX circulaban las postales con imágenes que mezclaban el erotismo y la pornografía, tal y cómo Gimeno de Flaquer describe en este relato (Zubiaurre 99-134).

[77] Publicado en el *AIA* el 14 de noviembre de 1908 (494-495). La referencia a Italia en la ficción de Gimeno de Flaquer está presente en sus libros *Victorina, El doctor alemán, Maura* y *¿Culpa o expiación?* Es posible que Gimeno de Flaquer escribiera este cuento corto después de sus dos estancias en este país en 1906. Primero, entre abril y mayo de este año, ya que acudió como periodista al VI Congreso Internacional de Química Aplicada, celebrado en el Palacio de Justicia de Roma e impartió una conferencia el 3 de mayo en la Asociación de la Prensa (Associazione della Stampa) en Roma, titulada "La mujer italiana en el arte y en la historia" (Gimeno de Flaquer, "Crónica italiana" 194; Anónimo, "Informaciones" 214; Pintos 178). Después, en 1906, parece que Gimeno de Flaquer estuvo en el XV Congreso de la Paz, celebrado en Villa Real en Milán (Gimeno de Flaquer, "Congreso de Paz en Milán" 434).

princesa romana, antepasada de aquella familia descendiente de patricios.[78] Envolvía el espejo un pergamino en el que se leían estas frases:

Reflejo el alma; soy revelador de culpas no consignadas en el Decálogo ni en el Código; puedo conducir a la perfección.[79] *Al mirarse en mí quien se halla libre de toda mancha; no me empaño, pero al acercárseme el culpado, [me] cubro de nube negra o gris, según la gravedad de su culpa.*

El conde Paravisinni viviendo en pleno Renacimiento, gozando los placeres inebriativos de la alegre vida veneciana, no había pensado en consultar al espejo jamás.[80] Sintiendo destrozado su organismo por aguda enfermedad, comprendió que le quedaba poca vida, y quiso entregar a su joven esposa el cofrecillo que contenía el misterioso espejo, diciéndole:

—Te dejo un gran guía de buena conducta.

Dos años después de la muerte del conde, la bella viuda fue a un baile que se daba en uno de los palacios del Gran Canal de Venecia. Era la condesa Julia Paravisinni una de las más hermosas mujeres de su época, distinguiéndose por elegante. Entró en su góndola de gala, digna, por la fastuosidad, de la famosa nave de Cleopatra, recorrió parte del Gran Canal, donde se ven torres de mármol, áureas cúpulas, columnas de pórfido, arcos de pétrea filigrana, calados ajimeces, edificios en los que florecen todas las arquitecturas como en divino ensueño del Adriático bajo un cielo encantador, y llegó al palacio

---

[78] Todavía no es posible saber en qué familia se inspiró Gimeno de Flaquer para componer este cuento, quizás exista alguna conexión con la familia Paravicini. "Trifolios" hace referencia a una especie de planta con tres hojas y en la arquitectura a una especie de representación con círculos presente en la simbología cristiana (agradezco a Roberto Torres Blanco esta matización). La clase de los patricios se refiere a las personas de alta posición.

[79] Gimeno de Flaquer, con la referencia al "Decálogo" y al "Código", indica que la acción del espejo va más allá de las leyes, pues ambos son indicativos de un conjunto de normas básicas que regulaban la vida y las acciones de las personas. En cambio, el espejo actúa en un plano moral.

[80] Este relato es el único en esta colección que tiene un trasfondo histórico. Ya en su libro *Mujeres de raza latina*, Gimeno de Flaquer había mostrado interés por el periodo del Renacimiento italiano y, sobre todo, acerca de cómo las mujeres habían participado en el desarrollo del conocimiento y las artes: "Época memorable en la vida del espíritu humano es el Renacimiento" porque significó la "renovación de la vida intelectual, alianza del arte pagano con el cristiano, colocó el saber entre los poderes que gobernaban el mundo" (225). Con "placeres inebriativos" quería decir "placeres que embriagan" (RAE 554; 1899).

donde se daba el baile, palacio de estilo greco-romano que rutilaba con sus mil luces en las aguas del Gran Canal.[81] Al salir de la cristalina litera de la góndola y poner el pie sobre la pérsica alfombra de la escalinata del palacio, la esbelta, la arrogante condesa, semejaba una diosa bizantina. Vestía traje de mallas de oro y plata sujeto en los hombros con grandes broches de esmeraldas y perlas, abierto por los dos costados hasta la fimbria, dejando ver una túnica de blanco encaje transparente: tres cordones de oro aprisionaban su talle, cayendo las puntas, terminadas en perlas, sobre los pliegues de la falda. Perlas lucía en el descote y en la dorada cabellera que nimbaba su frente alabastrina, cabellera de ese rubio veneciano que al través de los siglos goza de reputación universal, y que solo Tiziano ha sabido reproducir. Amplio manto de armiño [la] envolvía descendiendo hasta los chapines, adornados con esmeralditas.[82]

Al presentarse en el baile la gentil condesa produjo gran sensación; los hombres celebraban la semidesnudez de su atavío, las mujeres de formas imperfectas [la] censuraban con tal acritud, que no podía confundirse con escrúpulos de moralidad. Una patricia tan hermosa como ella [le] disputó en la fiesta la hegemonía. Julia, después de encadenar en las redes de su coquetismo a los más apuestos magnates, ambiciosa de todos los éxitos, [se] complació en recibir ostensiblemente los homenajes del marido de su rival,

[81] El número del *AIA* del 22 de mayo de 1891 incluyó dos ilustraciones relacionadas con los lugares mencionados en este relato: una muestra un canal de Venecia, y la otra la embarcación típica de los canales, una góndola (Fuente, "Explicación de los grabados" 225-226). El Gran Canal destaca por sus dimensiones y porque a su alrededor se fueron construyendo edificios (Fuente, "Explicación" 226). Las góndolas son un tipo de embarcación de origen griego que aparecieron durante el Bajo Imperio romano (Fuente, "Explicación" 226). La góndola en el periodo en que está basado este cuento, el Renacimiento, se decoraba con mucho lujo, ya que esta embarcación era símbolo de poder económico, llegando algunas de ellas incluso a tener "esculturas y soberbios tapices" (Fuente, "Explicación" 226). La "nave de Cleopatra" hace referencia al cuadro del pintor inglés Lawrence Alma-Tadema (1836-1912) "La reunión de Antonio y Cleopatra" (1885), donde se aprecia la riqueza de la barcaza en la que viajaba Cleopatra. En el *AIA* (por ejemplo en el número del 22 Ago. 1897) hay varias referencias a este pintor, por lo que es fácil pensar que Gimeno de Flaquer estaba familiarizada con este cuadro. Respecto a "rutilar" es un verbo de uso poético y significa que algo brilla tanto como el oro (RAE 886; 1899).

[82] "Hasta la fimbria" indica hasta la altura del ombligo. "Descote" se refiere al escote, y esta palabra está en el DRAE desde su edición de 1869 (RAE 334). El verbo "nimbar" solo apareció en el DRAE a partir del año 1925 y significa que una aureola rodeaba a una persona (RAE 851). Gimeno de Flaquer se refiere al pintor italiano Tiziano (1477-1576) y al tipo de mujeres que solía pintar, que eran del estilo de la condesa. Los "chapines" son un calzado de mujer con una elevación de corcho (RAE 303; 1899).

queriendo vengarse de la hermosa que se atreviera a dividir con ella el reinado de una noche. El galanteador, impulsado por las ardientes frases de aquella encantadora mujer, [la] pidió una cita; ella, que ya había triunfado, se la negó hábilmente, dejándole adivinar en sus ambigüedades, sin llegar a precisarlo, que pudiera tener dueño su corazón.

Como breve examen del extinguido día, la condesa [se] miraba todas las noches en el misterioso espejo, lo acercó a su rostro al volver del baile, y negra, densa nube lo envolvió. [Lo] contempló con sorpresa, creyendo que solo [una] nube gris debía empañarlo. La conciencia de la condesa no había despertado...

Tan dispuesta como para las diversiones, [se] hallaba siempre Julia para practicar obras benéficas. Tempestades del Adriático habían hecho naufragar a varias lanchas pescadoras. Las damas venecianas [se] reunieron para deliberar acerca de los mejores medios que debían adoptarse, encaminados a librar de la miseria a las familias de los pescadores fenecidos en la catástrofe marítima. [Se] resolvió que cada dama enviara una joya para organizar una rifa. La condesa Julia [se] desprendió de una de sus mejores alhajas; como pertenecía a la *Junta de Damas Benéficas*, tuvo que ir a la venta de papeletas, verificada bajo los pórticos de la gran plaza de San Marcos.[83] Al terminar ese día consagrado a la caridad, satisfecha de su obra, [se] contempló en el espejo acusador: negra nube le cubrió. Agitada, cavilosa, apenas concilió el sueño; no podía comprender qué falta podía haber cometido en la fiesta dedicada al bien. Una semana después, cuando la doncella favorita de Julia le ayudó a vestirse, [le] dijo:

—Ya no hará otro traje a la señora condesa la obrera que le hizo el que estrenó en la rifa.

—¿Por qué?

—Porque la directora del taller la obligó a velar toda la noche a pesar de hallarse muy enferma, y está agonizando.

—¡Qué crueldad! –repuso Julia.

---

[83] En este párrafo, Gimeno de Flaquer –al igual que había hecho en "El beso subastado"– incluye el tema del ejercicio de la caridad por parte de las clases medias altas de la sociedad y el papel que las mujeres jugaron en su difusión (véanse notas 40 y 42). Puede que en esta referencia, más que reproducir lo que pasaba en el Renacimiento, Gimeno de Flaquer se hubiera inspirado por el "Comité de damas" que existía en Italia a principios del siglo XX y que ya mencionó en su libro *Mujeres de regia estirpe* (187). La plaza de San Marcos se inició en el siglo XI, aunque su apariencia actual la tomó a partir del siglo XII. Entre los grabados del *AIA* del 7 de abril de 1901 está el de una de las puertas de este lugar.

Era la más hábil de las oficialas, y como la señora condesa exigió que terminaran el traje, aunque tuvieran que velar las obreras, Marietta trabajó. Después de enviar la condesa espléndido socorro a la familia de la agonizante, volvió a consultar al espejo mágico y [lo] halló cubierto de negra nube… Transcurrido algún tiempo, asistió a la boda de una amiga suya; [se] verificó la ceremonia con gran pompa: conocidas son las fastuosidades venecianas del Renacimiento. Tras opíparo banquete, hubo artístico concierto; Julia fue, cual siempre, heroína de la fiesta. Al llegar a su casa buscó *el espejo de la conciencia* [y] negra nube lo empañó.

En el concierto había debutado como arpista una amiga de la condesa, perteneciente a distinguida familia, que por reveses de fortuna [se] veía obligada a dar lecciones; al reconocer a su amiga de la infancia, [le] pidió que la presentara a las patricias.[84] Julia, que no la vio vestida de última moda, [la] encontró ridícula y no accedió a su deseo. Sin el espejo acusador no se hubiera dado cuenta de aquella mala acción. Enojada contra su mudo censor, [lo] arrojó con ímpetu lejos de sí gritando nerviosamente:

> —¡Vaya un donativo perturbador de mi tranquilidad! Terrible don; no, no es un hada benéfica quien lo dio a mis antepasados. Un hada buena hubiera regalado algún talismán de felicidad. Ha debido ser Carabossa, hada maligna que indudablemente satisfizo sentimientos vengativos.[85]

---

[84] Las mujeres estuvieron implicadas en la música en todas las épocas y también existieron arpistas en el periodo en el que está basado este relato (Calvo-Manzano 267-292), pero la referencia que aquí incluye Gimeno de Flaquer tiene más relación con el inicio del siglo XX que con el Renacimiento. Una de las salidas profesionales de muchas mujeres de este periodo era dar clases de música. Todavía no existe una biografía de la arpista Gloria Keller Fajarnés (1872-?) para poder precisar más conexiones con quien describe aquí Gimeno de Flaquer. Keller frecuentó las tertulias en casa de Gimeno de Flaquer (Anónimo, "Informaciones" 201) y de, por ejemplo, la influyente Candelaria Ruiz del Árbol (Gimeno de Flaquer, "Crónica" 146). Tal y como menciona la investigadora Susana Cermeño Martín, aunque el arpa fue un instrumento ligado a las clases acomodadas y que sobre todo tocaban las mujeres, especialmente a finales del siglo XIX, sirvió para que muchas de ellas pudieran "insertarse en el mundo laboral" (14). El *AIA* mencionó la participación de Keller en otros conciertos y publicó su retrato en el número del 14 de diciembre de 1905, y en su apartado de explicación de los grabados incluidos en ese número se subrayó que Keller era profesora auxiliar de la clase de arpa en el Conservatorio Nacional de Música y Declamación de Madrid (La Redacción, "Nuestros grabados. Gloria Keller" 550; Cermeño Martín 187).

[85] Gimeno de Flaquer se refiere a Carabossa, un hada de doble cara que aparece en uno de los cuentos de hadas ("La Princesse Printanière") de la escritora francesa la baronesa de Aulnoy, Marie-Catherine Le Jumel de Barneville (1651-1705) en su libro *Les contes des fées* (*Cuentos de la Condesa d'Aulnoy*, 1697). Esta obra circuló por España desde su publicación en Francia.

Sí, sí; venganza de mujer que suele sobrepujar a la de las divinidades infernales. ¡Oh atormentador espejo, pronto te alejaré de mí!

[Se] dirigió a la Basílica de San Marcos, y depositando el mudo acusador en un altar a los pies de la Inmaculada, articuló con intensa emoción estas palabras:

—Tú sola, únicamente tú, puedes mirarte en este espejo.[86]

---

[86] El escritor Gustavo A. Baz publicó en el *AM* en 1886 un artículo donde daba detalles de lo que más le llamó la atención en su viaje a Venecia, destacando la Basílica de San Marcos (38). En el *AIA* –número del 14 de marzo de 1901– aparece un grabado del interior de este lugar. Esta catedral data de 1063, aunque en 1617 adquirió su apariencia actual. Gimeno de Flaquer usó la referencia a la Inmaculada Concepción en diversas ocasiones: aunque ella nació unos días después de la celebración de esta virgen (8 de diciembre), le pusieron su nombre en honor a esta advocación (Pintos 14). Esta virgen simboliza "la pureza sublime", porque representa a la vez "[s]er virgen y ser madre" y significa "el triunfo de la pureza sobre la culpa" (*Virgen Madre* 39).

V. SELECCIÓN DE ARTÍCULOS PERIODÍSTICOS DE CONCEPCIÓN GIMENO DE FLAQUER (1877-1909)

1. CAJÓN DE SASTRE: UN POCO DE AMOR, BUENAVENTURA Y MUCHA CONVERSACIÓN

El amor[1]

> Al señor don Francisco de Paula Flaquer. –¿A quién si no a ti pudiera yo dedicar este artículo? Tú has sido, eres y serás mi única pasión; y ya que has sabido inspirarme el afecto que describo, [te] ofrezco mi trabajo literario como testimonio del tierno cariño que inspiras a tu apasionada – Concepción.

Nos sería imposible no hablar del amor en un periódico consagrado a la mujer. Ave, lira y mujer, son sinónimos, porque la lira, el ave y la mujer exhalan constantemente armoniosas notas de amor.[2] El corazón de la mujer es una pira inextinguible de amor, un altar santo y bendito en el cual arde constantemente el incienso del entusiasmo, un tabernáculo sagrado de nobles

---

[1] Concepción Gimeno de Flaquer publicó este artículo dos veces más: en 1877, dentro de su primer libro de ensayos *La mujer española* (187-196), y después, en 1884, en *El Álbum de la Mujer* (*AM*, 346-348). A continuación, se reproduce la versión de 1884 (*El Álbum Ibero-Americano* [*AIA*] 15 Jun.), que fue la única donde introdujo la dedicatoria a su marido, Francisco de Paula Flaquer. En la primera versión de 1877 incluyó varios versos del poeta italiano Pietro Metastasio (1698-1782) y del escritor español Adolfo Llanos y Alcaraz (1841-1904; Gimeno, *La mujer española* 187), y en 1884 suprimió ambas por la dedicatoria a Flaquer.

[2] Gimeno de Flaquer se refiere a su periódico *AM* (1883-1890). La escritora empleó el término "cantora de la mujer" tanto para describir a su mentora Carolina Coronado como a ella misma (Simón Alegre, "Queer Literary Friendships in Salons" 68-69). El origen de esta expresión está en unir cómo cantan los pájaros con las melodías de una lira. "Cantora" es una reminiscencia del movimiento trovador de la Edad Media y el papel que tuvieron las mujeres en él (Martinengo 39-42).

sentimientos y levantadas ideas.[3] Sabed, señoras mías, que el amor es susceptible de falsificación: los amores y los amoríos son parodias, adulteraciones, simulacros, bocetos informes y croquis mal acabados del verdadero amor. Hay seres que aman la belleza, la elegancia, el nombre de una persona, su talento, su gracia, su gentileza, o su fortuna. Todos estos sentimientos distintos, al ser manifestados, toman ilícitamente el nombre de amor.

La ambición, la vanidad, el capricho, el coquetismo y la sensualidad, se atavían frecuentemente con el ropaje del amor. El disfraz suele ser tan perfecto, que hasta las inteligencias más brillantes son víctimas de la mayor ofuscación. Las mujeres particularmente son muy propensas a grandes alucinaciones. El oropel y el similor los acogen cual si fueran oro de ley: fácil es comprender en qué consiste esto.[4] La viva imaginación de la mujer atropella a la reflexión, y la falsa educación que reciben algunas mujeres les hace fiarse demasiado de apariencias y exterioridades de relumbrón.[5] No es el amor romántico, que siempre aparece espiritual, el más verdadero; el amor romántico suele ser una fiebre del cerebro. La poesía del amor no consiste en las frases y manifestaciones que se adoptan para expresarlo. En amor nada es la forma: el fondo lo es todo. Algunas mujeres tienen la desgracia de creer en el amor revelado en sonoros versos, y generalmente es el más falso. Para amar mucho no es preciso ser versificador.[6]

Desconfiad del amor que os pinten con brillantes metáforas, originales hipérboles y elegantes hipótesis. No se necesita galanura de estilo para presentar un sentimiento en todo su esplendor. ¡No apellidéis vulgar al

---

[3] También en este artículo, como en sus cuentos cortos, sobresale el lenguaje que Gimeno de Flaquer empleó y que está a medio camino entre expresiones masónicas-espirituales y referencias a la religiosidad católica (Arkinstall, *Spanish Female Writers* 3-22). "Tabernáculo" es una palabra que, dentro del mundo judío, designa el lugar donde se encontraba el arca del Antiguo Testamento. En el catolicismo este nombre se usa para designar al sagrario en las iglesias, espacio donde alegóricamente se guarda el cuerpo de Jesucristo (RAE 1002; 1884).

[4] En este párrafo, Gimeno de Flaquer subraya que las mujeres no deben dejarse engañar en temas de amor, por eso la referencia a "oropel" hay que entenderla como algo de poco valor. Para ocultar sus deficiencias se aumenta su estimación. El "similor" es una aleación de metales que imita al oro (RAE 766 y 978; 1884).

[5] "Relumbrón" es un golpe de luz intenso y pasajero (RAE 917; 1884) y es una especie de sinónimo de oropel.

[6] "Versificador" se refiere a quien hace o compone versos (RAE 1083; 1884). La poesía formaba parte del mundo de las tertulias y los salones, sobre todo desde mediados del siglo XIX hasta principios del siglo XX, tal y como muestra el artículo "Las tertulias", incluido en esta sección.

hombre que, abrasado en un sentimiento noble, se encuentra difícil para definirlo! Cuando hay muchos grados de pasión, el idioma es insuficiente: entonces a la turbación del hombre enamorado debe suplir la penetración de la mujer.

No es amor poético el del hombre que quiere demostrarlo a fuerza de frases ampulosas y sonoros adjetivos. Es amor sublime, inmenso, santo y grande, aquel que se apoya en la abnegación y el sacrificio, porque el sacrificio es la poesía en acción. El hombre que ama a una mujer de mérito a la cual tributa la sociedad aplausos y adoración, y calla ese amor, temeroso de que sea profanado, guardando religiosamente las pruebas de afecto que su amada le da, ese hombre ama verdaderamente. El hombre que hace pública ostentación del amor que inspira a una mujer que brilla en el gran mundo, no la ama a ella, se ama a sí mismo. Las almas verdaderamente delicadas y apasionadas, prefieren el silencio y el misterio, a la publicidad.[7]

No es lo mismo amar a una mujer *por ella*, que *por sus méritos*. Mediten esto las mujeres. Un amante decía a una mujer adornada de gloria, juventud y belleza: "No amo en ti tu talento, que todos celebran, y menos tu belleza y juventud: comprendo que amo la esencia de tu espíritu, el aroma de tu alma, el perfume de tu corazón, pues fea, vieja e idiota, te amaría lo mismo".[8] Este amor no puede confundirse con el cálculo, la conveniencia y el egoísmo. Este amor se halla despojado de toda idea terrenal. Esforzaos en merecer un amor cual este, queridas lectoras.

El mayor éxito que puede obtener una mujer, es inspirar un amor sublime y puro. Hay amor sentimiento y amor sensación: la mujer debe saber distinguirlo, porque de lo contrario está muy en peligro. ¡Cuántas veces vierte la mujer una gota de ternura en el corazón de un hombre, sin saber que este la absorbe con la voracidad del deseo, dando incremento a la fatídica llama que abrasa su cerebro! Dice elocuentemente la notable escritora George Sand:

> "Es preciso distinguir el amor del deseo; este quiere destruir los obstáculos que lo atraen, y muere sobre las ruinas de una virtud vencida: el amor quiere vivir, y por lo mismo quiere ver al objeto de su

---

[7] En su primera novela, *Victorina o heroísmo del corazón* (1873), en concreto en el volumen II, Concepción Gimeno detalló las consecuencias que debió asumir Victorina ante los rumores difundidos por Madrid de que había sido infiel a su marido. La investigadora Akiko Tsuchiya ha señalado la importancia de tener en cuenta cómo la ficción retrataba el tema de la difusión de rumores para comprender mejor las dinámicas de género en el siglo XIX ("Talk, Small and Not So Small" 391-412).

[8] Todavía no se ha localizado quien escribió estos versos. Cabe la posibilidad de que fueran de la propia Gimeno de Flaquer.

culto largo tiempo defendido por la virtud; por ese muro de diamante cuya fuerza y brillo le da valor y hermosura".[9]

La mujer que no sostenga el amor de un hombre, más por las negativas que por las concesiones, se verá derrotada, y el enemigo que se presentaba como siervo humilde, pronto se alzará tirano vencedor. El amor, cuando está en creciente, vive de combates y de luchas, pues al no encontrar dificultades, suele dormirse al arrullo de la confianza y despertar helado. El amor es un guerrero audaz y temerario, que quiere diques, muros, escollos, barreras insuperables, fuertes trincheras y fortalezas inexpugnables; porque como cuenta segura la victoria, sin dificultades sería pequeño su triunfo. Se equivocan los que dicen que la sensación es hija legítima del amor: la sensación es una hija espuria, una hija bastarda e infame, que al nacer mata a su padre.[10]

¡Hombres, creednos! Jamás huyáis de las mujeres severas: os aman más y mejor las mujeres que os imponen duramente sus virtudes, que las que aceptan con gran docilidad vuestros vicios. El amor espiritual no quiere manchar sus níveas alas en el lodo de la vida. El amor puro se inspira siempre

---

[9] En la versión original, Gimeno de Flaquer españoliza el nombre de George por Jorge. Se refiere a la escritora francesa Aurore Lucile Dupin de Dudevant (1804-1876), a quien Gimeno de Flaquer nombró y reconoció durante toda su carrera. Por ejemplo, Sand fue portada del *AM* el 24 de enero de 1886. Gimeno de Flaquer comparó a Sand con las escritoras Gertrudis Gómez de Avellaneda (1814-1873; "Bocetos históricos. Madame Girardin" 73) y con otra autora que también firmó sus obras con un seudónimo masculino: Fernán Caballero (Cecilia Francisca Josefa Böhl de Faber y Ruiz de Larrea, 1796-1877; "Estudio a mi inteligente amiga la Sra. Condesa de la Oliva. Rosa Bonheur 1827-1899" 75). En 1904, el *AIA* se ocupó de mencionar las actividades que rodearon al centenario del nacimiento de Sand (Flaquer, "Crónica europea y americana" 302), y en 1909 lo hizo en relación al homenaje que se celebró en su honor en París (Gimeno de Flaquer, "Crónica semanal" 350). Gimeno de Flaquer usó el nombre de Sand tanto como ejemplo de la manera en que una mujer inteligente vivía sus pasiones ("La mujer en Rumania" 471), como de la forma de expresarse sin miedo a las consecuencias: "al odiar el sofisma y amar la verdad, la lealtad, ostentando caballerescas cualidades por las que son respetados los hombres, decía: 'Soy un hombre honrado'. ¡Profunda filosofía encierra tan sencilla frase!" ("Crónica" 146). La cita corresponde al libro de Sand, *Mauprat* publicado en francés en 1837 y que desde esta fecha está circulando por la península ibérica (22). Es posible que, como en otras ocasiones, fuera la propia Gimeno de Flaquer la que realizara la traducción de este párrafo. La traducción realizada por la editorial El Cosmos en 1889 es algo diferente ("Es menester que sepáis distinguir el amor del deseo: este quiere destruirlos obstáculos que lo atraen, y muere sobre las ruinas de una virtud vencida; el amor quiere vivir, y por lo mismo quiere ver el objeto de su culto largo tiempo defendido por ese muro de diamante, cuya fuerza y brillo forman su valor y hermosura" Sand 275).

[10] "Espuria" es sinónimo de bastarda y significa la hija nacida fuera del matrimonio (RAE 462; 1884).

en cosas muy altas; el amor puro puede conducirnos a la inmortalidad. El amor puro es un astro que ilumina la lóbrega noche del dolor. Una aromosa esencia que fertiliza los corazones abrasados por la fiebre de los sentidos. El faro luminoso que conduce al extraviado viajero a puerto de salvación. La inextinguible estrella que con ígneos resplandores ilumina los abismos del alma. La gota de rocío que vivifica las marchitas flores del pensamiento. ¡El suspiro de un serafín! ¡El tierno acento de un querube! ¡El beso de la aurora al cáliz de la azucena![11]

El amor puro consiste en la célica fusión de dos almas en una, alzando el vuelo hacia la etérea región. El amor es para el corazón humano, lo que las frescas auras para las plantas que mueren abrasadas por el sol; lo que la vista de la playa para el náufrago desalentado; lo que la fuente de un oasis para el árabe sediento.[12] Muy conocido es el poder del arquitecto del mundo, como llama al amor Hesíodo: bajo su influencia, no hay carácter ni vicio que no se modifique. El altivo humilla la cerviz, el arrogante se prosterna, el débil se hace fuerte, grande el pequeño, héroe el grande.[13]

En alas del amor han penetrado en el templo de la gloria, Rafael con su Fornarina, Tasso con su Eleonora, Dante con su Beatriz, Petrarca con su Laura, Goethe con su Margarita, Velázquez con su Juana, Andrea del Sarto con

---

[11] "Ígneos" significa con colores de fuego (RAE 544; 1884). Un "serafín" representa a los espíritus bienaventurados que aman todo lo divino y ayudan a quienes no lo hacen así que les imiten (RAE 970; 1884). "Querube" es la forma poética de querubín, que el *Diccionario de la Real Academia Española* (DRAE) aceptó desde su edición de 1884 (888) y representa a los espíritus celestes que ven con plenitud la belleza divina (888). Tantos los serafines como los querubines son un tipo de ángeles que están presentes en la iconografía cristiana y en el mundo masónico (Lira Saucedo 193-195). La azucena es una flor que representa la pureza y se relaciona con el culto mariano. La escritora Julia de Asensi Laiglesia, en su relato "Lo que son las flores" (1873), reproduce un diálogo imaginario entre ella y las flores de su jardín donde la azucena se describe de la siguiente manera: "yo soy una alma cándida y sencilla, más blanca que mis hojas, más pura que el aroma que exhalo" (2). En la nota 24 del apartado de "Cartas" hay más información acerca de esta flor.

[12] Gimeno de Flaquer usó esta misma frase en su novela corta *Maura* (1888). La protagonista de esta historia, Maura, la emplea para describir el amor que sentía por Aureliano. Es importante señalar los paralelismos que existen entre este artículo y la carta que incluyó en esta novela (Simón Alegre "Introducción crítica").

[13] A Hesíodo se le considera el primer filósofo griego, además fue un destacado poeta contemporáneo de Homero que escribió la *Teogonía* (alrededor del siglo VIII o VII a. e. c.), donde detalla el origen del cosmos y el linaje de los dioses del panteón griego.

su Lucrecia, el Tiziano con su Lavinia y Tintoretto con su Marietta.[14] Todos los grandes genios han hablado del amor de un modo tan tierno como sublime. Amor es un ala que Dios da al alma para que vuele al cielo, ha dicho Miguel Ángel. Santa aspiración de la parte más etérea del espíritu, le ha denominado una escritora contemporánea. Respiración celestial del aire del paraíso, le apellida el ilustre autor de *Nuestra Señora de París*.[15]

---

[14] Las referencias al Renacimiento italiano que incluye Gimeno de Flaquer en este párrafo son comunes y populares desde mediados del siglo XIX. Por ejemplo, el escritor Carlos Vinageras pronunció un discurso en el Ateneo Científico de Madrid –"Carácter del siglo XIX"– donde dedicó una parte a este periodo, mencionando muchos de los nombres que la escritora señala aquí (30 Nov. 1874; 1-2). El escritor francés Joseph Méry (1797-1866) publicó un libro acerca del pintor italiano Rafael (1483-1520) y su amante Fornarina (identificada como Margherita Luti), *Rafael y la Fornarina*, que contó con una edición española en 1858, un año después de publicarse en francés. En el número del 14 de octubre de 1894, el *AIA* incluyó un grabado reproduciendo un cuadro que representaba a La Fornarina (160), actualmente titulado "Dama con velos" (1516). Gimeno de Flaquer dedicó un apartado de su libro *Madres de hombres célebres* (1885) a la madre del pintor Rafael (53-62). Torcuato Tasso (1544-1595) fue un poeta italiano que dedicó un poema a Eleonora D'Este (1537-1581) y a su hermana: *O figlie di Renata* (*Las hijas de Renata*). Eleonora fue una noble italiana, música y protectora de artistas (Gimeno de Flaquer, "Italianas del Renacimiento (I)" 2-3). El poeta italiano Dante Alighieri (1265-1325) escribió la *Divina Commedia* (*La Divina Comedia*; 1304-1321), donde aparece Beatriz (Portimari 1266-1290), al parecer un amor del autor, y quien le conducirá al paraíso. Francesco Petrarca (1304-1374) fue un poeta italiano, enamorado toda su vida de Laura de Noves (1310-1348), una mujer de alta clase que pudo también cultivar las letras: "Intelectualmente no debió Laura de ser inferior a ninguna otra mujer de su tiempo, [...] Petrarca llama a su pecho, *torre d´alto intelletto* (alcázar de alto ingenio)" (D'Araquy 283). La portada del número del 23 de noviembre de 1884 del *AM* tiene un grabado de Laura. Respecto a Goethe, véase nota 11 de la sección de "Cuentos cortos". Margarita es una de las protagonistas de su libro *Fausto* (1808-1832), y de quien estaba enamorado. Sobre el pintor Velázquez, consúltese nota 30 de la sección de "Cuentos cortos". Juana Pacheco (1602-1660) –parece que también fue pintora– era la mujer de Velázquez. Andrea (Andrés) del Sarto (1486-1531) fue un pintor italiano y Lucrecia era su mujer. Sobre el pintor Tiziano, véase nota 82 de la sección de "Cuentos cortos". Respecto a la identidad de Lavinia, no es fácil saber a quién se refería Gimeno de Flaquer aquí. Tiziano tiene un cuadro de la que parece que fue su hija Lavinia Vecellio (1530-1561). También cabe la posibilidad de que Gimeno de Flaquer se refiriera a la pintora Lavinia Fontana (1552-1614). Tintoretto (1518-1594) fue un pintor italiano y Marietta Robusti (1554-1590) –su hija– también fue pintora. En la biografía novelada del escritor Francisco Gras y Elías (1850-1912) acerca de Marietta, destaca la insana relación que Tintoretto mantuvo con su hija: "Marietta era el orgullo de su padre, la niña de sus ojos; su inspiración, su estímulo, su esperanza y su manía" (154).

[15] Miguel Ángel fue un polifacético artista italiano (1475-1564) al que a Gimeno de Flaquer le gustaba nombrar tanto en su ficción (*Victorina o heroísmo del corazón* 59, 61

El amor es el lazo que más estrechamente nos une a la vida: cuando hastiados de ella queremos abandonarla criminalmente, él nos presenta un mundo envuelto en velos purpúreos y nacarados, en el cual la luz del sol es siempre pura, el cielo diáfano y azulado, el céfiro impregnado de perfumes, el prado verde, lozano, y canoras todas las aves que hienden el espacio, formando conciertos armoniosos con sus alegres trinos.[16] Cuando ese afecto angélico, ese deleite divino, penetra en nuestro corazón, siembra en él un germen fructífero, del cual nacen la ventura, la paz, la dicha y el entusiasmo hacia todo lo bello y lo sublime.

En un corazón enamorado no tienen cabida pensamientos mezquinos, porque un corazón enamorado respira siempre atmósferas de santidad. La criatura, ora se vea azotada por el furioso vendaval llamado infortunio, ora se halle bajo el yugo del fatalismo, de ese gigante aterrador cuya dura fisonomía nos dirige una sonrisa sarcástica para insultar nuestro dolor, jamás se abate: su alma perseguida por la adversidad, se hace más grande con la lucha de los peligros, y se eleva como una encina que se ve crecer a la vista, cuando la tempestad se agita en torno de su espléndida copa.

Si la luna resplandece cual fúlgido diamante suspendido en la bóveda celeste, retratando su pálida faz en el mar, y las flores al abrir su corola embalsaman el ambiente, y la mariposa revuela en torno de su jazmín querido, es que el fuego de la pasión las anima, y el mar ama a la melancólica luna, y las auras al mar, el jacinto a la azucena, la mariposa al jazmín y el céfiro a la brisa.[17] ¿Queréis encontrar la escabrosa senda de la vida cubierta de odoríferas flores? Amad. ¿Anheláis un lenitivo a vuestros pesares, un bálsamo a vuestras heridas, una panacea a vuestros infortunios?[18] Amad. El amor es la vida del alma; esta, semejante a una planta parásita, queda yerta, muere, cuando le falta ese jugo, esa savia vivificadora.

---

y 220; volumen I) como en sus ensayos, por ejemplo en *La mujer juzgada por una mujer* (112; 1887), donde usó a este artista para destacar el genio de la escritora Gertrudis Gómez de Avellaneda (288). La escritora a la que aquí se refiere Gimeno de Flaquer es George Sand (véase nota 9). El autor de esta novela *Notre-Dame de Paris* (1831) es el escritor francés Victor Hugo (1802-1885), a quien Gimeno de Flaquer conoció en el año 1880 en París (Pintos 62).

[16] "Canoro, ra" significa el canto melodioso de los pájaros (RAE 200; 1884).

[17] En esta frase, Gimeno de Flaquer plantea una metáfora que en su libro *Victorina* ya había desarrollado, comparando a los poetas con "mariposas de salón" porque "absorbían el jugo de distintas flores" (124; volumen II). El jazmín es el símbolo de la pasión y el jacinto está asociado con tributar respeto y cariño (Gimeno, *La mujer española* 188 y *Victorina* 39; volumen I).

[18] "Lenitivo" significa un medio para confortar el ánimo (RAE 637; 1884).

¡Hombres eminentes, ilustrad a la mujer, porque ella, reina de vuestra voluntad por vuestro amor, os manejará a su antojo! Si tiene la mujer entendimiento, os elevará; si carece de él, os hará perder el vuestro. Ser vencidos por una mujer de mérito, es un triunfo. Ser vencidos por una estúpida, es una derrota. ¡No pospongáis la inteligencia a la hermosura, porque os rebajáis! Cuanto más ilustrada se halle la mujer, más seguros estáis de no ser víctimas de ridiculeces suyas y caprichos vanos. La mujer os enseña a sentir, prepara vuestro corazón para el amor: preparad vosotros su criterio por medio de la instrucción, para que solo germinen en él grandes pensamientos y levantadas aspiraciones.[19]

La buenaventura[20]

[Se] llama *quiromancia* la adivinación supersticiosa, hecha por las rayas de la mano, a la cual apellidan los gitanos *buenaventura*. En los siglos XV y XVI las gitanas explotaron muchísimo la inocencia de los crédulos, pues el desarrollo de la superstición les hizo adquirir a ellas notable importancia.[21] Todos acataban los pronósticos de las gitanas y los guardaban en el archivo de la memoria, con gran respeto, siendo para ellos tan sagrados como los libros sibilinos para los romanos.[22] Los gitanos son una raza originaria de Egipto;

---

[19] A la altura de 1877, cuando Concepción Gimeno publicó este artículo por primera vez, los hombres controlaban el espacio político y con esta reflexión estaba indicando la responsabilidad que tenían en posibilitar la entrada de las mujeres en la educación (Flecha García, "Las mujeres en el sistema educativo español" 209-226).

[20] Gimeno de Flaquer publicó este artículo al menos dos veces. La primera en 1880 en *El Mundo Ilustrado* (344) y la segunda en 1883 en el *AM* (67-68). La versión que se incluye aquí es la publicada en el *AM* el 7 de octubre de 1883.

[21] Según la Fundación Secretariado Gitano, la primera prueba documental de la presencia de gente del pueblo gitano en la península ibérica data de 1425. Poco tiempo después, en 1499, comenzó la persecución a la gente de este pueblo, que terminó en 1749 con "La Gran Redada" (La comunidad gitana). Gimeno de Flaquer subraya aquí el periodo donde otra vez existió una relajación respecto a la persecución del otro en la península, aunque no hay que olvidar la existencia de la Inquisición (abolida en 1834) y su hostigamiento contra quienes no cumplieran con los preceptos católicos.

[22] Los "libros sibilinos" son libros proféticos de Roma, que Gimeno de Flaquer describió de una manera positiva: "son una verdad histórica, como lo es el famoso Corán de los mahometanos [...]. En los libros sibilinos se ha encontrado moral evangélica, y por esta razón los artistas cristianos han tomado por asunto de sus obras los misteriosos tipos de las sibila" ("Sacerdotisas cristianas y paganas" 32). Gimeno de Flaquer se había documentado bien acerca de estos materiales, pues subrayó que se custodiaban en el Capitolio de Roma, estaban escritos en lienzo y se guardaban en una urna de piedra ("Sacerdotisas" 32). La escritora usó esta descripción en varias ocasiones más y la incluyó en su libro *Mujeres: Vidas paralelas* (1893; 140-141). También estos libros están relacionados con la Sibila, que era una profetisa.

raza nómada, cosmopolita, que existe en España desde la dominación de los árabes, habiéndose extendido después por todos los países de Europa, en los cuales ha recibido diferentes nombres: dicha raza tiene en su fisonomía algo del tipo árabe, lo mismo que en sus costumbres.[23]

Hoy no se cree en la gitana, pues la antorcha de la civilización ha esparcido sus vívidos rayos por todas partes, rasgando las oscuras brumas de la ignorancia; mas a pesar de esto, la gitana es, a nuestra vista, un tipo interesante, por el misterio que rodea su ser y su existencia. La gitana es una mujer poco vulgar, y todo lo extraordinario seduce nuestra fantasía. La gitana es un ser sin patria ni hogar; ni tuvo cuna ni sabe dónde hallará una modesta sepultura. Vaga errante por este mundo sin ningún derrotero; es una eterna peregrina que jamás llega a su Jerusalén.

La gitana posee una imaginación ardiente, que tiene siempre en actividad, porque vive de ella. Observad sus abrasadoras pupilas que arrojan ígneo

---

[23] Con la "dominación árabe", Gimeno de Flaquer se refiere al periodo musulmán por el que pasó la península ibérica desde el año 711 hasta 1492. La descripción de las mujeres del pueblo gitano que incluye aquí es positiva, ya que no sobresale por sus rasgos exoticistas. Para profundizar sobre el proceso de exotización del pueblo gitano, especialmente en relación a las mujeres, son esenciales los trabajos de la hispanista Lou Charnon-Deutsch: *Hold That Pose* (*Mantén la postura*; 9-44) y *The Spanish Gypsy* (*El pueblo gitano español*; 45-86). Por ejemplo, un colaborador del *AIA*, Ignacio de la Fuente, en la explicación de una imagen con hombres de este pueblo, subraya estereotipos racistas al puntualizar que, aunque podía haber gitanos "honrados" abundaban "los pilluelos capaces de acometer cualquier empresa criminal mientras les produzca dinero", y subraya que, en el caso de las mujeres, estos rasgos sobresalían más, pues eran "muy holgazana[s], y para adquirir el dinero necesario a sus vicios, [se] dedica[n] a pronosticar a los incautos lo que les ha de suceder, haciendo uso de la baraja" ("Explicación de las ilustraciones. Tipos populares: Dos gitanos" 262). Dentro de la sección de grabados del *AIA*, hay algunas imágenes con personas de este pueblo. Por los paralelismos que hay entre este texto y las explicaciones que acompañaban a estas imágenes, es posible que fuera Gimeno de Flaquer la escritora detrás de la firma de "La Redacción". En el número del 28 de febrero de 1893, el *AIA* incluyó el cuadro "Cabeza de estudio. Una gitana", del artista Greetere, donde "La Redacción" subrayaba que, aunque no había muchas diferencias entre las comunidades del pueblo gitano en Europa, quienes vivían más al norte tenían "el perfil más correcto" y eran "más atractiv[as]", como ocurría con la imagen incluida, más cercana a la de una evocación que a la pretensión de reflejar a una mujer de este pueblo ("Nuestros grabados" 94). En el número del 22 de diciembre de 1894 hay otro grabado de una mujer del pueblo gitano, titulado "Una gitana valenciana", en cuya explicación se destaca que un sinónimo para gitano es "bohemio" y que este pueblo había llegado a Europa desde Egipto, instalándose en España en lugares cercanos a "los puertos de mar" (275). Este breve comentario añadía que "esta raza", antes de "mezclarse [...] fue hermosa" (La Redacción, "Nuestros grabados. Una gitana valenciana" 275).

resplandor;[24] contemplad su marchita tez calcinada por su fogosa inteligencia, y os inspirará tierna compasión ese desgraciado ser de mirada profunda y sombría como el abismo; ese desgraciado ser en cuyos labios palpita constantemente la más glacial ironía, sin asomar a ellos jamás una dulce sonrisa. La gitana tiene una juventud tan breve como precoz, pues pasa de la niñez a la edad provecta: la existencia de la gitana no tiene primavera. La gitana ha sido joven y hermosa; pero no ha conocido los homenajes que se tributan a la belleza y la juventud, porque no es respetada cual las demás mujeres.[25]

Figura V.1: *La buenaventura* (detalle) por José Llovera (1846-1896?).

Fuente: *El Mundo Ilustrado*, cuaderno 35, 1880, p. 347. Imagen procedente de los fondos de la Biblioteca Nacional de España.

---

[24] Consúltese nota 11.

[25] "Provecta" significa madura (RAE 1193; 1884). La observación que hace aquí Gimeno de Flaquer acerca de cómo la vida de las mujeres del pueblo gitano era difícil destaca tanto por no incluir ninguna valoración negativa y racista de estas mujeres, como por insinuar que podían sufrir violencia por parte de los hombres. La escritora Blanca de los Ríos (1862-1956), en su texto titulado "La gitana", describe al pueblo gitano desde posiciones racistas, aunque sobresale un esfuerzo por comprender cómo las mujeres vinculadas a este pueblo podían estar atrapadas en unas dinámicas patriarcales donde no tenían más salida que adaptarse a una cotidianidad adversa: "pierden las formas la redondez, con la demacración; y la suavidad en la lucha con los elementos y la miseria [...] convirtiéndose el grito en graznido y engendrarse [...] en estas cuevas el tipo más rudo y salvaje de la gitana" (593). Además, Ríos menciona que la mujer de este pueblo dedicada a la buenaventura, "la pitonisa de la raza", era el "tipo menos odioso", aunque la rodeara una "siniestra aureola" (595).

La gitana inspira desprecio, antipatía, repulsión. Si alguna vez habéis visto a la gitana rodeada de aristocráticas damas que la contemplan con entusiasmo, cual sucede en la ilustración de la página 72, es porque en aquellos momentos se halla adulando el amor maternal.[26] Aunque hoy nadie cree en la gitana, no hay madre que deje de escucharla con arrobamiento cuando le predice que su hija se casará con un rey. ¡Es tan sensible la vanidad maternal! La gitana es atendida mientras profetiza dichas superiores a nuestra ambición; pero cuando agota los lisonjeros recursos que constituyen su mercancía, cuando el exiguo repertorio de las alabanzas se acaba, todos la abandonan. ¡Pobre gitana! ¡Seamos caritativos con ella! No ha sido la gitana únicamente quien se ha valido de la farsa para realizar sus intentos, pues en diferentes épocas se ha cultivado la adivinación, aplicada a distintos fines.

En Babilonia, los magos o adivinos tuvieron gran preponderancia; en Caldea los astrólogos querían leer el destino de las criaturas en las estrellas; los etruscos fueron muy aficionados a la adivinación, como los druidas o sacerdotes galos, y los griegos y los romanos dedicaron muchos templos a la Fortuna, diosa ante la cual se prosternaban con fervor para que les inspirase la ciencia de adivinar lo porvenir. Los romanos representaron la Fortuna con un pie en una rueda y otro en el aire, simbolizando su instabilidad; y los griegos la representaban con un timón en la mano, un globo celeste, o un cuerno de la abundancia. En el primer caso, era emblema del destino; en el segundo del azar, y en el tercero de la dicha.

Todos los pueblos necesitan creer, porque la fe es más necesaria al alma que el oxígeno a nuestros pulmones. Cuando la ignorancia o la estúpida soberbia aleja a los hombres de Dios; cuando los despreocupados se proclaman ateos, por no creer en las verdades divinas, se convierten en juguetes de sus supersticiones, y creen lo más absurdo, sin observar en su insensatez el ridículo que les circunda al erigir pedestales a los anyfes [sic], las pitonisas, los agoreros, los nigromantes y los augures.[27]

---

[26] El grabado de la página 72 del *AM* se refiere a la figura V.1. La revista *Álbum Salón* dedicó un número especial a hacer un balance de la obra del pintor José Llovera donde incluyó algunas de sus obras más representativas (Carrera 157-162). La acuarela de "La buenaventura" se reprodujo como tarjeta postal: https://www.todocoleccion.net/postales-especiales/la-buenaventura-jose-llovera-circulada-barcelona-1901-por-j-b-bofill-compte~x54612081

[27] No se ha podido identificar qué quiso describir Gimeno de Flaquer con la referencia a "anyfes". Las "pitonisas" eran las sacerdotisas del dios Apolo y daban el oráculo en el templo de Delfos, sentadas en un trípode. Los "agoreros" eran quienes adivinaban agüeros, predicciones que preparaban tras observar a los pájaros. El "nigromante" era quien adivinaba consultando a los muertos (RAE 837, 30 y 738; 1884). Respecto a "augures" eran los "adivinos" que predecían el futuro por el vuelo de las aves (RAE 127; 1884).

La pluma[28]

Artículo dedicado a un amigo, al enviarle una pluma en el día de su santo.[29]

Quisiera poseer la pluma de Cervantes para describir la importancia de la pluma. Sean mil veces cantadas las excelencias del pincel que nos ofrece el trasunto de un ser amado, las del buril que graba lo que anhelamos permanezca indeleble, y las del cincel, al cual se deben primorosos labrados y filigranas; yo siento idolatría por la pluma. Hoy que tantos fetiches se adoran aún sin hallarnos en los tiempos gentilicios, bien puedo demostrar un fervoroso culto por la pluma. Las bellas artes necesitan para manifestarse, de la dovela, de la paleta y del buril, instrumentos fabricados por la mano del hombre; la literatura se sirve de la pluma, que no ha sido creada por el ente humano.[30] Si la pluma fuese altanera, podría engreírse de su noble alcurnia, de su preclara estirpe, de su árbol genealógico, de su respetable vetustez; pues la pluma es más antigua que Adán y Eva. Las aves del Paraíso tenían plumas.[31]

---

[28] Gimeno de Flaquer publicó este artículo tres veces: en el *AM* (1888; 122-123), en el *AIA* (1901; 266-267) y en la revista *Pluma y Lápiz* (1903; 6-9). La versión de 1903 está reducida respecto a la del artículo original (1888). Por los paralelismos de este artículo con las cartas que envió a Manuel Catalina, el texto reproducido aquí es el que apareció en el *AIA* el 23 de junio de 1901. En su libro *En el salón y en el tocador* incluyó el capítulo "La enemiga de la mujer" (1899; 102-111), basado en el artículo "La pluma", aunque lo redujo considerablemente: suprimió la dedicatoria y alteró el orden de los párrafos respecto a la versión de 1888.

[29] En las versiones de este artículo de 1888 y 1901, la dedicatoria es una nota al pie de página, pero en la de 1903 pasa a ponerla debajo del título. En España, durante el siglo XIX y la primera parte del siglo XX, se celebraba más el santo que el cumpleaños, tal y como Gimeno de Flaquer hizo durante toda su vida (véase nota 86 de la sección "Cuentos cortos"). No es posible saber a qué amigo se refería Gimeno de Flaquer aquí, puede que este artículo lo escribiera durante el intercambio de cartas con el actor Manuel Catalina y la dedicatoria fuera para él (consúltese la introducción).

[30] Con la expresión "tiempos gentilicios", Gimeno de Flaquer se refiere tanto a que hacía mucho tiempo que había pasado el evento como al periodo relacionado con el pueblo judío del Antiguo Testamento. Otra interpretación es que, con esta expresión, Gimeno de Flaquer se refiere a tiempos antiguos y gentil es una forma en que la comunidad judía nombraba a las personas que no formaban parte de su religión. Acerca del "buril", consúltese nota 8 de la sección de "Cartas". Aquí la autora quiere destacar cómo el objeto en sí, la pluma, estaba inspirado por las musas. Con la referencia a que la pluma es anterior a la primera pareja humana reconocida por la *Biblia,* Gimeno de Flaquer deja la puerta abierta a que la escritura fuera anterior a Adán y Eva.

[31] Gimeno de Flaquer juega con el doble significado que tiene nombrar las plumas de los pájaros con el utensilio de escritura a partir del que se fabricaba el objeto.

El prisma refleja los colores del iris, pero la pluma es más omnipotente, porque refleja todos los tonos del sentimiento, todos los matices de la pasión, todos los perfiles de nuestra fisonomía moral.

El límpido arroyo retrata las flores que brotan en sus orillas, el mar retrata el cielo, el nítido estanque la luna y las estrellas, la plancha fotográfica el cuerpo humano; pero solo la pluma tiene el poder de retratar el alma.[32] La pluma es de todos los objetos materiales, el más inmaterial; la pluma no es una *cosa*, la pluma tiene vida; ella corre, revolotea, tiembla y se estremece como mujer nerviosa. Dominada por la influencia del espíritu, la pluma se halla en relación con nuestro ser psicológico, la pluma no recibe sus movimientos de la mano que la sujeta sino de la imaginación que la guía. Obsérvese la manera de manejar la pluma de cada individuo y se conocerá su carácter y su temperamento. Los médicos modernos que se dedican a estudiar las enfermedades del cerebro, para conocer los grados de enajenación mental de un paciente, le hacen escribir, y al analizar la forma de la letra, calculan con exactitud el estado del enfermo.[33]

La pluma es más que lo que he dicho, porque es la propagadora de la idea, el vehículo del pensamiento, el intérprete de la inteligencia, la aguja imantada que atrae los rayos de la mente, es el espejo del corazón, el hilo que trasmite la electricidad del genio, es la inmortalizadora de la palabra. La pluma ha adornado las cabezas de los dioses, de los reyes y de los trovadores de la Edad Media. Las musas aparecen en los antiguos monumentos con las cabezas

---

[32] "Límpido" es un latinismo que comenzó a formar parte del DRAE en su edición de 1869 (469). Es un adjetivo que se usa en el lenguaje poético y significa limpio o sin mancha (RAE 469; 1869). Gimeno de Flaquer usa "plancha fotográfica" como sinónimo de "placa fotográfica" que es donde se fija la imagen tomada por una cámara. Por ejemplo, en el resumen que hace de una fiesta en Madrid en el verano de 1893, decía que el secretario de la Legación (actuales embajadas) de Argentina había tomado imágenes de las "señoritas" que en ese encuentro habían llamado más la atención (Gimeno de Flaquer, "Crónica española y americana. Kermesse aristocrática" 266).

[33] Esta frase presenta similitudes con la carta diez y el relato "Por no amar". Gimeno de Flaquer describe la ciencia que actualmente se denomina grafología, cuyo nombre incluyó al publicar parte de este texto *En el salón* (104). En 1894, Francisco de Paula Flaquer comentó con cierto sarcasmo que los "grafólogos" aprovechaban cualquier ocasión para "demostrar que su nueva ciencia debía ser aceptada como tal", y a continuación reproducía un informe acerca de cómo la forma de escribir del Zar Nicolás II hablaba de su personalidad ("Crónica general. Grafología" 230). La primera vez que esta nomenclatura aparece recogida en un diccionario es en el de 1895 publicado por el erudito Elías Zerolo (1848-1900; 1152), y en el DRAE no se registró hasta la edición de 1925 (620).

coronadas de plumas en memoria de sus luchas con las sirenas.[34] ¡Oh pluma, cuán inconmensurable es tu poder! Tú has sabido crear un *Paraíso*, un *Olimpo* y un *Infierno*. Tú has erigido una nueva *Jerusalén*, cuyas armonías han llenado el orbe. ¡Oh pluma! Tú nos has descrito el más avasallador de los afectos, cuando has sido encendida por el ardiente fuego de Safo, de Ovidio y del Ariosto.[35]

Aprisionada por Teresa de Jesús, has definido los éxtasis, los místicos deliquios, los arrobamientos de una alma enamorada del Creador; impelida por Sófocles, has producido la compasión, agitada por Esquilo, el terror.[36] Bajo la mano de Sócrates has encarecido la virtud, bajo la de Calderón, has sublimado el honor, bajo la de Jansenio has hecho más rigurosa la moral.[37] Tú has sido el plectro del elegante Horacio, la lira de Corina, el escalpelo de Balzac, el látigo de

---

[34] El adorno con plumas ha acompañado al mundo de la música desde siglos atrás. La referencia que hace aquí la escritora se debe al relato mítico de la lucha entre las musas y las sirenas, que sirvió a las primeras para ganar las plumas de las segundas (Gimeno de Flaquer, "Las musas" 194).

[35] Gimeno de Flaquer usó el nombre de la poeta Safo como uno de sus seudónimos (consúltese nota 26 de la sección de "Cartas"). Los poetas Ovidio (43 a. e. c.-17 d. e. c.) y Ludovico Ariosto (1414-1533) son referencias de la poesía amorosa-erótica (Gimeno de Flaquer, "Una boda aristocrática" 123 y "Una princesa del Renacimiento" 530). Además, la escritora comparó al protagonista de *Victorina*, el poeta-pintor Mario Alcaraz, con Ariosto (67; volumen I).

[36] Teresa de Jesús (1515-1582) fue una escritora y monja española relacionada con el misticismo. Su obra y su vida fueron un referente para las autoras de todo el siglo XIX. Teresa de Jesús ocupó la portada del *AIA* del 30 de abril de 1904 y, además, la mentora de Gimeno de Flaquer, la escritora Carolina Coronado, incluyó en este periódico su trabajo "Los genios gemelos" (publicado por primera vez en 1850), donde comparaba a la poeta Safo con Teresa de Jesús (Coronado 182-190). Sófocles (496 a. e. c.-406 a. e. c.) y Esquilo (526 a. e. c.-456 a. e. c.) fueron dos dramaturgos que cultivaron la tragedia griega, a los que Gimeno de Flaquer menciona como referentes porque "son los únicos que glorifican a la mujer" (*La mujer intelectual* 21).

[37] Sócrates (¿-399 a. e. c.) fue un filósofo griego. Gimeno de Flaquer subrayó que Carolina Coronado tenía el alma en paralelo con este pensador (*Mujeres de raza latina* 154). Para Gimeno de Flaquer, Sócrates era uno de los pensadores referentes acerca de la insistencia de lo efímero en la idea de la belleza (*La mujer juzgada por una mujer* 87; 1887). Pedro Calderón de la Barca (1600-1681) fue un dramaturgo español, referencia para Gimeno de Flaquer de los escritores que representaban positivamente a las mujeres (*Madres de hombres célebres* 59). Cornelio Jansenio (1585-1638) fue un teólogo y además el padre del jansenismo, que entre otras cuestiones señala la gracia divina como promotora para la salvación. Este movimiento religioso fue condenado por la Iglesia católica. En el *AIA*, el escritor Ramón de la Huerta Posada (1834-1908) mencionó las teorías de Jansenio al destacar a mujeres relevantes de la época de este teólogo, como Jacobina Pascual y Juana Schomberg ("La mujer. VI" 29-30 y "La mujer. IX" 524).

Juvenal y de Boileau.[38] Tú has reproducido las tempestades del cerebro de Byron, te has hecho eco de los puros acentos de Petrarca, has aclarado el genio simbólico de Hesíodo, has trasmitido a las plantas la palabra de La Fontaine, has dado vida a Eloísas, Beatrices, Penélopes y Lauras.[39] No existe varita mágica que pueda atesorar los encantos de la pluma. Ella convierte en oasis los eriales, ella es rayo de sol que a todo presta luz y color; ella da relieve a los sueños de la fantasía, ella produce los adorables espejismos de la ilusión, ella es el eslabón que encadena nuestros pesares y alegrías, la lanzadera que teje nuestros recuerdos y esperanzas en el inmenso telar de la existencia.

La pluma no puede ser nunca uniforme ni monótona en nada; la pluma es amena, porque participa en los más variados caracteres. Ella tiene tristezas cual Wordsworth, el melancólico poeta de los lagos; tiene amarguras cual Espronceda; desesperaciones cual Leopardi, dulces creencias cual Lamartine, escepticismo cual Vanini, caprichos cual mujer coqueta, y hasta inconsecuencias

---

[38]El "plectro" es el utensilio que se usa para tocar la lira. Horacio (65 a. e. c.-27 a. e. c.) fue un poeta lírico. Corina fue una poeta del periodo helenístico. En 1873, en uno de los obituarios de la escritora Gertrudis Gómez de Avellaneda se la comparó con la poeta Corina (La Redacción, "A la memoria de la eminente poetisa Doña Gertrudis Gómez de Avellaneda" 1). Honoré de Balzac (1799-1850) fue un escritor francés que, para Gimeno de Flaquer, dio paso al realismo (*Mujeres: Vidas paralelas* 198). Juvenal (55 a. e. c.-?) fue un poeta romano que cultivó el género satírico. La escritora lo usó para destacar las estrategias que empleaban algunos hombres en la Roma de la Antigüedad para repudiar a sus mujeres (*Mujeres: Vidas paralelas* 94). Nicolas Boileau-Despréaux (1636-1711) fue un poeta que reformó la poesía francesa y al que Gimeno de Flaquer conectó con *madame* de La Fayette (Marie-Madeleine Piochet de la Vergne [1634-1693]; *Mujeres: Vidas paralelas* 62). Respecto a la referencia al látigo, Gimeno de Flaquer nombró el "látigo juvenelesco" como una fórmula literaria para criticar las "tiranías sociales" a las que estaban sometidas las mujeres ("Las primeras emancipadoras" 303).

[39] Sobre Byron, consúltese nota 9 de la sección de "Cuentos cortos" y, para Petrarca, la 14 de este apartado. Sobre Hesíodo, véase nota 13. Jean de La Fontaine (1621-1695) fue un escritor francés de fábulas y poesías. En *Victorina*, Mario usó algunos de sus versos en una de las cartas que envía a su amada Victorina para recordarla que a veces el destino se encontraba en las opciones que no se querían tener en cuenta (211; volumen I). Con Eloísas, Beatrices, Penélopes y Lauras se refiere a mujeres importantes en la vida de escritores o figuras legendarias. El uso en plural de estos nombres quería indicar tipos de mujeres en relaciones amorosas. Eloísa (1092-1164) fue una intelectual francesa relacionada con el monje y pensador Pedro Abelardo (1079-1142). Sobre Beatriz, la inspiración para Dante, y Laura, para Petrarca, véase la nota 14. Penélope fue la mujer de Ulises.

cual político español.[40] La pluma posee una fuerza creadora incalculable: ella enardeció entre los portugueses, por influencia de Camões, el amor a la patria, ese hermoso sentimiento que ha inmortalizado a Leónidas, Temístocles, Escipión y Epaminondas.[41]

La pluma posee también un poder de destrucción que nunca han poseído las antiguas catapultas ni jamás poseerán las modernas armas de nuestras mejores armerías; los hijos del siglo XX lo han comprendido así, y por eso ya no se baten con la espada sino con la pluma.[42] El cañón ha cedido su paso a la pluma, porque ha sido derrotado por ella. Mucho se habla de lo que se puede coquetear con los ojos, pero nadie ha dicho nada acerca de cuánto puede coquetearse con la pluma.[43] La pluma en manos de la coqueta es capaz de desorientar al más frío razonador, porque la pluma en manos de la coqueta, concede y niega al mismo tiempo, da luz y sombra, solloza y ríe, alienta y desespera, atrae y rechaza simultáneamente. La pluma de la coqueta es calculadora, cual cerebro de matemático, incisiva cual puñal toledano, afilada cual navaja de Albacete, fría cual diplomático inglés, sarcástica cual sonrisa volteriana y más maquiavélica que el mismo Maquiavelo.[44]

La pluma de la mujer sensible, es por el contrario, cándida, ingenua, expansiva, veraz, tierna, dulce, transparente, comunicativa, acariciadora. Una mujer enamorada, aunque posea gran talento es indiscreta al empuñar la pluma. Entre el bullicio de las fiestas sociales, lo mismo que en la ceremoniosa

---

[40] William Wordsworth (1770-1850) fue un poeta inglés. José de Espronceda (1808-1842) fue un poeta español. Giacomo Leopardi (1798-1837) fue un filósofo y poeta italiano. Gimeno de Flaquer usó un poema de Leopardi para describir la importancia que tenía el momento en que una mujer decide convertirse en madre (*Madres* 85). Sobre Lamartine, véase notas 25 y 59 del apartado "Cartas". Lucilio Vanini (1585-1619) fue un filósofo italiano. Con la referencia a "inconsciencias de político español", Gimeno de Flaquer critica a la clase política de España.

[41] Luís Vaz de Camões (1525-1580) fue un poeta portugués. Leónidas I (¿-480 a. e. c.) fue un rey guerrero espartano. Temístocles (524 a. e. c.-459 a. e. c.) fue un político y general ateniense. Escipión (236 a. e. c.-183 a. e. c.) fue un general y político romano. Epaminondas (¿-362 a. e. c.) fue un general griego.

[42] En las versiones de 1888 y 1899, Gimeno de Flaquer indicó "los hijos del siglo XIX", y en las ediciones de 1901 y 1903 lo actualizó al siglo XX. Con esta referencia, la escritora subraya la conflictividad presente en su tiempo y cómo la lucha bélica debía sustituirse por la diplomacia.

[43] Las cartas que Concepción Gimeno escribió a Manuel Catalina son un buen ejemplo de lo que indica aquí la autora.

[44] En España hay dos lugares famosos por sus espadas, navajas y cuchillos: Toledo y Albacete. Niccolò Maquiavelo (1469-1527) fue un escritor, filósofo y político italiano. Gimeno de Flaquer usó la referencia a este político para subrayar el paralelismo que tenía con Catalina de Médici (1519-1589; *Mujeres de regia estirpe* 57).

visita de salón y hasta en la intimidad del *boudoir*, sabe esconder una mujer inteligente las ideas que debe ocultar; pero sus inauditos esfuerzos se estrellan ante la influencia de la pluma.[45] ¡Cuántas reputaciones de mujer se hubieran salvado, si al hallarse enamorada esta, no hubiera sufrido la enfermedad denominada *monomanía de la pluma!*[46] He hablado con algunos médicos alienistas sobre este caso patológico tan frecuente en la mujer enamorada, y todos han convenido en que es un género de locura completamente incurable.

Decía yo una vez a un discípulo de Esculapio:[47]

—Oiga usted, doctor, ¿existe algún remedio para defenderse una mujer apasionada de su monomanía de la pluma?

—Sí, existe –me contestó el interpelado.

—¡Oh! Dígamelo usted, exclamé presurosa, dígamelo, por Dios; tal vez pueda hacer algún bien a mi sexo.

Concentré mi atención de tal modo para escuchar al doctor, que mi espíritu parecía depender de su palabra, como si esperase la solución de algún importantísimo problema buscado afanosamente por la humanidad. Mas ¡ah! Cuán grande fue mi desencanto al oírle pronunciar con tono glacial, la siguiente frase:

—Hay un remedio para que la mujer enamorada se libre de la tiranía de la pluma... que no sepa escribir.

Quedé confundida ante tal contestación: el doctor era hombre de mundo y su experiencia no le engañaba, el remedio que me había dado era negativo,

---

[45] "*Boudoir*" era una habitación destinada al aseo de las mujeres, donde también se podía recibir a las amistades más cercanas.

[46] Esta reflexión de Gimeno de Flaquer hay que ponerla en relación con la correspondencia que mantuvo con Manuel Catalina y que tuvo un final abrupto. Años después de este intercambio de cartas, y ya casada con Francisco de Paula Flaquer, mencionó dentro de su libro *La mujer juzgada por una mujer* (1882) un periodo difícil por el que había transitado, en el que parece que se mezclaron temas personales con su vehemente deseo de triunfar en la República de las Letras: "Desde Madrid fui a Valencia, donde llegué bastante triste, pues habiéndome contaminado con malas pasiones, sufrí mi amor propio al considerar que en la patria de las flores no podía yo figurar en primer término" (Gimeno de Flaquer, "La mujer juzgada" 177; 1882).

[47] Con "médicos alienistas" se refiere a especialistas en enfermedades mentales (RAE 36; 1869). Esculapio fue un dios y héroe griego relacionado con la medicina. Gimeno de Flaquer estaba familiarizada con el mundo de la medicina: en su relato corto "Por no amar" señala su relación con la familia de los doctores Esquerdo y, además, mantuvo una larga amistad con el doctor Ángel Pulido (1852-1932; Simón Alegre, "Prensa, publicidad y masculinidades" 61-66).

pues equivalía a decirme que no existe ninguno. Mi desconsuelo fue grande; entre mis reflexiones acerca del mismo punto, surgió la triste idea de que la mujer no se salva de sus indiscreciones cometidas por medio de la pluma, pues si no sabe escribir... hará que escriban por ella.

Efectivamente, conozco muchas mujeres que han tenido bastante fuerza de voluntad para rechazar al hombre que adoraban, hasta el valor de prohibirle esas visitas tan anheladas; y sin embargo, no han ejercido sobre sí mismas bastante dominio para defenderse de la pluma. ¡Oh sí! Es más fácil defenderse del hombre amado que de la pluma. El motivo es lógico: en el hombre amado se ve un peligro que se presenta de frente, que nuestros ojos contemplan y que nuestra imaginación declara formidable, mientras que en la pluma creemos ver el instrumento de nuestra voluntad. ¡Cuánto nos engañamos! La mujer es juguete de la pluma, triste es confesarlo: ella le hace sentir hasta lo más recóndito, hasta aquello que querría ocultarse a sí misma.

La pluma es para la mujer un enemigo traidor, porque esconde su fuerza y se presenta manso; la pluma es un enemigo implacable que la persigue de continuo; un enemigo alevoso y vil que delata a su dueña para ponerse al servicio de un desconocido. Si las mujeres quisieran oírme, yo les diría: ¡Mujeres, desconfiad de la pluma! Podrá buscar la mujer, antes de ponerse a escribir, el momento más tranquilo, aquel momento en que crea hallar su mente más serena, su espíritu más reposado y su alma más libre de toda agitación; leerá y releerá la carta escrita, la supondrá muy razonable y muy diplomática, quedará satisfecha, creyendo que la pluma se ha encadenado a su voluntad cual fiel esclava; pero ¡ay! Que no cante victoria; la carta habrá terminado felizmente tal vez, pero el triunfo no es completo todavía, porque... *queda la posdata.*[48]

¿Sabe usted, amigo mío, lo que es la posdata de la carta de una mujer? Es la roca que le ha hecho encallar, la tijera que le ha rasgado el antifaz con que se cubría, el bajel que le ha llevado a pique, la ola pérfida que le ha hecho

---

[48] Si se echa un vistazo a la correspondencia entre Concepción Gimeno y Manuel Catalina, sobresale que solo en la carta última (la décima) añadió un apartado de posdata. Hay que prestar atención a lo que dice Gimeno en ella pues, tal y como sostiene en este artículo, era la parte donde más sincera se mostraba una mujer enamorada: "Adiós hermano mío" (Carta 10). Con esta escueta posdata, Gimeno cerraba cualquier posibilidad de que continuara una relación íntima y personal con Catalina que superarse la idea de hermandad. Gimeno de Flaquer continuó insistiendo en la importancia de la posdata, por ejemplo en su artículo "Crónica femenina y feminista. Nacionalidad de la mujer", que subrayaba la importancia de dejar para el final el mensaje más relevante: "[c]omo en las cartas femeninas, que generalmente encierran en la postdata lo más importante" (542).

naufragar en el momento más crítico, en aquel momento en que no es posible encontrar cable salvador, es, en fin... el Rubicón de una mujer: no hay una sola que deje de pasarlo.[49] Si todavía existe algún hombre capaz de enamorarse verdaderamente y de abrir la carta de una mujer temblando de emoción, yo le aconsejo que principie la lectura de esa carta por la posdata. ¿Y si no la tiene? –me diréis. ¡Oh! Yo os aseguro firmemente que no puede existir carta de mujer sensible sin posdata. Insisto en que se lea lo primero la posdata, porque como la vida es tan incierta, como no tenemos un momento seguro, si le sorprendiera la muerte a un amante antes de leer la posdata de su amada, sería una gran desgracia; pero después de haberla leído... ¡oh! Entonces ya puede morir.

La posdata de una mujer es el mejor tratado de psicografía.[50] Considero, amigo mío, que al ver un artículo tan largo, va usted a exclamar: *esto es dejar correr la pluma* y escribiendo en español, *no basta sentar bien la pluma para echar buena pluma.*[51] Yo que no presumo de poseer *buena pluma* y que escribo en español lo cual es vivir *desplumada*, tendré que terminar, mas no lo haré sin presentarle a usted antes a mi pluma.[52] Habiéndola puesto en comunicación directa con usted, debe usted saber con quién se las ha habido. Si lo hago así, podrá usted decir, la autora de este artículo no tiene *buena pluma*, pero tiene educación. Hoy que son indispensables las presentaciones, debo ser cortés y ya que me ha faltado inspiración para describir el poder de la pluma, sabré *hacer a pluma y a pelo* aprovechando la oportunidad de demostrar que no desconozco las fórmulas sociales.[53]

---

[49] Rubicón se refiere al río italiano que pasó Julio César para enfrentarse a Pompeyo (49 a. e. c.). La escritora emplea esta expresión para destacar que las mujeres se podían embarcar en aventuras sin saber cómo iban a salir de ellas.

[50] El término "psicografía" no está recogido por el DRAE. Aunque esta palabra sí que la incluyeron otros trabajos como el *Diccionario Enciclopédico Gaspar y Roig* del año 1855 (Ulloa 918). La "psicografía" es la descripción del alma y sus facultades (Ulloa 918).

[51] El sentido de "no basta sentar bien la pluma" significa que no es suficiente con saber escribir "para echar buena pluma", es decir, y según el DRAE, para "pelechar" o "mejorar de fortuna" (807; 1884). De esta manera, Gimeno de Flaquer expresa que para triunfar en el mundo de las letras hay que saber, por ejemplo, relacionarse con personas influyentes o saber manejar la autopromoción, como ella supo hacer muy bien (Simón Alegre, "No pestañees: Activismo, identidad y firma visual" 124-140).

[52] "Desplumada" significa dejar a alguien sin ningún recurso. Con esta expresión, Gimeno de Flaquer se refiere a que todos sus recursos económicos los invertía en su carrera literaria (RAE 374; 1884).

[53] Según el DRAE es una expresión coloquial que significa "[N]o despreciar nada" (RAE 842; 1884). Gimeno de Flaquer dice aquí que hay que estar lista para cualquier eventualidad. Esta frase procede del ámbito de la caza y significa que a alguien le da igual cazar animales con plumas o con pelaje.

Figura V.2: Fotografía. "La escritora española Concepción Gimeno de Flaquer".

Fuente: *Caras y Caretas*, 20 May, 1911, p. 76. Imagen procedente de los fondos de la Biblioteca Nacional de España.

Mi pluma, que es de ave gárrula, consta de un astil convexo por dos de sus lados y arqueado por los otros dos.[54] Su cañón que está vacío como la cabeza de un fatuo, fue blanco alguna vez; es estrecho cual bolsa de usurero, se halla mordido y arañado como yerno que vive con su suegra, pelado cual calva de farmacéutico sexagenario, que ha gastado su vida descubriendo *simples*, y sus escasas barbillas [se] semejan a los cabellos de un viejo *verde*, que a fuerza de ponerles menjurjes se ha vuelto tricolor.[55] Mi pluma no tiene el elegante negro azulado del ala del cuervo; ni es bella cual la del ánade, ni graciosa cual la de la garza, ni se remonta cual la del águila; mi pobre pluma es muy *pedestre* y más que a la del cisne, [se] parece a la del ganso o a la del avestruz, que son aves de cortísimo vuelo.

---

[54] "Ave gárrula" es el pájaro que canta o chilla mucho (RAE 525; 1884). Gimeno de Flaquer remarca que ella, escribiendo, es cómo su pluma: charlatana, habladora y no se calla ante nada ni nadie. La figura V.2 es una de las últimas fotografías que tenemos de Gimeno de Flaquer, donde la podemos ver rodeada de sus utensilios de escritura y donde sobresale su pluma, que puede ser la que describe en este artículo (Simón Alegre, "Ahora no pestañees" 139-140).

[55] "*Simples*" significa un preparado farmacéutico compuesto por un ingrediente (RAE 978; 1884). Gimeno de Flaquer indica que su pluma tiene partes muy gastadas por lo mucho que la usa y que por eso ha adquirido una tonalidad tirando a verde. Este color lo tenía por las veces que limpiaba la tinta y ya la parte blanca se había cubierto de pigmentos oscuros. Debido a este cambio de color usa la expresión "viejo *verde*" que le sirve para indicar un tipo de hombre que intenta aparentar una edad que no tiene para atraer a personas más jóvenes y que, por ejemplo, para conseguir ese efecto se tiñe el pelo, pero sin lograr cubrir todas las canas (RAE 1082; 1884).

Ya ve usted, amigo mío, que tiene muy *mala pluma*.[56]

CONCEPCIÓN

P.D.-Este escrito se hallaría despojado de todos los méritos, si no encerrase uno cuya importancia es sin embargo, relativa. ¿Sabe usted en qué consiste ese mérito? En ser el primer artículo que dedico a un individuo del sexo feo. Mas... ¿qué hago?... ¡Dios mío!... ¡Horror!... He revelado la debilidad de mi sexo por la posdata y yo también la escribo... Esto es haber incurrido *dos veces en la posdata*... Decididamente, soy tan *mujer* como todas las mujeres... ¡Yo que me juzgaba incapaz de una posdata!... Ya ve usted, es imposible que ninguna mujer se salve de la posdata como no ha podido salvarse

CONCEPCIÓN GIMENO DE FLAQUER.

Las tertulias[57]

Gran dificultad ofrece para una señora el dar tertulias semanalmente: digo para una señora, porque en nuestras costumbres la mujer lleva el cetro en la vida social, como lo lleva el hombre en la política y en la administración. En un gran baile son muy limitados los deberes de la dueña de la casa, pero en las reuniones de confianza [se] ponen muy a prueba su talento y educación.[58] La señora que recibe está obligada a dirigir la conversación, no permitiendo jamás que se censure a determinada clase social, porque entre los tertulianos puede haber personas que más o menos directamente pertenezcan a ella.

---

[56] "Ánade" es un pato en cualquiera de las variantes de la familia de las anátidas (RAE 69; 1884). "Mala pluma" significa ser mal un mal escritor o escritora (RAE 842; 1884).

[57] Gimeno de Flaquer publicó este texto dos veces. La primera en su libro *En el salón* (89-96), la segunda –que es la que se reproduce aquí– en el *AIA* el 22 de febrero de 1901 (75-76).

[58] La diferenciación que presenta aquí Gimeno de Flaquer entre los bailes y las tertulias destaca la importancia del desarrollo de la vida social dentro de los espacios privados de las clases medias y altas en el Madrid finisecular. Como este texto trata, para realizar una buena tertulia lo más importante era el buen hacer de las mujeres. Durante su estancia en México (1883-1890), en su periódico el *AM*, esta escritora publicó una serie de crónicas donde hablaba de algunas de las tertulias y los bailes a los que había asistido. En este país, Gimeno de Flaquer comenzó a dar fiestas por su santo (véanse notas 86 de la sección "Cuentos cortos" y 26 de esta sección) y, al día siguiente, en su periódico aparecía una crónica de lo que había sucedido en este encuentro. Gimeno de Flaquer continuó con esta práctica mientras vivió en Madrid (1890-1909) y también usó el *AIA* para resumir no solo la fiesta por su santo, sino también otras reuniones o eventos, como por ejemplo las tertulias que celebraba los miércoles en su casa (Simón Alegre, "Queer Literary" 54-58).

Debe evitar toda murmuración contra los que no pueden defenderse, toda clase de alusiones a los presentes. Tampoco debe permitir equívocos atrevidos, frases de doble sentido o chistes pornográficos, que lastimen a las mujeres púdicas.[59] Saber envolverse en una atmósfera de simpático respeto es para el ama de la casa lo más trascendental; nuestro carácter expansivo se presta a todo género de bromas y es preciso saber graduarlas. La gran afición de nuestra raza meridional a las frases brillantes e ingeniosas conduce muchas veces inconscientemente, aun a los hombres más finos, a traspasar los límites del respeto social.

Una de las condiciones insustituibles en la señora que recibe es la amenidad; sin ella las conversaciones caerán en la monotonía más vulgar, haciéndose insoportables. Si es bella e inteligente, fijará la atención de los hombres más que sus amigas de iguales condiciones, por ser la figura principal del cuadro; en tal caso, su habilidad ha de consistir en evitar que todas las atenciones se dirijan a ella, porque no le perdonarían las amigas sus facultades absorbentes.[60] El amor propio femenino es muy exaltado, y para que a una mujer le toleren méritos las que no tienen ninguno es preciso que sea verdaderamente modesta, o al menos que sepa parecerlo. Cuando una mujer posee ilustración y talento tiene que imponerse muchos sacrificios, siendo uno de los mayores descender hasta la frivolidad de los que la rodean, para no hacerse odiosa por su ilustración, que suelen tachar de pedantería los hombres necios y las mujeres frívolas.[61] Hacer

---

[59] Sobre el tema de la pornografía, véase nota 76 de la sección "Cuentos cortos".

[60] Es importante señalar cómo Gimeno de Flaquer, en sus escritos, a la vez que siempre defiende a las mujeres para que disfruten de las mismas posibilidades que los hombres, también remarca la actitud antagonista que algunas mujeres podían tener entre sí. Por ejemplo, esta escritora colaboró en la obra de los escritores Teodoro Guerrero (1824-1904) y Ricardo Sepúlveda *Pleito del matrimonio* (la primera edición es de 1873), y aprovechó su más que curiosa defensa de lo beneficioso de casarse para subrayar lo mucho que le habían hecho sufrir las mujeres: "Todos los disgustos sufridos en mis cortos años me los han dado las mujeres [...] el que conociendo yo esa ingratitud, siga siendo constante paladín de mi sexo [...] [así] a las mujeres deberé la salvación de mi alma, pues según nuestra religión, se salva el que perdona a *sus enemigos*" (Gimeno, "Testigos necesarios" 221). Gimeno subraya que las únicas que no se habían portado mal con ella era justamente las mujeres que no se habían casado, las "solteronas" ("Testigos necesarios" 221). La escritora Carmen de Burgos criticó esta actitud antagonista de Gimeno de Flaquer en parte de sus obras de ficción (Simón Alegre, "Queer Literary" 54-58 y 67-72).

[61] Tanto en su obra de ficción como en sus ensayos, Gimeno de Flaquer recurrió a la figura de la mujer coqueta para criticar a las mujeres que solo buscaban la atención social a través de hacer destacar su apariencia pública. Al inicio del siglo XX, esta escritora comenzó a denominar más a este tipo de mujeres a través del adjetivo de frívolas. En 1904, Gimeno de Flaquer publicó un artículo acerca de cómo la neurastenia estaba presente

sentir en las relaciones sociales el peso de la superioridad es pueril vanidad de mal gusto que suele pagarse demasiado cara.

Procúrese con gran empeño que cada uno de los concurrentes a una tertulia luzca sus facultades para el canto, el piano o recitado, evitando exhibir demasiado sus talentos los dueños de la casa para no absorber un tiempo que deben consagrar a los amigos.[62] Gran cuidado ha de tener la señora que recibe en invitar a decir versos a todos los poetas que se hallen en la tertulia, porque cualquier demostración de preferencia sería muy censurada. Como una tertulia no es una Academia, debe darse preferencia a la cortesía sobre el mérito literario, atendiendo lo mismo a los poetas mediocres que a los eminentes. Es una vulgaridad la repetición inconsciente de que la poesía *está llamada a desaparecer.*[63] No es que guste menos hoy la poesía que ayer; lo que sucede es que nuestra época tiene muy depurado el gusto, y exige más verdad y corrección en los versos que se exigía en otros tiempos.

¡Morir la poesía! La poesía no morirá jamás, porque tiene su germen de vida en el infinito del espíritu, en la parte inmortal de nuestro ser.[64] [Se] dice que nuestro siglo es completamente industrial y economista, que es el siglo del tráfico y del agio; pero ni el agio ahogará nunca en sus estrechas fauces a la poesía, ni el tráfico la arrollará en sus remolinos, ni el mercantilismo la tronchará con sus rudos aquilones, ni la industria la asfixiará entre el denso

---

entre las mujeres frívolas, que para ella representaban el prototipo de las mujeres que no ejercían un trabajo o tenían una ocupación ("La enfermedad misteriosa" 326-327).

[62] Gimeno de Flaquer describió numerosas tertulias en sus obras de ficción (Simón Alegre, "Queer Literary" 73-76 e "Introducción crítica").

[63] Con este comentario, Gimeno de Flaquer puede referirse al poeta y dramaturgo José Zorrilla (1817-1893), autor de la famosa obra de teatro *Don Juan Tenorio* (1844) y, en concreto, a su intervención en el Ateneo de Madrid (1888) acerca del tema "La forma poética ¿está llamada a desaparecer de la literatura contemporánea?", de la que el periodista de sociedad Kasabal (José Gutiérrez Abascal; 1852-1907) hizo una crónica para el periódico *El Resumen* (citado por Zorrilla 64). La frase la dijo alguien que estuvo en esta velada, donde destacó que gracias a Zorrilla la poesía no desaparecería ni tampoco mientras existieran mujeres como la condesa de Guaqui (Zorrilla 64), María del Carmen de Aragón-Azlor e Idiáquez (1841-1905; también conocida como la Duquesa de Villahermosa), mecenas del arte y de Zorrilla, entre otras personas.

[64] La parte donde Gimeno de Flaquer habla de la poesía procede de su libro de 1887 *La mujer juzgada por una mujer*, en concreto de su capítulo "Influencia de la novela en la imaginación de la mujer" (88-90). En él, esta autora analiza de forma extensa el tema de la poesía y la necesidad de que se siga escribiendo y recitando. Gimeno de Flaquer publicó este texto en el *AIA*, con diferentes añadidos, por lo menos tres veces más: en "Influencia de la novela en la imaginación de la mujer" (1892; 134-136), en "Poesía y el naturalismo" (que dedicó a los señores de La Roche; 1898; 52-53) y con el mismo título en 1908 (98-99).

humo de sus calderas, ni ha de pulverizarla el progreso con su demoledora piqueta.[65] La poesía tendrá detractores entre los positivistas, será negada por los incrédulos, mas ella se levantará con serenidad olímpica en los momentos culminantes, y al presentarse la diosa enmudecerán los ateos. La poesía, que es impalpable como el espíritu humano, flota en todos los horizontes y latitudes.

La poesía no ha muerto, se ha transformado: la poesía moderna, sobria, vigorosa, elige por numen inspirador a la verdad. Nuestro siglo, que tiene muy desarrollado el sentido de lo real, no podía alimentarse de fábulas; a tal siglo, tal poesía. Cantar lo real es lo que se ha propuesto nuestra época; la poesía de lo real es la poesía de este siglo. En nuestros días se detesta lo convencional; la poesía de nuestra época ha cambiado de faz, y los que no la conocen bajo el nuevo aspecto, dicen que ha muerto. La poesía de hoy no es la de las Clori y Mirtilo, no es la poesía lacrimosa de los románticos desesperados; no se pasea por los jardines de Academos, ni serpentea por la Arcadia, ni descansa a la sombra del Pireo, ni sacia su sed en Helicona, ni se postra ante Flora, ni ante Armida: la poesía de hoy responde a las necesidades modernas, y por eso es esencialmente humana.[66] Tachar de antipoético a un siglo que está arrancado sus secretos a la luz, a la electricidad, al magnetismo y al movimiento es una blasfemia. La poesía de nuestra época no es la égloga y el ditirambo;[67] la poesía de nuestra época tiene dos caracteres altamente importantes: es didáctica o subjetiva. Como didáctica, instruye deleitando; como subjetiva,

---

[65] "Agio" significa el beneficio que se obtiene del cambio de moneda (RAE 89; 1884). Con "aquilones" se refiere a los vientos fríos del invierno (RAE 90; 1884). Aquí Gimeno de Flaquer muestra cómo su mundo iba cambiando a medida que las innovaciones tecnológicas se difundían por la sociedad. Estas líneas las modificó sustancialmente respecto a la primera vez que publicó este texto en 1887.

[66] En el original, Gimeno de Flaquer indica "Cloris y Mirtilos", pero seguramente se refiere a la poesía que recita don Carlos, uno de los asistentes a una tertulia en la novela del escritor Juan Valera, *El comendador Mendoza* (1877), describiendo los amores de Clori y Mirtilo (capítulo VIII). Gimeno de Flaquer está criticando indirectamente la obra de Valera y el estilo romántico del que está impregnada. Los "jardines del Academus" rodeaban a la Academia de Atenas de Platón. "Arcadia" es una parte del Peloponeso en Grecia, pero también un lugar o ambiente utópico e idílico. Con "Pireo", Gimeno de Flaquer parece referirse al puerto de Atenas. Con "heliconia" se puede referir a una flor, pero también al Monte Helicón (Grecia) que estaba consagrado a Apolo y a las musas y donde estaba la fuente Hipocrence. La diosa Flora es la deidad de la primavera. "Armida" se refiere a uno de los personajes de *Jerusalén Libertada* (1581), del escritor Torquato Tasso. Armida era una hechicera sarracena que tenía el cometido de parar a los primeros cruzados.

[67] La "égloga" es un subgénero de la poesía lírica en el que se intercalan pequeños diálogos como si fuera una obra de teatro. El "ditirambo" es una composición lírica griega dedicada al dios grecolatino Dioniso-Baco.

canta los dolores de la humanidad al cantar los dolores del poeta. No acuséis de antipoético a una época que ha visto nacer a Byron, Lamartine, Messonier, Fortuny, Rossini, Meyerbeer, a Fernán Caballero, a Victor Hugo y a Zorrilla.[68]

La poesía existirá mientras sea el amor el eje de la vida, mientras palpite el corazón de una mujer. Nunca desaparecerá el ideal poético de la conciencia humana. Mientras haya sueños en la imaginación de la mujer, sentimientos en su alma, exaltación en su corazón, lágrimas en sus ojos y dulces acentos de perdón en su boca; mientras ella se convierta en inspiradora del bien; mientras se agigante en alas de la abnegación; mientras ella sea cual hasta hoy grande y sublime, habrá poesía.

Mas, cerrando este largo paréntesis, volveré a tratar de los deberes de una dama para con sus tertulianos. El té lo distribuirá ella, si no tiene hijas, ayudada de alguna señorita a la que esté unida por íntima amistad o parentesco. La primera taza debe ofrecerla a la persona más respetable, de mayor cumplido, o a la que haya sido recientemente presentada. Puede concederse tal distinción a alguna persona extranjera, sin que haya derecho a la más leve censura. Sabido es que las personas predilectas de la señora que da reuniones son las que reciben en público menos atenciones, ya que no faltan ocasiones de ofrecer testimonios de cariño en otros momentos. Muy digno de recomendación es el acertado tino que se necesita para prodigar elogios sin lastimar a nadie. Las alabanzas deben ser justas y moderadas; la exageración de ellas podría tomar aspecto de burla o servilismo.

Otros pequeños pormenores cabrían en este capítulo, pero los creo innecesarios, fiada en la cultura de mis lectores. Existen gran número de fórmulas sociales que nacen de las circunstancias, que no pueden someterse a reglas fijas y que tienen por canon el buen sentido, el claro criterio de la señora que recibe. La mujer verdaderamente distinguida posee un *savoir faire*

---

[68] Sobre Byron, véase nota 8 de la sección de "Cuentos cortos", para Lamartine, consúltese notas 25 y 59 de la sección de "Cartas"; y para Hugo, véase nota 15. Ernest Meissonier (1815-1891) fue un pintor francés. Gimeno de Flaquer aprovechó su muerte para hablar de la influencia que tuvo en algunos pintores mexicanos y componer una lista con algunos de sus cuadros, y por la cantidad que se habían vendido ("Crónica Policroma. Los cuadros de Meissonier" 62). La referencia a "Fortuny" puede señalar tanto al pintor y grabador Mariano Fortuny (1838-1874) como a su hijo el diseñador Mariano Fortuny y Madrazo (1871-1949). Gioachino Rossini (1792-1868) fue un compositor italiano. Giacomo Meyerbeer (1791-1864) es un compositor alemán de origen judío. Concepción Gimeno admiraba a este músico pues en *Victorina* la protagonista decide interpretar una obertura suya para el día de su santo: *La estrella del Norte* (216; volumen I). Sobre Fernán Caballero, véase nota 9 y sobre Zorrilla, consúltese nota 63.

innato e instintivo, que hace delicioso su trato.[69] Procuren las jovencitas imitarla y se producirán correctamente en sociedad. El arte de recibir es dificilísimo. Si la señora que recibe se muestra demasiado expansiva, denota que la alegría de ver su casa llena de gente le rebosa, que se halla conmovida por el honor que hacen a sus invitaciones; si aparece fría y tiesa, revela afectación de mal gusto, gran empeño en demostrar que está concediendo una deferencia, que es preciso saber agradecerle. Evitar estos dos escollos es poseer don especial para recibir, es convertirse en musa de los salones.

2. ENCUENTROS DE CONCEPCIÓN GIMENO DE FLAQUER CON MÉXICO Y LAS MEXICANAS

La obrera mexicana[70]

Hay una clase olvidada de la sociedad, una clase tan interesante como respetable, una clase que necesita ayuda y amparo, y que sin embargo se halla muy desatendida; esta importante clase, tan digna de la mayor consideración, es la clase proletaria a la cual pertenece la mujer que necesita ganarse el sustento: la obrera.[71] La mujer nacida en dorada cuna todo lo debe al favor de la suerte; la obrera todo lo debe a sí misma. A la mujer de alta posición le es fácil ser virtuosa; cuanto le rodea la protege, la escuda, la defiende; hasta la educación que ha recibido es un dique a sus pasiones; mientras que la mujer proletaria se halla indefensa y sola para combatir al vicio cuando este se le

---

[69] La expresión francesa "savoir faire" significa "saber hacer" y conlleva tener experiencia para hacer las cosas bien.

[70] En su primer libro de ensayos, *La mujer española* (1877), incluyó el capítulo "¡Plaza a la mujer!" (119-126) que contiene reflexiones y frases semejantes a las de este artículo, pero no es una versión del todo idéntica. En México, Gimeno de Flaquer publicó este artículo en cuatro ocasiones. Primero tres veces en 1883, en los periódicos *La Mujer* (1-3), *El Hijo del Trabajo* (citado en Villalobos Calderón 258-261) y *Las clases productoras* (1-2), y después en 1884, en su periódico, el *AM* (3-5). La versión de 1884 publicada en el *AM* el 6 de enero de 1884. es la que se sigue aquí. Cuando la escritora ya estaba instalada en Madrid, en 1898, publicó el mismo artículo en el *AIA*, pero variando el título ("Feminismo. La obrera") y sustituyendo las referencias a México por España (218-220).

[71] Tanto en el apartado de cuentos (véase "El espejo mágico"), como en este que recoge sus artículos más sobresalientes, se aprecia que el tema de las trabajadoras fue importante para Gimeno de Flaquer. Por ejemplo, en su libro *El problema feminista* (1903), subraya la importancia de tener en cuenta a las mujeres de este sector económico y social (14-16). Esta temática ayudó a Gimeno de Flaquer a trazar conexiones con la nueva generación de escritoras que estaban comenzando a desarrollar sus carreras a principios del siglo XX, como Carmen de Burgos. En el *AIA*, Burgos publicó dos artículos relacionados con estos temas: "Habitación para obreros" (386-388) y "Mortalidad en la infancia" (304).

presenta hermoso, espléndido, irresistible, fascinador. A la señora favorecida por la fortuna nada le falta; a la mujer proletaria le falta todo.

Pedimos a la mujer pobre que sea honrada, y se le niegan los dos medios que necesita para serlo: el trabajo bien retribuido y la instrucción. Rara vez se pervierte la mujer por el gusto de pervertirse; cuando la mujer baja a la sima de la degradación, es porque ha sido impulsada por la ignorancia o el hambre; la miseria y la ignorancia son muy malas consejeras. El hombre siempre egoísta, en vez de proteger al sexo que apellida débil, ha conspirado contra él; no solo le ha anatematizado cruelmente, sino que le ha usurpado las pocas ocupaciones que le quedaban para atender a las necesidades de su existencia. El hombre ha despojado gradualmente a la mujer de los pocos medios con que contaba para defenderse de la miseria.[72]

Es vergonzoso y hasta humillante, ver a un hombre en un almacén de modas, ocupándose en hacer apologías de las últimas, plegando y desplegando telas delicadísimas, que ofrecen en sus manos el terrible contraste que presenta a nuestra vista el raso y la estameña.[73] ¿No es doloroso que el hombre, dotado de robusta naturaleza, de gran musculatura y de fuerza atlética, se apodere de pequeños trabajos, únicos que puede desempeñar la mujer por su delicada contextura y su pobre organización física? Es deplorable que un hombre gaste el vigor de su juventud en trenzar cabello, en peinar bucles y rizar sortijillas y tirabuzones. Ni los modistos ni los peluqueros debieran existir. ¿Hay nada más ridículo y absurdo que un hombre ocupado en modas de señora?[74]

Es necesario, es indispensable crear para la mujer ocupaciones lucrativas y retribuir mejor el trabajo que hasta hoy le ha sido confiado. Filósofos, moralistas, legisladores y gobernantes, cread plazas para la mujer, y centros de enseñanza donde pueda ilustrarse. ¡Solo así contribuiréis al perfeccionamiento

---

[72] "Anatemizado" (no aparece en los DRAE) viene del verbo "anatemizar", de "anatematizar", que significa excomulgar, condenar a la expulsión de la Iglesia por mala a una persona (RAE 70; 1884). Con esta última frase, Gimeno de Flaquer denuncia cómo los hombres han ido ocupando profesiones relacionadas con la belleza o la cocina de alta gama apartando a las mujeres de estas posibilidades (Simón Alegre, "Algo más que palabras" 98-100).

[73] Consúltese nota 33 de la sección de "Cartas" acerca de la estameña.

[74] A la altura de 1881, Gimeno de Flaquer señala cómo las identidades de género y las ocupaciones respecto al mundo del trabajo estaban sufriendo cambios. Estas mutaciones llevaban a que mujeres y hombres estuvieran compitiendo por los mismos trabajos dentro del mundo de la belleza y de los cuidados. Esta escritora ataca duramente a los hombres que habían orientado sus carreras hacia estos empleos porque cree que no son adecuados para ellos. Este es el principio de los cambios en cuanto a los modelos de feminidad y masculinidad que se pondrán marcha a lo largo de todo el siglo XIX (Aresti, "La historia de género y el estudio de las masculinidades" 173-194).

de la sociedad! Dando a la mujer instrucción y trabajo bien retribuido, mejoraréis las costumbres, porque la instrucción moraliza. Haced que la mujer pueda bastarse a sí misma, y de este modo la mujer solo se casará por amor, y no venderá su corazón por un pedazo de pan.[75] Hay muchos trabajos que podía desempeñar la mujer si se le facilitasen antes los medios para instruirse. La mujer puede ser litógrafa, telegrafista, encuadernadora, taquígrafa y cajista.[76] La mujer puede hacer todos los trabajos delicados que exigen paciencia y buen gusto, pues la mujer posee la idea del arte porque tiene muy desarrollado en su alma el sentimiento de lo bello. La mujer puede grabar en madera, pintar porcelanas, cristal, rasos, e iluminar papel de lujo para cartas: la mujer puede dedicarse a la teneduría de libros, a la fotografía y

---

[75] Una de las primeras colaboraciones de Gimeno fue en un libro del que será un amigo toda su vida, el escritor Teodoro Guerrero, *Pleito del matrimonio*, editado junto al escritor Ricardo Sepúlveda. La colaboración de Gimeno apareció en la quinta edición de esta obra y, aunque el libro tiene fecha de 1884, el texto de la escritora data de enero de 1879, cuando todavía no estaba casada. Si bien se mostraba proclive al matrimonio, remarcaba que para ella no era una salida del todo económica, pues subraya que se dedica a escribir: "A pesar de la desmesurada pasión que sentimos por la gloria los que cultivamos las letras o las artes, el consorcio con la inmortalidad no me daría la necesaria resignación para sufrir un *celibato forzoso*" (Gimeno, "Testigos necesarios" 220). En el cuento corto "El secreto", Gimeno de Flaquer se aproxima al tema de cómo una mujer puede tener otras opciones.

[76] Respecto a "litógrafo", en la primera versión de este artículo –de 1883– figura como "litógrafa" (3), que Gimeno de Flaquer cambió a su forma masculina en la edición de 1884 y volvió a recuperar en femenino en el artículo de 1898 ("Feminismo. La obrera" 219). La lista de profesiones que incluye aquí Gimeno de Flaquer, corresponde a empleos relacionados con las comunicaciones y el desarrollo de la prensa, a los que, a partir del siglo XX, las mujeres accederían (Fernández, "¿Una empresa de mujeres?" 11-39; Rota 207-236; Simón Alegre, "Algo más" 99-100). "Litógrafo" es una palabra que el DRAE incluyó solo en masculino hasta su edición de 1984 (RAE 839). La persona que desarrolla este oficio se encarga de dibujar o grabar en una piedra especial diferentes escritos o grabados (RAE 839; 1984). "Telegrafista" es un neologismo que aparece por primera vez en el DRAE en 1884, como denominación para la profesión para ambos sexos, ya que designaba a la "persona" que manejaba el telégrafo (RAE 1014). "Encuadernadora" y "taquígrafa" son profesiones para las que el DRAE solo incluirá la opción en femenino en su edición de 1925 (RAE 486 y 1151). "Encuadernadora" es la "persona" encargada de unir varias páginas entre sí, y "taquígrafa" es también la "persona" que maneja el taquígrafo (RAE 486 y 1551; 1925). "Cajista" se refiere al "oficial de imprenta" que compone lo necesario para el proceso de impresión de las páginas. Solo en la edición actual del DRAE se incluye la profesión de "cajista" con la opción de su uso en masculino o femenino.

a la copia de manuscritos. Mas no ha de trabajar por trabajar, sino para que su trabajo le sea retribuido decentemente.[77]

Hasta ahora no ha sido así, pues el trabajo del hombre obtiene mejor recompensa que el de la mujer. Ocúpense en remediar este y otros males las personas a quienes corresponde hacerlo, en vez de arrojar un tupido manto sobre las llagas sociales, por no tomarse la pena de aplicar un bálsamo cicatrizador. El hombre, que debía poner barreras al borde del abismo y puentes sobre los precipicios, hace todo lo contrario; conduce a la mujer por tortuosas sendas, alzando ante su paso lazos infames, abismos y cloacas inmundas, y cuando esta, al verse en el fango implora una mano salvadora, el hombre la abandona dejándola sumida en la corrupción que él la hizo conocer. En este estado, al ver la mujer sobre sí el desprecio universal, y la miseria más espantosa por haber cometido la primera culpa, cree que su completa degradación es inevitable, que nada puede esperar de la sociedad, y se sepulta arrojada por la desesperación en un cenagoso pantano, del cual no vuelve a salir.

¡Hombres, no rechacéis a la mujer que habéis hecho delinquir! Protegedla, rehabilitadla, elevadla hasta vosotros, pues tenéis sagrados deberes que cumplir con ella. Por cada alma que salvéis de un naufragio moral, Dios os concederá infinitos dones. Los dos sexos son iguales ante Dios, porque a los dos sexos los ha dotado de inteligencia: siendo iguales, contraen idéntica responsabilidad ante Él; pero es preciso para esto que reciban los mismos grados de cultura. ¡Hombres! no queráis por compañera de vuestra vida una mujer esclavizada por la ignorancia, pues la esclavitud degrada, envilece.[78] Si os empeñáis en tratar a la mujer como criatura inferior a vosotros, o se degradará aceptando ese trato, o provocará la rebelión al rechazarlo.

---

[77] Gimeno de Flaquer insiste tanto en sus obras de ficción (consúltese el relato corto "El secreto"), como en sus ensayos acerca de la importancia de que las mujeres estén atentas a sus finanzas y a los recursos de los que dispondrán otras mujeres en sus familias. En sus artículos "¡Plaza a la mujer!" y "Cultura femenina", incluidos en esta sección, esta escritora insiste en la importancia de que mujeres y hombres ganen por el mismo trabajo un sueldo similar. Por su interés en cuestiones relacionadas con asegurar que las mujeres pueden disponer de diferentes recursos económicos, no sorprende la noticia que incluyó en su periódico, el *AIA*, acerca de cómo las mujeres de las clases altas debían pagar adecuadamente los trabajos que hacían las mujeres que trabajaban para ellas ("Crónica femenina y feminista. Inmoralidades" 314, y consúltese también el cuento corto "El espejo mágico").

[78] Gimeno de Flaquer estaba en contra de la esclavitud, tal y como expone en su novela *Maura* (1888; Simón Alegre "Introducción crítica"). Las referencias al mundo de la esclavitud también están en sus ensayos (Labanyi 52-56; Tsuchiya, "Género, asociacionismo y discurso antiesclavista" 111-130).

La planta nace, crece y se desarrolla con toda la libertad de su fuerza nativa; el irracional se mueve con todo el vigor de su ser; todo en la creación tiende a la libertad, y no es justo que la mujer sea el único ser cuyo pensamiento se paralice, cuya voluntad se aniquile y cuya inteligencia se eclipse porque el hombre la quiera doblegar. La subordinación completa de la mujer es un mal para vosotros, porque al perder la mujer la energía de carácter, su iniciativa y toda su fuerza moral, se convierte en un instrumento ciego que cualquiera puede manejar a su antojo. Con tan bajo servilismo degradáis a la mujer hasta lo último, pues pierde la conciencia de su propio valer y no se estima en nada.

¡Instruid a la mujer, salvadla de la ignorancia que es su ruina! Como un mentís a vuestras aseveraciones respecto a la inferioridad moral de la mujer, se alzan a cada paso mujeres superiores que nada os deben a vosotros y que todo lo han conseguido por su inteligencia y aplicación. Si careciendo de medios para instruirse, existen tantas mujeres notables por su ilustración, ¿qué sería si poseyesen cual vosotros alcázares de la ciencia, templos de la sabiduría? No cabe vacilación alguna cuando se trata de afirmar que la mujer tiene derecho a las profesiones industriales: ¡La mujer tiene conquistado un puesto en el mundo de la inteligencia, en las regiones del arte, en las esferas del pensamiento, en el banquete universal!

En otros países las mujeres desempeñan cargos distintos que les permiten bastarse a sí mismas sin el apoyo del hombre.[79] La mujer mexicana que pertenece a la clase pobre, se ve obligada muchas veces a unirse eternamente a un hombre que no ama, por temor al mísero porvenir que le ofrece el celibato. Nada más inmoral que esos lazos formados por el cálculo, y es tan fuerte sin embargo el poder de la costumbre, que todos exclamamos con la firmeza de la convicción: *la carrera de la mujer es el matrimonio.* ¡Qué dislate! El matrimonio es un sacerdocio para el cual se necesita verdadera vocación, muchísima más que para pronunciar los votos religiosos.[80] ¡Cuántas mujeres se casan sin que el corazón haya tomado la menor parte al formar tan seria resolución!

Si las mujeres mexicanas son en su mayor número virtuosas, se debe a la altivez indomable que las caracteriza, a ese sentimiento de dignidad que les hace avergonzarse ante sí mismas por la más leve falta, a ese orgullo que no

---

[79] Gimeno de Flaquer aportó en sus libros numerosos ejemplos en relación a cómo las mujeres desarrollaban sus carreras al margen del matrimonio. Véanse *La mujer intelectual* (1901) y *Mujeres de raza latina* (1904) al respecto.

[80] Aquí Gimeno de Flaquer señala lo erróneo –que califica como "dislate" o disparate– acerca de la idea popular de que las mujeres únicamente dedicaban su vida a conseguir casarse. Esta no era la primera vez que insiste en los paralelismos entre el matrimonio y el sacerdocio. Ya en su texto "Testigos necesarios" había planteado este tema (Gimeno 218-223).

les permite bajarse una línea del pedestal de su honra, a esa severidad de conciencia que es su inflexible fiscal. Mas ¡cuántas que no tienen abrigada el alma por el amor y que han doblegado la cerviz al matrimonio *por necesidad*, vegetan moralmente en una atmósfera helada, y son víctimas de una callada desventura que no permite la menor expansión! ¡Cuántas mujeres casadas sin amor se entregan al lujo o a diferentes puerilidades por ocupar en algo su incierto pensamiento, ya que el corazón está dormido en un letárgico sueño![81]

Hay mujeres que, unidas a un hombre que no aman, se escudan en su virtud y se permiten lucir todos los defectos de una mala educación, y los vicios de un carácter irascible, con un sinnúmero de groserías e inconveniencias, creyendo todavía que el marido debe guardarles gratitud porque le conservan la honra. ¡Qué fidelidad tan poco delicada! ¡Cuán impotente para satisfacer a un hombre de sentimientos elevados!

Mientras la mujer soltera no pueda crearse una posición, rara vez sabrá el hombre, al conducir a su novia al altar, si la guía el amor o el cálculo. Por estas y otras consideraciones, el hombre debe estar interesado en que la mujer adquiera abundantes medios para defenderse de la miseria. Un francés conocido como gran escritor, manifiesta claramente la parte activa que las mujeres de su país toman en la vida pública, desempeñando varios destinos, poniéndose al frente de grandes establecimientos, y compartiendo con el hombre las tareas intelectuales. Después añade:

> "Al nacer un príncipe o casarse una rica heredera, en cualquier nación, se pide a la Francia el *trousseau* o la canastilla; el mundo entero es nuestro tributario. Y este tributo ¿quién lo ha impuesto al mundo? Las mujeres. París las encierra a millares; oscuras o célebres, pobres o ricas, que dotadas de esa inexplicable cualidad, metamorfosean bajo sus dedos de hada el oro, la seda y las flores, atrayendo cada una de ellas muchos millones a Francia. Más de cuatro árbitras de la moda hoy y verdaderas artistas, empezaron su carrera en una parada, y han terminado por crearse una fortuna".[82]

---

[81] Respecto a la expresión de la "cerviz", desde su correspondencia con Manuel Catalina le gustaba emplear esta idea para referirse a los compromisos que siempre se debían cumplir (consúltese nota 43 de la sección de "Cartas"). "Puerilidades" se refiere a comportamientos que tienen que ver con la niñez (RAE 877; 1884).

[82] Gimeno de Flaquer ya había empleado este mismo párrafo en su obra *La mujer española* (125). Se refiere al escritor francés Ernest Legouvé (1807-1903). La cita que incluye aquí es una adaptación de Gimeno de un párrafo incluido en el libro de Legouvé, *La historia moral de las mujeres* (1848; 423). Su nombre y sus frases más sobresalientes aparecen en la sección "Pensamientos" que a veces incluyó en sus

Protéjase a la mujer proporcionándole medios de atender a su subsistencia, y se remediarán muchas miserias sociales. La mujer no se arrastra por el fango sin sostener una fuerte lucha consigo misma y hasta haber sido vencida por el desaliento. Solo dos causas corrompen a la mujer: la ignorancia y el hambre. Sí, la ignorancia le es fatal a la mujer: cuando la inteligencia de la mujer está cultivada, puede comprender claramente los sofismas, los falsos silogismos, las astucias con que el vicio se presenta para vencer a la virtud; y conociéndolo, está salvada. ¡Filósofos, moralistas y gobernantes: dad instrucción y trabajo a la obrera; mejorad las condiciones de la clase proletaria, y todas las pobres serán honradas!

La consejera de Hernán Cortes[83]

> "Al nacer el primer hijo de doña Marina y Cortés, nació la nacionalidad mexicana, juntándose dos razas enérgicas, vigorosas, una de acción y otra pasiva". Justo Sierra[84]

---

páginas finales el *AIA* (consúltense los siguientes números: 22 Jul. 1895; 22 Mayo 1899; 7 Jun. 1901 y 14 Feb. 1909). Además, Gimeno de Flaquer destacó a este escritor como uno de los pioneros en el desarrollo del feminismo en Francia ("Origen del feminismo en Francia. Conclusión" 254-255). Respecto al sustantivo de "árbitra" hay que señalar que solo a partir de la edición del DRAE de 1884 esta palabra quedaba recogida con posibilidad de usarse en femenino y masculino (RAE 92).

[83] Gimeno de Flaquer publicó este artículo cuatro veces. La primera vez fue en 1884 y lo tituló "La inspiradora de Hernán Cortés" (142-143). En 1890, volvió a sacar este texto, aunque con algunas modificaciones, en su libro *Civilización de los antiguos pueblos mexicanos* (77-93). En 1894, lo publicó nuevamente en el *AIA* bajo el título "Una india notable" e introdujo algunos cambios, como por ejemplo usar el apodo negativo de *La Malinche* (268-269). Finalmente, en 1902 y en este mismo periódico, apareció de nuevo este texto, pero con un título diferente, "La consejera de Hernán Cortés" (2-4, esta es la versión que se incluye en las siguientes páginas). Salió en el *AIA* el 7 de enero de 1902. Parte del artículo de 1902 está incluido en el libro del escritor mexicano Carlos Hernández, *Mujeres célebres de México*, publicado en 1918 (29-32).

[84] Doña Marina (también conocida como Malintzin; 1500-1527 o 1551) fue una mujer mexica nacida en una familia de alta clase que, por diferentes motivos, a la llegada de los españoles era esclava (Townsend 29-58). Como este artículo presenta, doña Marina es una figura imprescindible para entender cómo se desarrolló la conquista española de México (1516-1528). Fue intérprete y ejerció de negociadora (Townsend 91-160). Doña Marina ocupó la portada del *AM* del 11 de septiembre de 1884 (ver figura V.3). Entre los medios de comunicación mexicanos, esta portada y el artículo de Gimeno de Flaquer ("La inspiradora de Hernán Cortés"; 142-143) causaron numerosas controversias (Pintos 92). Hernán Cortés (1485-1547) lideró la conquista de México y después realizó toda una serie de exploraciones por la actual Baja California. Justo Sierra (1848-1912) fue un historiador

No busquéis la verdadera fisonomía moral de doña Marina en los archivos, porque no la encontraréis; los cronistas mexicanos no hablan de ella con el entusiasmo que debieran, porque no le han perdonado su adhesión a los conquistadores; los cronistas europeos le dedican escasas líneas, pensando tal vez que la gloria de una india a nadie interesa; unos y otros le han negado en la historia la brillante página que merece; pero quien, cual yo, se consagra a exhumar celebridades femeninas y ha recorrido los lugares que ella habitó, viendo alzarse su hermosa silueta vigorosamente dibujada por la leyenda y la tradición, y engrandecido su recuerdo por la poesía popular, expresión sincera del más férvido entusiasmo; quien conoce la ardiente imaginación de los indios propensos a creer en trasmigraciones como lo fueron sus antepasados, y sabe que todavía sueñan verla en la ola de murmurio sollozante, en el melancólico rayo de la luna y en el ave de más triste canto, no puede permitir que su memoria se desvanezca como fragante esencia, ligera nube, onda espumosa o tierna melodía.[85]

---

mexicano. En el *AIA* del 14 de noviembre de 1900, se publicó el discurso que pronunció en el Congreso Hispano-Americano celebrado en Madrid en este mismo año ("Congreso Hispano-Americano" 494-496). La frase que reproduce aquí Gimeno de Flaquer formó parte del discurso que Sierra dio en el Ateneo de Madrid, titulado "Una lección de historia", el 26 de noviembre de 1900 (citado por Flaquer, "Crónica española y americana" 518). Cuando este texto se publicó en 1919, la frase que aquí incluye la escritora es algo diferente (Sierra, "Una lección de Historia mexicana" 178). Cortés y doña Marina tuvieron un hijo (Martín Cortés [1523-1595]; Townsend 271-304).

[85] Concepción Gimeno de Flaquer y su marido, Francisco de Paula Flaquer, vivieron en ciudad de México entre 1883 y 1890. Durante estos años, viajaron por diferentes partes del país (Simón Alegre "Introducción crítica"). Es muy posible que la escritora aprovechara estos trayectos para localizar los lugares relevantes relacionados con la historia de doña Marina. Una "trasmigración" significa el paso de un alma de un cuerpo a otro, proceso relacionado con la metempsícosis (RAE 1042 y 700; 1884). La metempsícosis es una doctrina filosófica y religiosa según la cual las almas pasan a cuerpos más o menos perfectos en función de sus merecimientos en la vida anterior. Gimeno de Flaquer mencionó esta creencia para destacar cómo las flores eran las depositarias de las almas de las niñas que morían ("Niñas y flores" 18). En relación a las culturas mayas y aztecas, Gimeno de Flaquer señalaba la presencia de estos tipos de prácticas transmigratorias entre las personas que ejercían de chamanes (Estrada Ochoa 194).

Figura V.3: Portada. Doña Marina.

Fuente: *El Álbum de la Mujer*, 11 Sep. 1884. Imagen procedente de la Biblioteca de la Universidad de Syracuse (Nueva York).

Novelesca fue la vida de doña Marina, hija de gran señor, uno de los poderosos feudatarios de Moctezuma II; la hermosa india pertenecía a la nobleza; cedida por su madre a unos mercaderes con objeto de propagar su muerte para que su hijo predilecto adquiriera las riquezas que a Marina pertenecían, la hidalga que debía heredar el señorío de Painala [se] convirtió en esclava del rey de Tabasco.[86] Cuando Cortés hizo la paz con los tabasqueños, [le] fue regalada entre otras bellas jóvenes; descollaba Marina sobre todas, por sus finas maneras, por su talento y por la tristeza a que le condenaba la pérdida de su alto rango. Doña Marina fue magnífica adquisición para Cortés, pues poseedora de las lenguas azteca y maya, [se] entendió con Aguilar, que sabía esta.[87] En breve aprendió la joven india el castellano, pudiendo cumplir la misión que el cielo le señalara para favorecer a los españoles. Enseñaba a estos la geografía del país, y con habilidad política, digna de un buen diplomático, hizo a los totonacas y tlaxcaltecas

---

[86] Acerca de Moctezuma Xocoyotzin o Moctezuma II (1466-1520), véase nota 122. El "señorío de Painala" estaba cerca de Veracruz. El rey de Tabasco era el cacique maya Tabscoob.

[87] Jerónimo de Aguilar (1489-1531) fue un clérigo, encomendero e intérprete español que, cuando se encontró con Cortés en Cozumel (1519), había aprendido maya después de haber estado cautivo y esclavizado con gente de este pueblo tras el naufragio del barco en el que iba.

aliados de Cortés. Doña Marina, lejos de ser un intérprete vulgar, que traduce lo que oye sin comprender su intención, dictaba contestaciones oportunas, analizando la verdad o falsía de las proposiciones hechas al conquistador.[88] No es que intentara condenar a los indios a la esclavitud; ideales más nobles alentaba instruida en la religión católica, aborrecía a los ídolos, considerando que sus hermanos de raza no podían salvarse con los sangrientos ritos que practicaban, y quería someterlos a los españoles para que adoptaran su religión reconociendo al verdadero Dios.[89]

Enamorada de Cortés, [le] seguía a todas partes, y, sin perder las cualidades afectivas inherentes al sexo tierno, mostraba carácter viril en los peligros, curaba a los heridos y alentaba a los que desfallecían, no aceptando el descanso más que en la hora de la victoria. Cuando los zempoaltecas, aliados de Cortés, se cansaban de combatir, ella les dijo: "*No os desaniméis, que el Dios de los cristianos, que es el verdadero, está con nosotros y hará que triunfemos*".[90] Hablando de doña Marina, exclama Bernal Díaz: "*¡Jamás vimos flaqueza en ella, sino muy mayor esfuerzo que de mujer!*".[91] ¿Cómo no había de despertar el interés de Cortés aquella inteligente y valerosa joven, de grandes y rasgados ojos negros, de blancos dientes y breve pie? Esbelta, de arrogante apostura, vistiendo blanca túnica bordada en colores, adornando su largo y abundoso cabello con perlas y corales, semejaba poética nereida que abandona su palacio de esmeralda, en las profundidades de los mares.[92] Pronto la que le fue presentada como esclava, [se] transformó en reina de su

---

88 El pueblo "totonaca" estaba repartido por las costas y montañas del actual estado mexicano de Veracruz. El pueblo "tlaxcalteca" estaba asentado en el actual estado mexicano de Tlaxcala y, tras luchar con los españoles, se unieron a ellos contra el imperio azteca.

89 Gimeno de Flaquer insiste en la relación de doña Marina con el cristianismo para subrayar la capacidad de adaptación de esta mujer. Respecto al tema de la esclavitud, es importante recordar que gracias a la campaña de Bartolomé de las Casas (1484-1566) cesó la esclavitud de las personas indígenas, pero esto no significó que terminara la esclavitud, ya que fue el momento en que comenzó a implementarse el tráfico de personas negras africanas en régimen de esclavitud en las Américas.

90 El pueblo "zempoalteca" se refiere a las personas que vivían en Cempoala (Veracruz). No se ha localizado la fuente de la que Gimeno de Flaquer tomó esta frase.

91 Bernal Díaz del Castillo (1496-1504) fue un soldado en las expediciones de Cortés en México, y pudo ejercer como cronista de estos hechos en la obra de discutida autoría *Historia verdadera de la conquista de la Nueva España* (1632). El historiador Christian Duverger propone que el verdadero artífice de la crónica fue el propio Cortés (*Vida de Hernán Cortés. La espada. La pluma*. Taurus, 2012). La cita procede del libro *Historia verdadera de la conquista de la Nueva España* (Díaz del Castillo 204).

92 Una "nereida" en la mitología grecolatina es una ninfa marina que ayudaba cuando alguien caía al mar.

corazón. ¡Oh, sublime poder del amor! Tú nivelas todas las diferencias de raza y clases, aproximas a los seres más antitéticos, armonizas los caracteres más divergentes, las naturalezas más opuestas. Para ti no existen antípodas, ni tiempo, ni distancia.

El amor sublimó a doña Marina: no hubo virtud que no le hiciera practicar: por amor a Cortés se hizo cristiana y valerosa, convirtiéndose en ángel tutelar de los españoles. Enlazada estrechamente al conquistador, los episodios de la vida de este forman la suya: ella conferencia con embajadores y generales; ella descubre la feroz trama urdida por los cholultecas para exterminar a los conquistadores y convierte en triunfo la indefectible derrota; ella aparece en el espantoso combate de la *Noche Triste;* ella recuerda a Moctezuma antiguas profecías despertándole supersticiones que le muevan a entregar la tierra, acompaña al Emperador para que arengue a los indios desde el cuartel de los españoles, sigue a estos en el desacertado viaje a Honduras y en la desgraciada expedición a Las Hibueras, e implora por Cuauhtémoc cuando cae prisionero, consolándole en los últimos momentos de su vida.[93]

¿Es justo negar importancia histórica a la que con una frase podía cambiar la suerte de millares de hombres, a la que en unión de Cortés dio a Carlos V más provincias que ciudades tenía España, a la que fue numen protector de los conquistadores y árbitra de los pueblos invadidos y consuelo de sus vencidos conterráneos? Los españoles [le] llamaban *la lengua;* el alma debieran haberla llamado, porque doña Marina fue el más poderoso elemento para la conquista.

---

93 El pueblo "cholulteca" está relacionado con la zona de Cholula. Este pueblo preparó un ataque contra el grupo de españoles e indígenas que querían entrar en Tenochtitlan y al parecer doña Marina descubrió lo que estaban preparando (Townsend 124-128). Gimeno de Flaquer describió el papel de doña Marina en estos acontecimientos más detalladamente en su primer artículo sobre ella ("La inspiradora de Hernán Cortés" 143). El combate de la "Noche Triste" se refiere a la derrota y huida de los españoles y de sus aliados indígenas de Tenochtitlan (30 de julio de 1520). Todavía queda en pie el árbol en el que al parecer Cortés lamentó y lloró su derrota. La portada del *AIA* del 30 de julio de 1898 incluye una imagen de este árbol. Desde el 27 de julio de 2021 este árbol ha cambiado de nombre al de la "Noche Victoriosa" para reflejar un punto de vista de estos sucesos alejados de la visión de los invasores españoles y sus aliados nativos. La expedición a la que se refiere aquí Gimeno de Flaquer fue la que se realizó por tierra hasta llegar a Honduras (conocida como la expedición a las Hibueras) con el propósito de que Cortés controlara al encargado de esta zona, el explorador Cristóbal Olid. Parece que, durante este viaje, Cortés rompió sus relaciones con doña Marina (Gimeno de Flaquer, "La inspiradora" 143; Townsend 213-245). En esta travesía también iban, en calidad de prisioneros, guerreros y figuras relevantes del poder mexica como Cuauhtémoc (1495-1525), al que Cortés mandó torturar y asesinar por los rumores que le habían llegado de que podía haber una sublevación. El retrato de Cuauhtémoc ocupó el *AM* en dos ocasiones (21 Ago. 1887 y 10 Ago. 1888).

Nada justifica la acusación de traidora que algunos han dirigido a esta mujer: ¿qué patriotismo puede esperarse en donde unos pueblos son tributarios de otros, en donde no existe unidad política, ni constitución nacional, en donde viven los hombres separados, no solo por la diversidad de cultos, sino por celos de raza, orgullo de tribu y superioridad de mando?

Por encima de estos argumentos, quiero invocar en defensa de doña Marina otro más poderoso: como para la mujer la vida es el amor, la mujer no puede tener más patria y religión que la patria y religión del hombre amado. ¿Es sorprendente que doña Marina se sintiera fascinada por Cortés, cuando los más valientes guerreros indios le denominaban dios? ¿Cómo no adorar aquel ser sobrenatural que, según frase de ellos, disponía del rayo? Tampoco merece censura su inocente alarde de ser la primera mujer americana que tuvo un hijo del conquistador; en aquella época y en la aristocrática Inglaterra, un hijo de Madame Davenant, hecho caballero por Carlos I, escribía a lord Rochester: "*Sabed una cosa que honra a mi madre, soy hijo de Shakespeare*".[94]

No podía considerar doña Marina culpa su amor, cuando sacerdotes y soldados la respetaban, cuando nadie se atrevió a decirle que su amante era casado, y aun cuando lo hubiera sabido, ¿no tenía ante su vista el espectáculo de la poligamia, privilegio de los nobles aztecas? [Se] creía doña Marina única mujer de Cortés, porque la religión del conquistador imponía la monogamia. ¡Con qué ardor, con qué entusiasmo debió de abrazar la apasionada india la religión que no le permitía a su amante más que una mujer! Empero esa religión, que era para ella la del amor, esa religión que en su sentir le concedía derechos exclusivos, tenía que herirla de muerte, arrebatándoselos.

Al llegar a México doña Catalina, esposa legítima de Cortés, y verla compartir con él un trono que ella [doña Marina] le había ayudado a conquistar al verse desdeñada por aquel a quien salvara tantas veces la vida, exponiendo la suya, ¡cuán amargo debió de ser su llanto, cuán terrible su desesperación![95] Realizada la conquista y no siendo necesaria doña Marina a

---

[94] *Madame* Davenant es Jane Sheperd Davenant (1568-1622), que estaba casada con John Davenant, propietario de la Taberna de la Corona y, además, alcalde de Oxford (Inglaterra). El hijo al que se refiere Gimeno de Flaquer es el poeta y dramaturgo inglés William Davenant (1606-1668). Shakespeare fue el padrino de este poeta y, durante la vida de Davenant, circularon rumores de que su padre biológico era este dramaturgo (Stirling 1). La frase de *lord* Rochester (el poeta inglés John Wilmot) procede del libro del escritor francés Victor Hugo sobre Shakespeare, que escribió en 1864 y se tradujo al español en 1880 (Hugo 31). Carlos I (1600-1649) fue el rey de Inglaterra, Escocia e Irlanda.

[95] Gimeno de Flaquer se refiere a la primera mujer de Cortés: Catalina Suárez Marcayda (¿-1522) que murió en Coyoacán (México) en circunstancias que todavía no se han podido aclarar, pudiendo ser Cortés el responsable de su muerte (Townsend 196-198).

la gloria y ambición de Cortés, [le] dijeron que la conciencia de este no le permitía vivir por más tiempo en el pecado. ¿Qué pensaría la inteligente india, del tardío despertar de aquella conciencia? Atormentada por los celos y por la ingratitud de su amante, todavía se atrevieron a hablarle de remordimientos y de expiación. ¡Expiación! ¿Qué tenía que expiar? ¿Acaso la culpa de los que habían fomentado tácticamente su afecto?

Muerta repentinamente doña Catalina, y conocida la enemistad que entre ambos cónyuges existía, [se] alzaron graves acusaciones contra Cortés, [las] despreció este, preocupado nada más con su viaje a España: pero cuando lo preparaba, tuvo que marchar a Honduras, porque Olid se había sublevado: necesitó de nuevo a doña Marina para intérprete, y la generosa mujer que recibiera mil desdenes, no pudiendo negarse al deseo del hombre a quien tanto amaba, se incorporó de nuevo al ejército español.[96] Al pasar por Coatzacoalcos [se] detuvieron para conferenciar con varios caciques, salió la madre de doña Marina con su marido a saludar al conquistador, y, al reconocer a la hija que había hecho pasar por muerta con objeto de que el hijo predilecto heredara el señorío que a aquella pertenecía, se desmayó: la influencia de Marina sobre los que fulminaban el rayo de la guerra le espantaba.[97] Abrazó doña Marina a su despiadada madre y, después de tranquilizarla con cariñosas frases, le aseguró la propiedad del señorío que le había usurpado. ¡Grande fue el asombro y enternecimiento de los que presenciaron este acto! Continuó el viaje a Honduras y, creyendo el vulgo que se habían reanudado las relaciones amorosas entre la india y el conquistador, tomaron incremento las calumnias contra este, que ya iba perdiendo popularidad: para apaciguar la opinión exaltada en contra suya, Cortés exigió de doña Marina se uniera con lazos indisolubles a uno de sus capitanes.[98] ¡Espantoso suplicio para un corazón apasionado!

¡Abnegación, sacrificio y amor!: he aquí sintetizada la historia de doña Marina, víctima de la ambición de Cortés, la historia de la mártir que conoció

---

[96] Consúltese nota 93.

[97] Aquí, Gimeno de Flaquer habla del reencuentro entre doña Marina y su madre. Gimeno de Flaquer, en su primer artículo sobre doña Marina, aportó más detalles acerca de este momento ("La consejera de Cortés" 143). Dejando de lado cualquier tendencia a la mitificación de lo que pudo pasar en el encuentro de madre e hija, es importante señalar que doña Marina ejerció en esta reunión su poder político, pues fue ella la que pareció negociar con la comunidad de su madre (Townsend 213-226). En 1529, Cortés viajó a España para dar cuentas a Carlos V de su actuación en la zona que comenzó a identificarse como Nueva España (los actuales países de México, Guatemala, El Salvador y Honduras).

[98] Gimeno de Flaquer se refiere a uno de los hombres de confianza de Cortés, Juan Jaramillo, con el que doña Marina tuvo una hija: María Jaramillo (Townsend 240-245).

todos los dolores del amor y solo uno de sus goces, el de la maternidad. Cortés, como Goethe, como Byron y como la mayor parte de los hombres célebres, cometió grandes iniquidades en amor. No puedo olvidar que cuando llevaban a enterrar el cadáver de la bella Pompadour, Luis XV, que se hallaba contemplando el caprichoso espectáculo ofrecido por [una] copiosa nevada, exclamó: "*mal tiempo le hace a la Marquesa para su viaje*".[99] ¿No os parece tierna esta oración fúnebre? Al ir Cortés a España para recibir gloria y honores, creyó cumplir bien con doña Marina, regalándole algunas propiedades. Dio un puñado de tierra a quien le había dado un reino. ¡Qué espléndido donativo! doña Marina no ambicionaba títulos ni riquezas, ambicionaba amor; el amor solo puede pagarse con amor, porque no admite otra moneda.

España no debiera escatimar elogios a la mujer que contribuyó con Cortés a engrandecer el poderoso imperio de Carlos V; México no debiera negarlos a quien fue ángel protector de los indígenas, ni la Iglesia Católica a quien fue entusiasta propagandista de su religión; ¡Mas cómo extrañar que la historia haya sido ingrata con doña Marina, si Hernán Cortés no la menciona una vez siquiera en las cartas dirigidas al emperador!

La mujer de Jalisco[100]

Jalisco, que en la época virreinal llevó el nombre de Nueva Galicia, tierra de hombres valientes y de poetas tan inspirados como José Rosas Moreno, segundo estado de la República por su población, es el primero en mujeres bonitas.[101] Las mujeres de Jalisco [son] elegantes y esbeltas cual la palmera, tienen talle de sílfide, pies de bayadera, arrogancia de diosas. Sus fúlgidos ojos[,] negros como el azabache, son abismos de pasión, asomarse a ellos es

---

[99] Sobre Goethe y Byron consúltense notas 11 y 9 de la sección de "Cuentos cortos". *Madame* de Pompadour (Jeanne-Antoinette Poisson; 1721-1764) fue una mecenas y cortesana francesa, además de ser una de las amantes del rey de Francia Luis XV. Esta frase parece que procede de la novela *Luis XV*, del escritor francés Alejandro Dumas (1849; 70).

[100] Este artículo apareció en el *AM* el 24 de marzo de 1889 (90) y es el texto que se reproduce aquí. En 1900, Gimeno de Flaquer publicó solo algunas partes de este trabajo en *Evangelios de la mujer* como parte del capítulo "Cultura de la mujer mexicana" (288-211) y, con este mismo título, el mismo fragmento apareció en mayo de este mismo año en el *AIA* (183-184 y 194-195).

[101] Antes de la llegada de los españoles, esta región se llamaba Chimalhuacán y era el territorio de las poblaciones chichimecas (García Ruiz 548). José Rosas Moreno (1838-1883) fue un escritor mexicano, una de cuyas poesías, "¡Pobre madre!", publicó el *AM* en 1886 (224-225).

sentir vértigo.[102] Cuando relampaguean en sus pupilas la cólera o los celos, no hay rayos olímpicos que tengan su fuerza destructora. Las jaliscienses poseen una gracia indescriptible; no he conocido mujeres más salerosas que ellas. Son las andaluzas de México, dignas del pincel de Goya y de la pluma de don Ramón de la Cruz.[103]

[Se ha] dicho de la jalisciense cual de la sevillana, que lleva el puñal en la liga; no, la jalisciense lo lleva en los ojos. Esfuércense muchos en buscar el significado de la palabra *tapatía* aplicada a la hija de Jalisco; pero es en vano, no hallarán etimología que les satisfaga. Cuando los compañeros de Cortés denominaron *tapatía* a la hermosa india que se presentó ofreciéndoles tortillas de maíz, querrían decir sandunguera.[104] Si no lo pensaron así los

---

[102] "Bayadera" proviene del portugués y entró en el DRAE en su edición de 1884. Esta palabra se refiere a una "bailarina y cantaora" que estaba identificada con algún grupo indígena (RAE 143; 1884). Gimeno de Flaquer usó este sustantivo para referirse a un determinado grupo de mujeres en la India que, además de aprender a bailar, también tenían abierto el camino para aprender a escribir y a leer (*Victorina* 163; volumen II; "La mujer en la India" 159). También Carmen de Burgos describió a las bayaderas en el *AIA* ("La mujer en la India" 136). Gimeno de Flaquer usó la referencia al "pie de bayadera" en *La mujer juzgada por una mujer* para referirse al pie de las mujeres cubanas (292; 1887). Además, esta expresión está incluida en un poema del Duque de Rivas (1791-1865; Lustonó 71). Con "fúlgidos", Gimeno de Flaquer se refiere a algo resplandeciente (RAE 513; 1884).

[103] Para Gimeno de Flaquer, el pintor Francisco de Goya (1746-1828) representó fue un buen ejemplo del realismo por cómo retrataba "a las majas con el desparpajo que le es propio" (*Mujeres: Vidas paralelas* 201). El dramaturgo Ramón de la Cruz (1731-1794) destacó por sus sainetes.

[104] "Tapatía" o "tapatío" es la persona originaria de Guadalajara (México). El DRAE no recogió esta palabra hasta su edición de 1970 (RAE 1418). En cambio, el diccionario de José Alemany y Bolufer de 1917 la incluyó, añadiendo al significado del gentilicio la idea de que con esta palabra se nombraba en la época prehispánica a una moneda que había circulado en la zona de Jalisco (1559; García Ruiz 552). Además, este diccionario indicaba que de esta manera se denominaba al "terno de tres tortillas" (Alemany y Bolufer 1559), que está en relación con lo que Gimeno de Flaquer indica acerca de las "*tapatías*" como mujeres que vendían tortillas de maíz justo en la época en que Hernán Cortés invadió esta zona (alrededor de 1522). Respecto a "los compañeros de Cortés", Gimeno de Flaquer se refiere a Hernán Cortés y a los hombres que llegaron a la zona de Jalisco, como Nuño Beltrán de Guzmán (1490-1558; García Ruiz 553-556). "Sandunguera, ro" apareció en el DRAE de 1884 y significa la persona que tiene sandunga (palabra recogida también por primera vez en este diccionario), que tiene gracia o salero (956). El diccionario del editor Vicente Salvá (1786-1849) de 1846 incluía "sandunga" como sinónimo de "zandunga", que era tener garbo (977). El diccionario de Ramón Joaquín Domínguez recoge también "sandunga" como sinónimo de "salerosa" y, para poner un ejemplo del significado de esta palabra, indica que "La Academia [de la Lengua española] no tiene *sandunga*, lo cual no nos choca, por su natural gravedad" (1523).

españoles del siglo XVI, lo pensamos los españoles del siglo XIX. Propongo que el diccionario de la lengua admita como sinónimas las voces *tapatía y sandunguera.* El andar garboso, el donaire y natural desparpajo de la jalisciense, hacen de ella una mujer adorable.[105] Agregad a sus gracias físicas, nobles cualidades morales. La mujer mexicana se distingue por saber sufrir; pero la mexicana sufre con resignación, la jalisciense con valentía. Dotada de carácter enérgico, de poderosa voluntad y de firme perseverancia, no se abate ante el infortunio, le contempla frente a frente sin declararse vencida. La hija de Jalisco es notable por su valor moral y por su abnegación.

Guadalajara, la reina de Occidente, puede enorgullecerse de encerrar en su seno mujeres encantadoras. Porque la jalisciense no se contenta con prenderse coquetamente la mantilla española, con saber entrelazar guirnaldas de flores en las negras trenzas de su abundoso cabello, y con manejar hábil e intencionadamente el abanico, la jalisciense pica más alto, vive con el hombre de vida intelectual, recorriendo con él, ilimitadas esferas del espíritu.[106] La mujer de Jalisco es progresista; ama las innovaciones provechosas, detesta lo rutinario, la retrogradación. Comprendiendo que no se puede establecer el matrimonio de las almas entre individuos de ideas antitéticas, se asocia a la vida moral de su marido, y cuando este regresa de la tribuna o el club, y le refiere algún triunfo, [se] encuentra con una mujer de elevado criterio, de inteligencia cultivada, que sabe sentir las satisfacciones de amor propio que él ha sentido. ¡Cuán grato debe ser para un hombre el aplauso inteligente de la mujer amada! La mujer de Jalisco por su cultura, por su clara inteligencia, por su buen gusto para las artes, es amena en su conversación: mientras los hombres de otros pueblos bostezan aburridos en hogares que solo ofrecen hastío, el jalisciense halla mil deleites en su casa, porque la compañera de su vida, es hada prodigiosa que transforma erial en vergel.

Marcada es la tendencia que se va notando en la mujer de los pueblos hispano-americanos hacia el estudio, pero la mujer de Jalisco, es de la tierra mexicana la primera que ha enarbolado la bandera.[107] No llegan las naciones a un alto grado de progreso, mientras la mujer no ama la instrucción: si el sexo masculino es ilustrado y el femenino ignorante, la mitad de la humanidad vive

---

[105] "Donaire" significa decir algo con gracia y "desparpajo" que es hablar y actuar con facilidad (RAE 399 y 372; 1884).

[106] "Pica más alto" significa que esa persona quiere algo que está en una posición más elevada a la suya (RAE 826; 1884).

[107] En Guadalajara, desde 1861, funcionaba el Liceo de Niñas del Estado. A finales del siglo XIX, en esta ciudad se logró alcanzar casi un número igual de niñas y de niños escolarizados (García Alcaraz y Figueroa Gómez 3-4). Además, desde 1871, en toda la zona de Jalisco se estaban haciendo esfuerzos para formar a las futuras maestras en diferentes escuelas parroquiales. Estos esfuerzos dieron como resultado que en el año 1902 se pusiera en marcha la Escuela Normal Católica de Señoritas (Vaca 65).

en tinieblas. En ningún pueblo de esta República han dado las mujeres tan gigantescos pasos en la senda de la ilustración como en Guadalajara. En esta ciudad hay poetisas y pintoras, y como si esto no fuera bastante acaba de aparecer un grupo de entusiastas damas, que han fundado un templo de la sabiduría, un Partenón donde piensan rendir culto a las bellas letras bajo la égida de Minerva. Con el nombre de la diosa de Atenas inauguraron su círculo literario.[108] Feliz ha sido la elección de Minerva para presidir torneos artísticos, justas intelectuales y pugilatos científicos. La poética imaginación de los griegos no ha producido nada superior a la creación de esta diosa.

Palas o Minerva reúne todos los méritos, todos los encantos, todas las virtudes. En ella se personifica la belleza, la sabiduría y el valor. Nace armada, no para lanzarse a la guerra, sino para proteger a las ciudades atacadas injustamente y para moderar los ímpetus belicosos de Marte; su escudo es el emblema de la mujer fuerte que sabe resistir, huye de las pasiones porque es la prudencia, la razón serena, que no se perturba jamás; distribuye la victoria porque es justa cual Asteria, su lanza hace brotar el olivo florido de la paz, porque ama las artes que se desarrollan a su sombra, vela por la familia y el hogar porque representa el orden cual Temis y entre sus atributos se ven la esfinge, símbolo de la inteligencia y la rueca, emblema del trabajo femenino, denotando que no son incompatibles las tareas intelectuales y domésticas.[109] ¡Cuán bella alegoría! No es extraño que helenos, etruscos y romanos tributaran tan ferviente culto a la diosa que reúne todos los atributos y perfecciones de las divinidades femeninas.[110]

---

[108] "Égida" se refiere al escudo que llevaba la diosa romana de la sabiduría Minerva. En *Evangelios de la mujer,* Gimeno de Flaquer reprodujo este mismo artículo, pero reduciéndolo e incluyendo el nombre de una de las poetas de esta zona, Esther Tapia de Castellanos (1842-1897; 211), que ocupó la portada del *AM* el 8 de febrero de 1885. En este mismo año, pero en otro número de este mismo periódico, apareció uno de los poemas de Tapia de Castellanos: "Amor maternal" (135-138). Desde el primer tercio del siglo XIX circulaba la idea de que Guadalajara era similar a Atenas (Grecia) y a Sevilla (España).

[109] La referencia a la diosa Minerva (Palas Atenea era su nombre en la mitología griega) es recurrente en la obra de Gimeno de Flaquer como inspiración y protectora para las mujeres (*La mujer española* 140-142 y 180). En su libro *Mujeres: Vidas paralelas* enumera los atributos de esta diosa que debían ser la guía para las mujeres (15-17). Marte es el dios romano de la guerra. Asteria en la mitología romana se refiere a la protectora de las estrellas y los oráculos nocturnos. En la mitología griega Temis representa la justicia y la equidad.

[110] Es importante señalar cómo aquí Gimeno de Flaquer subraya la presencia de las "divinidades femeninas" en las culturas de la Antigüedad europea. Al final de este artículo compara a Minerva con la diosa azteca Xochiquétzal. La escritora está insistiendo en los paralelismos que hay entre el mundo mitológico europeo y el azteca para subrayar los numerosos puntos en común que ambas cosmovisiones tenían. Este esfuerzo de Gimeno de Flaquer de abrir el conocimiento mitológico al mundo del otro lado del Atlántico lo desarrolló más en su libro *Civilización de los antiguos pueblos mexicanos.*

Las mujeres de Jalisco han denotado una vez más su buen gusto buscando la protección de una divinidad hermosa y austera, prudente y sabia; han revelado su amor al progreso, queriendo ser ilustradas para responder a las exigencias de una era tan culta cual la nuestra. La ilustración eleva y moraliza; la mujer que tenga el espíritu suficientemente alimentado, no será víctima de la ociosidad, manantial de corrupción, germen fecundo de todo mal. Proporcionar a la mujer por medio de carreras especiales en armonía con su constitución física, los medios de ganarse decorosamente el sustento, es redimirla de la esclavitud, es salvar su honra amenazada tal vez por la miseria, es dar libertad a su corazón para que no tenga que doblegarse al espantoso yugo de un matrimonio sin amor. Jamás se había levantado una verdadera cruzada contra la ignorancia de la mujer cual hoy; contará esa gloria más entre sus muchas glorias, el afortunado siglo XIX. Mientras los nobles de la Edad Media se enorgullecían de no saber firmar, los príncipes de nuestros días posponen el cetro al laurel apolino.[111]

La reina de Bélgica dirige un periódico titulado *Le Jeune fille*, siendo sus colaboradoras entre otras aristocráticas damas, la princesa Estefanía y la archiduquesa Valeria. La directora firma Madame Royer.[112] Las emperatrices de Alemania y Austria escriben y pintan. La reina de Rumanía, conocida con el seudónimo de Carmen Sylva, es decir, *Cantora de las selvas*, acaba de publicar un tomo de versos titulado *Meine Ruh* (*Mi descanso*).[113] La reina

---

[111] Aquí Gimeno de Flaquer hace un guiño a cómo el régimen político español de la Restauración (1873-1923) presentó al rey Alfonso XII como un gobernante intelectual.

[112] Gimeno de Flaquer se refiere a María Enriqueta de Austria (1836-1902), que se casó con Leopoldo II de Bélgica, con quien tuvo un hijo y tres hijas. Esta reina ocupó la portada del *AM* del 3 de julio de 1887 y Gimeno de Flaquer le dedicó un artículo biográfico que firmó como "La Directora" ("S. M. la Reina de Bélgica" 2). La princesa Estefanía de Bélgica (1864-1945) es una de las hijas de este matrimonio (fue portada del *AM* el 24 de octubre de 1886). Respecto a Valeria (María Valeria de Austria; 1868-1924), se trata de la hija del emperador Francisco José I de Austria y la emperatriz Isabel de Baviera, que ocupó la portada del *AM* el 10 de agosto de 1884. Gimeno de Flaquer, en su libro *Mujeres de regia estirpe* (1907), indica que la colaboradora del periódico era la archiduquesa Victoria (198). Respecto al periódico que cita esta escritora aquí, *Le Jeune fille* (*La joven*) consúltese el trabajo de Cholé Somville acerca de esta revista que comenzó a publicarse en 1888 y llegó hasta 1903 (12-18). Somville señala que no es del todo claro afirmar que fueran las mujeres de esta dinastía las que dirigían esta publicación, pero sí que existía alrededor de ellas toda una red de mujeres que eran las encargadas de sacar estos proyectos adelante (19-20). Somville identifica el seudónimo como "Madame Royer" –en el texto original de Gimeno de Flaquer aparece con la grafía Roger y a veces el apellido aparece como Reyer (Somville 19)–.

[113] La emperatriz de Alemania se refiere a Victoria de Sajonia-Coburgo-Gotha (1840-1901). Valeria es María Valeria de Austria (consúltese nota 112). La reina de Rumanía es

Victoria escribe sus *Memorias*, su bella hija la princesa Luisa envía cuadros a las exposiciones de pinturas, la desgraciada emperatriz Eugenia también ha escrito el diario de su vida que debe ser muy triste, la duquesa de Pomar, publica en París una revista que se denomina *L'Aurore*, la princesa Clementina de Bélgica escribe con el seudónimo Marthe d'Orey, Eulalia de Borbón casada con el Infante Antonio, es notable acuarelista y su hermana la simpática Paz de Borbón, teniendo menos preocupaciones que otras princesas[,] firma sus versos con su augusto nombre.[114] Por eso ha dicho Alfred de Vigny: *Les rois font des livres, maintenant, tant il sentent bien que le pouvoir est là.*[115]

Isabel de Wied (1843-1916), que firmaba sus obras literarias como Carmen Sylva (Gimeno de Flaquer escribe su apellido Silva). La obra *Meine Ruh* (*Mi descanso*; en el artículo original está mal escrito el título) de Sylva está editada en Berlín por Duncker y la publicó en alemán entre 1884 y 1885. Sylva fue portada del *AM* y en cuatro ocasiones ocupó la primera página del *AIA* (30 Oct. 1891, 30 Sep. 1895, 22 Feb. 1899 y 7 Sep. 1906). Llama la atención la numerosa presencia de noticias relacionadas con esta escritora en el *AIA*, además de que en este periódico se incluyeron algunos de sus relatos (por ejemplo, "Salga") o algunas de sus reflexiones en torno a la posición social de las mujeres (Sylva, "La mujer" 4). Gimeno de Flaquer se ocupó de Sylva en su libro *Mujeres: Vidas paralelas* (217-223), en el artículo "Semblanzas femeninas. Una reina literata" (74), en *Mujeres de regia estirpe* (165-171) y en "La mujer en Rumanía" (470-471). Aunque Sylva gozó de popularidad mientras estuvo activa en el mundo de las letras, en España solo se tradujeron algunas de sus obras: en 1889, *Flores y perlas* por la escritora Faustina Sáez de Melgar (1834-1895) y, en 1906, *Cuentos de una reina* por el traductor y escritor Pelayo Vizuete (1872-1933).

[114] Gimeno de Flaquer se refiere a la reina Victoria del Reino Unido (1819-1901) y al libro *Leaves from the Journal of Our Life in the Highlands* (*Páginas del diario de nuestra vida en las tierras altas*; 1868). Luisa del Reino Unido (Duquesa de Argyll; 1848-1939) era una de las hijas de la reina Victoria, que destacó como pintora y escritora. Eugenia de Montijo (1826-1920) fue la mujer del emperador Napoleón III de Francia y, además, destacó por ser una gran mecenas de la cultura. El libro al que se refiere aquí Gimeno de Flaquer no se ha localizado. La duquesa de Pomar es la aristócrata anglo-española Marie Sinclair (Condesa de Caithness; 1830-1895), que fue una figura clave en el desarrollo del movimiento espiritista y teosófico por Europa. El título completo de la revista es *L'aurore du jour Nouveau* (*El amanecer del Nuevo Día*; Guénon 164-171). Clementina de Bélgica (1872-1955) era una de las hijas de María Enriqueta de Austria y, según Somville, usaba el seudónimo que indica aquí Gimeno de Flaquer (20). Eulalia (1864-1956) y Paz de Borbón (1862-1946) eran las hijas de la reina Isabel II de España y, además de escribir, ambas estuvieron involucradas en apoyar el desarrollo de las artes y las letras en este periodo. A principios del siglo XX, Gimeno de Flaquer impartió una serie de conferencias en el Ateneo de Madrid a las que acudió la infanta Eulalia de Borbón (Ezama Gil, *Las musas suben a la tribuna* 165-170; Simón Alegre "Activismo social a través de la traducción" 507-514).

[115] Alfred de Vigny (1797-1863) fue un poeta francés y Gimeno de Flaquer, en su artículo "La mujer en la literatura francesa" (62-63), aporta más detalles de él. La cita está atribuida a Vigny; Gimeno de Flaquer no siguió del todo la referencia original: "Les rois

La primera aristocrática en nuestros días es la del talento: la corona del genio vale más que una corona imperial. La entusiasta decisión que por ser ilustrada está manifestando la mujer moderna, hará que no existan hombres ignorantes, es indudable que se avergonzarán de serlo. ¡Hermosa es la ilustración porque es luz, y hermosa la luz porque es mensajera de la verdad! Celebremos a las mujeres de Jalisco, nuevas sacerdotisas de Minerva, como fueron las aztecas sacerdotisas de la diosa Xochiquétzal. La mujer azteca llevaba con fervor al *teocalli* las ofrendas consagradas a la interesante Xochiquétzal, que reunía la belleza de Venus, el amor a las artes de Minerva, la castidad de Diana y los atributos de Flora y Cloris; la mujer mexicana prefiere al *teocalli* el Partenón y adora a Minerva.[116] ¡Aplausos a la mujer de Jalisco iniciadora en la República del progreso femenino! ¡Gloria a la mujer modesta e ilustrada![117]

El quetzal[118]

Difícil es describir la belleza del quetzal, el más bello de los pájaros americanos. El quetzaltototl, llamado por elipsis quetzal, tiene en sus plumas

---

font des libres à présent, tant ils sentent bien que le pouvoir est là" y procede del libro *Journal d'un poète* (*Diario de un poeta* 1867; 4). La traducción es: "Los reyes hacen libros ahora: tan convencidos están de que el poder estriba en eso" (Vigny 56).

116 La diosa azteca Xochiquétzal está relacionada con las flores, el amor, la belleza y el arte en general. Para Gimeno de Flaquer, era la diosa más interesante de la cosmovisión azteca (*Civilización de los antiguos pueblos mexicanos* 67). En sus obras posteriores seguirá insistiendo en el paralelismo que establece aquí entre Xochiquétzal y Minerva (*Mujeres: Vidas paralelas* 15-16). El *teocalli* se refiere a la edificación de pirámide y templo que construyeron las civilizaciones indígenas en Mesoamérica. Venus, Diana, Flora y Cloris (esta última es la protectora de los jardines) son deidades del panteón greco-romano.

117 Gimeno de Flaquer, en su libro *La mujer intelectual*, al mencionar a las mujeres de esta zona, destaca que una mujer de Jalisco, Faustina Gutiérrez (puede referirse a Faustina Gutiérrez Espinoza [1868-?]) había recibido el título de doctora en Farmacia (255).

118 Gimeno de Flaquer publicó este artículo tres veces: en el *AM* (1889; 34), en el *AIA* el 14 de septiembre de 1899 (400-401; versión que reproduce este artículo) y en el libro colectivo *El quetzal* (Administración Estrada Cabrera, 1909; 47-52). No hay cambios importantes respecto de la versión de 1889 o la de 1909 y, como en otras ocasiones, lo que hizo Gimeno de Flaquer fue acortar el texto original. La primera vez que publicó este artículo (1889) se lo dedicó al político guatemalteco José Salazar y Cárdenas (1835-?), que llegó a México en 1888 (todavía Gimeno de Flaquer residía en este país) para poner en marcha las negociaciones respecto a temas relacionados con la delimitación de la frontera entre Guatemala y México. Salazar y Cárdenas fue la portada del *AM* el 8 de enero de 1888. En el número de este periódico del 26 de febrero de 1888, se reprodujo la firma de Salazar y Cárdenas que debió de figurar en el libro de firmas del periódico o en el de esta escritora. Esta dedicatoria desapareció en las siguientes versiones de este texto, aunque en el artículo de 1899 aparece la explicación de que se refiere a un "pájaro americano" después de su título ("El quetzal"; 400).

los más hermosos tonos del verde, con dorados reflejos que semejan áurea pulverización.[119] Gloriosa es la historia del quetzal por su brío, por su amor a la independencia: forma el escudo de Guatemala y es tan querido en aquella nación como lo fue entre los mexicanos, que lo consideraron ave sagrada. [Se] conoce en el Brasil con el nombre de *curucú* por analogía con su grito, pues articula claramente las sílabas cu-ru-cú, acentuando la última. Vive especialmente en los bosques de la Alta Verapaz pertenecientes a Guatemala, en Quezaltenango, ciudad guatemalteca, y en Chiapas, estado de la gran República Mexicana: fabrica su nido en altas rocas o en ingentes y seculares árboles, y aborrece tanto el cautiverio, que al ser enjaulado muere inmediatamente.

Orgulloso de las brillantes y largas plumas que cubren su cola, prolongándose hasta cerca de un metro, [se] aflige al perder alguna de ellas, como mujer que descubre en su negro cabello la primera cana; por su instinto estético y [por] su vanidad, puede decirse que tiene pasiones femeninas; por su patriotismo, [se] semeja al pájaro ibis, ave sagrada de Egipto, que muere cuando la sacan de su tierra natal. El quetzal o *coluro resplandeciente* ama la soledad, es insectívoro, pertenece a la familia de los trogonídeos, [se] mezcla con las aves de la fauna boreal y fabrica con habilidad su nido de aspecto sumamente raro, porque tiene dos puertas, una de entrada y otra de salida, para que no se rompan sus largas plumas.[120] Por conservar estas se somete a tantos tormentos como las esclavas de la moda, y si pierde su elegante cola sufre como la joven que no tiene buen éxito al asistir al primer baile, o cual la desgraciada a quien derrota una rival.

El quetzal, denominado por los conquistadores españoles, *pito real*, no ha perdido todavía su prestigio entre los indios, pues creen curar la locura y la epilepsia haciendo comer a los enfermos el corazón del ave prodigiosa, y consideran el mejor conjuro contra todo mal, guardar dentro del pecho una de sus plumas, cual poderoso amuleto.[121] En la antigua Tenochtitlan, se ofrecían a Moctezuma como tributo las plumas de este pájaro que adornaban

---

[119] En náhuatl el nombre del quetzal es "*quetzalli*", que significa un pájaro bello, hermoso y sagrado que tiene en su cola largas plumas brillantes. Por lo valioso y excepcional de las plumas de esta ave, las comunidades originarias de Mesoamérica las usaron como moneda de cambio.

[120] Según el naturista Juan Vilanova y Piera (1821-1893), otra manera de nombrar a este pájaro es "caluro resplandeciente" (105).

[121] Gimeno de Flaquer introduce datos acerca de este pájaro que estaban incluidos, entre otras obras, en la *Historia Natural* (1874) de Vilanova y Piera, y que este naturista a su vez había tomado del científico Enrique de Saussure (Vilanova y Piera y Una sociedad de naturalistas 104-106).

las cabezas de los *teules*, el escudo del *yaoyizque* y el manto del *tecuhtli*.[122] Estando prohibido matarlo por ser ave sagrada, y siendo muy difícil cazarle[,] se le ponían ingeniosas trampas donde quedaba preso, cortándole las mejores plumas y después se le daba libertad; transcurrido algún tiempo volvía a crecer su espléndida cola.

Siendo el quetzal símbolo de la belleza entre los hijos de Tenoch, las cosas más bellas tomaban su nombre, por eso la esmeralda se llama *quetzaliztli* y el ópalo *quetzalitzepiollotli*; la palabra mexicana *quetzalli* equivale a brillante, fino y delicado.[123] Eran tan estimadas las plumas del sacro pájaro en la antigüedad, que Huemac, último rey de los tolteca al ver amenazado su trono y lleno de siniestros presentimientos, cuando encuentra a Tlaloc, dios de las tempestades, en un bosque le dice: *¡Oh dios, consérvame el trono, mis esmeraldas y mis plumas de quetzal!*[124]

El nombre de la diosa más poética que tuvo la teogonía azteca, se compone de la palabra *xochitl*, flor, y de la palabra *quetzal*: la diosa Xochiquétzal, presidía los castos amores, representaba a la belleza, protegía a los artistas y era lo que Cloris y Flora entre los griegos: su templo estaba adornado con esmeraldas, rosas naturales y plumas de quetzal. Uno de los más famosos héroes mexicanos, Tetlepanquetzal, lleva en su nombre el de este pájaro. Quetzalcóatl se llamó también el dios que predijo la llegada de los españoles a

---

[122] Tenochtitlan era la capital del imperio azteca-mexica y actualmente está sepultada bajo el casco antiguo de la ciudad de México. Gimeno de Flaquer se refiere a Moctezuma Xocoyotzin o Moctezuma II, que gobernaba el imperio azteca a la llegada de los españoles al actual país de México. Existe un famoso penacho hecho de plumas de este pájaro, que parece que Moctezuma regaló al rey Carlos V de España y actualmente está en Austria. "*Telules*" era la forma en que la gente azteca denominó a los españoles a su llegada al actual México y que implica tanto una idea de algo divino como demoniaco. El "*yaoyizque*" era un tipo de guerrero azteca, y "*tecuhtli*" en náhuatl significa señor.

[123] En la versión de 1909 desaparece el texto que comprende desde aquí hasta que Gimeno de Flaquer termina con la descripción del pico de este pájaro. Gimeno de Flaquer, con "los hijos de Tenoch", se refiere a Tenoch (1299-1363), último líder del pueblo mexica y que comenzó el Templo Mayor de Tenochtitlan, ciudad que toma su nombre. De esta manera, la escritora subraya que el pueblo azteca tenía como origen a este dirigente. En el libro sobre la historia de México del historiador Luis Pérez Verdía (1857-1919), hay una lista de los minerales mexicanos y su nombre en náhuatl que Gimeno de Flaquer pudo usar para escribir esta parte de su artículo (Pérez Verdía 51).

[124] Una historia muy parecida a esta queda recogida en la obra de Juan Vilanova y Piera, *La creación. Historia Natural. Las aves* (1874; 105). Huemac fue el último rey del pueblo tolteca, anterior a los aztecas. Tlaloc es el dios azteca del agua y de las tormentas.

la tierra de Huitzilopochtli, reverenciado entre los cholultecas, como padre de los mercaderes, y representado con cuerpo de hombre y cabeza de pájaro.[125]

[Se] denominó Quetzalcóatl el gran sacerdote de Tollan, que hizo grandes prodigios en la tierra y en el agua, que enseñó diferentes oficios y cultivo de muchas plantas: los tolteca, raza civilizadora, le deificaron a su muerte, simbolizando en él sus ideas astronómicas, políticas e históricas, y adorando en su imagen el lucero vespertino y a los céfiros y las auras.[126] Refiere la tradición que cuando murió el gran sacerdote Quetzalcóatl su cadáver fue trasladado a la cima del alto pico de Orizaba y arrojado en una hoguera; entonces se fueron elevando las cenizas hasta confundirse con las nubes, y el alma del sabio sacerdote voló al cielo en forma de quetzal.

Los ornitólogos denominan al famoso pájaro *pharomachrus moncinno*: es poco mayor que el *trogon carucui*, tiene el pico corto deprimido, de color amarillento, las narices con mostachos y corónalo una cresta de plumas semejante a un casco. Su cola consta de doce remos, los seis superiores negros y los de abajo blancos: cubren esta cola una porción de plumas que salen de dos en dos, alargándose gradualmente hasta tener las últimas más de una vara de longitud. Las plumas de la cabeza, las de la mitad superior del pecho, las del cuello, la espalda y tapas de la cola, son de un verde esmeralda dorado que según la exposición de la luz cambia en color violeta y azul zafiro. Los remos del ala son negros y las plumas de sus tapas del susodicho verde, están dispuestas en forma de alfanje mirando la punta hacia el pico y cubriendo el ala cuando el pájaro permanece inmóvil. Por debajo, desde la mitad inferior del pecho hasta el obispillo es rojo, al principio punzó, de generando en rosado; las plumas que cubren los muslos son negruzcas y casi del mismo color los pies, cortos de caña, y con dos dedos delanteros y dos traseros, porque es de la familia de los trepadores. He aquí la descripción que nos ha dejado el distinguido naturalista Pablo de la Llave.[127] Como se ve, el quetzal tiene en sus plumas verde, blanco y

[125] Tetlepanquetzal (¿-1525) fue un gobernador azteca que se opuso a los españoles y, tras una serie de enfrentamientos, fue capturado y posteriormente asesinado por Hernán Cortés. Quetzalcontl es el dios más importante para la cultura azteca y representa la vida, la luz, la fertilidad y el conocimiento. Huitzilopochtli es el dios del sol. El pueblo cholulteca es otra de las comunidades originarias del actual país de México.

[126] Gimeno de Flaquer se refiere al gobernante y sacerdote de Tollan, Ce Ácatl Topiltzin Quetzalcóatl (895-?), que supuestamente nació cuando su madre se tragó una piedra preciosa. El planeta Venus está asociado con la muerte de este gobernante, ya que la tradición recoge que se convirtió en él. Otra posibilidad es la que destaca aquí Gimeno de Flaquer: que al morir Ce Ácatl Topiltzin Quetzalcóatl se convirtió en un quetzal.

[127] "Alfanje" significa en forma de espada. "Obispillo" es la rabadilla de las aves. Pablo de la Llave (1773-1833) fue un naturalista mexicano que por primera vez describió esta ave

rojo, colores que forman la bandera mexicana. Los corteses mexicanos y guatemaltecos cuando quieren ofrecer a los extranjeros notables un homenaje de consideración, [les] obsequian con el quetzal, por haberse ofrecido en otros tiempos a los dioses y a los reyes.

Los pájaros tuvieron en la antigüedad gran importancia; siendo los pueblos primitivos, agrícolas y pastores, [se] hallaban muy en contacto con ellos, y esto hizo que buscaran el secreto de lo porvenir en su vuelo y canto. El poético fénix, ave fabulosa que renacía de sus cenizas, simbolizó resurrección, inmortalidad; era indígena de los desiertos de Arabia, tenía el plumaje dorado, y [se] dio su nombre a una constelación, cuyas estrellas háyanse al norte y por cima de la estrella brillante del Erídano.[128] La paloma tan querida de los hebreos, ha sido [después] emblema del Espíritu Santo y atributo de San Gregorio; [lo mismo que] el gallo de San Pedro, el águila de San Juan y el cuervo de San Pablo. Los romanos tuvieron gran entusiasmo por las aves: refiere el poeta Ennio, que Remo y Rómulo fiaron al vuelo de un pájaro la elección del rey de Roma; entre los griegos el águila se consagró a Júpiter, el búho a Minerva, el pavo a Juno, la paloma a Venus y el gallo a Esculapio.[129] Los pájaros han servido de amuleto, han adornado las cabezas de los dioses, la diadema de los reyes y el casco del guerrero[;] han tenido prominente lugar en el arte griego, romano, egipcio y azteca, y tienen todavía gallarda representación en la heráldica.

La mujer entre los aztecas[130]

La consideración concedida a la mujer, es buen termómetro para graduar la cultura de los pueblos, y el estudio de esta consideración debe buscarse, cuando de pueblos politeístas se trata, en la mitología, esencia poética de las religiones. Habiendo encarnado los paganos sus virtudes y vicios en los seres

---

de forma científica. Llave publicó sus investigaciones acerca de este pájaro en la revista mexicana *Registro Trimestre* en 1832 (Taracena Arriola 65-66).

128 Gimeno de Flaquer se refiere a la constelación Eridanus algunas de cuyas partes son siempre visibles independientemente del sitio donde se esté. Es en el mes de diciembre cuando se puede observar en su mayor esplendor.

129 Ennio (239 a. e. c.-169 a. e. c.) fue un poeta y dramaturgo. La obra a la que se refiere aquí Gimeno de Flaquer es *Annales*.

130 Nota de Concepción Gimeno de Flaquer: "La raza azteca fue una de las más adelantadas que encontraron en México los conquistadores". Este artículo formó parte de su libro *Civilización de los antiguos pueblos mexicanos* (64-77). La versión que se reproduce aquí procede del texto que publicó en el *AIA* el 14 de julio de 1893 (16-17). En 1900, en el mismo periódico, Gimeno de Flaquer sacó una versión reducida de este texto, que tituló "La mujer mexicana en la época precolombina" (496-498), y en 1904 volvió a publicar un artículo similar, pero al que introdujo considerables reducciones y tituló "La diosa y la mujer en los antiguos pueblos mexicanos" (554-555).

de su teogonía, estudiar a la mujer mítica es estudiar a la mujer real. Veamos la representación que tuvieron en el Anáhuac la diosa y la mujer, ya que ambas se confunden.[131]

Los aztecas, desde el principio de sus peregrinaciones, siglos antes de la fundación de Tenochtitlan, llevaron en su compañía a Coatlicue, madre de Huitzilopochtli, su dios principal.[132] Tributándole homenajes; queriendo honrar a Malinalxóchitl, hermana de este dios, dan su nombre a un pueblo.[133] Acapol, mujer de Tetzcatzin, es elegida para colocar la primera piedra en la ciudad de la tribu-chalca, y la viuda de Mitl, príncipe muy culto, sube al trono de los toltecas, recibiendo acatamiento.[134]

La diosa Coatlicue, llamada también Cihuacóatl y Quilaztli, no solo es madre de Huitzilopochtli, sino madre de los hombres y los dioses: poderosa como la Hécate de Hesíodo, concede todos los dones, es invocada cual Minerva para alcanzar la victoria, distribuye la gloria cual Eufeme, y tiene con Huitzilopochtli la representación de la patria, lo que denota la asociación de

---

[131] En náhuatl "*anáhuac*" significa "cerca del agua" y esta palabra se usaba para designar al Valle de México y a toda la zona ocupada por el pueblo mexica antes de la llegada de los españoles.

[132] Coatlicue es la diosa azteca de las flores, asociada con la fertilidad y que lleva una falda con serpientes. Sobre el dios Huitzilopochtli, véase nota 125.

[133] Malinalxóchitl es la diosa azteca relacionada con los animales, especialmente con las serpientes. Tras una discusión con su hermano Huitzilopochtli, Malinalxóchitl mandó que se poblara Malinanco (actualmente, en México, esta zona comprende a uno de los denominados pueblos mágicos, que es una designación que corresponde a lugares con un pasado relevante para México).

[134] No se ha podido identificar a quiénes se refiere Gimeno de Flaquer con Acapol y Tetzcatzin. Puede que Gimeno de Flaquer esté nombrando al rey poeta y arquitecto de Tetzcoco, Netzahualcóyotl y a una mujer relevante en su vida, Azacalxochitl. La ciudad de Tetzcoco era un ejemplo de infraestructura prehispánica, que los españoles destruyeron; además, la Inquisición fue detrás de quienes todavía sabían cómo mantener en funcionamiento los diferentes canales y el significado de los glifos de este lugar (Gimeno de Flaquer, "Un rey legislador mexicano" 482-484). La comunidad chalcas se refiere a la confederación de los chalcas, que estaban localizados en el centro de México. Estos pueblos hablaban náhuatl y tributaban al imperio azteca. La "viuda de Milt" es la reina tolteca Xiuhtlaltzin (¿-1039). Entre las fuentes que manejó Gimeno de Flaquer para estas referencias están los artículos que el escritor mexicano Antonio de P. Moreno (1848-1920) publicó en el *AM*: "Siluetas mexicanas. Netzahualpilli" (63-64); "Justicia de un monarca" (43-44) y "Mexicanas célebres. La señora de Tula" (231-232 y 242-243).

la mujer a la vida pública del hombre.[135] Su templo dentro del gran *teocalli* era el panteón de los dioses; [le] consagraban un día fausto que se denominaba la fiesta de las fiestas; tenía a su servicio a las *cihuatlamacazque*, cuerpo sacerdotal semejante al de las vestales, instituido por Itzcóatl, cuarto rey azteca, y al sacerdote supremo llamado Cihuacóatl, que tomaba este nombre de la diosa.[136] Notoria es la importancia del Cihuacóatl, forma parte del Tlalocan, consejo del rey, y cuando este marcha a la guerra ocupa el trono.[137]

Entre las diosas a quienes tributaron mayores homenajes los antiguos pueblos mexicanos, figuraron Toci, que con el nombre de Chicomecoatl, presidia a la generación de las plantas;[138] Citlallicue, o sea la del faldellín de estrellas, creadora de los astros, Yohualticilt,[139] protectora de los niños y las cunas; Tzapotlatena, diosa de la medicina; Ixazalboh,[140] inventora de los tejidos; Xobitum,[141] diosa del canto; Chalchiuhtlicue, de los mares, lagos y

---

135 Sobre la diosa azteca Coatlicue, véase nota 132. Aunque los dos nombres que da aquí Gimeno de Flaquer están relacionados con Coatlicue, cuando a esta diosa se la llama Cihuacóatl, se refiere a la mujer serpiente y protectora de las mujeres que han muerto en el parto. Por su parte, cuando se la nombra como Quilaztli representa a la mujer guerrera, y con esta apariencia molió los huesos necesarios para poder crear a la humanidad. Hécate es una diosa griega que protege los hogares y está presente en los momentos de encrucijada, también está relacionada con las prácticas mágicas y la nigromancia. Sobre Hesíodo, véase nota 13. Sobre Minerva, consúltese notas 108, 109 y 116. Eufeme es la diosa griega que ayuda a dar un discurso correctamente.

136 Dentro del mundo azteca, las cihuatlamacazque eran mujeres diaconisas o sahumadoras que estaban encargadas de que los braseros e incensarios estuvieran en buen estado y funcionando correctamente (Wood). Itzcóatl (1381-1440) fue un gobernador mexica que realizó una reforma religiosa en la cosmovisión mexica. El Cihuacóatl era el sacerdote del templo de las serpientes. La festividad que describe aquí Gimeno de Flaquer son las fiestas de III Tozoztontli –tercer mes del calendario mexica– dedicadas a la diosa Coatlicue (Dehouve 46).

137 Aquí hay un error, pues Gimeno de Flaquer usa la palabra náhuatl “Tlalocan”, con la que se nombra al paraíso que estaba regido por el dios de la lluvia Tlaloc. Es posible que la palabra que quiso usar aquí Gimeno de Flaquer fuera “Tlacochcálcatl”, que indicaba el consejo supremo por el que se regía el imperio azteca (Dehouve 63-65).

138 En el panteón mexica, la diosa Toci era la madre de los dioses, además de ser la diosa de las personas dedicadas a la medicina, las artes curativas y los temazcales (baños rituales).

139 Nota de Concepción Gimeno de Flaquer: “[La] llama[n] Xoalticitl algunos historiadores”. Puede que “Yohualticilt” esté mal escrito y Gimeno de Flaquer se refiera aquí a la diosa Xoaltecuhtli, que junto con el dios Xoalticitl protegía a los niños y a las niñas (Murillo-Godinez 278).

140 Con el nombre que da aquí Gimeno de Flaquer no se ha encontrado la diosa a la que se refiere. En la mitología maya esta diosa se llama Ixchel.

141 No se ha podido identificar esta diosa dentro de la mitología azteca. Gimeno de Flaquer puede referirse con el nombre de “Xobitum” a la diosa Matlalcehuitl.

cascadas, y Xochiquétzal, la diosa más interesante en la mitología azteca.[142] El nombre de esta divinidad significa flor preciosa, porque se compone de la palabra *xochitl*, flor, y *quetzal*, pájaro brillante, que simboliza la belleza; preside a las bellas artes, a las flores, a la hermosura y a los castos amores. Su mansión era el *tamoanchan*, paraíso donde existía el mágico árbol llamado xochitlicacan, cuyas flores hacían fieles a los amantes.[143] Parece que en aquellos tiempos fue bastante un solo árbol de las prodigiosas flores; hoy no nos bastaría todo un bosque.[144] Representaba a la diosa una estatua de madera figurando hermosa joven, [que estaba] vestida con [una] lujosa falda de colores, y [una] túnica azul salpicada de floripondios; [y una] roja diadema de cuero con plumas de quetzal adornaba su cabeza, ostentando ricos zarcillos de oro en las orejas, joyel de piedras finas en la nariz, ajorcas en brazos y piernas y cetro de flores en la mano.[145] El día que le estaba consagrado, [se] denominaba *Xochilhuitl*, fiesta de las flores: en ese día los pintores, plateros, y tejedores, llevaban a los altares de la diosa los utensilios de sus respectivos oficios para ofrecérselos. Su templo, situado en el gran *teocalli*, [se] enriquecía con ofrendas artísticas. [Se] solemnizaba con la mayor pompa en honor suyo, el nacimiento de las primeras rosas y la muerte de las últimas, y se le dedicaba el ameno baile de las rosas, para el que levantaban un pabellón cubierto de las más fragantes: mientras bailaban unos, otros disfrazados de pájaros-mariposas, [se] subían a los árboles preparados para la fiesta, y saltaban de rama en rama fingiendo que absorbían el rocío de las flores.[146] La creación de la diosa Xochiquétzal, bella como una concepción del arte griego, revela la poética fantasía de los aztecas y su entusiasmo hacia el sexo femenino.

---

[142] Sobre Xochiquétzal véase notas 110 y 116.

[143] El "*tamoanchan*" es un lugar mítico paradisiaco dentro de la cosmogonía mexica donde se creó a los seres humanos y el pulque (bebida alcohólica de origen azteca hecha a partir del maguey).

[144] Gimeno de Flaquer suprimió esta frase en la versión de este texto del año 1904.

[145] No se ha podido localizar la estatua a la que se refiere aquí. Se conservan numerosas estatuas de esta diosa hechas en cerámica y en piedra en el Museo de Antropología de la ciudad de México (https://mna.inah.gob.mx/salas.php?sala=4). La flor del "floripondio" a la que hace aquí referencia Gimeno de Flaquer contiene sustancias alucinógenas como la escopolamina. En diferentes códices se encuentran representaciones de esta diosa; uno que sigue algunas de las características que describe Gimeno de Flaquer en este artículo es la del Códice Nuttall (http://www.famsi.org/research/graz/zouche_nuttall/thumbs_0.html).

[146] En el libro *Leyendas mexicanas y mayas* se describe este ritual y, además, se añade que estos vestidos rituales estaban hechos con ricos materiales. También se aclara que el objetivo de los sacerdotes al disparar con cerbatanas a quienes estaban vestidos así era dificultarles que pudieran imitar la succión del néctar que hacían los colibrís, aunque Gimeno de Flaquer denomina su papel en este ritual como "pájaros-mariposa" (Meza 64).

La religión y la poesía fueron favorables a la mujer en todos los pueblos de la antigüedad: en el *Génesis*, en los *Vedas*, y en el *Talmud*, [se] dispensa protección a la mujer: esto se explica; la institución de la familia es esencialmente religiosa, y desde que se constituyó la familia tuvo importancia la mujer; los dioses lares y penates crearon el hogar y la familia; el cristianismo, la más perfecta de las religiones, santificó la familia y el hogar.[147] En Grecia las costumbres encerraron a la mujer en el gineceo, las leyes [le] negaron hasta el derecho de heredar, la filosofía proclamó su inferioridad respecto al hombre, y en el mismo momento histórico la religión le erigía altares, y la poesía la elevaba hasta el Olimpo.[148]

Nunca fue tan enaltecida la mujer como entre los héroes de Homero: "*no es honrado el que no honra a su mujer, dice Aquiles; ningún bien terrenal es tan grato como la buena esposa*", añade Ulises.[149] La mujer de Alcínoo comparte con su marido los honores, y cuando sale a la calle [le] ofrecen los hombres acatamiento.[150] ¡Hermoso homenaje tributado a la mujer, antes que las cortes de amor despertaran el espíritu de galantería, que animó a los caballeros de la Edad Media! El pueblo griego, enamorado de la belleza, encarnó a la mujer en sus creaciones artísticas; los ancianos troyanos que han perdido a sus hijos en la guerra, al ver a Helena, exclaman alborozados que es justo pelear por tal mujer. Paris y Menelao, dos veces rivales, entablan sangrienta lucha porque es Helena el premio señalado al vencedor: Príamo, padre de Héctor, lamenta las

---

[147] En la versión de 1904, Gimeno de Flaquer suprime todas estas referencias del mundo greco-latino. En esta edición crítica, se ha decidido seguir la versión de 1893, ya que es importante la manera en que Gimeno de Flaquer insiste en cómo las mujeres aztecas y su papel dentro de su mitología estaba en un nivel parecido al de las mujeres en la Antigüedad clásica. También la escritora destaca que las creencias del pueblo azteca persistían en personas que estaban aún vivas y eran descendientes de quienes habían creado este sistema religioso. El *Génesis* es uno de los textos principales del *Antiguo Testamento*, que forma parte tanto del credo cristiano como del judaísmo. Los *Vedas* son los cuatro textos más antiguos de la religión védica, que precedió al hinduismo. El *Talmud* es el libro sagrado para el mundo judío, donde se recogen leyes y costumbres. Los dioses Lares y Penates eran los protectores de los hogares en la cosmogonía greco-latina.

[148] En el mundo greco-latino, el gineceo era una estancia donde solo podía haber mujeres.

[149] Este párrafo y el siguiente (hasta la referencia a la ropa del mundo azteca-mexica) es casi igual al incluido en el artículo "Las musas" de Gimeno de Flaquer, que publicó en al menos dos ocasiones: en 1889 (194) y en 1893 (164-166). La frase que aquí la escritora atribuye a Homero, no ha sido posible identificar la obra de dónde la tomó.

[150] Se refiere al rey mitológico Alcínoo, que junto a su mujer Arete acogió a Odiseo (Ulises), a Jasón y a los argonautas en su palacio.

desgracias ocasionadas por la hermosa espartana, mas en vez de culparla increpa a los dioses.[151]

La poesía antigua simbolizó en el sexo femenino todas las virtudes: el tipo de Antígona revela la piedad filial y fraternal; la hija de Edipo es báculo de su padre, endulza las amarguras del ciego en la vejez, y cuando Creonte prohíbe que se dé sepultura al cuerpo de Polinices, Antígona le tributa honores fúnebres a pesar del anuncio de condena por su desobediencia.[152] Hécuba representa el sentimiento maternal, como Eurídice la fidelidad en el amor y Penélope la castidad en el matrimonio.[153] ¡Cuán tierna es Enone, cuán bondadosa Nausícaa, cuán sabia Euriclea y cuán prudente la maga Circe, que le muestra al marino los escollos ignotos![154] ¿Quién no verá en la apasionada Andrómaca, en sus copiosas lágrimas por la muerte de Héctor, la desesperación de la enamorada esposa, al perder a su dulce dueño?[155] ¿Quién no adivinará en Minerva, representante de la belleza, la fuerza y la discreción, el ideal de la belleza, la fuerza y la discreción, el ideal de la mujer perfecta? Púdica como diosa de los antiguos mexicanos, era la mujer; ni una ni otra se despojaban nunca del *cueyatl* y *huipil*.[156]

Confiaban la medicina a la diosa Tzapotlatena en las enfermedades del sexo femenino, porque tenían en mucho el pudor; por tal motivo, la *ticitl* o

---

[151] Los personajes que Gimeno de Flaquer menciona aquí forman parte de la Guerra de Troya (1184 a. e. c.), que Homero narró en *La Ilíada*.

[152] En la mitología griega, Antígona es la hija de Edipo y Yocasta. Sus dos hermanos, Eteocles y Polinices, lucharon en facciones opuestas durante el episodio mítico del asedio a la ciudad de Tebas y ambos murieron. Creonte, el rey de Tebas, negó sepultura a Polinices por haber estado en su contra. Antígona decidió desobedecer esta prohibición, por lo que la condenaron a morir.

[153] Hécuba era la reina de Troya cuando se inició esta famosa contienda. Eurídice fue la amada de Orfeo, a la que miró antes de salir del Hades teniéndolo prohibido, y por lo que fue castigado con no poder rescatarla.

[154] Enone fue la primera esposa de Paris y tenía el don de la profecía. Nausícaa es un personaje de la *Odisea* de Homero. Era la hija del rey Alcínoo y Arete, y fue la encargada de llevar ante su padre a Odiseo. Euriclea es la nodriza del hijo de Penélope, que ayudó al padre y al hijo a terminar con los pretendientes de esta mujer. Circe era una hechicera que vivía en la isla de Eea, y a la que Odiseo visitó en su largo viaje de regreso a casa.

[155] Andrómaca fue la esposa de Héctor, uno de los príncipes de Troya, que vio cómo su marido y su hijo morían en la defensa de esta ciudad.

[156] Nota de Concepción Gimeno de Flaquer: "Enagua india y especie de blusa o túnica corta [respectivamente]".

comadrona desempeñaba importante papel.[157] En el momento de recibir al recién nacido arengaba a la madre recordándole sus deberes, y pronunciaba una oración que tenía por objeto pedir a los dioses valentía para el varón y virtud para la hembra. El discurso dirigido a la niña [se] prolongaba más, terminando con estas frases: "*Habéis de estar dentro de casa como el corazón dentro del cuerpo: habéis de cuidar la ceniza con que se cubre el fuego del hogar y las piedras en que se pone la olla; prepararéis la comida, hilaréis el algodón; tejeréis trajes y esteras y moleréis el maíz*".[158]

La primera cualidad de la mujer, después de la virtud, era el amor al trabajo; [la] educaban en la honestidad y recogimiento, inspirándole mucho respeto a los dioses y sacerdotes, a sus padres y a los ancianos. La mujer no fue esclava del marido: era una compañera a la que nunca abandonaba, permitiéndole participar con él de los azares de la guerra; en las pinturas de los antiguos

---

[157] Gracias al tema que Gimeno de Flaquer desarrolla en este apartado, se puede rastrear que, desde 1883, la escritora estaba pendiente del papel de las mujeres en la medicina y de cómo pronto iba a ver cada vez más mujeres que ocuparían puestos importantes en este campo. En 1883, en el *AM* publicó el artículo "La mujer médico" (22), algunas de cuyas partes posteriormente incluyó en su libro *La mujer juzgada por una mujer* (181-184; 1887). Gimeno de Flaquer aprovechó este texto para elogiar a la primera doctora con la que contaba México: Matilde Montoya (1859-1939; 175-178). Montoya ocupó la portada del *AM* el 4 de septiembre de 1887 y Gimeno de Flaquer le dedicó un artículo incluido en este mismo número titulado "La primera doctora mexicana" (74-75), que volvió a publicar años después en el *AIA* (1892; 224-228). En 1904, en el *AIA*, Gimeno de Flaquer usó partes de este artículo que había escrito en 1883 para elogiar también la trayectoria de una de las primeras doctoras españolas: Concepción Aleixandre (1862-1952; "Una doctora española Concepción Aleixandre" 266). A la diosa Tzapotlatena, originaria del actual municipio mexicano de Jalisco, se le atribuía la capacidad de curar cualquier enfermedad y era la que asistía a los partos para asegurar que todo salía bien.

[158] Esta cita procede del libro del fraile-misionero Bernardino de Sahagún (1499-1590; para ampliar esta información, véase nota 161), *Historia general de las cosas de la Nueva España* (1577), tomo II (190). Al parecer Gimeno de Flaquer alteró la cita textual, que es la siguiente: "habéis de estar dentro de casa como el corazón dentro del cuerpo, no habéis de andar fuera de casa, no habéis de tener costumbre de ir a ninguna parte; habéis de ser la ceniza con que se cubre el fuego en el hogar; habéis de ser las trébedes, donde se pone la olla; en este lugar os entierra nuestro señor, aquí habéis de trabajar; vuestro oficio ha de ser traer agua y moler el maíz en el metate; allí debéis de sudar, cabe la ceniza y cabe el hogar" (Sahagún 190). La historiadora y filóloga Camilla Townsend habla de la posición reservada a las mujeres en el mundo maya y azteca como complementaria a la del hombre, y si no se producía esta integración la vida no podía darse (40).

indios [se] ve en el campamento a la mujer llevando armas para el marido.[159] La mujer madre gozaba de muchos privilegios, pues si moría en el parto, [la] tributaban los mismos honores que al guerrero vencedor; con tal respeto a la mujer, no es posible fueran bárbaros los aztecas, pues la consideración a la mujer suaviza la ferocidad de las costumbres y es germen de civilización.

La maternidad no era en aquellas mujeres el ciego instinto que se revela en los brutos, sino un sentimiento delicado; no existía la lactancia mercenaria, teniendo hasta las reinas la obligación de criar a sus hijos, si disfrutaban de buena salud.[160] Los consejos de una madre azteca a su hija, recopilados por el padre Sahagún y transcritos por Prescott y Clavijero, son tan discretos, que no los daría mejores una madre culta de nuestros días: ellos encierran todos los deberes de la mujer, con reglas de moralidad, higiene, economía doméstica y táctica social muy acertadas.[161] La mujer azteca dio claros testimonios de su inteligencia: basta citar a la famosa doña Marina, de quien me ocuparé en el próximo artículo para demostrarlo.[162]

---

[159] Durante la estancia de Gimeno de Flaquer en México, se produjeron varios descubrimientos de frescos de civilizaciones prehispánicas. Así pasó en las ruinas de Teotihuacán, cercanas a la ciudad de México. El arqueólogo mexicano Leopoldo Batres (1852-1926) desenterró los primeros frescos de esta ciudad e inmediatamente el *AM* dio a conocer (*AM*, 10 Jul. 1887; Simón Alegre "Introducción crítica").

[160] Con "lactancia mercenaria" Gimeno de Flaquer está criticando la tendencia que existía entre las clases altas y medias de que al nacer una criatura se contratara a una nodriza para que amamantara con la leche materna que había producido para su propio bebé. Así, la madre no tenía que enfrentarse a este momento y evitaba las secuelas de la lactancia en su cuerpo. Muchas de las mujeres que tenían que recurrir a este empleo lo hacían por no tener otro medio para sobrevivir (Rodríguez García 37-54).

[161] Gimeno de Flaquer se refiere al misionero Bernardino de Sahagún, que dominó el castellano y el náhuatl. Su obra más importante es *Historia general de las cosas de la Nueva España*, cuyo manuscrito se conoce como *Códice Florentino* (1577). El hispanista estadounidense William H. Prescott (1796-1859) escribió, entre otros libros, la *Historia de la conquista de México* (1843), con ayuda del erudito español Pascual de Gayangos y Arce (1809-1897) y de la viajera escocesa-española Fanny Calderón de la Barca (1804-1882; Teixidor XVI-LI). Francisco Javier Clavijero (1731-1787) fue un jesuita, precursor del indigenismo y autor de *Historia antigua de México* (1780-1781).

[162] Este comentario de Gimeno de Flaquer es confuso ya que este texto apareció en 1893 y la siguiente versión de un artículo dedicado a Doña Marina salió en 1894 y lo tituló "Una india notable". El primer artículo que escribió de doña Marina es 1884 y a partir de este año fue publicando diferentes textos en relación a ella y otros aspectos relacionados con el mundo maya y azteca. Consúltese nota 83 para ampliar la información.

3. EVOLUCIÓN DEL PENSAMIENTO FEMINISTA EN CONCEPCIÓN GIMENO DE FLAQUER

¡Plaza a la mujer![163]

El hombre despoja a la mujer de los pocos medios con que podía contar para defenderse de la miseria. ¿No es censurable que, hallándose dotado de fuerza física, se ocupe en plegar y desplegar telas, en rizar tirabuzones, medir cintas, trenzar cabellos, vender flores, perfumes, abanicos y sombreros? Cuando veo a un hombre de robusta musculatura en un almacén de gasas y blondas, haciendo la apología de la última moda, vistiendo a un maniquí o ahuecando los lazos de un sombrero, [se me] antoja que ha desaparecido el sexo fuerte. Es deplorable que el hombre gaste el vigor de su juventud en pueriles ocupaciones que debieran ser patrimonio exclusivo de la mujer. [Se le] pide a esta virtud y honradez, mientras se le condena al hambre robándole los medios de subsistencia. Jamás se distinguió el que se denomina Rey de la Creación por su espíritu de justicia.[164]

Los gobernantes no se han cuidado de crear plazas bien retribuidas para la mujer, ocupados en asuntos que suponen de mayor transcendencia. ¡Cómo si el porvenir de la mitad de la humanidad no fuera una cuestión social importantísima, un problema filosófico que exige pronta solución! No caben vacilaciones cuando se trate de afirmar que la mujer tiene derecho a las profesiones industriales y liberales: si puede elevarse con el hombre a las altas esferas del pensamiento, ¿por qué negarle un puesto en el banquete de la vida? [Se] cree todo resuelto exclamando inconscientemente: "la carrera de la mujer es el matrimonio".[165] ¿Y si no encuentra marido? ¿Y si no siente amor

---

[163] Gimeno de Flaquer publicó este artículo en el *AIA* en diferentes años: en 1891 (86-88), en 1906 (170-171 y 182-183) y 1908 (170-171). La versión que se reproduce aquí es la que publicó el *AIA* el 22 de abril de 1908. En su primer libro de ensayos, *La mujer española* (1877), incluyó un capítulo con el título de este artículo (119-126), y posteriormente publicó parte de este texto en 1884, pero titulado "La obrera mexicana" (incluido en este volumen). Además, Gimeno de Flaquer empleó partes de este texto para componer en 1897 el artículo "Protección a la mujer" (160), y en 1900 lo usó para redactar "La mujer en la industria", dedicado a Dolores de León, "protectora de la obrera" (233), que puede referirse a Dolores de León y Primo de Rivera (1870-?), hermana del marqués consorte de Pickman (título creado por el rey Amadeo I), Rafael de León y Primo de Rivera (1869-1904).

[164] Gimeno de Flaquer de nuevo critica la progresiva entrada de hombres en ocupaciones en principio consideradas propias de las mujeres. Además, la escritora se queja de que la justicia haya dejado a las mujeres en situaciones desfavorecidas.

[165] Gimeno de Flaquer subraya cómo la industrialización estaba avanzando en España y algunos oficios se quedaban sin personas que los continuaran. Gimeno de Flaquer está haciendo un llamamiento para que estas ocupaciones no se pierdan, insistiendo en que

hacia el que la pretende? ¿Ha de arrojarse en sus brazos por temor al celibato? El matrimonio es un sacerdocio: [se] necesita para él más firme vocación que para pronunciar los votos religiosos. Mientras la mujer soltera no se haya creado una posición independiente, rara vez sabrá el hombre al llevarla al altar si va impulsada por el amor o el cálculo.

Figura V.4: Grabado. "Feminismo práctico en el taller".

Fuente: *El Álbum Ibero-Americano*, 14 Dic. 1909, p. 549. Imagen procedente de los fondos de la Biblioteca Nacional de España.

Existen diferentes industrias españolas a las que podría darse nueva vida para ocupar en ellas a la mujer; pero [se] dejan extinguir, dando preferencia a manufacturas extranjeras. No le queda a la mujer soltera que no es rica más que un recurso para defenderse de la miseria: inculcar a su padre, hermano o pariente la idea de crearle una renta por medio de las sociedades de seguros. Así lo comprende la mujer, tanto que, según me decía no ha muchos días una amiga, que discurre con gran claridad, las "Compañías de Seguros sobre la vida" son la humanización de la ley, la *previsión* contra lo *imprevisto*, el amparo, la protección del pobre, la Providencia visible del sexo femenino.[166]

---

las mujeres deberían ser las que se encargaran de liderar estos oficios: "Bellas industrias muy propias de las mujeres son los abanicos, sombrillas, cajas elegantes, carteras, *sachets*, blondas, esmalte, cerámica, litografía, grabado y flores" ("La mujer en la industria" 233). Además, Gimeno de Flaquer subrayaba que las mujeres debían recibir un sueldo igual al de los hombres ya que sí hacían el mismo trabajo la retribución también debía ser la misma: "¿Qué ley puede amparar que se le cercene a la mujer el sueldo, siendo su trabajo igual al del hombre?" ("La mujer en la industria" 233).

[166] No es fácil saber a qué amiga se refiere aquí Gimeno de Flaquer, quizás pueda ser Dolores de León y Primo de Rivera (véase nota 163), que colaboró en algunas iniciativas

—Entonces, ¿por qué temer al porvenir? -pregunté llena de curiosidad; y [me] contestó la interpelada:

—Porque no basta conocer la utilidad de una idea para ponerla en práctica.

—¿Qué se opone a ello? -repuse.

—Nuestro carácter, el quijotismo de la mujer española. Este quijotismo [nos] veda recordar al padre, al hermano o al pariente, que asegure nuestro porvenir, porque tememos parecer ambiciosas o interesadas, cuando en vez de censura es indudable que obtendríamos elogio de los que nos quieren, al vernos reflexivas, sensatas, prudentes. Otra de las razones que nos cohíben para pedir a nuestros padres que aseguren su vida, es la superstición. Hay quien tiene la vulgaridad de creer que por asegurar la vida llama a la muerte, que por dejarse visitar del médico busca la enfermedad. Tales aberraciones nos alejan de lo que a nuestro bien conviene.

Al oír tan discreto raciocinio no pude menos de exclamar: "¿Hasta cuándo hemos de ser esclavas de preocupaciones que nos impiden discurrir cuerdamente?" Es más útil una sindéresis sana, una inteligencia práctica, que uno de esos talentos brillantes que se evaporan en frases efectistas.[167] La institución del seguro es sumamente moral y civilizadora, porque hermana los dos grandes móviles de nuestra existencia, los afectos y los intereses: porque libra de los rigores de la suerte, porque despierta ideas de orden, economía y previsión, porque proporciona por medio del interés compuesto, al cabo de algunos años, un importante capital, porque convierte el óbolo en fortuna.[168]

---

en relación con las mujeres obreras en Sevilla. Tanto en el periódico *AM* como en el *AIA*, en sus últimas páginas es frecuente encontrar anuncios de compañías de seguros de vida y no es desacertado pensar que el matrimonio Flaquer-Gimeno tuviera algún tipo de relación profesional con estas entidades. Gimeno de Flaquer insiste en que las familias cuiden el porvenir de sus miembros femeninos, por ejemplo, abriendo cuentas de ahorro en estas entidades para que así se las asegure el poder tener un futuro propio.

167 Gimeno de Flaquer subraya que la esclavitud ya no existe, pero que en España las mujeres no disfrutan de todos los derechos que un mundo libre de esclavitud tiene para los hombres: "¡Acabaron los tiempos de esclavitud! La planta nace, crece y se desarrolla libremente [...] todo en la creación tiende a la libertad; no es equitativo que un sexo oprima al otro" ("La mujer en la industria" 233). La "sindéresis" es la capacidad natural de los seres humanos para juzgar con rectitud (RAE 978; 1884).

168 Aunque la palabra "óbolo" está en los DRAE desde sus primeras ediciones, es en el diccionario de 1899 cuando se incluye entre sus significados el de ser una cantidad determinada con la que se contribuye para un fin particular, como una especie de limosna o donativo (RAE 704-795).

La vida de todo individuo trabajador puede ser comparada a un capital, ya que produce renta; esa renta es la que garantiza el seguro contra el riesgo de muerte prematura. El seguro sobre la vida debiera considerarse imperioso deber, debiera ser la expresión social de una ley universal, la obligada protección de una generación a otra. En América hay gran entusiasmo por ese fácil recurso que protege el porvenir de la mujer. Numerosas son las sociedades de seguros en los Estados Unidos: en la América latina, la Equitativa del Brasil es la que goza de más crédito.[169]

Meditemos acerca de nuestro porvenir: lo que muchas veces denominamos mala suerte, es error de cálculo, falta de previsión. Si los hombres no piensan en el porvenir de la mujer, ella debe hacerles pensar, con sus amorosas, insinuantes y persuasivas razones. No hay que olvidar el apotegma francés: "Lo que la mujer quiere, Dios lo quiere".[170]

Cultura femenina[171]

Para las cultas damas chilenas[172]

---

[169] Consúltense notas 36 y 64 de la sección "Cuentos cortos".

[170] Un "apotegma" es un dicho breve con cierto tono feliz y positivo, como el que incluye Gimeno de Flaquer aquí para terminar su artículo. Respecto al refrán: "Lo que la mujer quiere, Dios lo quiere", está presente en español desde 1627, ya que está recogido en el libro *Vocabulario de refranes y frases proverbiales* del humanista Gonzalo Correas (1571-1631; citado por Echevarría Isusquiza 264).

[171] Gimeno de Flaquer publicó este artículo, tal cual, solo en el *AIA* el 28 de febrero de 1909 (86-87: versión usada aquí), aunque lo preparó usando diferentes escritos: su texto de 1879 "El estudio" (Gimeno 218-219; publicó el mismo artículo en 1880 en la *Revista de Aragón* 95-97, y en 1882 en el periódico mexicano *Clases productoras* 2-3); partes del capítulo "La mujer estudiosa", de su libro *La mujer juzgada por una mujer* (41-50; 1882 y 203-212; 1887); sus artículos de 1886 y 1892, titulados ambos "La mujer estudiosa" (132-133 y 77-88; 86-92); su texto de 1902 "La ilustración de la mujer" (410-411); y su artículo de 1906 "Nuevos ideales" (398-399), este último dedicado a la "inspiradora artista Pilar Mora" (398-399; Gimeno de Flaquer puede referirse a la pianista y profesora Pilar Fernández de la Mora, que vivió entre 1867 y 1929; Ramírez Rodríguez 34-53). En el artículo de 1906 "Nuevos ideales", aunque tiene puntos en paralelo con todas las versiones anteriores, Gimeno de Flaquer añadió nuevas referencias y comentarios que después, en la versión de 1909, decidió no incluir, retomando su texto de 1902 y, como en otras ocasiones, reduciendo el número de citas incluidas en él.

[172] Según el trabajo de Verónica Ramírez Errázuriz, Manuel Romo Sánchez y Carla Ulloa Inostroza, la relación de Gimeno de Flaquer con Chile se remonta a 1877 gracias al periódico chileno *La Mujer*, que le "rindió tributo" junto a otras escritoras, fomentando "una solidaridad internacional, y de flujo de información entre chilenas y extranjeras" (58). Años después, en 1917, Gimeno de Flaquer visitó Chile para dar una serie de conferencias (Pintos 218-220). Desde por lo menos la publicación de su libro *Mujeres de*

La mujer estudiosa no es ligera y superficial; la noble pasión al estudio extingue en ella pequeñas pasiones; mientras fortalece su inteligencia, no se ocupa en atisbar a la vecina, murmurar de la parienta o fiscalizar a la amiga, no hace crónica personal, clavando el aguijón de la envidia o disparando las saetas de la calumnia. La instrucción es la coraza que hace invulnerable a la mujer contra puerilidades, fanatismo y absurdas preocupaciones. Cuanto más estudie, más defectos de educación podrá corregirse. El estudio es tan necesario al alma como el aseo al cuerpo; es agua lustral que purifica el espíritu.[173]

Figura V.5: Portada. *El Álbum de la Mujer* (1884).

Fuente: *El Álbum de la mujer*, 20 Jul. 1884. Imagen procedente de la Biblioteca Virtual Miguel de Cervantes.

Figura V.6: Portada. *El Álbum de la Mujer* (1885).

Fuente: *El Álbum de la mujer*, 4 Ene. 1885. Imagen procedente de la Biblioteca Virtual Miguel de Cervantes.

raza latina (1904), a Gimeno de Flaquer le interesaba lo que las chilenas estaban poniendo en marcha en cuanto a iniciativas de educación y de avance del feminismo (193-204). Fruto de este interés, el *AIA* recogió la defunción de la escritora de este país Gabriela Cunningham Braham (¿-1906), e incluyó su retrato (7 Abr. 1907).

[173] El "agua lustral" es un agua ceremonial.

Debe odiar la mujer el coquetismo y poseer la coquetería de la inteligencia, que es la cultura de esta, como debe poseer la coquetería del traje, que consiste en el arte y buen gusto para combinar su atavío estéticamente. La mujer tiene obligación de instruirse como la tiene de pensar. Algunos han supuesto que su inteligencia era inferior a la del hombre; pero este argumento, empleado para convencerla de que no debe estudiar, es completamente falso.[174] Si fuera la inteligencia de la mujer más escasa que la del hombre, necesitaría ser cultivada con mayor esmero; del mismo modo que trataríamos de fortalecer el miembro más débil de nuestro cuerpo o de sanar la fibra más enferma.

Un niño canijo, enclenque, necesita mayores cuidados que un niño robusto. Dejar a la mujer sin instrucción es convertirla en autómata, en ser inconsciente y ciego: es reducirla a la más baja esfera en la jerarquía del pensamiento. La ilustración eleva, ennoblece y moraliza; la mujer puede tener un libro en la mano sin separarse de la cuna de su hijo.[175] ¿Temen los hombres que la mujer se envanezca al verse ilustrada y se convierta en pedante y ridícula ergotista?[176] Hay un remedio para evitar este mal: generalizar la instrucción. El día en que todas las mujeres sean ilustradas, ninguna hará estúpido alarde de su ilustración, como ninguna se vanagloria hoy de conocer el alfabeto. Siempre será más soportable la vanidad basada en poseer vastos conocimientos, que la que se funda en ostentar un carruaje o ricas galas.

Para emancipar a la mujer del ocio intelectual, que tan formidables males origina, hay que instruirla.[177] Monseñor Dupanloup exclama: "pido que sea lícito a la mujer cultivar las artes y las ciencias y esforzarse por alcanzar un

---

[174] Para ampliar el punto de vista de Gimeno de Flaquer acerca de la inteligencia de las mujeres, consúltense el artículo "43 913 mujeres" –incluido en este apartado– y su libro *El problema feminista* (10-12).

[175] El primer frontispicio que acompaña la publicación mexicana del *AM* incluye la imagen de una mujer que, a la vez que lee un libro, está al cuidado de una criatura (figura V.5). Este frontispicio se mantuvo así desde el inicio de la publicación hasta el número del 28 de diciembre de 1884 (figura V.6). El segundo frontispicio que Gimeno de Flaquer usó para este periódico, y que mantuvo hasta el número del 19 de abril de 1885, es similar al de la figura V.5, pero al que había añadido más detalles, como por ejemplo una especie de incensario. En este nuevo frontispicio la mujer lee una especie de periódico y ha cambiado la perspectiva en la que vemos pintar a una mujer (figura V.6).

[176] "Ergotista" es un adjetivo despectivo para describir a quien hace un uso de una argumentación basada en silogismos (RAE 443; 1884).

[177] Acerca del tema del ocio o del tedio que podía rodear a las mujeres, y que Gimeno de Flaquer identifica como algo perjudicial, véase nota 33 de la sección "Cuentos cortos". Parte de este párrafo, la escritora también lo incluyó en su libro *El problema feminista* (12).

grado más eminente, sin que se le amargue tan honrado placer con el dictado de *marisabidilla*".[178] El estudio regenera; la prosperidad y la fuerza creciente de las naciones más avanzadas se debe a la superioridad intelectual de sus mujeres. Si no se ilumina con la luz del saber el entendimiento de la mujer, esta permanecerá indiferente y fría ante las creaciones de la inteligencia del hombre, el cual carecerá de su aplauso, que tanto podría alentar sus deseos y premiar sus afanes.

Si la mujer es ignorante, no se podrá estimar en nada su opinión, porque realmente no tendrá valor. Casarse con una mujer ignorante y estúpida es denotar que no se tienen más que sentidos, es descender. Si se ha dicho que la palabra de la mujer es el dictamen universal, reflexiónese qué gran cultura, cuán sereno juicio, cuánta rectitud de entendimiento son necesarios a la mujer para no extraviar al hombre con su influencia. La mujer necesita la instrucción si los hombres son instruidos; porque destinada al matrimonio, es indispensable en él la asociación de las ideas, el equilibrio de las almas y la comunidad del pensamiento. Para que exista esta comunidad de pensamiento, tiene que aprender la mujer a pensar.

Cuando no existe entre dos seres unidos con lazos indisolubles la fusión de las almas, hay divorcio moral, y en este estado, reducidos a la vida corporal, el matrimonio es un concubinato, la existencia[,] un infierno.[179] Por regla general son ignaros los partidarios de la ignorancia de la mujer, pues por poco que discurran han calculado perfectamente que el día en que la mujer se ilustre habrá dejado de ser frívola y no podrá sufrir las sandeces de los que se

---

178 Gimeno de Flaquer se refiere al eclesiástico y escritor francés Félix Dupanloup (1802-1878). No se ha podido localizar la obra de dónde la escritora tomó esta referencia. Algunos de los libros de Dupanloup relacionados con la necesaria educación de las mujeres son: *La educación de las Hijas de Familia y estudios que convienen a las mujeres en el mundo* (publicado en francés en 1868 y traducido al español en 1880) y *La femme studieuse* (*La mujer estudiosa*; 1868). En su libro *La Virgen Madre y sus advocaciones* (1907), Gimeno de Flaquer desarrolla con más detalle el pensamiento de este clérigo (12-13). A veces, el *AIA* incluye la sección "Pensamientos", donde se encuentran algunas frases emblemáticas de Dupanloup (22 Oct. 1907). En relación a la palabra "marisabidilla", véase nota 188.

179 Acerca del tema del divorcio, consúltese notas 187 y 247. Desde 1879, Gimeno de Flaquer estaba usando esta frase, por lo que se puede deducir que este tema estaba entre las discusiones de las mujeres antes de 1904, cuando Carmen de Burgos publicó su obra de referencia acerca de esta cuestión, *El divorcio en España*, en la que Gimeno de Flaquer incluyó su opinión al respecto (44).

colocan constantemente ante ella con el incensario en la mano.[180] ¿Quién soportará la conversación de los necios cuando todas las mujeres sean ilustradas? Asevera Stendhal: "Una mujer instruida que adquiere conocimientos sin perder las gracias de su sexo, está segura de encontrar entre los hombres de valer la más distinguida consideración".[181] Rousseau piensa que: "Solo un ingenio cultivado hace agradable el trato, y que es muy triste para un padre de familia amante de su casa el estar obligado a concentrarse en sí mismo y no poder ser entendido por nadie".[182] Una mujer bella sin instrucción es un álbum lujosamente encuadernado, con las páginas en blanco; la mujer culta creará en el hogar una atmósfera espiritual que lo hará amar, alejará al hombre del vicio con la amenidad de su conversación. El hogar de la mujer insustancial, ignorante, es un templo sin altar, sin diosa. El prestigio de que goza la chilena en la familia [lo] debe a su cultura.

---

180 "Ignaro, ra" significa ignorante (RAE 583; 1884). Con la referencia al "incensario", Gimeno de Flaquer estaba criticando a las personas cercanas a la Iglesia que, con sus artimañas, buscaban mantener a las mujeres en un estado de letargo (como el que provocaba aspirar los olores del incienso) más que fomentar su progreso.

181 Stendhal (su verdadero nombre es Henri Beyle; 1783-1842) fue un escritor francés, conocido por ser uno de los primeros cultivadores del realismo. Esta cita procede de la obra *De l'amour* (1822), que circuló en España en su edición original francesa hasta que se tradujo al español (*Del amor*) en 1916. Parece que la cita de Stendhal la tradujo la propia Gimeno de Flaquer. Por eso, esta cita y la incluida en la primera edición en español de esta obra presentan algunas diferencias (Stendhal 192). En 1879, en la primera versión que publicó Concepción Gimeno de este artículo, incluyó la cita de Stendhal en su idioma original ("El estudio" 218).

182 Jean-Jacques Rousseau (1712-1778) fue un humanista suizo, considerado uno de los primeros escritores prerrománticos. Gimeno de Flaquer criticó el pensamiento de Rousseau porque de sus palabras se desprendía que la mujer era un "ente nacido únicamente para agradar al hombre" ("Musas humanas" 266). La cita procede de la obra de *Emilio o La educación* (*Émile ou De l'éducation*; 1762). Es probable que Gimeno de Flaquer leyera esta obra en francés y la tradujera directamente ya que la referencia no coincide con la traducción incluida en la edición en español de esta obra que estaba circulando por España desde 1824 (Rousseau 172; volumen 4). No todo lo que rodeó a Rousseau era negativo para Gimeno de Flaquer, ya que subrayó la influencia que su madre (Suzanne Bernard) tuvo en su carrera (*Madres de hombres célebres* 68-70 y "La madre de San Fernando" 136). Cuando el *AIA* incluía la sección de "Pensamientos", era habitual encontrar alguna cita de Rousseau (14 Nov. 1909).

La mujer de mañana[183]

En la diversidad de gustos, aspiraciones y creencias que manifiestan la mujer y el hombre de nuestra época, hay algo más que las naturales diferencias del sexo, ha dicho el doctor Verdes Montenegro en un bien pensado artículo.[184] ¡Triste verdad! El hombre español se ha creado un mundo espiritual para él solo; ha penetrado en la médula de la vida moderna sin permitir a la mujer pasar de la epidermis; se ha remontado a las más altas esferas, cortándole las alas para que no le alcanzara; se ha introducido en el alcázar de la ciencia, cerrando herméticamente las puertas; todos los placeres intelectuales se los ha reservado; y cuando observa que al hablar a su compañera de sus ideales no puede asociarse a ellos porque no los comprende, [se] lamenta amargamente, exclamando que la mujer española es retrógrada, misoneísta,

---

183 Es muy probable que, desde finales del siglo XIX, Gimeno de Flaquer estuviera trabajando en este artículo, pero solo lo publicó tal y como se reproduce aquí el 22 de diciembre de 1902 para el *AIA* (554-555). Al final de este texto, Gimeno de Flaquer indicó que el periódico *El Imparcial* lo había publicado, pero esta versión todavía no se ha localizado ("La mujer del mañana" 555). Lo que sí publicó este periódico el 11 de mayo de 1901 fue la noticia de que estaba a la venta la segunda edición de su libro *Evangelios de la mujer*. Partes de los capítulos "Conversaciones privadas con las damas" (Gimeno de Flaquer, *En el salón* 202-213; a su vez, este texto procede de un artículo con el mismo título, pero con fecha de 1897; 38) y "Matrimonio de las almas" (*Evangelios de la mujer* 205-212) presentan similitudes con el artículo reproducido aquí. Además, otro texto que Gimeno de Flaquer usó para componer el artículo de 1902 es su texto en francés "La femme" ("La mujer"; 1900, 228-230).

184 Gimeno de Flaquer se refiere al médico y literato José Verdes Montenegro y Páramo (1866?-1944?), que se especializó en la lucha contra la tuberculosis. Aunque todavía no se ha localizado el artículo al que se refiere aquí la escritora, Verdes Montenegro colaboró en el *AIA* con varios artículos ("Culto a la belleza" 209; "Marco Praga en España" 16-17; "La crítica" 184-185 o "Muerte en la Martinica" 404-405). En el artículo de Verdes Montenegro "La moda intelectual", publicado en 1901, es donde se aprecia el pensamiento de este doctor más en la línea con lo que Gimeno de Flaquer subraya en su artículo (29). Verdes Montenegro estaba interesado en cuestiones de sexualidad y también en cómo la literatura reflejaba la manera en que hombres y mujeres se manejaban en este campo. Uno de los trabajos de Verdes Montenegro que explora esta línea es el prólogo "La cuestión sexual en la literatura" que incluyó en la traducción al español, del político Manuel Bueno (1874-1936), de la novela *El preludio de Chopin* (1899), del escritor ruso Lev Nikolaevičse Tolstoj (citado por Calvo González 52). Aunque Gimeno de Flaquer subraya que estaba haciendo referencia al doctor Verdes Montenegro, también en esta misma época vivió el profesor José Verdes Montenegro y Montoro (1865-1940), que era familiar de este médico, y que además publicó algunas obras relacionadas con la posición de las mujeres en la sociedad ("La emancipación de la mujer" 94-96).

que no vive en su época.[185] ¿Por qué se asombra del resultado de su obra? En todos los tonos le ha dicho que la amplitud de la vida social era para él, que ella no debía girar más que sobre el eje de la vida doméstica, que toda iniciativa le estaba vedada, que era indispensable velara sus pensamientos la castidad de su alma como el pudor su cuerpo.

La mujer española ha sido condenada a espumar el puchero, a zurcir calcetines y a guardar las llaves de la casa, menos la de la gaveta, pues rara vez conoce la situación pecuniaria de su marido, lo cual suele ser causa de que gaste más de lo que le permiten sus rentas.[186] Las máquinas se han apoderado del trabajo manual de la mujer; y como en España le ha estado prohibida la labor intelectual, vaga indecisa, sin saber qué rumbo dará a su existencia, en qué empleará sus energías. Los dos sexos parecen divorciados; si el varón camina en vehículo eléctrico y la Eva contemporánea en carreta de bueyes, ¿cómo han de encontrarse?[187]

Es tradicional en España prescindir de la mentalidad femenina: el hombre, que hoy se burla de la ignorancia de la mujer, [la] satirizaba cuando le veía un libro en la mano. "No queremos una *bas bleu*, marisabidilla, una cultilatiniparla" han dicho los españoles; y temiendo hacer de la mujer una pedante, han preferido una muñeca.[188] Instruido el sexo femenino, el formidable fantasma

---

[185] El DRAE incluyó la palabra "misoneísta", que se refiere al "partidario del misoneísmo" (RAE 816), solo a partir de su edición de 1925. Por su parte, "misoneísmo" tampoco apareció en el DRAE hasta su edición de 1925 y significa la "aversión a las novedades" (RAE 816). Gimeno de Flaquer usó este término en otros de sus artículos, como "¿Mujer o hembra?" (1903; citado por Simón Alegre, "Algo más" 110).

[186] La "gaveta" es uno de los cajones de los escritorios que se emplea para guardar lo que se quiere tener siempre a mano. Aquí Gimeno de Flaquer señala un tema que la novela finisecular en España trató con regularidad: cómo las mujeres no ejercían un control del dinero en conjunto con sus maridos (Grau i Arau 93-116).

[187] Cuando Gimeno de Flaquer publicó este artículo, en 1902, ya había comenzado la escritora Carmen de Burgos a colaborar con ella (Simón Alegre, "Activismo social" 507-514). Gimeno de Flaquer participó en el libro de Burgos *El divorcio en España* (1904; consúltense notas 179 y 247), no solo incluyendo su opinión no del todo clara respecto a esta cuestión, sino también asesorando a Burgos sobre cómo manejar este proyecto (Burgos 44; Simón Alegre, *Carmen de Burgos: activismo literario, amistades y 'El divorcio en España'*).

[188] El autor de esta frase es el poeta y diplomático Rubén Darío (para más información sobre él, véase nota 47 de la sección "Cuentos cortos"), que la incluyó en su artículo de junio de 1902 "Las mujeres que escriben", donde hablaba del libro de versos de la condesa Mathieu de Noailles (Anna Elisabeth Bibesco-Bassaraba de Brancovan, 1876-1933; 5). Darío decía que esta condesa no era del tipo de las "*bas bleu*" que era un grupo no muy "simpático" (5). Gimeno de Flaquer volvió a publicar esta misma frase en *El problema feminista* (1903; 37) y en su artículo "El problema feminista. Conclusión"

de la pedantería no es fácil que se presentara; porque ilustradas todas las mujeres, ninguna podría vanagloriarse de su ilustración.

La mujer de hoy, tal como se halla, es obra vuestra. Ha pocos días vino a la Corte una provinciana, esposa de un senador, y al preguntarla en una visita a qué estilo pertenecía la famosa catedral de su tierra, no supo contestar. Volvió a su casa humillada, apresurándose a decir a su marido: "Es preciso que instruyamos a nuestras hijas, para que no tengan que avergonzarse por la falta de cultura"; y el senador repuso: "Con que sepan hacer el mondongo, ya tienen bastante".[189] Para que la mujer no se diera cuenta de lo mucho que la negabais, la habéis envuelto en densa nube de adulación, declarándola reina

---

(1903; 410). Los tres términos que Gimeno de Flaquer incluye en esta frase se utilizaban como sinónimos peyorativos de "literata" (Simón Alegre, "Algo más" 108-122). "*Bas bleu*" es una expresión francesa que se usaba en español para referirse a una mujer que destacaba por su erudición: "en el porvenir podrá escribir, sin ser ridiculizada con el renombre de marisabidilla, erudita o *bas bleu*; será escritora o artista en España sin que la consideren planta exótica" (Gimeno de Flaquer, "La mujer en la Antigüedad y en nuestros días" 103). "*Bas bleu*" es un término que procede de las reuniones literarias a las que acudían mujeres y hombres en Francia en el siglo XVIII, y en el mundo anglosajón se denominaron "bluestocking" (https://www.britannica.com/topic/Blue stocking-British-literary-society). En 1895, en su artículo "La madre del rey de Portugal", Gimeno de Flaquer subraya que la "mujer *bas bleu*" había desaparecido como una idea negativa ya que la escritora, "conociendo claramente su misión", vive más en el hogar que en el club y "ha comprendido que la mujer y la escritora es una dualidad que debe unificarse para que sea más encantadora" (125 y 128). "Marisabidilla" es la mujer que presume de sabia (RAE 680; 1884). Entre los numerosos ejemplos del uso peyorativo de "marisabidilla" está el artículo del escritor Leopoldo González Revilla (1858-1916), "Las mujeres abogados. I", donde indica que solo las "marisabidillas" reclamaban el uso para la profesión de la abogacía en las mujeres del sustantivo "abogadas" (16; nota 1). "Cultilatiniparla" aparece solo en el DRAE de 1884 y es sinónimo de marisabidilla, y también se denomina así a quienes usaban un lenguaje laborioso: cultiparlistas (RAE 321). Según la investigadora Eva Acosta, ambas expresiones provienen del autor del Siglo de Oro Francisco de Quevedo (1580-1645), que denominó a este tipo de mujeres como "culta latiniparla" (584). La edición de 1899 del DRAE incluye "cultalatiniparla", pero solo como sinónimo de cultiparlistas (RAE 297). Gimeno de Flaquer aprovechó el estreno de la obra de teatro del dramaturgo Jacinto Benavente (1866-1954), *Rosa de otoño* (1905), para insistir sobre cómo este espectáculo estaba en una línea feminista y no caía en el error de representar a las mujeres como "cultilatiniparlas o viragos" ("El feminismo en el teatro español" 206; para ampliar la definición de virago, véase la nota 244). Según Gimeno de Flaquer, además de estos tres términos peyorativos para definir a las mujeres que escribían, se empleaban "*femme savante*" (mujer erudita), "románticas" y "eruditas a la violeta" (*Mujeres de regia estirpe* 170-171; *La mujer intelectual* 168 y "Semblanzas femeninas. Margarita de la Sablière" 170).

[189] Gimeno de Flaquer, con "a la Corte", se refiere a la ciudad de Madrid. El "mondongo" es el preparado que se usa para rellenar las morcillas y los chorizos.

de la gracia y la belleza, asegurándola que la bastaban sus encantos para triunfar, que su poder estaba en su hermosura, con la que había de reinar sobre vosotros, y la engañada no ha visto en vuestros pérfidos argumentos que la ofrecíais el reinado de un día para aseguraros el de un siglo, que la dabais un juguete por un mundo.

La mujer española ha exagerado la obediencia, siendo frívola para complaceros, y hoy empieza a maldecir su estéril docilidad; pues aunque la llamáis encanto de la vida, no contáis con ella para ningún problema vital. A veces, cansados de la muñeca, buscáis a la mujer, y al no encontrarla os aburrís profundamente a su lado: ella lo comprende, porque la mujer española es muy inteligente, y se queja de vuestro desvío. ¿Qué hacéis en las tertulias? Después de prodigarla cuatro galanterías, ya no sabéis qué decirla, la dejáis con cualquier pretexto, para enredaros en vuestras discusiones políticas, llegando hasta olvidar que se halla presente.

Cada día hay menos calor moral en la vida de familia, porque el hastío, gran amputador de sentimientos, [se] apodera de los cónyuges. Vosotros tronáis *hoy* contra la ignorancia de las mujeres; ellas reniegan de vuestra cultura, que os aleja del hogar. ¡No tenemos mujer! –es el grito lanzado por el alma masculina–. Fuera difícil improvisar la de hoy, pero podéis crear la de mañana. Asociada a vuestra vida psíquica, siendo vuestra colaboradora intelectual, se realizará el matrimonio de las almas. Recordad que, en la época clásica de Grecia, alcanzó el arte completo desenvolvimiento porque la mujer fue su inspiradora. Las Aspasias, Diotimas y Arqueanasas prestaron calor a la elocuencia de los oradores, dieron más alto vuelo a las concepciones del poeta, más variedad de matices a la paleta del pintor.[190]

—¡Haced una civilización para los dos sexos! –exclaman las españolas–. ¡No seremos vuestras mientras solo os pertenezcamos carnalmente! Queremos ser poseídas por el espíritu, vivir de vuestra vida, cambiar inspiración por

---

[190] En el original, Gimeno de Flaquer indicó "Aspias", que parece una errata sobre el nombre de la maestra de retórica griega Aspasia de Mileto (470 a. e. c.-400 a. e. c.). En otro artículo del año 1901, "Madrid elegante", Gimeno de Flaquer nombró a estas tres mujeres y se refería a Aspasia (26). Diotima de Mantinea fue una sacerdotisa del tiempo del filósofo Sócrates, y que Gimeno de Flaquer definió de manera positiva por cómo manejó las relaciones amorosas-sexuales: "Diotima era una hetaira que cristalizó el fango de los placeres impuros, convirtiendo en crisálida la oruga del amor y después en mariposa; Diotima no fue la Venus de la voluptuosidad, sino la Psiquis de las pasiones" ("La gran reina española. Conclusión" 147). Arqueanasa fue una hetaira griega a la que Platón le dedicó unos versos (Gimeno de Flaquer, *En el salón* 194). Gimeno de Flaquer, en su libro *El problema feminista*, amplió el listado de mujeres que colaboraron estrechamente con hombres en el desarrollo de pensamientos humanistas (17-19).

inspiración, latido por latido, y que el mismo sol de gloria ilumine nuestras frentes.

La mujer de Madrid[191]

Esfinge, Proteo, jeroglífico indescifrable [se] considera al tipo que pretendo retratar.[192] ¿Será difícil definirle porque la madrileña es muy mujer? Convencida de que para bosquejar su fisonomía moral, más que visualidad psíquica o fuerza intuitiva precisa ser tan mujer como ella, [me] decidí a estudiar a ese enigmático ser.[193] Posee tantas iridiscencias, tantas facetas, [se] metamorfosea de tal modo, que escapa al análisis del observador.[194] Alma dotada de

---

[191] El 7 de octubre de 1903, Gimeno de Flaquer publicó este artículo en el *AIA* (434-436). Al principio de este texto, la escritora indicó que era un fragmento de un trabajo más amplio sin especificar cuál y, aunque anunciaba una continuación, al menos en el *AIA*, no aparecieron más partes. El texto completo se publicó en su libro *Mujeres de raza latina*, de 1904, en concreto en el capítulo "La mujer de Madrid" (7-32; la parte del artículo incluido en esta antología comprende desde la página 7 a la 17). Unos años antes, en 1900, Gimeno de Flaquer publicó el artículo "Artillería de cupido" (353-356), que después formará parte del capítulo acerca de las mujeres de Madrid incluido en su libro *Mujeres de raza latina* (19-23), sección que no incluyó en la versión de 1903 que se reproduce en las siguientes páginas.

[192] "Esfinge" se refiere a una criatura de la mitología griega con cabeza humana y cuerpo de animal. La esfinge aprendió el arte de la formulación de los enigmas de las musas y mataba a quienes no acertaban sus acertijos. También parte del Panteón griego, "Proteo" es uno de los dioses del mar que tenía la capacidad de predecir el futuro, pero cambiaba su aspecto para no tener que hacerlo, salvo a quienes conseguían capturarlo. De su nombre derivan el sustantivo "proteo" (el DRAE solo lo recoge a partir de su edición de 1899 y especifica que se refiere a la figura de un hombre que cambia de aspecto; RAE 819) y el adjetivo "proteico" (en el DRAE aparece a partir de su edición de 1925; RAE 996) que significa la cualidad que tienen quienes cambian de afectos y opiniones. Gimeno de Flaquer usó la referencia a Proteo en otros de sus trabajos como en *Mujeres de regia estirpe* (130).

[193] Concepción Gimeno nació en 1850 en Alcañiz (Teruel) y llegó a Madrid a principios de 1870 con su madre, hermanastra y hermanastro (Pintos 25).

[194] El DRAE no recogió el sustantivo "iridiscencia" hasta su edición de 2014, indicando que procede del inglés "irisdescence" (https://dle.rae.es/iridiscencia?m=30_2). Antes de la edición de 2014, el diccionario de Alemany y Bolufer de 1917 recogió este término significando que tiene los colores del arco iris (967). El DRAE incluyó "iridiscente" desde su edición de 1884 y tiene el mismo significado que el término anterior (RAE 609). Esta manera de expresarse, Gimeno de Flaquer la llevaba usando desde, por lo menos, 1900, ya que empleó esta palabra para describir a la benefactora Ernestina Manuel de Villena (1830-1889; "Una humanista española" 99 y en *La mujer intelectual* 204). Esta mujer fue una figura relevante para la sociedad madrileña por las iniciativas sociales que puso en marcha, y el escritor Benito Pérez Galdós (1843-1920) la incluyó en su novela *Fortunata*

cualidades extrañamente complejas, criatura formada de antítesis, conoce el secreto de hacer atractivos hasta sus defectos. La encantadora ligereza de su carácter [la] hace parecer superficial, y, sin embargo, posee un sentido crítico que pudiera tener gran alcance si no degenerara en la ironía y a veces hasta en el sarcasmo de dudoso gusto. Su coquetería sabia, insinuante razonamiento y habilidad para el sofisma, son capaces de trastornar el cerebro masculino mejor equilibrado.[195] Acróbata intelectual, sorprendeos con los juegos malabares de su espíritu; la alquimia de su vanidad ofrece transformaciones incalculables, porque es de justicia decirlo, la madrileña tiene las vanidades de las demás mujeres y las suyas propias. Alegaré en su defensa que estas son de naturaleza étnica; es indudable que la vanidad se aspira sin advertirlo en la atmósfera de la coronada villa. Podréis ser modestos, hasta humildes, mientras no os acerquéis a Madrid; pero tan pronto como el aliento del Guadarrama oree vuestros rostros, os volveréis presuntuosos. Efluvios de vanidad [se] agitan en el ambiente cortesano como átomos impalpables que penetran por los poros.[196]

¿Es artista la mujer madrileña? Podría serlo. Posee facultades artísticas, pero no crea por falta de tiempo. La madrileña visita museos y pinacotecas: os habla de las salas de Goya y de Velázquez, de los frisos del Partenón que ha visto en el Museo de Reproducciones, de la armadura de Carlos V y el casco de don Pelayo, pero no toma en serio ni el arte ni la historia; los ejemplares que un arqueólogo contempla con respeto religioso, son para ella bonitos *bibelots*

---

y Jacinta (1887) bajo la identidad de Guillermina Pacheco. Gimeno de Flaquer utilizó este sustantivo para otras mujeres, como la escritora italiana Grazia Pierantoni Mancini (1841?-1913; "Italianas notables" 254) y la mecenas María de la Concepción del Alcázar y del Ñero, marquesa de la Laguna (1843-1920; "Crónica madrileña" 530). También en 1909, el *AIA* publicó un retrato del escritor Felipe Trigo (1864-1916) y Gimeno de Flaquer describió su manera de escribir como "las brillantes iridiscencias de las plumas del quetzal" ("Nuestros grabados. Felipe Trigo insigne novelista español" 478).

[195] "Sofisma" es un argumento aparente para defender o persuadir lo que es falso (RAE 984; 1884).

[196] "Coronada villa" hace referencia a la ciudad de Madrid y significa que allí era donde se instaló la capital del país y era la residencia oficial del rey, la corona de España, y era el centro de la corte, de ahí que Gimeno de Flaquer describa a esta ciudad por su "ambiente cortesano". El primer cronista de Madrid, el clérigo e historiador Gerónimo de Quintana (1576-1644) nombró de esta manera a Madrid en su libro: *A la muy antigua, notable y coronada villa de Madrid. Historia de su antigüedad, nobleza y grandeza* (1629). El "aliento del Guadarrama" es el viento frío y seco que circula por Madrid y que se origina en el sistema montañoso que rodea a esta ciudad, la Sierra del Guadarrama (consúltese nota 16 de la sección de "Cuentos cortos" para más información).

con los que adornaría su *boudoir* sin la menor idea de profanación.[197] La mujer de Madrid va a los museos, como va a todas partes, por la necesidad que siente de andar de bureo.[198] Echadla en cara que se pasa la vida recogidita en la calle, y se defenderá hábilmente diciéndoos: "*¡Son tan lóbregas las casas! No hay en ellas bastante oxígeno, se carece de luz, parecen jaulas*". Estas razones deben atenuar un poco la fama de su furor callejero.[199]

---

[197] Gimeno de Flaquer se refiere, primeramente, al actual Museo del Prado (denominado hasta principios del siglo XX como Museo Nacional de Pintura y Escultura), que alberga salas específicas dedicadas a los pintores Francisco de Goya y Diego Velázquez (consúltese nota 103 y nota 30 de la sección "Cuentos cortos"). El Museo Nacional de Reproducciones artísticas (ubicado en este periodo en el Casón del Buen Retiro de Madrid) lo fundó el político Antonio Cánovas del Castillo (1828-1897) en 1877. Las reproducciones que menciona aquí Gimeno de Flaquer estaban en el Salón central del museo (según la tarjeta postal conservada en el Archivo Regional de la Comunidad de Madrid: http://www.madrid.org/archivos_atom/index.php/madrid-museo-de-reprodu cciones-artisticas-salon-central-01). El artículo de la investigadora María Bolaños incluye una serie de imágenes de este lugar donde se ven mujeres copiando algunas de las reproducciones de famosas esculturas que se conservaban en este museo (Figura 2). Gimeno de Flaquer conocía este lugar, ya que en 1905 describió el museo y un ciclo de conferencias que se puso en marcha allí ("Crónica de arte" 278-279). En 1908, el *AIA* publicó el resumen de otra ronda de conferencias que se celebró en este museo (Prat y Gil, "Conferencias en el Museo de Reproducciones artísticas" 291-293). La profesora y artista Elvira Méndez de la Torre (1873-1974; Sánchez González 44-64) frecuentó este museo y, en su artículo "Praxíteles", describió la reproducción de la Venus Anadiómena que se encontraba allí (356). La armadura a la que se refiere Gimeno de Flaquer aquí puede ser la que actualmente está en la Real Armería del Palacio Real de Madrid (https://www.patrimonionacional.es/colecciones-reales/real-armeria/arma dura-del-kd-del-emperador-carlos-v), o también se puede referir a la armadura (que se puede quitar y poner) que forma parte del conjunto escultórico de los italianos Leone y Pompeo Leoni "Carlos V y el Furor" (1551-1555) custodiado dentro de la colección del Museo del Prado. No se ha localizado el casco del rey don Pelayo (el primer monarca asturiano que reinó entre 718-737), y cabe la posibilidad de que Gimeno de Flaquer se refiera al cuadro de Luis de Madrazo y Kuntz "Don Pelayo, rey de Asturias" (1853-1857), que también está en el Museo del Prado (https://www.museodelprado.es/en/the-collection/art-work/pelagius-of-asturias/7fcd06bc-9e51-4f77-9568-95f9150aa2b4?searc hid=496d0282-0796-fad7-0ac4-6105a70a6ece). Acerca de los "*bibelots*", consúltese nota 44 de la sección de "Cuentos cortos" y acerca de "*boudoir*" véase nota 45.

[198] La expresión "andar de bureo" significa salir a divertirse.

[199] Gimeno de Flaquer introdujo pocos cambios en este texto cuando lo incluyó en *Mujeres de raza latina*. Una de las modificaciones sobresalientes es la sustitución de "furor" por "delirio" (Gimeno de Flaquer, *Mujeres* 9). El cambio de un sustantivo a otro lo hizo por las connotaciones negativas que tiene la palabra furor –que describe tanto a una especie de demencia transitoria como el que las mujeres sientan fuertes deseos

Forman la lectura de la madrileña los versos de Zorrilla y de Bécquer, los diarios de noticias, las revistas ilustradas que se ojean rápidamente, y las novelas cortas, muy cortas, porque la madrileña vive deprisa, al vuelo, y deteniéndose a leer la historia de un siglo, ¿cómo había de ir en un día a tiendas, a visitas, a paseo, al teatro y al sarao?[200] Su instrucción no está basada en la lectura, [se] debe a la curiosidad; no adquiere su ilustración en los libros, sino en el documento humano. En vez de estudiar, adivina: creedlo, con su ciencia infusa, con sus conocimientos autodidácticos, trastorna al más ladino. Su afición al retruécano es tan grande, que por lucir una frase ingeniosa, aun a riesgo de cometer una gerundiada es capaz de sacrificarse a sí misma y a la parentela de cinco generaciones.[201] Su palabra es aguda; recuerdo, entre otras damas, a la duquesa de Castro Enríquez y la marquesa de la Laguna, que encanta oírlas por la rapidez de la réplica chispeante y oportuna.[202]

---

sexuales (RAE 515; 1884)–, con respecto a "delirio" –que es más un despropósito o disparate (RAE 345; 1884)–.

200 Sobre Zorrilla, consúltese nota 63. En el *AM* apareció el poema "Pensamientos", del poeta Gustavo Adolfo Bécquer (1836-1870; 110). En el *AIA* se usó uno de los versos más representativos de Bécquer, "¿Qué es poesía? Poesía eres tú", para destacar la belleza de la arpista Gloria Keller, discípula de la también arpista Vicenta Tormo de Calvo (Flaquer, "Crónica española y americana. Un concierto brillante" 206; La Redacción, "Nuestros grabados. Gloria Keller" 550). "Sarao" es una palabra que viene del francés y significa juntar a diversas personas para divertirse y bailar (RAE 959; 1884).

201 "Ladino" se refiere a una persona astuta (RAE 626; 1884). El "retruécano" es una inversión de términos con el sentido de hacer un juego de palabras (RAE 931; 1884). Una "gerundiada" es una expresión ridícula que se dice con la pretensión de ser erudita (RAE 531; 1884).

202 La duquesa de Castro Enríquez es María Isabel Álvarez y Montes (1848-1915), a la que en 1891 una mujer que trabajaba para ella denunció por haber cometido una serie de abusos (Gimeno de Flaquer, "Crónica policroma" 278). En 1901, esta duquesa participó en el banquete homenaje celebrado en Madrid en honor de Gimeno de Flaquer (Blanco, "Banquete en homenaje a la Sra. Doña Concepción Gimeno de Flaquer" 254; Simón Alegre, "Activismo social" 507-514). Gimeno de Flaquer dedicó a la duquesa de Castro Enríquez dos artículos ("Desde Galicia" 434-435 y "Una novelista española", donde Gimeno de Flaquer aprovechó para subrayar la amistad que la unía a la duquesa; 242-243). Además, en 1901, el poeta Manuel del Palacio (1831-1906) dedicó un poema a esta duquesa donde subrayaba la amistad que le unía con Gimeno de Flaquer (262). La marquesa de la Laguna (consúltese nota 194), entre otras personas madrileñas de renombre, acudió a las tertulias en casa de los Flaquer-Gimeno en la céntrica calle Campomanes (Anónimo, "Informaciones" 201). En varias ocasiones, Gimeno de Flaquer habló de las fiestas para festejar el santo de la marquesa de la Laguna que se celebraron en su palacio madrileño ("Crónica semanal. En el palacio de los marqueses de la Laguna" 542 y "Crónica femenina y feminista. En casa de la marquesa de la Laguna" 542). Además, Gimeno de Flaquer publicó una breve semblanza de cómo era esta marquesa, que termina destacándola como "una amiga muy amiga de sus

Suele ser acusada la mujer de la Corte de padecer manía de exhibición; [se] supone que no va a la academia, al congreso [de los Diputados], al teatro, al paseo por hacer ejercicios saludables para el espíritu o el cuerpo, sino por mostrarse. Insisto en asegurar que va a todas partes impelida por la curiosidad. A ella debe el barniz de cultura que la envuelve. Es verdad que no estudia, pero recibe instrucción auricular. Los discursos de sus amigos en la Academia de la Historia y de la Lengua: el del primo en la de Bellas Artes, y las conferencias del vecino en el Ateneo, ¿no son grandes elementos de ilustración percibidos por el órgano auditivo?[203] Tampoco ha necesitado leer a los clásicos, porque las compañías de la Tubau y la Guerrero se los han dado a conocer en esos días de moda en que asiste a los teatros el todo Madrid que sabe vivir a la *dernière*.[204] Desconoce el poder moderador de la eutropelia, sintiéndose abrasada por la fiebre de goces sociales; cuenta los días de la semana por el número de fiestas a que ha de asistir, además de las novenas, duelos y juntas para tratar asuntos de beneficencia, muy atendida en la Corte gracias a las mujeres, y no es posible que tenga tiempo para leer.[205] Sin

---

amigos" ("Crónica madrileña. La marquesa de la Laguna" 530). La escritora Carmen de Burgos, en algunas de sus obras de ficción, ridiculizó la amistad que unió a estas tres mujeres (Simón Alegre, "Queer Literary" 63-67 y 72-77).

[203] Tanto en el *AM* como en el *AIA* se recogieron las diferentes conferencias y actos que se celebraron en Madrid en la Real Academia de la Historia (fundada en 1738), en la Real Academia Española (fundada en 1713), en el Círculo de Bellas Artes (fundado en 1880) y en el Ateneo de Madrid (fundado en 1820). El escritor Mariano de Cavia (1855-1920) ridiculizó la cada vez más numerosa presencia de mujeres en los actos de estas instituciones (Ezama Gil, *Musas* 25-29; Simón Alegre y Charnon-Deutsch 1-3).

[204] Gimeno de Flaquer, con la compañía de "la Tubau", se refiere a la teatral formada por la actriz María Álvarez Tubau (1854-1914) y el dramaturgo Ceferino Palencia (1859-1928). Esta compañía regentó con mucho éxito el Teatro de la Princesa de Madrid (actual María Guerrero). María Álvarez Tubau fue portada del *AIA* en varias ocasiones (3 Mar. 1898, 14 Abr. 1902 y 14 Oct. 1903). Además, en 1902, el historiador Juan Ortega Rubio (1845-1921) dedicó un artículo a esta actriz en el *AIA* (160-161). Respecto a la compañía Guerrero, Gimeno de Flaquer señala a la empresa formada por la actriz María Guerrero (1867-1928) y el también actor y aristócrata Fernando Díaz (1862-1930). María Guerrero ocupó la portada del *AIA* en varias ocasiones (14 Dic. 1905 y 30 Ene. 1908), y Gimeno de Flaquer la menciona en su novela *Una Eva moderna* (Simón Alegre "Introducción crítica"). Tanto en el *AM* como en el *AIA*, hay numerosas noticias acerca de las obras y proyectos en los que se embarcaron ambas compañías internacionales. "Vivir a la *dernière*" significa vivir a la última.

[205] La "eutropelia" es la capacidad de moderar el exceso de diversiones o entretenimientos (RAE 474; 1884). Dentro del catolicismo, las novenas son nueve días en los que una persona se dedica al culto a Dios y a sus santos para alcanzar su favor (RAE 744; 1884). "Duelos" se refiere a cuando alguien moría y se hacían una serie de misas para rendir tributo a la persona que hubiera muerto. En relación a las "juntas" y los temas de beneficencia, consúltese notas 40 y 42 de la sección de "Cuentos cortos".

embargo, sabe deciros con orgullo que Lope, Calderón, Tirso, Moratín, Quevedo, don Ramón de la Cruz y Fígaro son conterráneos suyos.[206]

[Se] acusa a la madrileña de poca religiosidad, de convertir la iglesia en escaparate donde luce sus galas. No hay tal cosa. Si no va a misa hasta las doce, es porque se levanta tarde; si prefiere las Calatravas a San Ildefonso, es porque en aquella iglesia hay fragantes emanaciones y en esta hedor; y como es delicada, anémica y nerviosa, no puede soportar el contacto con la gente soez porque el vaho que exhala esa gente [le] produce bascas.[207] Eminentemente aristocrática, prefiere a todo, un título nobiliario; es la meta de sus deseos, el ideal más acariciado, el *summun* de sus aspiraciones, su rosáceo sueño. A la madrileña no le dan independencia las leyes, pero sí las costumbres. Ella lleva el cetro del hogar, preside los salones, dirige la

---

[206] Sobre Quevedo y Ramón de la Cruz, véanse notas 188 y 103. La lista de autores que Gimeno de Flaquer incluye aquí tiene en común que son originarios de Madrid, que desarrollaron sus carreras en esta ciudad, o ambas cosas. Lope de Vega (1562-1631) fue un escritor del Siglo de Oro que cultivó el teatro y la poesía. Desde 1862 se estaban llevando a cabo iniciativas para restaurar su casa, que está en el actual barrio de las Letras de esta ciudad, donde hoy día es una casa-museo dedicada a su figura. Pedro Calderón de la Barca (1600-1681) fue un destacado escritor del Siglo de Oro, sobre todo por sus obras de teatro, como *La vida es sueño* (1636). Otro dramaturgo de esta misma época y con un perfil muy parecido es Tirso de Molina (nombre real, Gabriel Téllez; 1583-1648), famoso por su obra de teatro *El burlador de Sevilla* (1617). Del periodo de la Ilustración, Gimeno de Flaquer nombra al dramaturgo Leandro Fernández de Moratín (1760-1828), conocido por su obra *El sí de las niñas* (1806). De la primera parte del Romanticismo, cita a Fígaro, seudónimo del escritor Mariano José de Larra (1809-1837), referente de la prensa y el mundo profesional del periodismo de corte moderno. Carmen de Burgos escribió una de las primeras biografías de este periodista (*Fígaro*, 1919; Romero Tobar 183-189).

[207] La Iglesia de las Calatravas está en la calle Alcalá y la Parroquia de San Ildefonso se encuentra en la plaza que lleva su mismo nombre. El *AIA* publicó una imagen similar de las Calatravas en dos ocasiones (1899 y 1901). Las descripciones, siempre de la misma fotografía, subrayan la unión de este templo con las clases aristocráticas y medias altas madrileñas, y remarcan que la misa del mediodía era el momento en el que allí acudían quienes pertenecían al Madrid "elegante y despreocupado" (La Redacción, "Nuestros grabados. Madrid: Entrada de las Calatravas" 143 y "Nuestros grabados. Salida de las Calatravas" 383). La Parroquia de San Ildefonso estaba asociada a personas de clase media baja (la escritora Rosalía de Castro se casó aquí en 1858). Por ejemplo, en una nota de sociedad publicada en el *AM* de 1886, Evelino del Monte (seudónimo de la escritora Josefa Pujol; ¿-1904) destacó la boda celebrada en este templo entre el escultor Mariano Benlliure (1862-1914) y Leopoldina Tuero O'Donnell, reseñada por su "extraordinaria sencillez" (134). También el escritor y colaborador del *AIA*, Carlos Ossorio y Gallardo, remarcó el carácter popular de este recinto ("San Ildefonso" 32). "Basca" es una palabra de origen árabe que significa repugnancia (RAE 140; 1884).

conversación, decreta fórmulas sociales, dicta usos nuevos, proscribe los antiguos, influye en la moda y hasta en la política.[208]

En pocas naciones se ven tantas señoras en el Congreso [de los Diputados] como en la capital de España. Puede asegurarse que en la Corte no hay político sin Egeria.[209] La madrileña elabora reputaciones, intriga, hace diputados, asciende al subalterno, da grados al teniente. Todos estos prodigios [los] realiza con sus artes de mujer de salón. Es nocherniega, o noctiluca, porque como la luciérnaga brilla más de noche que de día; pero no es noctívaga.[210] Cuando al salir del teatro va a un baile, y mientras sus hijas danzan, juega al tresillo con el general, el diputado y el ministro; no creáis que pierde el tiempo: del general consigue licencia absoluta para el hermano de su costurera, del ministro una credencial para el padre de la peinadora, del diputado una pensión para traer al conservatorio a la niña de su administrador; y si entre los mirones se encuentra algún concejal, [le] arranca la promesa de que adoquinaran la calle donde ha construido un hotel.[211] Si permite que los visitantes noctambulen más de lo regular en su casa, es porque da un asalto a sus bolsillos, [les] hace adquirir papeletas para un concierto a beneficio de las Hermanitas de los pobres, para una *kermesse* en el asilo de Santa Cristina o para una rifa cuyos productos se destinan a la beneficencia domiciliaria.[212]

La madrileña no es aficionada a madrugar: cuando le celebran el placer de ver sonreír a la aurora, contesta que la aurora se sonríe de las tontas que se levantan a contemplarla, y, sin embargo, el día en que tiene deberes benéficos

---

208 Consúltese el artículo "Las tertulias", incluido en esta sección, para ampliar los temas que trata aquí Gimeno de Flaquer.

209 La expresión "no hay político sin Egeria" significa la relación de mecenazgo que algunas mujeres de las clases aristocráticas y altas de Madrid mantuvieron con políticos del momento (Almagro San Martín 147-152). Egeria era a una de las ninfas de la mitología romana, que servía de ejemplo para quien quisiera ser siempre una persona justa, tal y como Gimeno de Flaquer mencionó en otros de sus trabajos (como por ejemplo en *La mujer intelectual* 204).

210 La palabra "nocherniega", aunque estaba presente en el idioma español desde 1516, cuando el humanista Antonio Nebrija la recogió (107), el DRAE no la incluyó hasta su edición de 1914, y significa la persona que anda de noche (RAE 715). "Noctiluca" es sinónimo de luciérnaga (RAE 740; 1884). "Noctívaga" es un adjetivo de uso poético que hace referencia a la persona que sale a pasear por la noche (RAE 740; 1884).

211 El "tresillo" es un juego de cartas. La referencia que hace aquí Gimeno de Flaquer a la "licencia absoluta" indica la corrupción que existía en la sociedad española en relación a cómo, si se sabían manejar bien las influencias y los contactos, era posible eludir la obligatoriedad del servicio militar que los hombres en España debían cumplir.

212 Las Hermanitas de los Pobres se establecieron en Madrid en 1863. El asilo de Santa Cristina se creó en 1895. Acerca del tema de la "*kermesse*", véase nota 42 de la sección de "Cuentos cortos".

que cumplir deja aunque sea en enero el blando y templado lecho, para llevar socorros al tugurio del menesteroso, andando veloz con su resuelto y menudo pasito por calles mal empedradas, en las que no transitan a tales horas más que las burras de leche.[213] La madrileña, con su tipo delicado, grácil, es muy fuerte: desafía en invierno la inclemencia de la temperatura, presentándose en la Castellana o en el Retiro, donde suelen rugir vientos huracanados, luciendo su esbelto talle.[214]

A pesar de cuanto se dice, [se] halla poco metalizada: si ambiciona, no es por avaricia, sino por dispendio, por la necesidad que siente de ser espléndida, generosa.[215] Para marido, [le] deslumbra más el brillante cargo oficial que la gran renta, lo que demuestra que tiene menos ambición que vanidad. Es devota del dios éxito, simpatiza tanto con el vencedor, que en cada madrileña parece palpitar el corazón de una Cleopatra.[216] A la mujer de la Corte esposa de militar o de empleado, apenas le basta el sueldo de su marido para atender a las necesidades de la familia y a las que le crea su cultura, pero vive tranquila, alegre, en la imprevisión de un mañana desdichado.

Hoy, que tanto se habla de regionalismo, debo hacer observar que la madrileña es completamente regionalista.[217] "Nada hay en el mundo como mi Madrid" –dice a cada instante–; y en efecto, así lo cree. Para ella Madrid reúne todas las perfecciones; es el emporio del arte, de la sabiduría, de las letras, las ciencias, la urbanidad, la elegancia y el buen tono: el que no ha recibido bautismo artístico o literario en Madrid, [se le] antoja anabaptista intelectual.[218] Curioso es advertir el aire de protección con que se presenta [la mujer de Madrid] ante la provincianita recién llegada a la Metrópoli, o el

---

[213] "Tugurio" significa una habitación pequeña y en malas condiciones. La expresión "burras de leche" se refiere a que, muy pronto por la mañana, en Madrid se vendía leche de burra que se ordeñaba en el momento.

[214] Acerca del parque del Retiro, consúltese notas 29 y 53 de la sección de "Cuentos cortos".

[215] "Metalizada" es una palabra que el DRAE no incluyó hasta su edición de 1984 y significa aquella persona que está preocupada en exceso por el dinero (RAE 1421). Aunque desde la publicación del diccionario de Ramón Joaquín Domínguez en 1853 es una palabra que forma parte del léxico español en uso (1173).

[216] Acerca de Cleopatra, véanse notas 70 y 81 de la sección de "Cuentos cortos".

[217] Según el escritor Víctor Balaguer (1824-1901), el regionalismo significa "dentro de la nación, el patriotismo de provincia, así como el patriotismo es el regionalismo de nación dentro del concurso de los pueblos y los reinos" (196).

[218] Gimeno de Flaquer usa la referencia "anabaptista intelectual" para indicar que tal y como la corriente del anabaptismo insistía el bautismo se debía hacer en el periodo adulto. De esta manera quien llegaba a Madrid debía pasar por un bautismo artístico o literario, ya que sin él no conseguían formar parte del elenco del mundo artístico y literario.

desdén burlón con que la mira. Si la infeliz le ha rendido parias, [se] convierte en maestro de ceremonias, enseñándole desde el arte de saludar, hasta la manera de sentarse; si no se presenta vencida, [la] amilana con sátira quevedesca, haciéndola objeto de bromas punzantes, eligiéndola por blanco de las diatribas de sus contertulios.[219] En ese caso la inocente sufre las consecuencias de la más dolorosa novatada. Como la madrileña se considera árbitra del buen gusto, declara *cursi* cuando no se dice, se hace y hasta se piensa al estilo de Madrid.[220] Si la víctima protesta afirmando que en su tierra hay también gente culta, gente fina, [la] anonada con el acostumbrado estribillo: finura provinciana. La madrileña [le] hace a la provincianita cursar el bachillerato, y hasta le concede la licenciatura en artes de salón ¡pero no la borla doctoral! Si llega a otorgársela, ¡a qué costa! Erigida en dómine tirano, no permite a su esclava tener voluntad; cuanto hace sin su anuencia encuéntralo ridículo, y en Madrid lo ridículo deshonra más que el deshonor.[221]

La madrileña es de trato fácil, afable, expansivo, con apariencias de sincero; llega en breve a la intimidad, adquiere amistades con la mayor ligereza y con la misma las abandona. [Se] forman las mujeres de Madrid del contingente que envían todas las provincias de España a la Corte, considerándose madrileñas por afinidades de espíritu, sin esperar carta de naturaleza. Al sentirse madrileñas, lo son moralmente, porque han dejado de parecerse a las mujeres de la tierra en que nacieron, abandonando sus costumbres.

El ángel del hogar[222]

La pereza ingénita en la raza latina nos hace dar libre curso a frases hechas que no analizamos, aceptándolas como moneda corriente.[223] [Se] dice con notoria ligereza que la mujer no necesita ilustrarse, que su misión consiste en

---

219 Carmen de Burgos satiriza este ambiente en su novela corta *La entrometida* (1921; Simón Alegre "Queer Literary" 67-77). "Rendido parias" significa la subordinación de una persona a otra. Es importante remarcar las referencias a la literatura del Siglo de Oro que emplea aquí Gimeno de Flaquer ya que durante esta época se estaban recuperando muchas obras de este periodo, como por ejemplo las de la autora María de Zayas (¿-1661).

220 Para ampliar el tema de "cursi", consúltense los trabajos de las hispanistas Noël Valis, *The Culture of Cursilería Bad* 31-76 y Ana I. Simón Alegre, "Queer Literary" 67-76). Acerca de "árbitra" consúltese nota 82.

221 "Anuencia" significa consentimiento (RAE 80; 1884).

222 Gimeno de Flaquer publicó este artículo en el *AIA* el 7 de mayo de 1904 (194). No se han encontrado otras versiones de este texto.

223 También en el año 1904, Gimeno de Flaquer publicó el libro *Mujeres de raza latina*, donde incluía dentro de este grupo a las de toda la península ibérica, de Latinoamérica, de Filipinas, de Italia, de Francia y de Rumania.

ser *ángel del hogar*. Este lugar común debe figurar entre los más colosales absurdos. No comprendo por qué se ha de establecer antagonismo entre la bondad y la instrucción: jamás las creí incompatibles. Cuanto más clara sea la luz de nuestro entendimiento, más nos iluminará para distinguir los escollos de la vida. Posee menos atractivos un ángel bobo que un ángel intelectual, y es indudable que este ha de ejercer en la familia más prestigio, más autoridad que aquel.

Fácilmente cumplirá sus deberes la mujer de inteligencia cultivada; la mujer ignara apenas los podrá comprender. Virtud equivale a fortaleza, y la estulticia es débil.[224] La intelectualidad de la mujer es el faro que ilumina su camino, librándola de estrellarse en los arrecifes del océano social. El concepto de la vida que tenían nuestros antepasados, no puede encarnar en las aspiraciones de los hombres de hoy: para convivir la mujer con el hombre en la patria de los nuevos ideales que él se ha creado, necesita virtudes más activas que aquellas por que se distinguió el llamado *ángel del hogar* en las pasadas centurias. Lejos de querer cercenar nuestra época los deberes de la mujer, les da más latitud. La educación ética que reciba vigorizará su carácter, cultivará la voluntad, que es la más noble facultad de nuestro ser, porque nos emancipa de errores o ilógicos determinismos que alzan obstáculos en la vía del progreso, que nos impiden dar cima a grandes empresas. Vigorizada el alma del sexo femenino, se despojará de vulgares y pequeñas pasiones. Hay mujeres que, siendo un dechado de virtud, hacen infelices a cuantos las rodean, virtudes insoportables que con su austeridad y tiránica intolerancia atormentan inconscientemente.[225] La virtud ha de ser amable, atractiva, para hacerse amar.

Los anhelos que siente la Eva moderna de penetrar en el campo de la ciencia y el arte no son antitéticos a su natural vocación maternal: la mujer es la gran educadora, y para educar necesita poseer educación e instrucción.[226] La madre de Guizot hizo la carrera con su hijo: [le] acompañaba a clase, tomaba apuntes y le ampliaba las explicaciones del catedrático.[227] Esa mujer

---

[224] "Estulticia" es necedad o tontería (RAE 583; 1884).

[225] "Dechado" describe a alguien ejemplar y que es un modelo para imitar (RAE 341; 1884).

[226] Gimeno de Flaquer desarrolló el arquetipo de la mujer del siglo XX que se presentaba bajo la definición de una "Eva moderna" en su última novela, *Una Eva moderna* (1909; Simón Alegre "Introducción crítica").

[227] Gimeno de Flaquer se refiere al historiador francés François Pierre Guillaume Guizot (1787-1874). En el texto original de este artículo, el apellido de este historiador está mal escrito ("Gruizot"). Su madre se llamaba Elisabeth-Sophie Bonicel (1764-1848) y ejerció una gran influencia en su desarrollo profesional. Gimeno de Flaquer usó esta misma referencia en *Madres de hombres célebres* (108), "La madre de Washington" (195), y además le sirvió para destacar el papel de pedagoga que, en general, tienen las madres (*Mujeres de regia estirpe* 21; "La madre de San Luis" 137; "Pedagogas españolas" 194 y

superior supo hacer sentir su influencia durante toda la vida en los actos de su hijo. Ser artista y mujer es formar una dualidad encantadora: la rosa doble es mucho más bella que la sencilla. Gran obcecación será negar que la ignorancia para nada es buena y para todo perjudica, que la mujer instruida podrá ser más útil a la sociedad que la intonsa.[228]

Ha pocos días supe con alegría que la Academia de Ciencias Morales y Políticas de Francia otorgó el premio Audiffred de quince mil francos, destinado al acto de mayor abnegación y heroísmo, a la esposa del vicecónsul de Francia en Diarbekir (ciudad situada en la meseta del alto Tigris), por su admirable comportamiento durante la hecatombe de Armenia en los años 1895 y 1896.[229] Al estallar la revolución entre cristianos y mahometanos [se] cometieron crueldades espantosas, saqueos, incendios, mutilaciones, matanzas, en las que fueron sacrificados hasta niños y mujeres. El vicecónsul de Francia monsieur Meyrier abrió su casa, concediendo hospitalidad a cuantos quisieron ser amparados por el pabellón francés. [Se] vio obligado a defenderse con los refugiados en su hogar, mientras su esposa restañaba la sangre de los heridos y les ponía apósitos.[230] Cuando hubo una pequeña tregua, trescientos cristianos fueron a pedir al vicecónsul que les llevara a la costa; pero temiendo él que en su ausencia se aumentaran los actos vandálicos, dijo a su mujer que guiara a la caravana. Esta heroica dama [se] puso en marcha, llevando entre los fugitivos a sus cuatro hijos, uno de pecho,

---

"Reinos medievales (I)" 62). Aunque no en esta ocasión, pero sí en otros de sus escritos, Gimeno de Flaquer destacó la importancia de la primera mujer de Guizot en su carrera ("El problema feminista" 400; *El problema feminista* 30; "Concepto de la mujer en la literatura francesa" 50 y "Compañeras de grandes hombres" 110).

[228] "Intonsa" significa alguien ignorante (RAE 606; 1884).

[229] Gimeno de Flaquer se refiere a la Academia de Ciencias Morales y Políticas que forma parte del Instituto de Francia (fundado en 1832), y al premio François-Joseph Audiffred. En 1902, Hélène MacNamara (también conocida como Hélène Meyrier) –esposa del vicecónsul Gustave Meyrier (1852-1930) en Diarbekir (actual Turquía)– recibió este premio por los actos heroicos que llevó a cabo durante la masacre del pueblo armenio (1895-1896). La autora escribió este artículo años antes de publicarlo en 1904 ya que la noticia de esta distinción salió en los periódicos como *El Imparcial* (Anónimo, "Una mujer heroica" 2), *El Día* (Anónimo, "Premio de abnegación y heroísmo" 2) y *Las Dominicales* (Anónimo, "Una mujer heroica" 4). Hay que destacar que existen similitudes entre estos textos y el que Gimeno de Flaquer publicó en 1904.

[230] "Restañar" significa parar el curso de sangre de una herida (RAE 928; 1884). Existe una edición crítica actual de las memorias de Gustave Meyrier acerca de lo que él y su familia vivieron durante este genocidio: *Les massacres de Diarbékir: correspondance diplomatique du vice-consul de France, 1894-1896* (*Las masacres de Diarbékir: correspondencia diplomática del vicecónsul de Francia, 1894-1896*) editado por Michel Durand-Meyrier y Claire Mouradian para la editorial L'Inventaire en 2000.

y caminó a caballo durante quince días por campos arrasados, hasta llegar al puerto de Alejandreta.[231] El gobernador [le] ofrecía una escolta, pero madame Meyrier no quiso aceptarla si no protegía a todos: envió a sus hijos a la cabeza de la columna y se quedó a retaguardia. Durante la noche velaba a sus protegidos, alentándoles con su valor. Al atravesar el Éufrates, llegaron órdenes para que se concediera libre circulación a la esposa del vicecónsul de Francia; las autoridades locales no permitían el paso a la caravana; pero madame Meyrier pronunció conmovedora arenga, afirmando enérgicamente que moriría con sus hijos si no se salvaban sus trescientos compañeros, y logró conmover al prefecto. La caravana siguió adelante, y ella fue la última que pasó a la otra orilla del río, como al embarcarse en el mar fue la última que entró a bordo. En aquella dolorosa odisea [se] semejaba al ángel del consuelo, a la Providencia visible de aquellos desventurados, a los que libró de la muerte. Si esta mujer valerosa hubiera sido el llamado *ángel del hogar* de los pasados tiempos, ser tímido, que solo sabía llorar y rezar, en vez de una criatura dotada de poderosa voluntad y sabias iniciativas, la caravana hubiera perecido.

Todos los esfuerzos que se hagan por el desenvolvimiento mental de la mujer serán dignos de elogio: [se] teme que la cultura de su espíritu debilite las funciones de su organismo, dispuesto para la procreación; pero si la incultura de la mujer nos ha de aumentar el número de estultos, tendríamos que renegar de sus facultades prolíficas, de su funesta fecundidad fisiológica. El tipo de la contemporánea del hombre ilustrado [se] vislumbra en la Electra galdosiana, que penetra en el laboratorio de Máximo iluminándolo con su gracia, poetizando el árido tecnicismo al pasar por sus frescos labios, entonando himnos a la ciencia, asociándose a la vida espiritual del ser amado.[232]

La envoltura carnal no es obstáculo para el desenvolvimiento de la mentalidad: nada importa que nuestro organismo sea más débil que el masculino. Platón, Pope y Alarcón tenían raquítica contextura y titánica

---

[231] En turco y es la ciudad de İskenderun.

[232] Aquí Gimeno de Flaquer se refiere a la obra de teatro del escritor Benito Pérez Galdós, *Electra*, estrenada en el Teatro Español de Madrid en 1901 (además véase nota 196). Pérez Galdós ocupó la portada del *AIA* poco después de su estreno, el 7 de febrero de 1901, y el político y colaborador del periódico Andrés Ovejero (1871-1954) escribió una crítica favorable de esta obra (51-52). Para Gimeno de Flaquer, *Electra* era importante porque conectaba con la situación real que vivían las mujeres en España ("Feminismo. Memoria presentada a la 'Unión Ibero-Americana'" 338 y 230-231). Electra y Máximo son los protagonistas de *Electra* (Menéndez-Onrubia 5-24).

inteligencia.[233] No temáis que perjudique la instrucción al sexo femenino; la mujer casera de vetustos tiempos, el anticuado *ángel del hogar*, débil, pusilánime, inerme, inactivo, cede el paso a la mujer nueva, que lucha por la conquista de altos ideales, que colabora con el hombre en la magna obra de la perfectibilidad de las futuras generaciones.

Feminología[234]

A la inteligente infanta Eulalia, entusiasta feminista[235]

[Se] decía en otros tiempos que la mujer no debía hablar ni hacer hablar de ella: en su tumba solían esculpir un freno, una mordaza y un búho, emblemas de economía, silencio y vigilancia. Todas sus virtudes y méritos debían ser

---

233 Alexander Pope (1688-1744) fue un poeta inglés y uno de los más destacados traductores de Homero. Pedro Antonio de Alarcón (1833-1890) es un escritor español del que Gimeno de Flaquer, en su libro *La mujer intelectual*, contaba la anécdota de su encuentro con la promotora de acciones sociales Ernestina Manuel de Villena (205-207).

234 Por el momento solo se ha localizado que Gimeno de Flaquer publicara este artículo el 30 de mayo de 1904, dentro del *AIA* (230-231). La "feminología" fue una corriente de pensamiento feminista puesta en marcha por la escritora y pintora francesa Margarite Souley-Darqué (1855-1924), que tenía el propósito de destacar todo lo relacionado con las mujeres y lo femenino, aplicando a las investigaciones una perspectiva interdisciplinaria y diacrónica, que abarcara desde la antigüedad hasta la actualidad (Verbruggen y Carlier 136). Desde 1902, Souley-Darqué impartió la asignatura "Feminología" en el Collège Libre des Sciences Sociales de París (Facultad-Colegio Libre de Ciencias Sociales; Lara 11; Offen 340). Alrededor de 1904, Gimeno de Flaquer presentó un proyecto a la madrileña organización la Unión Ibero-Americana para que esta organización considerara poner en marcha una universidad femenina que siguiera los planteamientos de la asignatura que Souley-Darqué impartía en París (la referencia a este proyecto está incluida en su artículo "Feminismo. Memoria" 338 y "Feminismo. Conclusión" 350). Souley-Darqué publicó dos trabajos importantes donde, además de explicar la metodología de sus clases, resumía su pensamiento político: el artículo "Féminologie" para el periódico *Le femme Socialiste* (*La mujer socialista*, publicado el 24 de diciembre de 1905; citado por Verbruggen y Carlier 136) y su libro *L'Evolution de la Femme* (*La evolución de la mujer*, 1908; citado por Offen 340).

235 Gimeno de Flaquer se refiere a la infanta de España Eulalia de Borbón, que mantuvo estrechas relaciones con el feminismo y los movimientos de mujeres en España y Francia (Ezama Gil, *La infanta Eulalia de Borbón* 47-103). No era la primera vez que Gimeno de Flaquer le dedicaba uno de sus trabajos, pues en 1903 lo había hecho ya con su libro *El problema feminista*. Básicamente, este libro incluía la conferencia pronunciada por la escritora en el Ateneo de Madrid el 26 de mayo de 1903, a la que, entre otras personalidades, acudió esta infanta (Simón Alegre, "Activismo social" 539-547). Además, Eulalia de Borbón fue portada del *AIA* en varias ocasiones (Simón Alegre, "Ahora no pestañees" 138).

pasivos, la Eva antigua era un alma dormida, un ser inconsciente amorfo; su fisonomía moral [se] esfumaba entre las más densas nieblas. Tal la hicieron los hombres. La enferma, la impura, inspiraba el más profundo desprecio: al ver a la esposa grávida, hacia votos su cónyuge para que naciera varón, y más de una vez [se] oyó exclamar a filósofos adustos: ¡si pudiéramos tener hombres sin hembras![236]

El siglo XX será denominado [el] siglo de las mujeres: empiezan a soplar vientos favorables al sexo femenino, disipadores de errores seculares, abusos tradicionales y prejuicios arraigados que envilecen a la compañera del hombre.[237] La eterna sacrificada ha dejado de serlo en varios pueblos, y pronto ocurrirá lo mismo en España: la esclava se emancipará en breve porque parece invadir espíritu de justicia el alma masculina.[238] Las razas anglo-americana, sajona y escandinava, [se] pusieron al frente del movimiento feminista, y Francia, que ejerce la hegemonía en la raza latina, Francia, que es metrópoli de la cultura del mundo moderno, ha demostrado prácticamente que el feminismo no es revolución, sino evolución; un efecto natural del progreso indefinido; y le ha dado tanta importancia, que le coloca entre las ciencias sociológicas, habiendo creado una cátedra para explicarle.[239] Es verdad que las modernas ideas han tardado en hallar eco en España, pero repercuten con vigor, con brío. Los que abogan por las reivindicaciones femeninas, campeones de la justicia, paladines del derecho, adalides de la verdad, heraldos de la buena nueva, parecen mostrarse airados contra sí mismos por haber callado

---

[236] "Grávida" es un adjetivo de uso poético que significa embarazada. El DRAE recogió "grávida" a partir de su edición de 1884 (RAE 541). "Adusto, ta" es el adjetivo que se usa para describir a alguien rígido y austero (RAE 24; 1884). Esta frase se atribuye a Q. Cecilio Metelo Macedónico y, en su versión original, en vez de usar "hembra" aparece "mujer" (Langa 90). Además, en su artículo "43 913 mujeres", Gimeno de Flaquer señala otra posibilidad para el origen de esta frase (véase nota 286).

[237] La afirmación de que el siglo XX será considerado el siglo de las mujeres, Gimeno de Flaquer ya la había utilizado antes para valorar los progresos que habían vivido las mujeres en el siglo anterior (*La mujer intelectual* 265-271). Según la investigadora Consuelo Flecha García, otro escritor contemporáneo de Gimeno de Flaquer, Manuel Torres Campos (1850-1918), también usaba en sus trabajos este tipo de valoraciones (*Las primeras universitarias en España, 1872-1910* 21).

[238] Sobre el tema de la esclavitud en Gimeno de Flaquer, véanse notas 78, 89 y 167.

[239] Gimeno de Flaquer trató el tema del feminismo en estos países en otros de sus trabajos, como en sus artículos "Primeras emancipadoras" (302-303) y el "Origen del feminismo en Francia" (242-243 y 254-255), además de en sus libros: *Evangelios de la mujer* (135-150 y 179-181) o *Mujeres de raza latina* (242-252). Por ejemplo, en el *AIA* de 1907, está incluido el retrato de la escritora sueca Astrid Ahnfelt (1876-1962), que subraya el interés de esta publicación por visibilizar la aportación de las mujeres. Se refiere a la asignatura de "Feminología" (véase nota 234).

tanto tiempo, y sus argumentaciones poseen la virtualidad de la más apremiante dialéctica, incontrovertible avasalladora.[240]

Hora es ya de que se nos concedan a las españolas prerrogativas de que disfruta el hombre legalmente; la Eva antigua aceptó limosna de galantería; la mujer nueva, más altiva, más digna, porque tiene conciencia de su personalidad, alto concepto de su noble destino, no puede admitir que lo que debiera pertenecerla de derecho tenga que ser suplicado como favor. Mal harían en ufanarse nuestros hombres de su galantería para el sexo femenino: tengan en cuenta que en el Indostán, donde vive esclavizado, eslabonan sus cadenas con estas frases: "*No hay que golpear a la mujer ni con una flor. Donde las mujeres son respetadas, sonríen los dioses satisfechos*".[241] Palabras, flores retóricas que no tienen valor positivo. De galantería semejante han saturado los españoles a la mujer, mareándola con incienso inebriativo que la ha dejado aturdida, enervada, ciega; y la ofuscación producida por lo poco que la concedían no le ha permitido advertir lo mucho que le negaban.[242]

Unánime, enérgica protesta [se] alza hoy contra la nulificación de la mujer, protesta que figura lo mismo en el programa de los partidos avanzados que en las proclamas de los conservadores. En la conferencia que dio Alejandro Pidal en el círculo de los Luises hizo el panegírico de la mujer, manifestando más fe en su rectitud y moralidad que en la del hombre, demostrando la inconsecuencia de negarle el voto electoral por el temor de que haga mal uso de él, sin negárselo al varón, que lo vende por dos pesetas, y sostuvo que la

---

[240] Es interesante cómo Gimeno de Flaquer nombra a las personas relacionadas con el feminismo en masculino, "los feministas moderados" ("Feminismo. Conclusión" 350).

[241] Por Indostán, o la península indostánica, se entiende el conjunto de la India, Paquistán, Bangladés, Sri Lanka, las Maldivas, Bután y Nepal. El uso de este término señala que Gimeno de Flaquer seguía la tradición persa para denominar esta región, que también empleó en su libro *Mujeres de regia estirpe* (158 y 226). Esta referencia está relacionada con la escritora y traductora Magdalena de Santiago Fuentes (1873-1922) y su libro *Flores de loto* (1904), que compuso inspirada por fábulas de esta zona. En 1904, el *AIA* destacó la aparición de esta obra y publicó un retrato de la autora (La Redacción, "Nuestros grabados. Magdalena S. Fuentes" 370). No se ha localizado ninguna edición de *Flores de loto*, parece que se publicó en la editorial Herder de Barcelona de la siguiente manera: *Flores de loto. Cuentos arqueológicos.* Friburgo de Brisgovia. Si bien no se ha localizado ningún ejemplar (citado en la biografía de la autora de la Real Academia de la Historia: https://dbe.rah.es/biografias/30962/magdalena-de-santiago-fuentes-soto). Años después, en 1908, Santiago Fuentes incluirá parte de este trabajo en *Cuentos orientales* (Muñoz Olivares 36-37). No se ha podido identificar la autoría de esta frase.

[242] "Inebriativo" significa "embriagador" (RAE 954; 1884).

igualdad de derechos y deberes entre los dos sexos no la masculinizaría, ya que la obra de la naturaleza no ha de destruirse.[243]

Sobrada razón tiene el señor Pidal en sus aseveraciones, pues en los países en que goza la mujer de idénticos privilegios que el varón, no es un virago ni un ser andrógino, sino una criatura culta que anhela agregar a los encantos físicos los méritos intelectuales para ejercer más atracción.[244] Tranquilícense los hombres, que no ha de renunciar nunca la mujer a la admiración de ellos. Y sabe muy bien, porque su instinto es infalible, que para conseguirla ha de reunir todas las feminidades. Convencida de que la mujer se esfuerza en agradar al sexo masculino, no vacilo en afirmar que si hasta hoy ha sido

---

243 Alejandro Pidal y Mon (1846-1913) fue un político cercano a Cánovas del Castillo, que mantuvo estrechas relaciones con diferentes círculos católicos de la época. Pidal y Mon fue portada del *AM* en 1890 (2 Mar.), y en el *AIA* se reprodujo el discurso que dio en honor del dramaturgo Manuel Tamayo y Baus (números de marzo y abril de 1899). La conferencia a la que se refiere Gimeno de Flaquer aquí se titula "Feminismo y cultura de la mujer", que pronunció en el madrileño Círculo Patronato de San Luis Gonzaga a finales de 1902 (Anónimo, "El círculo de los Luises" 3; Posada, "Feminismo" 62). Este lugar de reunión también se conocía como Círculo de San Luis o "*Los Luises*", siendo esta última forma de nombrar a este círculo, según el profesor y abogado Adolfo Posada (1860-1944), la que usaba sobre todo el "vulgo" ("Feminismo" 62). Y así es cómo Gimeno de Flaquer decidió nombrar a este espacio remarcando el nombre por el que, seguramente, todo el mundo conocía el lugar y al que, según Posada, con cierta ironía, dice que acudían "las damas" a escuchar conferencias ("Feminismo" 62). Gimeno de Flaquer señala en este párrafo las partes de la conferencia de Pidal y Mon que más coincidían con su pensamiento, puede que por haber asistido o que, como Posada la leyera publicada en la revista *Ciudad de Dios* en diciembre de 1902 (Posada, "Feminismo" 62; Pidal y Mon 644-661).

244 La palabra "virago" no aparece en el DRAE hasta la edición de 1925 y significa "mujer varonil" (RAE 1246). Pero este sustantivo estaba presente en el idioma español desde antes. Los diccionarios de Domínguez (1853), Gaspar y Roig (Ulloa; 1855) y Manuel Rodríguez Navas y Carrasco (*Diccionario general y técnico hispano-americano*; 1918) registraron esta palabra de manera diferente, pero señalando que su empleo denotaba un sesgo peyorativo para quienes se nombraba así: mujeres que no encajaban dentro de los cánones patriarcales de normalidad femenina. Domínguez indica que, además de ser "mujer varonil", podía ser la "que participa en los dos sexos" (172). Gaspar y Roig indica que era el "sobrenombre" de las diosas Diana y Minerva (Ulloa 1335). Y, por último, Rodríguez Navas y Carrasco incluye las explicaciones anteriores, pero además señala que se denominaba así a la "mujer corpulenta", a la "marimacho" y que, con este sustantivo, se nombró a Eva en el *Antiguo Testamento* (1832). Respecto a "andrógino, na", el DRAE de 1884 indica que es una palabra relacionada con el mundo de la zoología y que se aplica a animales como las lombrices, que tienen los dos sexos, es decir, lo considera sinónimo de "hermafrodita" (RAE 72). Gimeno de Flaquer empleó el término "criatura" de una manera en que se refería tanto a mujeres como a hombres (Simón Alegre, "Algo más" 108-113).

superficial la mujer española, [se] debe a que el hombre ha preferido la frívola a la docta. Adolfo Posada, uno de nuestros pensadores, dice: "La opinión admite las reinas porque la Historia presenta el ejemplo vivo de mujeres ilustres unas, otras no tanto, capaces de hecho para reinar, sobre todo más o menos como los hombres, y la opinión rechaza a la mujer en el ejercicio de otras funciones políticas de menos importancia, porque no es costumbre que las desempeñen".[245] Exacta observación: los españoles somos espíritus regresivos, misoneístas: no damos un paso fuera de la pauta trazada por la rutina, sancionada por la tradición; para el cambio más leve, por mucho que nos convenga, buscamos precedentes; faltando estos, nos estancamos, no podría movernos ni la palanca de Arquímedes.[246]

Con gran energía exclama Antonio Zozaya:

> Nuestra legislación es injusta con la mujer. El marido, que no es castigado como adúltero fuera del domicilio conyugal, puede matar a su consorte, a quien acaso ha corrompido. En el orden civil la mujer no tiene capacidad sino en contados casos. En los demás órdenes carece de personalidad. No pensamos sino en prostituirla, corrompiendo la vida en su fuente y en cegar a la luz su entendimiento, como si no debiera ser la compañera de nuestra existencia y la educadora de nuestros hijos.[247]

---

[245] Esta cita procede de la primera parte del artículo de Posada "La condición jurídica de la mujer española" (1898; 108), que el escritor también usó en su libro *Feminismo* (1899; 224). En 1904, el *AIA* recogió una escueta reseña de esta obra, destacando lo "bien documentada" que estaba (Anónimo, "Libros nuevos" 226). Gimeno de Flaquer volvió a mencionar las ideas de Posada en su artículo de 1906 "Apologistas y detractores de la mujer. Conclusión" (14).

[246] Véase nota 185 acerca del término "misoneísta". Posada también usó esta palabra en sus escritos para señalar a quienes no aceptaban los cambios que la sociedad estaba viviendo y la centralidad de las mujeres y el feminismo en ellos ("Feminismo" 58). Gimeno de Flaquer se refiere a uno de los inventos del pensador Arquímedes (287 a. e. c.-212 a. e. c.).

[247] Antonio Zozaya (1859-1943) fue un escritor y colaborador del *AIA*. Entre sus colaboraciones están, por ejemplo, la poesía "Al soldado español" (1898; 269) o el artículo "El espíritu de Carnaval" (1904; 62-64). No se ha localizado el artículo o libro de dónde Gimeno de Flaquer sacó la frase de Zozaya, pero esta sección está en relación al artículo que publicó en *El Liberal*, "Crónica", acerca de su posición favorable a que se estableciera el divorcio en España (Zozaya 2). Este artículo, Carmen de Burgos lo incluyó en su libro *El divorcio en España* (Simón Alegre *Carmen de Burgos*). La escritora y activista María Cambrils (1878-1939) calificó a Zozaya como un "defensor del feminismo" (Aguado 72). Gimeno de Flaquer volvió a mencionar a Zozaya y al resto de referencias incluidas a partir de aquí en la conferencia que impartió en la Unión Ibero-

Dolorosa verdad: es sorprendente que los legisladores no hayan tratado de reformar el código, olvidando que con tal descuido contribuyen a la desgracia de sus hijas. Para que la injusticia sea más notoria, obsérvese que ante el derecho civil permanece la mujer en perpetua minoridad, y ante el penal es igualada con el hombre.[248] Tal incoherencia deja la lógica de los antiguos legisladores muy mal parada. Añade con notoria generosidad el susodicho escritor: "Acaso, en el afán de impedir a la mujer que se eduque, ocultamos el miedo a un terrible competidor. Se dice que la mujer culta pone casi siempre en ridículo a su marido. Y es verdad. '¿Cómo serán ellos cuando basta a sus compañeras la instrucción más elemental para ponerles en berlina?'" [249] Es innegable que los propagandistas de la incultura de la mujer son ignorantes que no la quieren ilustrada por no verse en ridículo ante ella, pues consideran que por poco que se instruya les ha de sobrepujar.[250] Lo he dicho varias veces: mientras no se cree una civilización para los dos sexos, no podrán existir en la pareja conyugal afinidades de espíritu: los hombres superiores vivirán mentalmente solos.[251]

¿Qué concepto ha de formar la mujer de los sucesos nacionales si no le han desenvuelto sentimientos patrióticos? La patria es para ella una entidad que la deja muda, indiferente. Si en algunos casos sigue la corriente de los entusiasmos, es por sentimentalismo, no por razonamiento. En un momento de noble indignación, [se] escapan estas frases a la pluma de Manuel Bueno:

> Hemos levantado murallas al sexo femenino para confinar el vuelo de su fantasía, hemos puesto a su voluntad el doble grillete de la ley y del qué dirán. Ese sistema celular ha hecho de la mujer la eterna sometida,

---

Americana el 21 de mayo de 1908, "La mujer antigua y la mujer de espíritu moderno", y poco después lo publicó con el mismo título en el *AIA* (1908; 14-17 y 338-339).

[248] En su conferencia en el Ateneo "El problema feminista", del 26 de mayo de 1903, Gimeno de Flaquer ya había planteado estas cuestiones: que las mujeres no disfrutaban de los derechos a la par que los hombres, como votar, pero sí que debían responder a todos los preceptos legales en el mismo plano que ellos, y en algunas ocasiones situándolas en posiciones de indefensión: "Hasta para castigar las culpas de infidelidad han creado los legisladores distinta moral para cada sexo, lo cual se halla en oposición con la conciencia" (*El problema feminista* 9).

[249] Gimeno de Flaquer se refiere al escritor Antonio Zozaya, pero en esta ocasión tomó la cita del artículo "Crónica. Ni voz, no voto" (1904; 1). La expresión "poner en berlina" significa dejar a alguien en ridículo (RAE 147; 1884).

[250] "Sobrepujar" significa exceder una cosa a otra (RAE 982; 1884).

[251] Desde sus primeros ensayos, como *La mujer española* (1877; 127-141), hasta sus conferencias en el Ateneo de Madrid, como *El problema feminista* (1903; 26-32), Gimeno de Flaquer subraya la necesidad de que las mujeres tengan acceso a la educación para que en sus matrimonios exista algo más que una convivencia.

> la criatura débil, cuyos sentidos emperezados no rebasan la corteza de las cosas. Las cimas de las ideas y los extremos de las sensaciones le están igualmente vedados; su vida es una perpetua imploración a nuestro egoísmo. Nos pide todo, amparo, fe, consuelo y cariño. Hemos empequeñecido su existencia encerrándola; hemos limitado los viajes de su imaginación apartándola de las artes y de los libros, que son los más nobles recreos del espíritu; hemos reducido geográficamente su reinado hasta dejarlo en las cuatro paredes de nuestra casa; hemos abusado de su pasividad y sumisión hasta excluirla de todo derecho a la protesta; la hemos humillado, preterido y olvidado, como si fuera una cosa de uso circunstancial y transitorio.[252]

Efectivamente, negándola placeres intelectuales, condenándola a lo vulgar, ni puede proporcionar esparcimiento a su espíritu ni poblar de ideas su mundo moral, siempre vacío, desierto, ni sentir la emoción estética, único deleite que nos compensa de los prosaísmos de la vida, ni gozar con su compañero el placer de la gloria que él haya conquistado. "Hay que oír a la mujer", exclama José Nogales: "¿Qué juicio forma de las luchas, de las aspiraciones, de los ideales que remueven el cerebro humano en nuestros días? Es interesante saberlo, y no hay más sino atender, incitar, si fuera necesario, las manifestaciones de la inteligencia femenina".[253] [Una] nueva era empieza para la mujer; es la primera vez que le conceden beligerancia en las contiendas de la mentalidad. A raíz del último desastre nacional [se] llenaron las columnas de los periódicos de preguntas dirigidas a los políticos para encontrar recursos inmediatos de regeneración y engrandecimiento de la patria; y al observar que no se pedía su opinión a la compañera del hombre, [me] lamentaba yo de que, denominándola encanto de la vida, [se] prescindiera de ella en todo problema vital; atreviéndome en asegurar que no se alcanzará el engrandecimiento de la Patria mientras no se cuente con la influencia femenina.[254] A esta idea parecen responder los esfuerzos que poco

---

[252] Gimeno de Flaquer se refiere al escritor y traductor Manuel Bueno (véase nota 184). No se ha podido localizar el artículo, el libro o la conferencia de dónde sacó este párrafo. En un artículo anterior, Gimeno de Flaquer criticó la posición de este escritor respecto del rol de las mujeres en la sociedad ("La mujer según los filósofos modernos"; 1903, 99).

[253] José Nogales (1860-1908) fue un escritor polifacético que publicó algunas de sus poesías, ensayos y cuentos cortos en el *AIA*. En este periódico, la escritora María del Pilar Contreras de Rodríguez (1861-1930) publicó una necrológica cuando falleció Nogales (148).

[254] Gimeno de Flaquer se refiere al año 1898 y lo que supuso la pérdida de Cuba, Puerto Rico y Filipinas para la sociedad española, consúltese el cuento corto "Por la Pilarica".

tiempo ha se están observando hasta en los partidos más reaccionarios por conquistar la voluntad del sexo llamado débil.

Antonio Cortón hace observar que si la República Norte-Americana ha llegado a ser fuerte y grande, no lo debe, como suele pensarse, a los progresos de la mecánica o a la virtud de las instituciones políticas, sino a la cultura femenina, que es igual a la del hombre.[255] Allí la mujer, educada por la mujer misma, hizo la patria. Los *dollars* han venido después; antes de que se formasen los *trusts* [se] fundó el Trinity College y la Universidad Católica de [América] [en] Washington, instituciones consagradas exclusivamente a la instrucción de la mujer y donde las mujeres ocupan cátedras.[256]

El redactor de *La Correspondencia de España*, Fabián Vidal, comentando la barbarie de los que matan a la mujer queriendo justificar su vandalismo denominándole crimen pasional, se expresa en estos términos:

> Ser débil, enteramente afectivo, poco desarrollado en lo intelectual, por una educación arcaica y rutinaria, la mujer es materia propicia a todas las sugestiones. Y nosotros, que constantemente ponemos sitio a su virtud; que la hacemos vivir en un medio frívolo, donde solo se aprecia lo exterior y brillante; que desmentimos la legendaria galantería española con una dureza efectiva rayana en la brutalidad; que nos hemos acostumbrado a considerar en la compañera *una cosa*, tal vez querida como se quiere a un mueble, tal vez adorada como se adora un placer, pero siempre inferior e incapaz de elevarse a nuestra altura, la hacemos guardiana de la propia honra, sacerdotisa de nuestro hogar, sin reflexionar en el gran despropósito que cometemos al creerla imposibilitada de alcanzar un nivel ético igual al nuestro, y asignarla, a pesar de eso, la misión de guardar incólume el nombre que la diéramos. Y si algún día la mujer se asimila nuestra doctrina moral y

---

[255] El escritor Antonio Cortón (1854-1913) y Gimeno de Flaquer entablaron una relación profesional. En 1908, en el *AIA*, Cortón publicó el artículo "El voto a las mujeres", que estaba dedicado a Gimeno de Flaquer en agradecimiento al libro que le había enviado (412). Previamente, este artículo lo publicó en *El Diario Español* de Buenos+ Aires. No se ha podido localizar la fuente en la que se basa Gimeno de Flaquer para incluir las referencias al pensamiento de Cortón.

[256] El Trinity College se fundó en 1823 y la Universidad Católica de América es de 1887. El libro de Gimeno de Flaquer *Evangelios de la mujer* incluyó un capítulo sobre el feminismo en América del Norte y en Inglaterra (135-142). Con este párrafo, Gimeno de Flaquer estaba haciendo un guiño al viaje de la infanta Eulalia de Borbón por América de 1883 (Vallejo 179-199). La investigadora Ángeles Ezama Gil ha destacado que la prensa del momento siguió muy de cerca el itinerario de esta infanta por el continente americano (*La infanta* 228-222).

> arroja al barro el depósito que la confiáramos, sentimos en nuestra alma el despertar de la bestia primitiva, y en un salto atrás al salvaje de las cavernas, la sacrificamos con fruición, con delectación de fiera, satisfaciendo a la vez la rabia del marido y el rencor del duelo burlado.[257]

Otro periodista que firma en *El Liberal* con el seudónimo de *El Sastre del Campillo*, analizando la muy hábil diplomacia con que la mujer sabe ocultar su autoridad para que no se alarme su consorte, afirma que ella es

> un tirano invisible que gusta del misterio de la tiranía; le halaga el cargo, pero sin la representación oficial; exige la obediencia, pero sin el público homenaje, con lo cual demuestra, no solo que no es un ser inferior, sino muy superior a nosotros, míseros mortales que nos desvanecemos por un uniforme y nos pirramos por un símbolo autoritario, aunque sea el bastón de un policía o el pincho de un consumero.[258]

Natural es que al verse la mujer inerme saque partido de la astucia para manejarse, ya que no tiene otro recurso. El día en que alcance su personalidad mayor relieve moral, mostrará sus ideas francamente, sin recurrir a medios capciosos, que repugnan a su lealtad.[259] Por fortuna no está lejano ese momento: la prensa, que es el órgano de la opinión, está demostrando que existe en España [una] atmósfera favorable al desenvolvimiento de las

---

[257] Fabián Vidal era el seudónimo que usaba el escritor Enrique Fajardo Fernández (1883-1948) para firmar sus artículos. Desde 1904, formaba parte de la redacción del periódico *La Correspondencia de España*. La cita que incluye aquí Gimeno de Flaquer procede del artículo de Vidal "Crónica. Los amores que matan", publicado en 1904 (3). En 1906, este escritor publicó un artículo en el *AIA* titulado "Como los niños" (5). "Fruición" significa el gozar en hacer algo (RAE 511; 1884).

[258] *El Sastre del Campillo* era el seudónimo que usaba el escritor Antonio María Martínez Viérgol y Carranza (1872-1935). Gimeno de Flaquer tomó esta referencia del artículo titulado "¡¡Las mujeres!!" (1904; 2). "Pirrarse" es un verbo que solo comenzó a incluirse en el DRAE desde su edición de 1914, subrayándose que tenía un uso más familiar que formal y con el significado de desear con "vehemencia" algo (RAE 1528). El bastón de un policía se refiere a una especie de porra que llevaban en esta época. El "empleado de consumos" era quien se encargaba de recaudar el impuesto sobre lo que se quería vender en una ciudad. Con su pincho comprobaba que la cantidad y lo que se declaraba era exacta; en la zarzuela cómica *De Getafe al paraíso o La familia del Tío Maroma* se describe este momento con rasgos humorísticos-grotescos (1889; libreto de Ricardo de la Vega y música de Francisco Asenjo Barbieri).

[259] "Capcioso, sa" significa que algo es artificioso o engañoso (RAE 205; 1884).

facultades intelectuales de la mujer, que se discuten sus derechos, que se piensa en mejorar su condición social, económica y jurídica, y que su proclamada inferioridad es un error del cual se avergüenzan los que lo propagaron. El pincel ayuda también a la pluma en la propaganda en pro de la mujer, pues en la actual exposición de Bellas Artes aparece un hermoso cuadro de Bilbao titulado *La Esclava* que es elocuente protesta contra la trata de blancas, que hace pensar en los dolores que sufren algunas mujeres al ser vendidas como fruto de la vida, como mercancía humana.[260] Eduardo Dato ha promulgado una ley regulando el trabajo de la mujer; Canalejas y el conde de Romanones han hecho algo favorable a los intereses del sexo femenino.[261] Distinguidos sociólogos españoles [se] preocupan por la suerte de nuestras obreras, figurando entre ellos el talentudo joven Práxedes Zancada, que presenta a la atención de los gobernantes problemas de vital interés.[262] Los exaltados impugnadores del triunfo de la causa de la mujer, los furiosos enemigos de las doctrinas feministas, los *misóginos*, van desapareciendo.

---

[260] Gimeno de Flaquer se refiere a la Exposición del Círculo de Bellas Artes celebrada en mayo de 1904 y donde el pintor Gonzalo Bilbao (1860-1938) expuso su cuadro "La esclava" (1904), que criticaba la situación de práctica esclavitud que vivían las mujeres dentro de los prostíbulos.

[261] Gimeno de Flaquer se refiere al político Eduardo Dato (1856-1921) y a sus insistencias en la necesidad de que el gobierno regulara el trabajo infantil y de las mujeres (Espuny Tomás 11-14). En 1900, se aprobó la ley que regulaba el trabajo de niños, niñas y mujeres. En el año 1902, cuando el político José Canalejas (1854-1912) ocupó el Ministerio de Agricultura, Industria, Comercio y Obras Públicas, se puso en marcha el Instituto del Trabajo. El conde Romanones (Álvaro de Figueroa; 1863-1950) fue otro político destacado de la Restauración borbónica. Es probable que Gimeno de Flaquer se refiera aquí a la ley que puso en marcha para regular el sueldo de las personas dedicadas a la enseñanza en 1901.

[262] El escritor y político Práxedes Zancada (1879?-1936) fue secretario de Canalejas y formó parte del Instituto de Reformas Sociales. Aquí, Gimeno de Flaquer destaca a Zancada por su libro *El trabajo de la mujer y el niño*, que hacía poco tiempo había publicado (1904). En el mismo número del *AIA* que incluye el artículo de Gimeno de Flaquer "Feminología", hay una breve reseña del libro de Zancada que destaca lo "bien documentado" que estaba (Anónimo, "Informaciones" 238). En diferentes números de este periódico, encontramos variadas referencias a las actividades intelectuales de Zancada en Madrid (como la conferencia que impartió en 1909 en el Ateneo sobre el escritor Azorín –José Martínez Ruiz–). Además, Zancada formó parte de los banquetes homenaje que recibió Gimeno de Flaquer en junio de 1901 y 1903 (Blanco 254; Prat y Gil, "Homenaje" 268), y publicó un ensayo en el *AIA* titulado "El poeta de la revolución" (Zancada 329).

Nuevo carácter del feminismo[263]

Los defensores de los derechos de la mujer empezaron su propaganda con efusiones líricas, porque contando el feminismo con muchos combatientes, unos por egoísmo, los más por no haberse tomado el trabajo de estudiarle, querían hablar a la imaginación antes que a la sindéresis, creyendo alcanzar más rápidamente el triunfo. Perjudicó a la propaganda favorable a la llamada *causa de la mujer* el que haya sido Fourier, socialista exaltado, quien inventara la palabra *feminismo* para expresar toda idea de abolición de la esclavitud femenina.[264] Hoy [se] van abriendo paso las ideas feministas desde que las amparan católicos y representantes de los partidos moderados. Es verdad que el feminismo tiene adversarios, pero todo problema filosófico vive de la controversia, y los heterodoxos de la doctrina feminista contribuyen inconscientemente a su divulgación.

Las exageraciones y extravagancias de algunos radicales han desnaturalizado el feminismo, dándole carácter de masculinización de la mujer; pero la dialéctica más superficial demuestra el error en que han vivido los que suponían que la hembra racional tratara de convertirse en ser insexuado, perdiendo la gracia femenil.[265] La mayor ambición de la mujer es ser amada:

---

[263] Por el momento, no se ha localizado otra versión de este artículo que la publicada en el *AIA* el 22 de julio de 1904 (314), aunque Gimeno de Flaquer usó para componerlo referencias que llevaba empleando en otros de sus escritos desde los años ochenta del siglo XIX.

[264] François Marie Charles Fourier (1772-1837) fue un pensador francés relacionado con el socialismo utópico y que puso en circulación la palabra feminismo (Gimeno de Flaquer, "Crónica feminista. Percursores del feminismo" 286). Gimeno de Flaquer usó la referencia al pensamiento de Fourier desde sus artículos de los años ochenta, como en "La mujer según Augusto Comte" (40), hasta en su novela corta *Sofía* (1888), donde el protagonista, el doctor Lagarde, tiene en su biblioteca un libro de este autor (Simón Alegre "Introducción crítica"). Gimeno de Flaquer valoró positivamente tanto la aportación de Fourier ("Crónica feminista. Precursores del feminismo" 286; *El problema feminista* 22) –incluso dedicó a su "querida amiga" María de la Concepción Reguera de Miranda ("La mujer según los filósofos modernos" 99) un artículo reflexionando acerca del pensamiento de Fourier– como remarcó los puntos de su pensamiento que estaban en contradicción respecto a la libertad que siempre debían tener y manejar las mujeres por sí mismas (*En el salón* 209; "Musas humanas" 266; "El eterno femenino" 89 y *Mujeres de regia estirpe* 14).

[265] Gimeno de Flaquer utilizó la referencia "insexuado" en la conferencia que dio en Madrid en 1908 en el Instituto de Higiene, titulada "Iniciativas de la mujer en higiene moral social", que publicó poco después en formato de libro (*Iniciativas de la mujer en higiene moral social* 21). La escritora no explica el significado de "ser insexuado", pero al presentar esta caracterización en contraposición a "hembra racional" es posible acercarse a su significado: remarca que las mujeres relacionadas con el feminismo no se

una artista cuida, más que de su corona de laurel, de las hojas otoñales de su vida, procurando darles frescura artificial: no es fácil que se resigne el sexo femenino a despojarse de sus encantos. La mujer nueva, piensa muy acertadamente que ser bella e instruida es ser dos veces bella: la Eva antigua suponía que la ignorancia [la] hacía aparecer más interesante a los ojos del hombre. Si la estolidez femenina pudo ser un atractivo para el varón arcaico, es para el hombre moderno un desencanto.[266] Las simpatías que está alcanzando el feminismo, su vitalidad, su pujanza [se] deben a que los floreos retóricos, los arranques ditirámbicos, han sido sustituidos por hechos positivos.[267]

Es innegable que el feminismo ha tomado nueva orientación, un carácter práctico, y los pusilánimes que se asustaban de él y hasta le suponían producto de cerebros desequilibrados, [se] declaran vencidos, siendo los primeros en hacer su apología y aumentar sus filas, convencidos de las ventajas morales y sociales que reporta. Las ideas feministas, que inspiraron en un principio desdeñosas sonrisas, [se] miran con respeto desde que los estudios sociológicos, cada día más desenvueltos, han hecho conocer la necesidad de reformas sociales; habiéndose fijado la opinión pública en que el feminismo, más que un problema, es la síntesis de múltiples problemas. Hoy la acción social de la mujer lleva el sello de lo práctico, característica de nuestra época. Las ignorantes enfermeras antiguas, en vez de ayudar al médico destruían los efectos de su obra: en nuestros días se han creado escuelas de enfermeras que conceden el título revelador de conocimientos

---

encontraban en un estado sexual alejado de la feminidad. La idea, por otro lado, es parte de las referencias actuales a expresiones no binarias. Es importante subrayar que Gimeno de Flaquer emplea esta palabra a principios del siglo XX, cuando su uso va a formar parte más de la narrativa de los años veinte y treinta del siglo XX. Tal y como la investigadora Nerea Aresti ha señalado, en el primer tercio del siglo XX, este adjetivo era una alternativa para definir el ideal al que debía aspirar la humanidad (*Médicos, Donjuanes y Mujeres Modernas* 246). El novelista y colaborador del *AIA* Antonio de Hoyos y Vinent (1885-1940: Simón Alegre, "Prensa, publicidad y masculinidades" 65-68), publicó en 1913 la novela *El pecado y la noche*, en la que emplea este término para definir a las mujeres y a los hombres que se movían fuera de normatividades de género (4 y 26; Valis, "Homosexuality on Display in 1920s Spain" 194-195). También la escritora Margarita Nelken (1894-1968) usó la idea de "insexuado" de una manera similar a Gimeno de Flaquer en su obra *En torno a nosotras* (1927; citado por Jardón Pardo de Santayana 123-129).

[266] "Estolidez" significa la falta total de razón (RAE 462; 1884).

[267] Para la definición de ditirambo, consúltese nota 67.

científicos.[268] Siempre estuvieron distantes el proletariado, la burguesía y la aristocracia: obra importante del feminismo es la unión de estas clases sociales, que fraternizando aportan valiosas fuerzas para la defensa de los intereses de la mujer.

El feminismo ha creado asociaciones mutualistas que alivian la triste situación económica del sexo femenino; sociedades que reclaman de los poderes públicos la protección a la obrera; instituciones para auxiliarla en los penosos y largos periodos de la gestación y la lactancia: casas de maternidad donde se ampara a las abandonadas que considerando una vergüenza el fruto de su amor [se] hicieran infanticidas sin los consuelos morales y materiales que se las prestan; establecimientos donde se las enseñan oficios y profesiones y se las proporciona trabajo; dispensarios semejantes al de los niños tuberculosos fundado por *madame* Arias de Pau con objeto de conservar a la patria mayor número de ciudadanos.[269] La liga del terruño y el

---

[268] A partir de aquí encontramos partes de este artículo incluidas en su libro *Mujeres de regia estirpe* (1907; 233-238). Desde su primer ensayo, *La mujer española* (1877), Gimeno de Flaquer mostró interés por la incorporación de las mujeres al mundo profesional de la enfermería que había comenzado con la Guerra de Crimea (1853-1856; 156). En 1895, en el *AIA*, el escritor Jesús Pando y Valle (1849-1911) publicó un artículo dedicado a la evolución mundial de la presencia de las mujeres en la Cruz Roja (506-509). Gimeno de Flaquer, en su artículo de 1905 "La mujer inglesa", que dedicó a Concepción Aleixandre, profundizó tanto en el papel de la enfermera inglesa Florence Nightingale (1820-1910) en la Guerra de Crimea, como en el desarrollo de la figura de la enfermera a partir de este conflicto (386). Desde el año 1907, en el *AIA* hay más noticias en relación al desarrollo de la carrera de enfermera, como la creación de escuelas para ofrecer formación en Japón, Italia o Bélgica (Gimeno de Flaquer, "Crónica femenina y feminista" 146; "Crónica femenina y feminista. Escuela ambulante de Milán" 170 y "Crónica femenina y feminista. Escuelas de enfermeras" 458). Además, por ejemplo, en 1909, el *AIA* publicó el artículo de la enfermera estadounidense Matilda L. Johnson: "El papel de las enfermeras visitadoras en la lucha antituberculosa" (278-279 y 290-292). Respecto a la situación en España, en 1908, Gimeno de Flaquer recogió la noticia de que en el Congreso Pedagógico social se había pedido la creación de una escuela de enfermería ("Crónica femenina y feminista. Nuevas profesiones" 134). Aunque en España desde 1896 funcionaba la Escuela de Enfermeras de Santa Isabel de Hungría, no fue hasta 1915 que se pudo obtener un título oficial de enfermera (Bernabé Mestre y Gascón Pérez 38).

[269] Acerca de las sociedades mutualistas, consúltese nota 36 de la sección de "Cuentos cortos". Un ejemplo de estas sociedades está en el artículo de Gimeno de Flaquer "La mujer en Rusia", donde cuenta la existencia de una de estas organizaciones que ayudaba a las mujeres que quisieran estudiar con los gastos tanto de matrícula como de libros (290). Para el caso español, surgieron numerosas asociaciones de este tipo (Rueda Hernanz 226-238), aunque todavía faltan estudios que profundicen en aquellas que pusieron en marcha las mujeres, dirigidas y pensadas para ellas (Moral Vargas 79-105).

hogar, que adjudica terrenos a las pobres para que los conviertan en huertos cultivados por ellas, discreto donativo que no envilece, porque no es el pan de la limosna adquirida en la ociosidad sino el pan del trabajo, es fundación debida a la feminista *madame* Hervieu de Sedán.[270]

Calumniado ha sido el feminismo al atribuírsele el desmoronamiento del hogar: las sociedades feministas han creado un curso teórico y práctico de *Ciencia Ménagère*, donde se enseña a la mujer a cumplir sus deberes domésticos, embelleciendo la casa para hacérsela amar al hombre, ahuyentándole de la taberna o el casino. Hasta para el sencillo arte culinario conviene la instrucción, porque sabiendo algo de química [se] pueden condimentar mayor variedad de manjares exquisitos. En Bélgica, Suiza y Alemania es donde se hallan mejor organizados esos estudios para la vida doméstica con el nombre de *Écoles Ménagères*. [Se] debe el establecimiento de esas escuelas a la condesa R. de Diesbach. Digna loa es la iniciativa de esta dama.[271]

En España existía la Casa de Maternidad de Cádiz (fundada en 1883; Herrera Rodríguez 271-283). Otro ejemplo que aportó Gimeno de Flaquer fue la Sociedad de Lactancia, radicada en Viena (*La mujer intelectual* 215). Lo único que se ha podido localizar en relación con las iniciativas que llevó a cabo *madame* Arias de Pau es que fue la directora de un patronazgo de las familias poco numerosas en Versalles (Anónimo, "Chronique Génerale. La bonté même" 1).

[270] Gimeno de Flaquer se refiere a la filántropa francesa Félicie Hervieu (1840-?), que en 1891 puso en marcha en Sedán (Francia) una serie de iniciativas sociales como, por ejemplo, los jardines obreros, que pretendían disminuir la mendicidad (Busquets 13 y Institut des études regionales et des patrimoines 40-43).

[271] La "*Ciencia Ménagère*" (ciencia del hogar) se encargaba de ofrecer conocimientos básicos sobre el arte culinario, anatomía o cirugía de urgencia. Las primeras *écoles ménagères* (escuelas de ciencias domésticas) surgieron en Alemania y, después, se difundieron por otros países como por ejemplo Inglaterra, que incluso daba acreditaciones para trabajar como cocineras, o los Estados Unidos, donde se admitían hombres para así insistir en el carácter coeducativo que también debía fomentarse en este tipo de centros (Gimeno de Flaquer, "La mujer en Alemania" 2; "La mujer inglesa" 386 y "Crónica femenina y feminista. Écoles Ménageres" 518). La escritora señala que estas iniciativas fomentaban un feminismo práctico: "instruyendo completamente a la que ha de cumplirlos, a la que ha de ser educadora" ("La mujer inglesa" 386). Gimeno de Flaquer se refiere a la filántropa francesa Jeanne Marie Marguerite de Diesbach de Belleroche (1853-1931), que después de un viaje por Bélgica, donde pudo ver cómo funcionaban estas iniciativas, fundó la Association de l'enseignement ménager (Asociación de la Educación del Hogar). En 1908, *AIA* destacó la colaboración de Diesbach de Belleroche en la revista *Le Jeunne Fille Contemporaine* (*La joven moderna*), titulada "L'enseignement ménager et l'éducation féminine" ("Educación a domicilio y educación femenina"; Anónimo, "Informaciones" 358).

En Friburgo (Suiza) *madame* Reynold de Pérolles pidió su cooperación a monseñor Déruaz, obispo de Génova, para fundar un asilo destinado a recoger a las jóvenes sin trabajo, librándolas de las empresas explotadoras, que al buscarlas colocación, las arruinan y corrompen; sabido es que recorren los pueblos varios agentes haciendo presa en las infelices incautas anhelosas de trabajo honrado convirtiéndose en vampiros.[272] Tan formidables daños [los] evita la "Obra Católica de protección de las jóvenes", destruyendo la trata de blancas.[273] Su Santidad Pio X concedió aprobación a dicha sociedad, que tiene ramificaciones internacionales, figurando en España las infantas Isabel, Paz y Eulalia, en Bélgica la duquesa de Flandes y en Inglaterra la duquesa de Newcastle.[274] "Las mujeres solas" es una sociedad creada en París para dar asilo por medio de módica remuneración a las que no tienen familia.[275] En Italia acaba de fundarse una asociación para proteger las industrias femeninas: dicha

---

[272] Gimeno de Flaquer se refiere a la filántropa Louise de Reynold de Pérolles y al obispo de Lausana y Génova, Joseph Déruaz (1826-1911). Para ampliar las cuestiones acerca de cómo en la sociedad del momento se denunció el comercio de personas que rodeaba la trata, consúltese el trabajo de Tsuchiya, "Gender, Race" (81-106).

[273] Esta asociación (también conocida como "Obra católica suiza para la protección de las jóvenes" o "Asociación católica internacional de las obras protectoras de la joven") fue creada por la filántropa Reynold de Pérolles en 1896. Aunque quien tuvo la idea inicial para poner en marcha una organización así fue el pedagogo suizo Leon Genoud (1859-1931; Baronesa de Montenach 83). Desde 1900, en España funcionaba una organización de estas características y el *AIA*, en 1901, recogió su arranque definitivo (Baronesa de Montenach 84; Flaquer, "Crónica europea y americana. Trata de blancas" 134).

[274] El Papa Pio X (1835-1914) ocupó la silla de San Pedro desde 1903 a 1914. Gimeno de Flaquer se refiere a las tres hermanas, hijas de la reina Isabel II (1830-1904), que formaron parte del Patronato de la Trata de Blancas en su filial española. Isabel de Borbón y Borbón (1851-1931) y Gimeno de Flaquer comenzaron una amistad antes de su viaje a México de 1883, y en 1901 le dedicó su libro *La mujer intelectual* (Simón Alegre "Concepción Gimeno de Flaquer and her Transatlantic"). Respecto a la infanta Eulalia de Borbón, véanse notas 114, 235 y 256. Paz de Borbón (1862-1946) estuvo vinculada a organizaciones de este tipo durante toda su vida. Gimeno de Flaquer le dedicó unas páginas dentro de su trabajo de 1907 *Mujeres de regia estirpe* (205-206), donde destacaba que esta infanta escribía "por contribuir a la propagación de ideas moralizadoras" y no por "*dandysmo* intelectual o coquetería" (205). Puede que la duquesa de Newcastle fuese la noble inglesa Henrietta Adela Hope (1843-1913; también conocida como Henrietta Pelham-Clinton). No se ha podido localizar a quién se refiere Gimeno de Flaquer con la "condesa de Flandes" aunque una posibilidad es que se refiera a la condesa belga Élisabeth d'Oultremont (1867-1952).

[275] No se ha podido localizar a qué organización se refiere Gimeno de Flaquer aquí. Una posibilidad es la iniciativa que puso en marcha la francesa Chrétienne Française (Anónimo, "Les Syndicats" 4).

sociedad organizará exposiciones, estableciendo agencias en el extranjero. En el comité del patronato figuran la familia Real y la aristocracia.

Las mujeres españolas deben aliarse bajo la bandera feminista; si algunos hombres les cierran el camino de la ciencia, el arte y la industria temiendo competencia en el desempeño de cargos profesionales y administrativos, olvidando que cual ellos tiene la mujer derecho a la vida, otros, dotados de alma generosa, luchan incansablemente por las reformas sociales, de que tanto necesita la bella mitad del género humano, tan injustamente tratada. Trabaje con empeño la mujer española por la elevación del nivel intelectual y moral de sus hijas, para que puedan demostrar que son dignas de las prerrogativas que reclamamos. Si los hombres hacen oír sus quejas a los legisladores pidiéndoles la defensa de sus intereses: ¡Con cuánta más razón debe hacerlo la mujer, víctima del código, la sacrificada de siempre, la perpetua menor, la eterna oprimida!

43 913 mujeres[276]

He leído, con el interés que me inspiran todas sus producciones, un artículo de Antonio Viergol, titulado "Mujeres descabaladas", en el que, al darnos cuenta de que existen en Madrid 43 913 mujeres más que hombres, según el censo oficial, manifiesta conmiseración generosa por las que considera triste legión de almas errantes, lamentando que el Estado no pueda remediar de real orden sus ansias de amor, ni las tristezas de su soledad.[277] No me ocurriría nunca pedir al Estado que condenara a los solterones ricos a pagar una contribución para dotar a las mujeres pobres facilitándolas el casamiento, porque no creo que la mujer esté obligada a casarse ni que solo en la vida matrimonial pueda encontrar la felicidad. Acostumbrados en España a convertir el matrimonio en seguro sobre la vida de la hembra, a no dar a la mujer más horizontes que el casamiento o el claustro, considerándolos su único refugio, no se ha pensado en prepararla para que desempeñe profesiones liberales, cargos administrativos, empleos públicos, artes e industrias en armonía con sus facultades psíquicas y fisiológicas, no se ha abierto campo alguno a su actividad, no se ha tratado de mejorar su penosa situación económica.

---

[276] Aunque Gimeno de Flaquer publicó este artículo en el *AIA* solo el 7 de febrero de 1905 (50), lo compuso, sobre todo, usando partes de su conferencia "El problema feminista", que pronunció en el Ateneo de Madrid el 26 de mayo de 1903.

[277] Gimeno de Flaquer se refiere al periodista Antonio María Martínez Viérgol y de Carranza, que firmaba sus artículos con el apodo de *El Sastre del Campillo* (véase nota 258). El artículo al que hace mención aquí Gimeno de Flaquer no se ha podido localizar. El adjetivo "descabalado, da" significa que se han quitado o perdido algunas partes precisas para completar un todo (RAE 356; 1884). La escritora se refiere al Censo de 1900.

El hombre, desde su antropocentrismo, monopoliza todos los medios de subsistencia, sin pensar en que la mujer tiene también derecho a la vida. La nulificación de un sexo es más trascendental que la de una raza, y en los pueblos civilizados ha tiempo que las sociedades abolicionistas emanciparon a los esclavos. La cifra aterradora de *43 913 mujeres descabaladas* debe preocupar la atención de las clases directoras y del Instituto de Reformas Sociales, porque el problema de la subsistencia de todo un sexo es muy complejo.[278] Y no fuera argumentación admisible para negar a la mujer su cooperación en profesiones y empleos bien remunerados la decantada debilidad, ya que en las clases inferiores la mujer trabaja tanto como el segador o el minero, convertida frecuentemente en grúa o bestia de carga.

La cacareada debilidad debiera servirla para disfrutar más derechos, porque no es equitativo abrumar al débil con el peso de los deberes, en vez de aliviar su estado otorgándole privilegios. Invocando la susodicha debilidad fisiológica, debe pedirse que la mujer desempeñe cargos sedentarios, ocupaciones que no quebranten sus fuerzas, y que el varón se dedique a trabajos que exijan vigorosa musculatura, en vez de apoderarse de industrias que deben reservarse a la mujer y que le arrebata el llamado rey de la creación, llegando a descender de su trono para convertirse en modisto. Notoria es la falta de equidad con que es tratado el sexo femenino, ante la ley civil y la penal: concretándonos únicamente a la parte económica como único aspecto de la injusticia social, puede señalarse entre otras mil aberraciones el absurdo de exigir a las profesoras los mismos conocimientos que a los maestros, señalándolas menor sueldo.[279] Si se logra la emancipación económica de la mujer, se la librará de la terrible esclavitud del matrimonio sin amor y de la vergüenza de la prostitución.

La inferioridad espiritual del sexo femenino, proclamada por algunos misóginos, no tiene valor científico. Viene basándose desde tiempos prehistóricos en la tan discutida pasividad fisiológica: el Areópago griego

---

[278] El Instituto de Reformas Sociales (Madrid) se creó durante el gobierno del ministro Francisco Silvela en 1903 para favorecer la vida y las condiciones de trabajo de las clases obreras y estuvo en funcionamiento hasta 1924.

[279] Según el presupuesto del Ministerio de Instrucción Pública y Bellas Artes para 1906, el sueldo para una profesora y un profesor en las Escuelas Normales era el mismo (3.500 pesetas; Congreso de los Diputados, "Pormenor del presupuesto de gastos" 27-28). Esta situación cambia cuando nos fijamos en el sueldo de, por ejemplo, una profesora de bordados y encajes (1.500 pesetas) y el de un maestro de taller (2.000), que son diferentes aun cuando ambos profesionales desarrollaban el mismo trabajo (Congreso de los Diputados, "Pormenor" 8). También consultando el *Diario de sesiones del Congreso* en las que se estaban discutiendo los presupuestos para 1906, en el terreno educativo se planteó el problema de que una profesora de Guadalajara no había recibido sus honorarios (Congreso de los Diputados, *Diario de sesiones* 4395).

absolvió a Orestes de la muerte de su madre, sosteniendo el peregrino principio de que no fue parricida el hijo de Clitemnestra porque la madre no crea al hijo, ya que el claustro materno no es más que un receptáculo inerte.[280] Respecto a que solo el padre sea creador, [se] carece de datos seguros, indiscutibles; sabido es que modernas teorías científicas están destruyendo constantemente arraigadas convicciones, y en este asunto todavía no ha dicho la ciencia su última palabra.[281] Estudios embriogénicos, llevados a cabo en el Laboratorio de Zoología marítima de Nápoles, han descubierto que la célula que aporta el macho a la generación tiene la misma importancia que la célula de la hembra.[282] Es lógico que en la morfología del ser humano ejerza más influencia la mujer que el varón. La filosofía de la Historia al presentar a la mujer desempeñando heroico papel en momentos épicos; elevándose a las más altas cimas del pensamiento humano; colaborando con el hombre en la obra del progreso, es dato antropológico importantísimo que presta gran relieve a su individualidad mental y fisiológica, las cuales no pueden esfumar ingeniosos silogismos. Las incoherencias de los filósofos; los agudos epigramas, abstrusos sofismas e ilógicas antinomias, son sutilezas que nada resuelven, pues

---

[280] Gimeno de Flaquer ya había publicado este párrafo en su libro *Mujeres de regia estirpe* (212-215). La referencia a Clitemnestra la utilizó en su obra *Mujeres: Vidas paralelas* (76). En el monte Areópago está la Acrópolis de Atenas, donde se reunió el consejo de esta ciudad. Orestes era el hijo de Agamenón y Clitemnestra que, para vengar la muerte de su padre, mató a su madre.

[281] Gimeno de Flaquer se adelanta aquí casi más de un siglo a lo que la investigadora Guiditta Lo Russo ha señalado en su libro *Hombres y Padres: la oscura cuestión masculina* (1998) como la tendencia de los estudios antropológicos y culturales al "patricentrismo", que sobre todo quedó marcada en la última parte del siglo XX (Russo 15). Gracias a su investigación multidisciplinar, Russo ha señalado que el padre no ha sido una figura tan central, ni en el sistema simbólico que rodea a la concepción, ni en el momento del nacimiento de una criatura, y que tomó este lugar por cómo la ciencia fue borrando la centralidad que las mujeres tenían siendo, a fin de cuentas, las que manejaban estos momentos (13-36).

[282] El nombre de este lugar es Estación Zoológica de Nápoles (también conocida como Estación Anton Dohrn), que el naturalista y zoólogo alemán Anton Dohrn (1840-1909) fundó en 1872 y que sigue todavía en funcionamiento. Desde su creación, a este centro han acudido personas dedicadas a la investigación relacionada con temas de biología (Madariaga de la Campa 80). Desde principios del siglo XX, en este centro se estaban llevando a cabo investigaciones acerca de cómo funcionaban los cromosomas sexuales. La descubridora del mecanismo por el que estos cromosomas determinan el sexo fue la experta en genética estadounidense Nettie Maria Stevens (1861-1912; Delgado Echevarría 307-339).

mientras unos apellidan a la hermosa Eva hueso supernumerario del hombre, otros la denominan alma de la humanidad.[283]

El misántropo Schopenhauer quiso lucir una sátira de efecto proclamando a la madre del género humano "*criatura de cabellos largos e ideas cortas*"; pero de esta famosa lucubración no puede enorgullecerse la sabia Alemania, porque el célebre pesimista la tomó de una aforística turca, es decir, de un pueblo que no figura en el concierto de la cultura europea.[284] En cambio Descartes, que no vale menos que el malhumorado filósofo alemán, opina que el criterio de la mujer es tan claro como el del hombre.[285] También Shakespeare quería preciarse de original, exclamando bruscamente: "¡si pudiéramos tener hombres sin mujeres!" frase que había pronunciado Eurípides más de veinte siglos antes de que naciera el genial dramaturgo

---

[283] Con "abstrusos sofismas", Gimeno de Flaquer insiste en que los argumentos que iban en contra de la inteligencia de las mujeres eran argumentos falsos que no se podían comprender y, además, eran como una ley que tiene contradicciones internas.

[284] Sobre el filósofo alemán Schopenhauer, véase nota 20 de la sección de "Cuentos cortos". La frase que incluye Gimeno de Flaquer aquí está atribuida a este filósofo, pero no se ha localizado la obra de la que procede. Esta expresión se usó con mucha frecuencia en la época de la escritora (Gimeno de Flaquer, "Dos italianas del siglo XVIII" 484; "Musas humanas" 266 e *Iniciativas de la mujer en higiene moral social* 13) y, todavía a día de hoy, continúa presente como referente del pensamiento misógino. Parece que Aristóteles escribió una frase parecida (Dalton Palomo 365). No se ha podido localizar el aforismo turco-otomano al que se refiere Gimeno de Flaquer aquí. "Aforística" es una palabra que no recogió el DRAE hasta su edición de 1970 y significa tanto la ciencia que trata de los aforismos, como una colección de ellos (RAE 72). En el *AIA* quedó recogida la noticia de la salida de un libro de estas características del abogado José Leopoldo Feu, *Aforística social* (Fortanet 1903 y 1904; Anónimo, "Bibliografía" 286 y "Libros nuevos" 226).

[285] René Descartes (1596-1650) fue un filósofo francés. Gimeno de Flaquer, en su libro *Mujeres de regia estirpe*, mencionó los encuentros de Descartes y la reina Cristina de Suecia (1626-1689), y cómo juntos comentaban los clásicos (96-97; "Cristina de Suecia" 39 –artículo que dedicó a su "querida amiga" Adelina Villaboa de Manrique de Lara–, "Boceto histórico. Cristina de Suecia" 62; "El eterno femenino" 88; "Apologistas y detractores de la mujer" 14 y *Mujeres: Vidas paralelas* 226). En otros de sus artículos, Gimeno de Flaquer mencionó el pensamiento de Descartes como ejemplo para refutar cualquier comentario negativo acerca de las mujeres ("La mujer según Proudhon" 2; este mismo texto lo publicó en 1901 y se lo dedicó a la duquesa Castro Enríquez), y en su novela *Sofía*, el doctor Lagarde usaba la referencia de este pensador para subrayar la inteligencia que tenían todas las personas (Simón Alegre "Introducción crítica").

inglés.[286] Poco elevado está en España el concepto público de la mentalidad femenina: [se le] concede únicamente a la mujer perspicacia, instinto; pero si con estas facultades alcanza todo lo que el hombre con profunda reflexión, el resultado no acusa inferioridad. No siendo la mujer acéfala, y hallándose desacreditada la vulgar teoría de que *a mayor peso cerebral mayor intelecto*, desde que se observó que el cerebro de un idiota pesaba más que el de Gambetta no debe hablarse de la inferioridad mental femenina, porque no se ha descubierto el intelectómetro que determine sus grados.[287]

La pensadora Alemania, la sesuda Inglaterra, la progresista Suiza, los cultos países escandinavos, la cerebral Francia y la artística Italia, propagadora universal de la brillante civilización helénica, han asociado al sexo femenino a la vida espiritual del hombre, le han proporcionado medios para que pueda atender decorosamente a su subsistencia sin ser una pesada carga para la familia. El gran sociólogo Novicow cree que el más grave de los problemas palpitantes es el llamado causa de la mujer, y que todo ese importante problema consiste en que el sexo femenino pueda vivir sin dinero del varón.[288] No será bastante que se proporcione a la mujer honrado trabajo bien remunerado, mientras no cese la injusticia del código que no la

[286] Sobre Shakespeare, véase nota 26 de la sección de "Cuentos cortos" y la 94. Sobre esta frase, consúltese nota 236. Según el pensador griego Luciano de Samósata (120-180), el escritor trágico griego Eurípides (484 a. e. c.-406 a. e. c.) mencionó algo parecido a la frase que incluye Gimeno de Flaquer aquí (Samósata, *Obras* en "Amores" nota 46).

[287] "Acéfala" significa que no tiene cabeza (RAE 11; 1884). Uno de los pensadores que sostuvo esta teoría fue el neurólogo alemán Paul Julius Moebius (1853-1907), que ya había sido criticado por Gimeno de Flaquer en su conferencia en el Ateneo en 1903 (*El problema feminista* 10 y 16; Gómez Rodríguez 483-488; Simón Alegre "Activismo social" 500-536 y "Face to Face Carmen de Burgos" 60-75). Léon Gambetta (1838-1882) fue un político francés. Un año después de su muerte, se realizó una autopsia para explorar las características de su cerebro (Spitzka 190). El "intelectómetro" era una máquina que permitía medir la inteligencia. El escritor español Ramón Campos (1755-1808; "Capítulo VI") mencionó este artilugio y, por ejemplo, en la correspondencia recopilada en las *Memorias del General O'Leary* (1880), aparece una carta entre generales cercanos a Simón Bolívar aludiendo a este ingenio (General O'Leary 529). El antropólogo argentino Víctor Mercante (1870-1934) inventó un aparato así (Vallejo y Miranda 429; nota 8). Gimeno de Flaquer empleó esta misma referencia en *El problema feminista* (15-16), "Sección feministas. Continuación" 339 y *Mujeres de regia estirpe* (214).

[288] Gimeno de Flaquer se refiere al sociólogo Jacques Novicow (1849-1912; en el original aparece como Novicoff) y, en concreto, a su obra *L'Affranchissement de la Femme* (*La emancipación de la mujer*, 1903), que la traductora Esperanza Gas preparó para la editorial barcelonesa F. Granada (Lafarga). Gimeno de Flaquer mencionó a este sociólogo en diversas ocasiones, como en "La mujer en Rusia" (290) o *El problema feminista* (12), y comenzaba su libro *Iniciativas de la mujer en higiene moral social* de 1908 con una referencia al pensamiento de Novicow.

emancipa económicamente. ¿Creen los españoles que las compatriotas de Teresa de Jesús, Berenguela la Grande y María de Molina no son merecedoras de las reivindicaciones que han obtenido mujeres de otros pueblos?[289] Para que la española deje de ser la mujer tradicional, elevándose a la altura de la Eva moderna, [le] sobra inteligencia; lo que [le] falta es curarse de su crónica abulia, sacudir su apatía, su marasmo, desechar el temor de que sus iniciativas sean fustigadas por el sarcasmo, desprenderse de la idea de su ineptitud, fomentada por el hombre.[290] No se convertirá la mujer por ejercer un trabajo profesional en ser híbrido, andrógino, neutro; convencida está de que su poder radica en la feminidad, y por nada renunciaría a sus encantos femeninos, que convierten en vencedora de Hércules a la Onfalia de todos los tiempos; pero es preciso tener en cuenta que en esta tierra de hidalgos hambrientos existe gran desequilibrio entre el deber y el haber de nuestro libro de caja.[291] Pensemos sobre todo en el excedente de 43 913 mujeres que arroja la estadística madrileña.

---

[289] Sobre Teresa de Jesús, véase nota 36. Berenguela I la Grande (1180-1246) ejerció como reina de Castilla (España) y fue una importante consejera para este reino. Gimeno de Flaquer le dedicó el capítulo "La madre de San Fernando" en su libro *Madres de hombres célebres* (1895; 63-70), que volvió a utilizar en un artículo con el mismo título en 1899 (136) y en otro texto titulado "Reinas medievales. I" (62-63). María de Molina (1264-1321; también conocida como María Alfonso de Meneses) ejerció una doble regencia en Castilla: con su hijo y con su nieto (*Mujeres de regia estirpe* 30-35). Gimeno de Flaquer retrató la vida de esta reina en su artículo "Reinas medievales. II y Conclusión" (62-63 y 74-75), e incluyó la reproducción del cuadro del pintor Vicente Borrás Abella (1867-1945) "Doña María de Molina amparando al Infante D. Juan" (Exposición Nacional de Bellas Artes, 1887) en el *AIA* (14 Sep. 1909).

[290] La palabra "abulia" no entró en un DRAE hasta su edición de 1914 y significa tanto la falta de voluntad, como la falta de energías (RAE 8). Uno de los primeros diccionarios en recoger este término fue el de Zerolo de 1895, que definía como una especie de locura sin voluntad (21). El "marasmo" es la suspensión o paralización en lo moral o físico (RAE 678; 1884).

[291] Hércules es un héroe-semidiós del panteón grecorromano, y Onfalia era la reina de Lidia. Hércules fue esclavo de esta reina y, durante la temporada que estuvo con ella, usó ropas de mujer, y posteriormente se casaron. Con "hidalgo", Gimeno de Flaquer se refiere a una persona de clase noble, pero frecuentemente, sin muchos recursos económicos. El "libro de caja" es donde se registran todas las operaciones que se realizan al contado en una empresa, idea que aquí Gimeno de Flaquer emplea de manera figurada.

BIOGRAFÍAS

Biografía de la escritora

Concepción Gimeno de Flaquer (1850-1919) fue una prolífica escritora tanto de novelas y ensayos como de artículos periodísticos. Además de escribir dirigió tres periódicos, dos en la ciudad de Madrid –*La Ilustración de la Mujer* (1873-1875) y *El Álbum Ibero-Americano* (1890-1909)– y uno en la ciudad de México –*El Álbum de la Mujer* (1883-1890)–. Fue una viajera imparable, recorrió la península ibérica, Europa, América Central y una gran parte de América del Sur. En todos los países donde residió puso en marcha tertulias que tenían el propósito de solidificar la red de contactos de la que formaba parte. Murió en 1919 en la ciudad de Buenos Aires (Argentina).

Biografía de la editora

Ana I. Simón Alegre es profesora titular (Assistant Professor) en el *Center of African, Black and Caribbean Studies* de la Universidad Adelphi (Nueva York). Obtuvo su título de doctora en la Universidad Complutense de Madrid en 2011. Las áreas de investigación de la Dra. Simón Alegre incluyen los estudios ibéricos, cultura popular, estudios de género y sexualidad, además de estudios transatlánticos, y sus publicaciones más recientes se centran en temas de género y sexualidades no normativas, así como en la influencia de las escritoras del siglo XIX en las siguientes generaciones. Entre sus trabajos más recientes están: "Prensa, publicidad y masculinidades a través del periódico madrileño, *El Álbum Ibero-Americano* (1890-1909)" (*Historia y MEMORIA*, 2021), "Algo más que palabras: Investigar y enseñar siguiendo la senda del lenguaje inclusivo", en *Por un lenguaje inclusivo: Reflexiones y estudios sobre estrategias no sexistas en la lengua española* (Academia Norteamericana de la Lengua Española, 2021) y "Face to Face with Carmen de Burgos. The influence of other women writers on her career and her work", en *Multiple Modernities. Carmen de Burgos: Author and Activist* (Routledge, 2017). Es la editora del libro *Del salvaje siglo XIX al inestable siglo XX en las letras trasatlánticas: una mirada retrospectiva a través de hispanistas* (Vernon Press, 2022) y ha coeditado el trabajo *Queer Women in Modern Spanish Literature: Activism, Sexuality, and the Otherness of the 'chicas raras'* (Routledge, 2022) junto a la profesora Lou Charnon-Deutsch. Actualmente está preparando otra edición crítica de las novelas cortas de Concepción Gimeno de Flaquer para la editorial Renacimiento y recientemente ha ocupado el cargo de presidenta de la asociación Feministas Unidas.

BIBLIOGRAFÍA CITADA

El Abate San Román. "Cosas de la Villa". *El Álbum Ibero-Americano*, 7 Ago. 1902, pp. 341-344.

Acosta, Eva. *Emilia Pardo Bazán la luz en la batalla*. Lumen, 2007.

Acuña Villanueva de la Iglesia, Rosario de. "Una peseta". *El Álbum de la Mujer*, 14 Ago. 1887, p. 51.

Aguado, Ana. "María Cambrils: socialismo es igualdad. Contexto histórico, político y escritura". *María Cambrils, el despertar del feminismo socialista: biografía, textos y contextos (1877-1939)*. María Cambrils Sendra. Editado por Rosa Solbes, Ana Aguado y Joan Miquel Almela. P U de València, 2015, pp. 49-90.

Alemany y Bolufer, José. *Diccionario de la Lengua Española*. Ramón Sopena, 1917.

Almagro San Martín, Melchor. *Biografía del 1900*. Introducción y edición de Amelina Correa Ramón. U de Granada, 2013.

Altieri, Charles. "An Idea and Ideal of a Literary Canon". *Canons*. Editado por Robert Von Hallberg. U of Chicago P, 1984, pp. 37-60.

Anónimo. "Árbol de Noche Buena". *La Patria*, 25 Dic. 1884, pp. 2-3.

—. "Bibliografía". *El Álbum Ibero-Americano*, 30 Jun. 1903, p. 286.

—. "Chronique Génerale. La bonté même". *Le finistère. Organe hebdomadaire d'Union républicaine*, 31 May. 1913, p. 1.

—. "Concepción Gimeno de Flaquer en el Ateneo de Madrid. Opiniones de la prensa sobre la conferencia que dio en la noche del 17 de junio de 1890". *El Álbum Ibero-Americano*, 7 Ago. 1890, pp. 6-8.

—. "El círculo de los Luises". *El Imparcial*, 29 Nov. 1902, p. 3.

—. "Explicación de las ilustraciones". *El Álbum de la Mujer*, 1 Ene. 1888, p. 8.

—. "Informaciones". *El Álbum Ibero-Americano*, 30 May. 1904, p. 238.

—. "Informaciones". *El Álbum Ibero-Americano*, 7 May. 1907, p. 201.

—. "Informaciones". *El Álbum Ibero-Americano*, 22 Jun. 1907, pp. 273-274.

—. "Informaciones". *El Álbum Ibero-Americano*, 30 Sep. 1907, pp. 429-430.

—. "Informaciones". *El Álbum Ibero-Americano*, 14 May. 1906, pp. 214-215.

—. "Informaciones". *El Álbum Ibero-Americano*, 14 Ago. 1908, p. 358.

—. "Libros nuevos". *El Álbum Ibero-Americano*, 22 May. 1904, p. 226.

—. "La Mutua. Compañía de Seguros sobre la vida, de Nueva York". *El Álbum de la Mujer*, 12 Jun. 1887, p. 192.

—. "Noticias locales. *El Álbum de la Mujer* y la Malinche". *El Diario del Hogar*, 16 Sep. 1884, p. 4.

—. "Premio de abnegación y heroísmo". *El Día*, 2 Ago. 1902, p. 2.

—. "Sueltos bibliográficos". *La lira española*, 10 May. 1873, pp. 7-8.

—. "Les Syndicats". *Supplément français au Bulletin mensuel de l'Association catholique internationale des œuvres pour la protection de la jeune fille,* 12 Abr. 1906, pp. 3-8.

—. "Tercera edición". *La Correspondencia de España,* 1 May. 1873, p. 3.

—. "Una mujer heroica". *Las Dominicales. Seminario Librepensador sostenido por las almas,* 15 Ago. 1902, p. 4.

—. "Una mujer heroica". *El Imparcial,* 1 Ago. 1902, p. 2.

—. "Variedades". *Diario Oficial de avisos de Madrid,* 18 Mar. 1873, p. 4.

D'Araquy, Eugéne. "La musa de Petrarca". *El Álbum de la Mujer,* 23 Nov. 1884, pp. 283-286.

Arbaiza, Diana. "Departures from Nuptial Bliss: Conflicting Mobilities of Modern Marriage in Pardo Bazán's *Un viaje de novios*". *Bulletin of Hispanic Studies,* vol. 90, no. 4, 2013, pp. 443-458.

Arbona-Abascal, Guadalupe. "A Propósito de *La Mujer Intelectual,* de Concepción Gimeno de Flaquer". *Arbor,* vol. 190, no. 767, 2014. https://arbor.revistas.csic.es/index.php/arbor/article/view/1934/2219. Consultado 1 Jul. 2021.

Aresti, Nerea. "La historia de género y el estudio de las masculinidades. Reflexiones sobre conceptos y métodos". *Feminidades y masculinidades en la historiografía de género.* Editado por Henar Gallego Franco. Comares, 2018, pp. 173-194.

—. *Médicos, Donjuanes y Mujeres Modernas. Los ideales de feminidad y masculinidad en el primer tercio del siglo XX.* U del País Vasco, 2001.

Arkinstall, Christine. "Challenging Pasts, Exploring Futures: Race, Gender, and Class in the Fin-de-siècle Essays of Rosario de Acuña, Concepción Gimeno de Flaquer, and Belén Sárraga". *Intersections of Race, Class, Gender, and Nation in Fin-de-siècle Spanish Literature and Culture.* Editado por Jennifer Smith y Lisa Nalbone. Routledge, 2019, pp. 23-44.

—. "Forging Progressive Futures for Spain's Women and People: Sofía Tartilán (Palencia 1829-Madrid 1888)". *Modern Spanish Women as Agents of Change: Essays in Honor of Maryellen Bieder.* Editado por Jennifer Smith y Akiko Tsuchiya. Bucknell U P, 2019, pp. 34-55.

—. *Spanish Female Writers and the Freethinking Press 1879-1926.* U of Toronto P, 2014.

Asensi y Laiglesia, Julia de. "La kermesse". *El Álbum Ibero-Americano,* 22 Sep. 1907, p. 412.

—. "Lo que son las flores". *La lira española,* 10 May. 1873, pp. 1-2.

—. *Tres amigas.* Prólogo de Luis Alfonso. Lit. e Imp. De la Biblioteca Universal, 1880.

Asmodeo. "Diario de un vecino honrado de Madrid". *La Época,* 16 May. 1873, p. 4.

—. "Ecos de Madrid". *La Época,* 21 Mar. 1873, p. 4.

Ayala Aracil, María de los Ángeles. "Concepción Gimeno de Flaquer: El problema feminista". *Vivir al margen: mujer, poder e institución literaria.* Coordinado por María Pilar Celma Valero y Mercedes Rodríguez Pequeño. Instituto Castellano y Leonés de la Lengua, 2009, pp. 291-301.

—. "*Una Eva moderna*, última novela de Concepción Gimeno de Flaquer". *Anales de Literatura Española*, no. 20, 2008, pp. 61-73.

—. *La mujer española, de Concepción Gimeno de Flaquer*. Biblioteca Virtual Miguel de Cervantes, 2007. http://www.cervantesvirtual.com/obra-visor/la-mujer-espaola-de-concepcin-gimeno-de-flaquer-0/html/018b8ba4-82b2-1 1 df-acc7-002185ce6064_5.html. Consultado 1 Jul. 2021.

Ayuntamiento de Zaragoza. *El Canal Imperial de Aragón en Zaragoza. Corredor de Historia*. Tipolínea, 2012. http://www.zaragoza.es/contenidos /medioambiente/canal-imperial.pdf. Consultado 1 Jul. 2021.

Balbín de Unquera, Antonio. "La profesión de actor. Censura teatral contemporánea". *El Álbum Ibero-Americano*, 30 Oct. 1907, pp. 472-473.

Balmaseda, Joaquina. "Revista de modas". *El Álbum de la Mujer*, 15 Abr. 1888, p. 123.

Barahona Vega, Clemente. "La amistad". *El Álbum Ibero-Americano*, 30 Jul. 1905, pp. 326-327.

Barbier, José y Filomeno Mata. "A Concepción Gimeno". *Homenaje a Concepción Gimeno de Flaquer*. Editado por José Barbier y Filomeno Mata. Tipografía Literaria, 1884, p. 4.

Baronesa de Montenach. "La protección internacional de la joven. Conclusión". *Boletín del Patronato Real para la Represión de la trata de blancas*, no. 6, Dic. 1907, pp. 82-87.

Baz, Gustavo A. "Notas estéticas. Fragmento de un diario de viaje a Italia. Venecia". *El Álbum de la Mujer*, 26 Jun. 1886, pp. 38-39.

Bernabé Mestre, Josep y Encarna Gascón Pérez. *Historia de la Enfermería de Salud Pública en España (1860-1977)*. U de Alicante, 1999.

Bezari, Christina. "Emilia Serrano de Wilson: Entre los salones literarios y los periódicos femeninos". *Confluencia*, vol. 33, no. 1, 2017, pp. 118-127.

Bianchi, Marina. "La lucha de María de la Concepción Gimeno de Flaquer. Teoría y actuación". *Escritoras y pensadoras europeas*. Editado por Mercedes Arriga Florez. Arcibel, 2007, pp. 89-114.

—. "Doña Mariana y otras figuras femeninas aztecas en Concepción Gimeno de Flaquer". *Revista Destiempos*, vol. 47, Oct.-Nov. 2015, pp. 23-45.

Bieder, Maryellen. "Concepción Gimeno de Flaquer (1852?-1919)". *Spanish Women Writers: A Bio-Bibliographical Source Book*. Editado por Linda Gould Levine. Grenwood P, 1993, pp. 219-229.

—. "'Eminencias hembras': Emilia Pardo Bazán y las redes literarias, sociales e intelectuales de mujeres de letras". *No hay nación para este sexo: la Re(d)pública transatlántica de las Letras: escritoras españolas y latinoamericanas (1824-1936)*. Coordinado por Pura Fernández. Iberoamericana /Vervuert, 2015, pp. 168-190.

—. "Feminine Discourse/Feminist Discourse: Concepción Gimeno de Flaquer". *Romance Quarterly*, vol. 37, no. 4, pp. 459-477.

—. "First-Wave Feminisms, 1880-1919". *A new History of Iberian feminisms*. Editado por Silvia Bermúdez y Roberta Johnson. U de California, 2018, pp. 112-125.

Biedma, Patrocinio. "Las princesas españolas. Doña Isabel de Borbón". *Revista de España*, Sep.-Oct. 1883, pp. 229-239.

Blanco, Ramiro. "Banquete en homenaje a la Sra. Doña Concepción Gimeno de Flaquer". *El Álbum Ibero-Americano*, 16 Jun. 1901, p. 254.

Blasco Herranz, Inmaculada. "Conservative Feminism in Catholic Spain in the Nineteenth Century: Gimeno de Flaquer's *Evangelios de la Mujer*". *Faith and Feminism in Nineteenth-Century Religious Communities*. Editado por Michaela Sohn-Kronthaler y Ruth Albrecht. Society of Biblical Literature, 2019, pp. 183-202.

Blasco Soler, Eusebio. "Manuel Catalina". *Mis contemporáneos. Semblanzas varias*. Establecimiento Tipográfico Sucesores de Rivadeneyra, 1886, pp. 135-148.

Bécquer, Gustavo Adolfo. "Pensamientos". *El Álbum de la Mujer*, 12 Sep. 1886, p. 110.

Bolaños, María. "Bellezas prestadas: La colección nacional de reproducciones artísticas". *Culture & History Digital Journal*, vol. 2, no. 2, e025, 2013. https://cultureandhistory.revistas.csic.es/index.php/cultureandhistory/article/view/34/132. Consultado 8 Sep. 2021.

Buley, Carlyle. *The Equitable Life Assurance Society of the United States, 1859-1964*. Applenton-Century-Crofts, 1967. Volumen I.

Burdiel, Isabel. *Emilia Pardo Bazán*. Taurus, 2019.

Burgos, Carmen de. *El divorcio en España*. Imprenta Viuda de Rodríguez Sierra, 1904.

—. "Habitación para obreros". *El Álbum Ibero-Americano*, 7 Sep. 1902, pp. 386-388.

—. "Lecturas para la mujer. Libros para señoras". *Diario Universal*, 8 Nov. 1904, p. 1.

—. "Mortalidad en la infancia". *El Álbum Ibero-Americano*, 14 Jul. 1903, p. 304.

—. "La mujer en la India". *El Álbum Ibero-Americano*, 30 Mar. 1903, p. 136.

—. "El veneno del arte". *La flor de la playa y otras novelas cortas*. Editado por Concepción Núñez. Castalia, 1989, pp. 219-270.

Busquets, Salvador. "Jardines obreros". *Revista Católica de las cuestiones sociales*, no. 5, Mar. 1899, pp. 9-13.

Cabanillas Casafranca, África. "La imagen de la mujer artista en los ensayos de Concepción Gimeno de Flaquer". *Del siglo XIX al XXI: tendencias y debates*. Coordinado por Mónica Moreno Seco, Rafael Fernández-Sirvent y Rosa Ana Gutiérrez Lloret. Asociación de Historia Contemporánea, 2019, pp. 859-876.

Caballé, Anna. *Concepción Arenal: La caminante y su sombra*. Taurus, 2018.

Madame Calderón de la Barca (Francisca Erskine Inglis de Calderón de la Barca). *La vida en México durante una residencia de dos años en ese país*. Traducción y prólogo de Felipe Teixidor. Editorial Porrúa, 2021.

Calvo González, José. *El alma y la ley Tolstói entre juristas: España, 1890-1928*. Comunicación Social, 2010.

Calvo-Manzano, María Rosa. "Las juglaresas valencianas medievales, arpistas populares o aristócratas. Una rara profesión para mujeres". *Anals de la Real Acadèmia de Cultura Valenciana*, no. 71, 1993, pp. 267-292.

Campos, Ramón. "Capítulo VI. De la capacidad de los sordos de nacimiento, y de los caracteres de las lenguas". *El don de la palabra en orden a las lenguas y al ejercicio del pensamiento o Teórica de los principios y efectos de todos los idiomas posibles*. Fuentenebro y Compañía, 1804. http://www.cervantesvirtual.com/obra-visor/el-don-de-la-palabra-en-orden-a-las-lenguas-y-al-ejercicio-del-pensamiento-o-teorica-de-los-principios-y-efectos-de-todos-los-idiomas-posibles--0/html/ff082112-82b1-11df-acc7-002185ce6064_2.html. Consultado 8 Sep. 2021.

Camprodón, Francisco. *Espinas de una flor. Drama en verso. En tres actos y un epílogo*. Imprenta y Litografía a vapor de Bernheim y Borneo, 1864.

Canel, Eva. *Lo que vi en Cuba (a través de la isla)*. Introducción y notas por José Abreu Gardet y Elia Sintes Gómez. Mariposa Narrativa, 2006.

Cansinos Asséns, Rafael. *La nueva literatura*. Arca ediciones, 1998. E-Book.

Capdevila-Argüelles, Nuria. *Autoras inciertas. Voces olvidadas de nuestro feminismo*. Horas y Horas, 2008.

—. "The Dissidence Inside Her Closet: Elena Fortún versus Encarnación Aragonés Urquijo". *Queer Women in Modern Spanish Literature Activism, Sexuality, and the Otherness of the 'Chicas Raras'*. Editado por Ana I. Simón Alegre y Lou Charnon-Deutsch. Routledge, 2022, pp. 102-117.

—. *El regreso de las modernas*. Prólogo de Elvira Lindo. La Caja Books, 2018.

Carrera, Salvador. "Pintores españoles. José Llovera". *Álbum Salón. Revista Ibero-Americana de Literatura y Arte*, 16 Mar. 1898, pp. 157-162.

Castelar, Emilio. "Las mujeres homéricas". *El Álbum de la Mujer*, 19 Jun. 1887, p. 194 (*El Álbum Ibero-Americano*, 14 Jun. 1904, pp. 254-255).

Castro, Rosalía. "Las literatas. *Carta a Eduarda*". *Obras completas*. Introducción por Marina Mayoral. Biblioteca Castro-Turner, 1993, pp. 655-659. Volumen I.

Castro Antonio, Ana. *Julia Asensi. El Camarada*. Trymar, 2010.

Cermeño Martín, Susana. *Arpas y Arpistas en el Madrid del siglo XIX: en torno al Conservatorio*. Dykinson, 2020.

Charnon-Deutsch, Lou. *Gender and Representation: Women in Spanish Realist Fiction*. John Benjamins Publishing Company, 1990.

—. *Hold That Pose. Visual Culture in the Late-Nineteenth-Century Spanish Periodical*. The Pennsylvania State U P, 2008.

—. "The Mute Muse". *Dissonances of Modernity Music, Text, and Performance in Modern Spain*. Editado por Irene Gómez-Castellano y Aurélie Vialette. U of North Carolina P, pp. 243-262.

—. *Narratives of desire: nineteenth-century Spanish fiction by women*. Pennsylvania State U P, 1994.

—. "El parto del feminismo en la novela del siglo XIX". *Estudios de literatura, cultura e historia contemporánea: en homenaje a Francisco Caudet*. Coordinado por Fernando Larraz Elorriaga. U Autónoma de Madrid, 2015, pp. 49-70.

—. "The Social Masochism of the Nineteenth-Century Domestic Novel". *Indiana Journal of Hispanic Studies*, vol. 2, no. 1, fall 1993, pp. 111-135.

—. *The Spanish Gypsy. The History of a European Obsession*. The Pennsylvania State U P, 2004.

—. "Women Moved by the Spirit: Spiritism and Early Feminism in Spain". *Queer Women in Modern Spanish Literature: Sexuality, Otherness and Activism of the 'Chicas raras'*. Editado por Ana I. Simón Alegre y Lou Charnon-Deutsch. Routledge, 2022, pp. 33-50.

Charques Gámez, Rocío. "La Baronesa de Wilson. Colaboraciones en *La Ilustración Artística de Barcelona*". *Anales de literatura española*, no. 20, 2008, pp. 105-118.

Chozas Ruiz-Belloso, Diego. "La mujer según el Álbum Ibero-Americano (1890-1891) de Concepción Gimeno de Flaquer". *Espéculo: Revista de Estudios Literarios*, no. 29, 2005. https://webs.ucm.es/info/especulo/numero29/albumib.html. Consultado 30 Jul. 2021.

Ciallella, Louise. "'Entre Nosotras' and 'Otras Cosas': Notes on Feminine and Feminist Narrative Discourse in Women's Columns in 'El Imparcial', 1899-1902". *Letras Femeninas*, vol. 32, no. 2, 2006, pp. 35-55.

Congreso de los Diputados. *Diario de las sesiones del Congreso de los Diputados. José Canalejas*. Establecimiento Tipográfico de J. A. García, 1906, pp. 4383-4424. Volumen XIII.

—. "Por menor del presupuesto del de gastos del Ministerio de Instrucción Pública y Bellas Artes". *Diario de las sesiones del Congreso de los Diputados. José Canalejas*. Establecimiento Tipográfico de J. A. García, 1906, pp. 15-91. Volumen XIII.

Contreras y Camargo, Enrique. "El Salón Amaré. Pintura feminista". *El Álbum Ibero-Americano*, 30 Jun. 1903, p. 281.

Contreras de Rodríguez, María del Pilar. "Evocación". *El Álbum Ibero-Americano*, 17 Abr. 1909, p. 148.

Coronado, Carolina. "En el álbum de Concepción Gimeno de Flaquer". *Homenaje a Concepción Gimeno de Flaquer*. Editado por José Barbier y Filomeno Mata. Tipografía Literaria, 1884, p. 12.

—. "Los genios gemelos". *El Álbum Ibero-Americano*, 30 Abr. 1904, pp. 182-190.

Correo de la Moda. "Revista de Modas". *El Álbum de la Mujer*, 14 Ago. 1887, pp. 51-54.

Cortón, Antonio. "El voto de las mujeres". *El Álbum Ibero-Americano*, 22 Sep. 1908, p. 412.

Cuellar, José T. de. "A la distinguida escritora señora doña Concepción Gimeno de Flaquer". *Homenaje a Concepción Gimeno de Flaquer*. Editado por José Barbier y Filomeno Mata. Tipografía Literaria, 1884, p. 13.

Dalton Palomo, Margarita. *Mujeres, Diosas y Musas: Tejedoras de la memoria*. El Colegio de México, 1996.

Darío, Rubén. "Las mujeres que escriben". *La Nación*, 14 Sep. 1902, p. 5.

Dehouve, Danièle. "Las funciones rituales de los altos personajes mexicas". *Estudios de cultura náhuatl*, vol. 45, 2013, pp. 37-68. http://www.scielo.org.mx/scielo.php?script=sci_arttext&pid=S0071-16752013000100003. Consultado 30 Jul. 2021.

Delgado Echevarría, Isabel. "Los estudios morfológicos en la teoría de la determinación cromosómica del sexo: 1880-1912". *DYNAMIS*, vol. 23, 2003, pp. 307-339.

Díaz, Porfirio. "En el banquete de Casa Llamedo en San Ángel". *Homenaje a Concepción Gimeno de Flaquer*. Editado por José Barbier y Filomeno Mata. Tipografía Literaria, 1884, p. 12.

Díaz del Castillo, Bernal. *Historia verdadera de la conquista de la Nueva España.* Edición de Guillermo Serés. Real Academia Española, 2011. https://www.rae.es/sites/default/files/Aparato_de_variantes_Historia_verdadera_de_la_conquista_de_la_Nueva_Espana.pdf. Consultado 10 Jul. 2021.

Díaz Marcos, Ana María. "Querellas decimonónicas: Concepción Gimeno de Flaquer y las mujeres de regia estirpe". *La querella de las mujeres en Europa e Hispanoamérica.* Editado por María Dolores Ramírez Almazán y Milagros Martín Clavijo. Arcibel, vol. 1, 2011, pp. 319-336.

—. *Salirse del tiesto. Ensayistas españolas, feminismo y emancipación (1861-1923).* KRK Ediciones, 2012.

Díaz Sánchez, Pilar. "Análisis de la obra '¿Culpa o Expiación'? de Concepción Gimeno de Flaquer". *La querella de las mujeres III: La querella de las mujeres antecedente de la polémica feminista.* Coordinado por Cristina Segura Graíño. Almudayna, 2011, pp. 163-186.

Díez Ménguez, Isabel. *Julia de Asensi (1849-1921).* Ediciones del Orto-Biblioteca de Mujeres, 2006.

La Directora. "S. M. la Reina de Bélgica". *El Álbum de la Mujer,* 3 Jul. 1887, p. 2.

Domínguez, Ramón Joaquín. *Diccionario nacional.* Establecimiento de Mellado, 1853.

Dumas, Alejandro. *Luis XV.* Librería de la viuda de Ch. Bouret, 1895.

Dupanloup, Félix. *La mujer estudiosa.* Traducción, introducción y notas de Marie-Paule Sarazin. U de Cádiz, 1995.

E. I. *Biografía del primer actor don Manuel Catalina.* Imprenta La Palmesana, s. d.

Echevarría Isusquiza, Isabel. "Refranes y género". *Estudios Humanísticos. Filología,* no. 33, 2011, pp. 245-272.

Encinar, Ángeles. "De mujeres invisibles. Escritoras y cuentos subversivos: Concepción Gimeno de Flaquer, María Lejárraga y Emilia Pardo Bazán". *Ínsula: revista de letras y ciencias humanas,* no. 841-842, 2017, pp. 30-34.

Enjuto-Rangel, Cecilia, Sebastiaan Faber, Pedro García-Caro y Robert Patrick Newcomb. "Introduction. Transatlantic Studies". *Transatlantic Studies: Latin America, Iberia and Africa.* Editado por Cecilia Enjuto-Rangel, Sebastiaan Faber, Pedro García-Caro y Robert Patrick Newcomb. Liverpool U P, 2019, pp. 1-20.

Enoch, Jessica y Cristina Devereaux Ramírez. "Introduction: *Una invitación*". *Mestiza Rhetorics. An Anthology of Mexicana Activism in the Spanish-Language Press, 1887-1922.* Editado por Jessica Enoch y Cristina Devereaux Ramírez. Traducido por Joel Bollinger Pouwels y Neil J. Devereaux. Southern Illinois U P, 2019, pp. 1-22.

Espuny Tomás, María José. "Eduardo Dato y la legislación obrera". *Historia social,* no. 43, 2002, pp. 3-14.

Estrada Ochoa, Adriana C. "Naturaleza, cultura e identidad. Reflexiones desde la tradición oral maya contemporánea". *Estudios de cultura maya,* vol. 34, 2009, pp. 181-201.

Ezama Gil, Ángeles. "Concepción Gimeno periodista y escritora: La mujer mexicana, de la *dipositio* textual a la semblanza". *Hispanófila,* vol. 191, spring 2021, pp. 97-113.

—. *La infanta Eulalia de Borbón. Vivir y contar la vida.* P U de Zaragoza, 2009.

—. *Las musas suben a la tribuna. Visibilidad y autoridad de las mujeres en el Ateneo de Madrid (1882-1939)*. Ediciones Genueve, 2018.

—. "Las periodistas españolas pintadas por sí mismas". *Arbor,* vol. 190, no. 767, 2014, pp. 1-13.

—. "Relatos de viaje de Gertrudis Gómez de Avellaneda". *Anales,* no. 23, 2011, pp. 323-351.

—. "Tendiendo redes: la presencia de las mujeres en la Unión Iberoamericana y el Centro Iberoamericano de Cultura Popular Femenina (1905-1936)". *No hay nación para este sexo: la Re(d)pública transatlántica de las Letras: escritoras españolas y latinoamericanas (1824-1936).* Coordinado por Pura Fernández. Iberoamericana/Vervuert, 2015, pp. 225-246.

Fasthenrat, Juan. "Mujeres sabias". *El Álbum Ibero-Americano,* 22 Jul. 1896, pp. 314-316.

Fauda Pérez, Francisco Javier y Jesús Fernández Sanz. "El doctor Esquerdo y su manicomio de Carabanchel". *Madrid histórico,* no. 49, 2014, pp. 22-29.

Fernández, Pura. *365 relojes. La Baronesa de Wilson.* Taurus, 2022.

—. "*Conociendo yo, caballero, lo mucho que vale su nombre y lo poco conocido que es el mío.* Cartas de Matilde Cherner a Francisco Asenjo Barbieri (1877-1879)". *Siglo diecinueve (Literatura hispánica). Escritoras decimonónicas en singular,* no. 16, pp. 89-117, 2010. https://go.gale.com/ps/anonymous?id=GALE%7CA261871016&sid=googleScholar&v=2.1&it=r&linkaccess=abs&issn=11362308&p=IFME&sw=w. Consultado 15 Mar. 2020.

—. "¿Una empresa de mujeres? Editoras Iberoamericanas contemporáneas". *Lectora: Revista de dones i textualitat,* no. 25, 2019, pp. 11-39.

—. "Geografías culturales; miradas, espacios y redes de las escritoras Hispanoamericanas en el siglo XIX". *Miradas sobre España.* Editado por Isabel Justo y Sofía Barron. Anthropos, 2011, pp. 153-169.

—. "No hay nación para este sexo. Redes culturales de mujeres de letras españolas y latinoamericanas (1824-1936)". *No hay nación para este sexo: la Re(d)pública transatlántica de las Letras: escritoras españolas y latinoamericanas (1824-1936).* Coordinado por Pura Fernández. Iberoamericana/Vervuert, 2015, pp. 9-58.

—. *Mujer pública y vida privada del arte del eunuco a la novela lupanaria.* Tamesis, 2008.

—. "*La piedra angular* (1891) de "La mala vida": Emilia Pardo Bazán y la crisis del derecho penal". *Journal of Spanish Cultural Studies,* vol. 10, no. 4, 2009, pp. 441-459.

Flaquer, Francisco de Paula. "Costumbres cubanas. La rompe molienda". *El Mundo Ilustrado,* cuaderno 11, 1879, pp. 351-352.

—. "Crónica europea y americana". *El Álbum Ibero-Americano,* 14 Jul. 1904, p. 302.

—. "Crónica española y americana". *El Álbum Ibero-Americano,* 30 Nov. 1900, p. 518.

—. "Crónica española y americana". *El Álbum Ibero-Americano,* 22 May. 1895, p. 218.

—. "Crónica europea y americana. Trata de blancas". *El Álbum Ibero-Americano*, 30 Mar. 1903, p. 134.

—. "Crónica española y americana. Un concierto brillante". *El Álbum Ibero-Americano*, 14 May. 1892, p. 206.

—. "Crónica general". *El Álbum Ibero-Americano*, 30 May. 1895, p. 230.

—. "Crónica general. Grafología". *El Álbum Ibero-Americano*, 30 Nov. 1894, p. 230.

—. "Lejos de la Patria". *El Álbum de la Mujer*, 16 Dic. 1883, pp. 237-238.

Flecha García, Consuelo. "Las mujeres en el sistema educativo español". *Las mujeres en la construcción del mundo contemporáneo*. Coordinado por Teresa Marín Eced y M. Mar del Pozo Andrés. Diputación de Cuenca, 2002, pp. 209-226.

—. *Las primeras universitarias en España, 1872-1910*. Narcea, D. L. 1996.

Freire López, Ana María. "El Liceo Piquer: un ámbito para la convivencia de las artes en la segunda mitad del siglo XIX". *La literatura española del siglo XIX y las artes*. Editado por la Sociedad de Literatura Española del Siglo XIX. PPU, 2008, pp. 129-140.

Fuente, Ignacio de la. "Explicación de los grabados". *El Álbum Ibero-Americano*, 22 May. 1891, pp. 225-226.

—. "Explicación de los grabados. Tipos populares: Dos gitanos". *El Álbum Ibero-Americano*, 14 Dic. 1891, p. 262.

Fundación Secretario Gitano. *La comunidad gitana*. https://www.gitanos.org/la_comunidad_gitana/una_historia_de_persecuciones_y_sufrimiento.html.es. Consultado 9 Jul. 2021.

García Alcaraz, Guadalupe y Yuriria Figueroa Gómez. "Escolarización de lo femenino en Guadalajara en la segunda mitad del siglo XIX". *X Congreso Nacional de Investigación Educativa. Área 9: historia e historiografía de la educación*. Consejo Mexicano de Investigación Educativa. A. C., 2009, pp. 1-11. http://www.comie.org.mx/congreso/memoriaelectronica/v10/pdf/area_tematica_09/ponencias/1466-F.pdf. Consultado 17 Jul. 2021.

García Ladevese, Ernesto. "Notas carnavalesca". *El Álbum Ibero-Americano*, 22 Feb. 1903, pp. 75-76.

García Ruiz, Ramón. "Historia de la educación en Jalisco". *Historia Mexicana*, no. 4, vol. 6, Abr.-Jun. 1957, pp. 548-571.

Garrigan, Shelley. "El 'pensamiento viril': diálogos entre la ciencia y el género en *El Álbum de la Mujer*". *Cuadernos de literatura*, vol. 20, no. 39, 2016, pp. 131-147.

Gilbert, Sandra y Susan Gubar. *The Madwoman in the Attic. The Woman Writers and the Nineteenth-Century Literary imagination*. Yale, 1979.

Gimeno, Concepción. "El alma de la humanidad". *La lira española*, 25 Ene. 1873, pp. 1-3.

—. "El estudio". *Academia*, 15 Abr. 1879, pp. 218-219.

—. "La mujer y el álbum". *La lira española*, 25 Sep. 1873, pp. 1-3 (*El Mundo Ilustrado*, cuaderno 4, 1879, pp. 127-128).

—. "La mujer y el poeta". *La lira española*, 10 Dic. 1872, pp. 1-3.

—. *La mujer española. Estudios acerca de su educación.* Carta-prólogo del académico Excmo. Sr. D. Leopoldo Augusto de Cueto. Imprenta y Librería de Miguel Guijarro, 1877.

—. "Testigos necesarios. A Teodoro Guerrero. I". *Pleito del matrimonio.* Editado por Teodoro Guerrero y Ricardo Sepúlveda. Establecimiento Tipográfico de los Sucesores de Rivadeneyra, 1884, pp. 218-223.

—. "Viaje a Valencia. Cartas a la señorita de Moya". *Cádiz,* 30 May. 1878, pp. 18-19.

—. "Viaje a Valencia. Carta segunda". *Cádiz,* 10 Ago. 1878, pp. 77-78.

—. "Viaje a Valencia. Carta tercera". *Cádiz,* 20 Ago. 1878, pp. 85-86.

—. *Victorina o heroísmo del corazón.* Prólogo de Ramón Ortega y Frías. Imprenta de la Asociación del Arte de Imprimir, 1873. Volumen I y II.

Gimeno de Flaquer, Concepción. "43 913 mujeres". *El Álbum Ibero-Americano,* 7 Feb. 1905, p. 50.

—. "Apologistas y detractores de la mujer. Conclusión". *El Álbum Ibero-Americano,* 14 Ene. 1906, pp. 14-15.

—. "Artillería de Cupido". *El Álbum Ibero-Americano,* 14 Ago. 1900, pp. 353-356.

—. "La alborada de la vida". *El Mundo Ilustrado,* cuaderno 11, 1881, pp. 310-311.

—. "El amor". *El Álbum de la Mujer,* 15 Jun. 1884, pp. 346-348.

—. "El amor". *El Álbum Ibero-Americano,* 30 Ago. 1894, pp. 86-87.

—. "El ángel del hogar". *El Álbum Ibero-Americano,* 7 May. 1904, p. 194.

—. "Por no amar". *El Globo,* 23 Ago. 1897, p. 1 (*El Álbum Ibero-Americano,* 14 Ago. 1895, pp. 357-358).

—. "Bocetos históricos". *El Álbum Ibero-Americano,* 22 Ene. 1902, pp. 26-28 ("Mme. Recamiery y Mme. Girardin". *El Álbum Ibero-Americano,* 22 Jun. 1894, pp. 266-268 y "Bocetos históricos. Mme. Girardin". *El Álbum de la Mujer,* 22 Feb. 1885, pp. 72-73).

—. "Boceto histórico. Cristina de Suecia". *El Álbum Ibero-Americano,* 15 Feb. 1885, p. 62.

—. "El beso subastado". *El Álbum Ibero-Americano,* 6 Feb. 1899, p. 58.

—. "Una boda aristocrática". *El Álbum de la Mujer,* 16 Oct. 1887, pp. 122-126.

—. "La buenaventura". *El Álbum de la Mujer,* 7 Oct. 1883, pp. 67-68 (*El Mundo Ilustrado. Biblioteca de las familias,* cuaderno 35, 1880, p. 344).

—. *Civilización de los antiguos pueblos mexicanos. Disertación histórica leída por su autora en el Ateneo de Madrid en la noche del 17 de Junio de 1890.* Imprenta de M. P. Montoya, 1890.

—. "Compañeras de grandes hombres". *El Álbum Ibero-Americano,* 14 Abr. 1908, pp. 110-111.

—. "Concepto de la mujer en la literatura francesa". *El Álbum Ibero-Americano,* 7 Feb. 1906, pp. 50-51.

—. "Congreso de Paz en Milán". *El Álbum Ibero-Americano,* 7 Oct. 1906, p. 434.

—. "Conversaciones privadas con las damas". *El Álbum Ibero-Americano,* 30 Ene. 1897, p. 38.

—. "Cristina de Suecia". *El Álbum Ibero-Americano,* 30 Ene. 1902, pp. 38-39.

—. "Crónica". *El Álbum Ibero-Americano,* 7 Abr. 1904, p. 146.

—. "Crónica española y americana". *El Álbum Ibero-Americano,* 22 Jun. 1893, pp. 466-467.

—. "Crónica española y americana. Kermesse aristocrática". *El Álbum Ibero-Americano,* 22 Jun. 1893, pp. 266-267.

—. "Crónica femenina y feminista. La Duse y Sarah Bernhardt". *El Álbum Ibero-Americano,* 30 May. 1908, p. 230.

—. "Crónica femenina y feminista. Écoles Ménageres". *El Álbum Ibero-Americano,* 30 Nov. 1907, p. 518.

—. "Crónica femenina y feminista. Escuela ambulante de Milán". *El Álbum Ibero-Americano,* 22 Abr. 1907, p. 170.

—. "Crónica femenina y feminista. Escuelas de enfermeras". *El Álbum Ibero-Americano,* 22 Oct. 1907, p. 458.

—. "Crónica femenina y feminista. Inmoralidades". *El Álbum Ibero-Americano,* 22 Jun. 1907, p. 314.

—. "Crónica femenina y feminista. Nacionalidad de la mujer". *El Álbum Ibero-Americano,* 14 Dic. 1908, p. 542.

—. "Crónica femenina y feminista. Nuevas profesiones". *El Álbum Ibero-Americano,* 30 Mar. 1908, p. 134.

—. "Crónica femenina y feminista. En casa de la marquesa de la Laguna". *El Álbum Ibero-Americano,* 14 Dic. 1908, p. 542.

—. "Crónica feminista. Percusores del feminismo". *El Álbum Ibero-Americano,* 7 Jul. 1898, p. 286.

—. "Crónica italiana". *El Álbum Ibero-Americano,* 7 May. 1906, p. 194.

—. "Crónica madrileña. La marquesa de la Laguna". *El Álbum Ibero-Americano,* 7 Dic. 1907, p. 530.

—. "Crónica policroma. Los cuadros de Meissonier". *El Álbum Ibero-Americano,* 14 Feb. 1891, p. 62.

—. "Crónica policroma. La duquesa de Castro Enríquez". *El Álbum Ibero-Americano,* 30 Jun. 1891, p. 278.

—. "Crónica semanal". *El Álbum Ibero-Americano,* 14 Ago. 1909, p. 350.

—. "Crónica semanal. En el palacio de los marqueses de la Laguna". *El Álbum Ibero-Americano,* 14 Dic. 1909, p. 542.

—. "Crónica veraniega". *El Álbum Ibero-Americano,* 7 Sep. 1895, pp. 386-387.

—. "Crónica de arte". *El Álbum Ibero-Americano,* 30 Jun. 1905, pp. 278-279.

—. *¿Culpa o expiación? Con retrato y biografía de la autora por Eduardo del Valle.* Oficina Tipográfica de la Secretaría de Fomento, 1890.

—. "Cultura femenina". *El Álbum Ibero-Americano,* 28 Feb. 1909, pp. 86-87.

—. "Cultura de la mujer mexicana. I". *El Álbum Ibero-Americano,* 30 Abr. 1900, pp. 183-184.

—. "Cultura de la mujer mexicana. Conclusión". *El Álbum Ibero-Americano,* 7 May. 1900, pp. 194-195.

—. "La consejera de Hernán Cortés". *El Álbum Ibero-Americano,* 7 Ene. 1902, pp. 2-4 ("La inspiradora de Cortés". *El Álbum de la Mujer,* 11 Sep. 1884, pp. 142-143 y "Una india notable". *El Álbum Ibero-Americano,* 22 Dic. 1894, pp. 268-269).

—. "Desde Galicia". *El Álbum Ibero-Americano,* 7 Oct. 1905, pp. 434-435.

—. "Dos italianas del siglo XVIII". *El Álbum Ibero-Americano,* 7 Nov. 1899, pp. 483-484.

—. *El doctor alemán.* Establecimiento Tipográfico de Calisto Ariño, 1880.

—. "Estudio a mi inteligente amiga la Sra. Condesa de la Oliva. Rosa Bonheur 1827-1899". *El Álbum Ibero-Americano,* 22 Feb. 1900, pp. 74-75.

—. "Eterno femenino". *El Álbum Ibero-Americano,* 28 Mar. 1907, pp. 86-89.

—. *Evangelios de la mujer.* Librería de Fernando Fé, 1900.

—. "La enfermedad misteriosa". *El Álbum Ibero-Americano,* 30 Jul. 1904, pp. 326-327.

—. "El espejo mágico". *El Álbum Ibero-Americano,* 14 Nov. 1908, pp. 494-495.

—. "El estudio". *Revista de Aragón,* 15 Abr. 1880, pp. 95-97 (*Las clases productoras,* 5 Abr. 1882, pp. 2-3).

—. "Feminismo. Memoria presentada a la 'Unión Ibero-Americana' referente al proyecto de Universidad Femenina". *El Álbum Ibero-Americano,* 7 Ago. 1904, p. 338.

—. "Feminismo. Memoria presentada a la 'Unión Ibero-Americana' referente al proyecto de Universidad Femenina. Conclusión". *El Álbum Ibero-Americano,* 14 Ago. 1904, p. 350.

—. "Feminología". *El Álbum Ibero-Americano,* 30 May. 1904, pp. 230-231.

—. "El feminismo en el teatro español". *El Álbum Ibero-Americano,* 14 May. 1905, pp. 206-207.

—. "La femme". *L'Espagne, politique, littérature, armée et marine, justice, enseignement, économie, finances, ethnographie, colonies, beaux-arts, la cour, la société.* Editado por Nouvelle Revue Internationale. Éditions Internationales, 1900, pp. 228-230.

—. "La gran reina española. Conclusión". *El Álbum Ibero-Americano,* 7 Abr. 1897, pp. 146-147.

—. "Historia de una flor contada por ella misma". *El Mundo Ilustrado,* cuaderno 30, 1880, pp. 190-192.

—. "Una humanista española. Ernestina Manuel de Villena". *El Álbum Ibero-Americano,* 7 Mar. 1900, pp. 98-100 ("Crónica semanal. La Fundadora del Asilo", *El Álbum Ibero-Americano,* 14 Oct. 1909, pp. 446-447).

—. "Influencia de la novela en la imaginación de la mujer". *El Álbum Ibero-Americano,* 30 Abr. 1892, pp. 134-136 ("La poesía y el naturalismo". *El Álbum Ibero-Americano,* 7 Feb. 1898, pp. 52-53 y *El Álbum Ibero-Americano,* 7 Abr. 1908, pp. 98-99).

—. *Iniciativas de la mujer en higiene moral social. Conferencia dada en la Sociedad Española de Higiene, con asistencia del Excmo. Sr. Ministro de Instrucción Pública y Bellas Artes.* Imprenta de J. Sastre y C.ª, 1908.

—. "Italianas notables. Grazia Pierantoni Mancini". *El Álbum Ibero-Americano,* 14 Jun. 1906, pp. 254-255.

—. "Italianas del Renacimiento (I)". *El Álbum Ibero-Americano,* 7 Ene. 1907, pp. 2-3.

—. "Influencia de la novela". *El Mundo Ilustrado,* cuaderno 59, 1880, pp. 342-344.

—. "La ilustración de la mujer". *El Álbum Ibero-Americano,* 22 Sep. 1902, pp. 410-411.
—. "La infancia". *El Mundo Ilustrado,* cuaderno 28, 1880, pp. 590-591.
—. "Luna de miel". *El Mundo Ilustrado,* cuaderno 24, 1879 p. 766.
—. *Madres de hombres célebres* (con retrato y biografía de la autora por Juan Tomás y Salvany.) Tipografía de Alfredo Alonso, 1895.
—. "Madrid elegante". *El Álbum Ibero-Americano,* 22 Ene. 1901, pp. 26-27.
—. "Margarita de Saboya". *El Álbum Ibero-Americano,* 30 Sep. 1906, pp. 422-424.
—. "Mujer contemporánea". *El Álbum Ibero-Americano,* 30 Dic. 1900, pp. 566-568.
—. "La madre". *El Mundo Ilustrado,* cuaderno 25, 1879, p. 25.
—. "La madre de San Fernando". *El Álbum Ibero-Americano,* 30 Abr. 1899, p. 136.
—. "La madre de San Luis". *El Álbum Ibero-Americano,* 30 Abr. 1898, pp. 135-136.
—. "La madre de Washington". *El Álbum Ibero-Americano,* 7 May. 1896, pp. 194-196.
—. "La madre del rey de Portugal. Conclusión". *El Álbum Ibero-Americano,* 7 Mar. 1895, pp. 125-453.
—. "La mujer antigua y la mujer de espíritu moderno". *Unión Ibero-Americana,* no. 7, Mar. 1908, pp. 14-17.
—. "La mujer antigua y la mujer de espíritu moderno. Conclusión". *El Álbum Ibero-Americano,* 7 Ago. 1908, pp. 338-339.
—. "La mujer aragonesa". *El Álbum Ibero-Americano,* 22 Oct. 1896, pp. 452-453.
—. "La mujer estudiosa". *El Álbum de la Mujer,* 3 Oct. 1886, pp. 132-133 (*El Álbum Ibero-Americano,* 22 Ago. 1892, pp. 77-80 y 30 Ago. 1892, pp. 86-92).
—. "La mujer inglesa". *El Álbum Ibero-Americano,* 7 Sep. 1905, pp. 386-387.
—. *La mujer intelectual.* Imprenta del Asilo de Huérfanos del Sagrado Corazón de Jesús, 1901.
—. *La mujer juzgada por una mujer.* Imprenta de Luis Tasso y Serra, 1882.
—. *La mujer juzgada por una mujer* (quinta edición corregida y aumentada por la autora). Oficina Tipográfica de la Secretaría de Fomento, 1887.
—. "La mujer médico". *El Álbum de la Mujer,* 19 Jul. 1883, p. 22 ("La primera doctora mexicana". *El Álbum de la Mujer,* 4 Sep. 1887, pp. 74-75; "La mujer médico". *El Álbum Ibero-Americano,* 22 Nov. 1892, pp. 224-228 y "Una doctora española Concepción Aleixandre". *El Álbum Ibero-Americano,* 22 Jun. 1904, p. 266).
—. "La mujer de Jalisco". *El Álbum de la Mujer,* 24 Mar. 1889, p. 90.
—. "La mujer de Madrid". *El Álbum Ibero-Americano,* 7 Oct. 1903, pp. 434-436.
—. "La mujer de mañana". *El Álbum Ibero-Americano,* 22 Dic. 1902, pp. 554-555.
—. "La mujer en Alemania. Fragmento". *El Álbum Ibero-Americano,* 7 Ene. 1905, pp. 2-3.

—. "La mujer en Rumanía". *El Álbum Ibero-Americano,* 30 Ene. 1903, pp. 470-471.

—. "La mujer en Rusia". *El Álbum Ibero-Americano,* 7 Jul. 1904, pp. 290-291.

—. "La mujer en la Antigüedad y en nuestros días. Concluye". *El Álbum de la Mujer,* 12 Sep. 1886, pp. 102-103.

—. "La mujer en la India". *El Álbum Ibero-Americano,* 14 Abr. 1906, pp. 158-159.

—. "La mujer en la industria". *El Álbum Ibero-Americano,* 30 May. 1900, p. 233.

—. "La mujer en la literatura francesa. Conclusión". *El Álbum Ibero-Americano,* 14 Feb. 1906, pp. 62-63.

—. "La mujer en la vida moderna". *El Álbum Ibero-Americano,* 7 Oct. 1900, pp. 434-436.

—. "La mujer entre los aztecas". *El Álbum Ibero-Americano,* 14 Jul. 1893, pp. 16-17 ("La mujer mexicana en la época precolombina. Fragmento". *El Álbum Ibero-Americano,* 14 Nov. 1900, pp. 496-498 y "La diosa y la mujer en los antiguos pueblos mexicanos". *El Álbum Ibero-Americano,* 22 Dic. 1904, pp. 554-555).

—. "La mujer según Augusto Comte". *El Álbum de la Mujer,* 2 Ago. 1885, p. 40.

—. "La mujer según Proudhon". *El Álbum de la Mujer,* 5 Jul. 1885, p. 2 (*El Álbum Ibero-Americano,* 7 Nov. 1901, pp. 482-483).

—. "La mujer según los filósofos modernos". *El Álbum Ibero-Americano,* 7 Mar. 1903, pp. 98-100.

—. "La mujer y el álbum". *El Álbum Ibero-Americano,* 7 Jul. 1892, pp. 2-3 y 14 Jul. 1892, pp. 15-16. (*El Álbum Ibero-Americano,* 22 Jul. 1899, pp. 314-316).

—. *Mujeres de raza latina.* Imprenta del Asilo de Huérfanos del Sagrado Corazón de Jesús, 1904.

—. *Mujeres de regia estirpe.* Administración de *El Álbum Ibero-Americano.* Tipografía Española, 1907.

—. *Mujeres: Vidas paralelas.* Tipografía de Alfredo Alonso, 1893.

—. "Musas humanas". *El Álbum Ibero-Americano,* 22 Jun. 1902, pp. 266-267.

—. "Las musas". *El Álbum de la Mujer,* 23 Jun. 1889, p. 194 (*El Álbum Ibero-Americano,* 14 Oct. 1893, pp. 164-166).

—. "Niñas y flores". *El Álbum de la Mujer,* 13 Jul. 1884, pp. 16-18.

—. "Notas argentinas, psicología de las calles bonaerenses". *La Actualidad,* 12 Jul. 1913, pp. 9-11.

—. "Nuestros grabados. Felipe Trigo insigne novelista español". *El Álbum Ibero-Americano,* 30 Oct. 1909, p. 478.

—. "Nuevo carácter del feminismo". *El Álbum Ibero-Americano,* 22 Jul. 1904, p. 314.

—. "Nuevos ideales". *El Álbum Ibero-Americano,* 14 Sep. 1906, pp. 398-399.

—. "Una novelista española". *El Álbum Ibero-Americano,* 30 Oct. 1909, p. 478.

—. "Origen del feminismo en Francia". *El Álbum Ibero-Americano,* 7 Jun. 1907, pp. 242-243.

—. "Origen del feminismo en Francia. Conclusión". *El Álbum Ibero-Americano,* 14 Jun. 1907, pp. 254-255.

—. "La obrera mexicana". *El Álbum de la Mujer*, 6 Ene. 1884, pp. 3-5 (*La Mujer. Seminario de la escuela de artes y oficios para mujeres*, 8 Ago. 1883, pp. 1-3, *El Hijo del Trabajo*, 12 Ago. 1883, *Clases productoras*, 2 Sep. 1883, pp. 1-2 y *El Álbum Ibero-Americano*, 30 May. 1898, pp. 218-220).

—. "Pedagogas españolas". *El Álbum Ibero-Americano*, 7 May. 1901, pp. 194-195.

—. "¡Plaza a la mujer!". *El Álbum Ibero-Americano*, 22 Abr. 1908, pp. 170-171 (*El Álbum Ibero-Americano*, 30 Ago. 1891, pp. 86-88, 22 Abr. 1906, pp. 170-171 y 30 Abr. 1906, pp. 182-183).

—. "Por la Pilarica". *El Álbum Ibero-Americano*, 22 Sep. 1904, pp. 416-418.

—. "Primeras emancipadoras". *El Álbum Ibero-Americano*, 14 Jul. 1905, pp. 302-303.

—. "Protección a la mujer". *El Álbum Ibero-Americano*, 14 Abr. 1897, p. 160.

—. "La pluma". *El Álbum Ibero-Americano*, 22 Jun. 1901, pp. 266-267 (*El Álbum de la Mujer*, 21 Oct. 1888, pp. 122-123 y *Pluma y Lápiz. El seminario hispano-americano de literatura y arte*, 16 Ago. 1903, pp. 6-9).

—. *El problema feminista: conferencia de Concepción Gimeno de Flaquer en el Ateneo de Madrid*. Imprenta de Juan Bravo, 1903.

—. "El problema feminista". *El Álbum Ibero-Americano*, 14 Sep. 1903, pp. 399-400.

—. "El problema feminista. Conclusión". *El Álbum Ibero-Americano*, 22 Sep. 1903, p. 410.

—. "Una princesa del Renacimiento". *El Álbum Ibero-Americano*, 7 Dic. 1902, pp. 530-531.

—. "El quetzal". *El quetzal*. Administración Estrada Cabrera. J. G. Hauser, 1909, pp. 47-52 (*El Álbum de la Mujer*, 4 Ago. 1889, p. 34 y *El Álbum Ibero-Americano*, 14 Sep. 1899, pp. 400-401).

—. "Reinas medievales. I". *El Álbum Ibero-Americano*, 14 Feb. 1905, pp. 62-63.

—. "Reinas medievales. II". *El Álbum Ibero-Americano*, 22 Feb. 1905, pp. 74-75.

—. "Reinas medievales. Conclusión". *El Álbum Ibero-Americano*, 28 Feb. 1905, pp. 86-87.

—. "Un rey legislador mexicano". *El Álbum Ibero-Americano*, 7 Nov. 1900, pp. 482-484.

—. "Sacerdotisas cristianas y paganas". *El Álbum de la Mujer*, 25 Ene. 1885, p. 32 (*El Álbum Ibero-Americano*, 22 Ago. 1897, pp. 263-264 y 22 Sep. 1908, pp. 410-412).

—. "Sección feminista. Continuación". *El Álbum Ibero-Americano*, 7 Ago. 1903, pp. 538-539.

—. "Semblanzas femeninas. Margarita de la Sablière". *El Álbum Ibero-Americano*, 22 Abr. 1901, p. 170.

—. "Semblanzas femeninas. La hija de la princesa Rattazzi". *El Álbum Ibero-Americano*, 14 Ene. 1899, p. 14.

—. "Semblanzas femeninas. Una reina literata". *El Álbum Ibero-Americano*, 22 Feb. 1899, p. 74.

—. *Suplicio de una coqueta*. Imprenta de Francisco Diaz de León, 1885.

—. *En el salón y en el tocador: vida social, cortesía, arte de ser agradable, belleza moral y física, elegancia y coquetería.* Librería de Fernando Fé, 1899.

—. "El secreto". *El Álbum Ibero-Americano,* 7 Dic. 1897, pp. 536-537.

—. "Los santos reyes". *El Mundo Ilustrado,* cuaderno 28, 1880, pp. 127-128.

—. "Las tertulias". *El Álbum Ibero-Americano,* 22 Feb. 1901, pp. 75-76.

—. "Los tres velos". *El Álbum Ibero-Americano,* 14 Jul. 1907, p. 305.

—. *Ventajas de instruir a la mujer y sus aptitudes para instruirse: disertación leída por su autora, en el Ateneo de Madrid, en la noche del 6 de mayo de 1896.* Imprenta de Francisco G. Pérez, 1896.

—. "La vanidad". *El Mundo Ilustrado,* cuaderno 13, 1879, pp. 415-416.

—. "Un verano en Portugal". *El Mundo Ilustrado,* cuaderno 14, 1879, pp. 447-448.

—. "Un verano en Portugal. Carta II". *El Mundo Ilustrado,* cuaderno 16, 1879, pp. 510-512.

—. "Un verano en Portugal. Carta III y última". *El Mundo Ilustrado,* cuaderno 23, 1879, pp. 731-735.

—. *Victorina o heroísmo del corazón.* Prólogo de Ramón Ortega y Frías. Imprenta de la Sociedad Tipográfica, 1879. Volumen I.

—. "La vida sin amor. Cartas a una amiga". *El Álbum Ibero-Americano,* 7 Ago. 1907, pp. 338-340 y 30 Ene. 1893, pp. 41-44 ("La vida sin amor. Carta a Celia". *El correo de la moda,* 10 Mar. 1879, pp. 77-78 y *La Ilustración,* 11 Feb. 1883, pp. 139-142).

—. *La Virgen Madre y sus Advocaciones.* Librería de los Sucesores de Hernando, 1907.

—. "En vísperas del día de difuntos. Una visita al cementerio del Pére-Lachaise". *El Álbum Ibero-Americano,* 30 Oct. 1891, pp. 182-184 (*El Mundo Ilustrado,* cuaderno 67, 1880, pp. 598-600 y "Una visita al cementerio del Pére-Lachaise". *El Álbum de la Mujer,* 28 Oct. 1883, pp. 114-116).

Godón, Nuria. "Masoquismos: Revisión crítica del discurso de domesticidad en la ficción decimonónica". *Del salvaje siglo XIX al inestable siglo XX en las letras trasatlánticas: una mirada retrospectiva a través de hispanistas.* Editado por Ana I. Simón Alegre. Vernon P, 2022, pp. 101-118.

—. *La pasión esclava: alianzas masoquistas en La regenta.* Purdue U P, 2017.

Goethe, Johann Wolfgang von. *Las pasiones del joven Werther.* La Época-Biblioteca para todos, 1849.

Gold, Hazel. "Back to the Future: Criticism, the Canon and the Nineteenth-Century Spanish Novel". *Hispanic Review,* vol. 58, 1990, pp. 179-209.

Gómez Rodríguez, Amparo. "Ciencia y valores en los estudios del cerebro". *Arbor,* vol. CLXXXI, no. 716, Nov.-Dic. 2005, pp. 479-492.

González Alberdi, Mercedes. "Washi: el papel japonés, génesis y supervivencia". *IMAFRONTE,* no. 16, 2014, pp. 109-134.

González-Blanco, Pedro. "A propósito de Flaubert". *El Álbum Ibero-Americano,* 22 Oct. 1903, pp. 461-464.

González Revilla, Leopoldo. "Las mujeres abogados. I". *El Álbum Ibero-Americano,* 14 Ene. 1906, pp. 16-20.

Goswitz, María Nelly. "Del salón finisecular y las veladas literarias de Juana Manuela Gorriti al salón virtual. Escritoras Latinoamericanas del Diecinueve (ELAPD)". *No hay nación para este sexo: la Re(d)pública transatlántica de las Letras: escritoras españolas y latinoamericanas (1824-1936).* Coordinado por Pura Fernández. Iberoamericana/Vervuert, 2015, pp. 131-146.

Gras y Elías, Francisco. "Marietta Robusti". *El Álbum de la Mujer,* 17 Oct. 1886, pp. 154-155.

Grau i Arau, Andreu. "Economia explícita en les novel.les de Benito Pérez Galdós, Narcís Oller i Vicente Blasco Ibáñez". *Literatura i economia.* Editado por Joaquim Perramon. U de Barcelona, 2016, pp. 93-116.

Graus, Andrea. *Ciencia y espiritismo en España (1880-1930).* Comares, 2019.

Guénon, René. *Theosophy: history of a pseudo-religion.* Sophia Perennis, 2001.

Gutiérrez Domínguez, María del Mar. "José Barbier Rosselló, el infatigable obrero de la labor periodística". *Confines de amistad. Periodistas de agrupaciones diplomáticas y empresariales de México y España (1840-1974).* Coordinado por Lilia Vieyra Sánchez. Bonilla Artillas Editores, 2021, pp. 111-130.

Hernández, Carlos. *Mujeres célebres de México.* Casa Editorial Lozano, 1918.

Hernández Prieto, M.ª Isabel. "Escritores hispanoamericanos en *El álbum Ibero-Americano (1890-1899)*". *Documentación de las Ciencias de la Información,* no. 16, 1993, pp. 118-153. https://revistas.ucm.es/index.php/DCIN/article/view/DCIN9393110115A/20154. Consultado 20 Jun. 2021

Herrera Rodríguez, Francisco. "La Casa de Maternidad de Cádiz a finales del siglo XIX". *Híades. Revista de Historia de la Enfermería,* no. 5 y 6, 1998-1999, pp. 271-283.

Hoffman, Joan M. "Torn Lace and Other Transformations: Rewriting the Bride's Script in Selected Stories by Emilia Pardo Bazán". *Hispania,* vol. 82, no. 2, 1999, pp. 238-245.

Hoyos Vinent, Antonio de. *El pecado y la noche.* Renacimiento, 1913. https://www.gutenberg.org/files/28592/28592-h/28592-h.htm. Consultado 10 Sep. 2021.

Hugo, Victor. *Guillermo Shakespeare.* Traducción de Antonio Aura Boronat. Saturnino Calleja, 1880.

Huerta Posada, Ramón de la. "La mujer. VI. Conclusión". *El Álbum Ibero-Americano,* 22 Ene. 1898, pp. 29-30.

—. "La mujer. IX. Conclusión". *El Álbum Ibero-Americano,* 30 Nov. 1900, p. 524.

Infante Vargas, Lucrecia. "De espíritus, mujeres e igualdad: Laureana Wright y el espiritismo kardeciano en el México finisecular". *Disidencia y disidentes en la historia de México.* Coordinado y editado por Felipe Castro y Marcela Terrazas. U Nacional Autónoma de México, 2003, pp. 277-294.

Institut des études régionales et des patrimoines. *Créations et solidarités dans la grande ville ouvrière.* P de U de Saint Étienne, 2003.

Jardón Pardo de Santayana, Pelayo. *Margarita Nelken del feminismo a la revolución.* Sanz y Torres, 2013.

Johnson, Matilda L. "El papel de las enfermeras visitadoras en la lucha antituberculosa en América". *El Álbum Ibero-Americano,* 30 Jun. 1909, pp. 278-279 y *El Álbum Ibero-Americano,* 7 Jul. 1909, pp. 290-292.

—. "El papel de las enfermeras visitadoras en la lucha antituberculosa en América". *El Álbum Ibero-Americano*, 7 Jul. 1909, pp. 290-292.

Johnson, Roberta. "Spanish feminist thought of the modernist era". *Anales de la literatura española contemporánea*, vol. 35, no. 1, 2010, pp. 35-61.

Kirkpatrick, Susan. "Note on the Translations". *An Anthology of Nineteenth-Century Women's Poetry from Spain.* Edited by Anna-Marie Aldaz. Translated by W. Robert Walker. The Modern Language Association of America, 2009, pp. XXXV-XL.

Labanyi, Jo. "Afectividad y autoría femenina. La construcción estratégica de la subjetividad en las escritoras del siglo XIX". *Espacio, tiempo y forma*, no. 29, 2017, pp. 41-63.

Laborde, Pierre. "Nacimiento y desarrollo del turismo en Biarritz durante el Segundo Imperio". *Historia Contemporánea*, no. 25, 2002, pp. 51-64.

Lacalzada de Mateo, María José. "Concepción Gimeno de Flaquer en la emancipación de las mujeres". *Redes intelectuales y formación de naciones en España y América latina (1890-1940).* Coordinado por Manuel Pérez Ledesma y Marta Elena Casaús Arzú. Ediciones U Autónoma de Madrid, 2005, pp. 369-386.

Lafarga, Francisco. "Sobre traductoras españolas del siglo XIX". *Lectora, Heroína, Autora (La mujer en la literatura española del siglo XIX). III Coloquio de la Sociedad de Literatura Española del Siglo XIX (Barcelona, 23-25 de octubre de 2002).* Sociedad de Literatura Española del Siglo XIX. U de Barcelona, 2005. Biblioteca Virtual Miguel de Cervantes. http://www.cervantesvirtual.com/obra-visor/sobre-traductoras-espaolas-del-siglo-xix/html/dcc371fc-2dc6-11e2-b417-000475f5bda5_2.html#I_0_. Consultado 10 Sep. 2021.

Langa, Pedro. *San Agustín y el progreso de la teología matrimonial.* Estudio Teológico de San Ildefonso, 1984.

Lara, Mario. "Sociología. Una nueva ciencia". *Vida práctica. Suplemento de La última moda*, 15 Feb. 1903, p. 11.

Legouvé, Ernest. *Historia moral de las mujeres.* Traducción de Narciso Gay. Librería Plus Ultra, 1860.

Lemus, Marta. "Fragmentos. De unas cartas escritas del Mineral de la Luz a México". *Violetas: Seminario de literatura*, 27 Jul. 1884, pp. 134-135.

—. "Fragmentos de una carta. Concluye". *Violetas: Seminario de literatura*, 3 Ago. 1884, pp. 138-140.

Lira Saucedo, Salvador Alejandro. "Del Templo a la Palabra. Hermenéutica y Mitocrítica en la ceremonia masónica de la muerte de Juárez, 1930". *REHMLAC*, vol. 3, no. 2, Dic. 2012-Abr. 2012, pp. 186-205.

Lorenzo Arribas, Josemi. "El nacimiento de la Historia de las Mujeres en España (1884), o cuando Concepción Gimeno de Flaquer escribe 'Madres de hombres célebres'". *La querella de las mujeres III: La querella de las mujeres antecedente de la polémica feminista.* Coordinado por Cristina Segura Graíño. Almudayna, 2011, pp. 141-162.

López Pérez, Fátima. "Las mujeres y el lenguaje de las flores en la Barcelona de los siglos XIX y XX". *Temas de Mujeres. Revista del CEHIM Centro de*

Estudios Históricos e Interdisciplinarios sobre las Mujeres", no. 10, 2014, pp. 132-153.

Lustonó, Eduardo de. "Recuerdos aristocráticos. Historia de un zapato". *La Ilustración española y americana,* 8 Ago. 1905, pp. 70-71.

Madariaga de la Campa, Benito. *Augusto González de Linares. Vida y obra de un naturalista.* Instituto Nacional de Oceanografía, 2004.

Malin, Mark R. "Of beginnings and endings, prólogos y despedidas: Julia de Asensi's *Tres amigas*". *Confluencia: Revista Hispanica de Cultura y Literatura,* vol. 19, no. 1, 2003, pp. 103-110.

Mangini, Shirley. *Las modernas de Madrid. Las grandes intelectuales españolas de la vanguardia.* Península, 2001.

Martín Gaite, Carmen. *Usos amorosos de la posguerra española.* Anagrama. 1987.

Martín Villareal, Juan Pedro. "La edición femenina decimonónica. Patrocinio de Biedma: entre el asociacionismo y las redes de colaboración editorial". *Lectora: Revista de dones i textualitat,* no. 25, 2019, pp. 105-117.

Martinengo, Marirí. *Las Trovadoras poetisas del amor cortés.* Traducido por María Milagros Rivera Garretas y Ana Mañeru. Horas y Horas, 1997.

McNerney, Kathleen. "Introduction". *"Silent Souls" and Other Stories.* Caterina Albert. Introduction and translated by Kathleen McNerney. The Modern Language Association of America, 2018, pp. XI-XXX.

Medina, Raquel y Barbara Zecchi. "Introducción". *Sexualidad y escritura.* Editado por Raquel Medina y Bárbara Zecchi. Anthropos, 2002, pp. 7-29.

Mefistófeles. "Teatros". *La lira española,* 10 Mar. 1873, pp. 7-8.

—. "Revista de Teatros". *La lira española,* 10 May. 1873, pp. 7-8.

Mena Mora, María Isabel. *La Baronesa de Wilson en Hispanoamérica. Metáforas y un proyecto de modernidad para la mujer republicana (1874-1890).* Tesis. U Andina Simón Bolívar, 2014. https://repositorio.uasb.edu.ec/bitstream/10644/4274/1/T1540-MH-Mena-La%20Baronesa.pdf. Consulta 20 Jun. 2021.

Méndez de la Torre, Elvira. "Praxíteles". *El Álbum Ibero-Americano,* 14 Ago. 1903, p. 356.

Menéndez-Onrubia, Carmen. "*Electra* (1901) de Galdós: Su gestación y puesta en escena". *Anales de la literatura española contemporánea,* vol. 36, no. 2, 2011, pp. 5-24.

Mesonero Romanos, Ramón de. *Escenas Matritenses por el curioso parlante.* Imprenta del Mercurio, 1846.

Meza, Otila. *Leyendas mexicanas y mayas.* Panorama editorial, 1991.

Millán, Pascual. *Biarritz y sus cercanías: notas e impresiones.* Imprenta de El Enano, 1897.

Monte, Evelino del. "Ecos de España. Notas artísticas, literarias y sociales". *El Álbum de la Mujer,* 4 Abr. 1886, p. 134.

Mora, María de la. "Cartas de una aldeana". *La Voz de México,* 26 Sep. 1884, p. 2.

Moral Vargas, Marta del. "El miedo a la emancipación. La disolución de la militancia segregada en el socialismo madrileño (1906-1927)". *Ayer,* no. 121, 2021, pp. 79-105.

Morilla Palacios, Ana. "Mercedes Matamoros y Safo de Lesbos". *Foro de Educación*, no. 9, 2007, pp. 279-296.

Moreno, Antonio P. de. "*El Álbum de la Mujer* y *El Diario del Hogar*". *La Voz de México*, 25 Sep. 1884, p. 1.

—. "Crónica mexicana". *El Álbum de la Mujer*, 3 Ene. 1886, pp. 3-4.

—. "Justicia de un monarca. Leyenda histórica". *El Álbum de la Mujer*, 20 Ago. 1885, pp. 43-44.

—. "Mexicanas célebres. La señora de Tula". *El Álbum de la* , 13 Jun. 1886, pp. 231-232.

—. "Mexicanas célebres. La señora de Tula. Conclusión". *El Álbum de la Mujer*, 20 Jun. 1886, pp. 242-243.

—. "Siluetas mexicanas. Netzahualpilli". *El Álbum de la Mujer*, 16 Ago. 1885, pp. 63-64.

—. "Variedades". *El Álbum de la Mujer*, 13 Dic. 1885, pp. 229-230.

Muñoz, I. "El 'caminito' de Torrero que se convirtió al modernismo". *Heraldo*, 3 Feb. 2018, p. 1. https://www.heraldo.es/noticias/aragon/zaragoza/2018/02/03/el-caminico-torrero-que-convirtio-modernismo-1222647-2261126.html. Consultado 1 Jul. 2021.

Muñoz Olivares, Carmen. *Los rincones de la vida: mujeres comprometidas: Magdalena de Santiago-Fuentes*. U de Castilla-La Mancha, 2004.

Murillo-Godinez, Guillermo. "Los dioses mitológicos de la medicina". *Medicina interna de México*, vol. 35, no. 2, 2019, pp. 273-283. http://www.scielo.org.mx/scielo.php?script=sci_arttext&pid=S0186-48662019000200273. Consultado 1 Ago. 2021.

Murray, N. Michelle y Akiko Tsuchiya. "Introduction". *Unsettling Colonialism. Gender and Race in the Nineteenth-Century Global Hispanic World*. Edited by Michelle N. Murray y Akiko Tscuchiya, Suny P, pp. 1-16.

Naldi, Federico. "'Y la Virgen del Pilar se vistió de falangista'. El culto de la Virgen del Pilar en la Guerra Civil Española (1936-1939)". *45 Annual Meeting of the Association for Spanish and Portuguese Historical*, 2014, pp. 1-15. https://www.researchgate.net/publication/268219372_Y_la_Virgen_del_Pilar_se_vistio_de_falangista_El_culto_de_la_Virgen_del_Pilar_en_la_Guerra_Civil_Espanola_1936-1939. Consultado 1 Jul. 2021.

Nebrija, Antonio de. *Vocabulario de romance en latín*. Juan Valera de Salamanca, 1516.

Nombela, Julio. "Ecos de viaje. Biarritz". *El Álbum de la Mujer*, 13 Nov. 1887, pp. 155-158.

Núñez, Concepción. *Carmen de Burgos. Colombine en la Edad de Plata de la literatura española*. Fundación José Lara, 2005.

General O'Leary. *Memorias del General O'Leary*. Imprenta de la "Gaceta Oficial", 1880.

Obreras de la fábrica 'Los Aztecas'. "Sra. Concepción Gimeno de Flaquer". *Homenaje a Concepción Gimeno de Flaquer*. Editado por José Barbier y Filomeno Mata. Tipografía Literaria, 1884, p. 8.

—. "Las obreras mexicanas". *El Socialista*, 20 Jul. 1883, p. 3.

Offen, Karen. *Debating the Woman Question in the French Third Republic, 1870-1920*. Cambridge U P, 2018.

Onfray, Stéphany. "Cartas y autógrafos de la colección de Manuel Castellano (1826-1880): Transcripción y análisis". *Locus amoenus*, no. 17, 2019, pp. 87-107. https://ddd.uab.cat/record/216350?ln=ca. Consultado 10 Jul. 2020.

Ortega Rubio, Juan. "María Tubau". *El Álbum Ibero-Americano*, 14 Abr. 1902, pp. 160-161.

Ortega y Gasset, José. "La deshumanización del arte". *Obras completas (1917-1925)*. Taurus, 2005, pp. 252-386. Tomo III.

Ossorio y Gallardo, Carlos. *Crónicas madrileñas*. Librería Fernando Fé, 1893.

—. "San Ildefonso". *El Álbum Ibero-Americano*, 22 Ene. 1895, pp. 29-32.

Ovejero, Andrés. "Crónica literaria. *Electra*". *El Álbum Ibero-Americano*, 7 Feb. 1901, pp. 50-52.

P. L. "Liceo Piquer". *El Arte, seminario musical de Madrid*, 24 May. 1874, p. 3.

Pagés-Rangel, Roxana. *Del dominio público: Itinerarios de la carta privada*. Rodopi, 1994.

Palacio, Manuel del. "Excma. Sra. Duquesa del Castro Enríquez". *El Álbum Ibero-Americano*, 14 Jun. 1901, p. 262.

Palomo Vázquez, M.ª del Pilar. "Las revistas femeninas españolas del siglo XIX. Reivindicación, literatura y moda". *Arbor*, vol. 190, no. 767, 2014, pp. 1-8.

Pando y Valle, Jesús. "La mujer en la Cruz Roja". *El Álbum Ibero-Americano*, 22 Nov. 1895, pp. 506-509.

Pardo Bazán, Emilia. *Cartas inéditas a Emilia Pardo Bazán*. Editado por Ana María Freire López. Fundación Pedro Barrié de la Maza, 1991.

—. "Prólogo". *Los salones de Madrid*. Monte-Cristo. Editado por Germán Rueda. Rh Ediciones, 2013, pp. 13-22.

—. "El velo". *El Mundo Ilustrado*, 14 Jul. 1903, pp. 14-15. [México]

—. "Un viaje de novios". *El Álbum de la Mujer*, 29 Mar. 1885, pp. 129-130.

Partzsch, Henriette. "Editoras en ciernes el espíritu empresarial de las llamadas escritoras isabelinas". *Lectora: Revista de dones i textualitat*, no. 25, 2019, pp. 77-91.

Pedrós-Gascón, Antonio Francisco. "Concepción Gimeno, agente doble cultural hispano-mexicana (1883-1909)". *Literatura Mexicana*, vol. XXXIII, no. 1, 2022, pp. 49-90.

—. *Concepción Gimeno. La cantora de la mujer. Exposición centro cultural Palacio Ardid (29 de septiembre al 10 de diciembre de 2022)*. Imprenta Ferrando, 2022.

—. "Concepción Gimeno (1869-1883): los años de forja de una feminista". *Siglo diecinueve*, vol. 28, 2022, pp. 79-114.

—. "Prólogo". *Una Eva moderna*. Concepción Gimeno de Flaquer. Instituto Estudios Humanísticos, 2019, 1-13. Edición facsímil.

Pérez González, Isabel María. *Carolina Coronado: del romanticismo a la crisis fin de siglo*. Los libros del Oeste, 1999.

Pérez Verdía, Luis. *Compendio de la Historia de México*. Librería de los Hermanos Garnier, 1892.

Pidal y Mon, Alejandro. "Feminismo y cultura de la mujer". *La Ciudad de Dios*, 20 Dec. 1902, pp. 644-661.

Pintado, Ignacio. “En la playa de Biarritz”. *El Álbum Ibero-Americano,* 7 Oct. 1907, p. 440.

Pintos, Margarita. *Concepción Gimeno de Flaquer. Del sí de las niñas al yo de las mujeres.* Plaza y Valdés Editores, 2016.

Posada, Adolfo. “La condición jurídica de la mujer española”. *España Moderna,* tomo 111, Mar. 1898, pp. 94-119.

—. *Feminismo.* Librería de Fernando Fé, 1899.

—. “Feminismo”. *España Moderna,* 1 Jun. 1903, pp. 58-74.

Prat y Gil, Eugenio. “Conferencias en el Museo de Reproducciones artísticas”. *El Álbum Ibero-Americano,* 7 Jul. 1908, pp. 291-293.

—. “Homenaje a la señora doña Concepción Gimeno de Flaquer”. *El Álbum Ibero-Americano,* 22 Jun. 1903, p. 268.

—. “Vida social”. *El Álbum Ibero-Americano,* 7 Jan. 1906, pp. 9-10.

Puchner, Martin. *The Written World: the Power of Stories to Shape People, History, Civilization.* Random House, 2017.

Ramírez Errázuriz, Verónica, Manuel Romo Sánchez y Carla Ulloa Inostroza. *Antología crítica de mujeres en la prensa chilena del siglo XIX.* Editorial Cuarto Propio, 2017.

Ramírez Rodríguez, Carmen. “Una hora de mecanismo: propuesta pedagógica para piano de Pilar Fernández de la Mora (1867-1929)”. *Quodlibet,* vol. 65, no. 2, 2017, pp. 34-53.

Ramos Escandón, Carmen. “Concepción Gimeno de Flaquer (1850-1919): feminista liberal y promotora del intercambio cultural hispanoamericano a fines del siglo XIX”. *Feminismos: contribuciones desde la historia.* Coordinado por Ángela Cenarro Lagunas y Régine Illion. Estudios Feministas, 2014, pp. 81-106.

—. “Concepción Gimeno de Flaquer: identidad nacional y femenina en México, 1880-1900”. *Arenal: Revista de historia de mujeres,* vol. 8, no. 2, 2001, pp. 365-378.

—. “Género e identidad femenina y nacional en *El Álbum de la Mujer* de Concepción Gimeno de Flaquer”. *La república de las letras: asomos a la cultura escrita del México decimonónico.* Coordinado por Belem Clark de Lara y Elisa Guerra. U Nacional Autónoma de México, vol. 2, 2005, pp. 195-208.

Real Academia Española (RAE). *Diccionario de la lengua castellana.* Imprenta Viuda de Ibarra, 1803.

—. *Diccionario de la lengua castellana.* Imprenta Nacional, 1852.

—. *Diccionario de la lengua castellana.* Imprenta de Don Manuel Rivadeneyra, 1869.

—. *Diccionario de la lengua castellana.* Imprenta de Don Gregorio Hernando, 1884.

—. *Diccionario de la lengua castellana.* Imprenta de Don Manuel Rivadeneyra, 1899.

—. *Diccionario de la lengua castellana.* Imprenta Sucesores de Hernando, 1914.

—. *Diccionario de la lengua española.* Calpe, 1925.

—. *Diccionario manual ilustrado de la lengua española.* Espasa Calpe, 1927.

—. *Diccionario manual ilustrado de la lengua española.* Imprenta y librería de Casa Editorial Hernando, 1936.

—. *Diccionario manual ilustrado de la lengua española.* Espasa Calpe, 1950.

—. *Diccionario de la lengua española.* Espasa Calpe, 1970.

—. *Diccionario de la lengua española.* Espasa Calpe, 1984.

La Redacción. "A la memoria de la eminente poetisa Doña Gertrudis Gómez de Avellaneda". *La lira española,* 10 Feb. 1872, pp. 1-2.

—. "Nuestros grabados. Bellas artes: Cabeza de estudio. Una gitana (cuadro de Greetere)". *El Álbum Ibero-Americano,* 28 Feb. 1893, p. 94.

—. "Nuestros grabados. Célebre cantador de la jota y su maestro". *El Álbum Ibero-Americano,* 7 Oct. 1903, p. 442.

—. "Nuestros grabados. Gloria Keller, notable arpista española". *El Álbum Ibero-Americano,* 14 Dic. 1905, p. 550.

—. "Nuestros grabados. Una gitana valenciana". *El Álbum Ibero-Americano,* 22 Dic. 1894, p. 275.

—. "Nuestros grabados. Madrid: Entrada de las Calatravas el día de Jueves Santo". *El Álbum Ibero-Americano,* 30 Mar. 1901, p. 143.

—. "Nuestros grabados. Magdalena S. Fuentes". *El Álbum Ibero-Americano,* 22 Ago. 1904, p. 363.

—. "Nuestros grabados. Salida de las Calatravas". *El Álbum Ibero-Americano,* 30 Ago. 1899, p. 383.

—. "Nuestros grabados. Zaragoza. Paseo de Torrero". *El Álbum Ibero-Americano,* 7 Oct. 1903, pp. 435 y 442 (*El Álbum Ibero-Americano* 30 Abr. 1894, p. 184; 22 Mar. 1906, p. 126 y 10 Oct. 1908, p. 458).

Ríos, Blanca de los. "La Gitana". *Mujeres españolas, americanas y lusitanas pintadas por sí mismas.* Coordinado por Faustina Sáez de Melgar y Juan Pons, 1881, pp. 589-607. http://www.cervantesvirtual.com/obra/las-mujeres-espanolas-americanas-y-lusitanas-pintadas-por-si-mismas--0/. Consultado 21 Jun. 2021.

Rodríguez García, Rita. "Nodrizas y amas de cría. Más allá de la lactancia mercenaria". *Dilemata,* no. 25, 2017, pp. 37-54.

Rodríguez Navas y Carrasco, Manuel. *Diccionario general y técnico hispano-americano.* Cultura Hispanoamericana, 1918.

Romero Chumacero, Leticia. "Concepción Gimeno, Emilia Serrano y las escritoras mexicanas durante el siglo XIX". *Mitologías Hoy,* vol. 13, 2016, pp. 9-25.

Romero Tobar, Leonardo. "Colombine, biógrafa de Larra". *Arbor,* vol. 186, no. extra, 2010, pp. 183-189.

Rosas Moreno, José. "¡Pobre madre!". *El Álbum de la* Mujer, 6 Jun. 1886, pp. 224-225.

Rota, Ivana. "Celsia Regis. *La voz de la mujer* (1917-1931) y la formación de la mujer tipógrafa y periodista". *Escritoras españolas en los medios de prensa (168-1936).* Editado por Carmen Servén e Ivana Rota. Renacimiento, 2013, pp. 207-236.

Rousseau, Jean-Jacques. *Emilio o La educación.* Traducido por Rodríguez Buron. Tournachon-Molin, 1824. Volumen 4.

Rueda, Salvador. "Mi Álbum. Fiesta en un manicomio". *La Gran Vía*, 2 Jun. 1895, p. 251.

Rueda Hernanz, Germán. *España 1790-1900. Sociedad y condiciones económicas.* Ediciones Istmo, 2006.

Ruiz Contreras, Luis. *Memorias de un desmemoriado.* Aguilar, 1961.

Russo, Giuditta Lo. *Hombres y Padres: la oscura cuestión masculina.* Horas y Horas, 1998.

Sahagún, Bernardino de. *Historia general de las cosas de la Nueva España.* Editorial Pedro Robredo, 1938. Tomo II. https://gallica.bnf.fr/ark:/12148/bpt6k83043m/f12.item. Consultado 29 Oct. 2021.

Salvá, Vicente. *Nuevo diccionario de la lengua castellana.* Librería de don Vicente Salvá, 1846.

Samósata, Luciano de. *Obras III.* Editado por Juan Zaragoza Botella. Biblioteca Clásica Gredos, 2016.

Sánchez González, Ramón. "Doña Elvira Méndez de la Torre, una "toledana" ilustre rescatada del olvido". *Archivo secreto: revista cultural de Toledo*, no. 5, 2011, pp. 44-64.

Sánchez Llama, Íñigo. "La forja de la 'Alta Cultura' española de la Restauración (1874-1931): una perspectiva post-isabelina". *Hispanic Research Journal: Iberian and Latin American Studies*, vol. 5, no. 2, 2004, pp. 111-128.

Sand, George. *Mauprat.* Calmann-Lévy, 1886.

—. *Mauprat.* El Cosmos Editorial, 1890.

Santos Requena, Carmen. *Felipe Mario López Blanco. El arquitecto y el hombre.* Sierre Oeste de Madrid, 2020. E-Book.

Sarazin, Marie-Paule. "Introducción". *La mujer estudiosa.* Félix Dupanloup. Traducción, introducción y notas de Marie-Paule Sarazin. U de Cádiz, 1995, pp. 9-24.

El Sastre del Campillo. "¡¡Las mujeres!!" *El Liberal*, 10 May. 1904, p. 2.

Seguí Collar, Virginia. "Empresarias y agentes culturales del siglo XIX. El modelo de Faustina Sáez de Melgar (1834-1895)". *Lectora: Revista de dones i textualitat*, vol. 25, 2019, pp. 91-105.

Sepúlveda, Ricardo. *El corral de la Pacheca. Apuntes para la historia del Teatro Español.* Librería de Fernando Fé, 1888.

Serrano Galán, Clara. "La libertad desde la educación: Concepción Gimeno de Flaquer y el *Álbum Ibero-Americano*". *Mujer, prensa y libertad: (España 1883-1939).* Coordinado por Margherita Bernard e Ivana Rota. Renacimiento, 2015, pp. 306-335.

Servén Díez, Carmen. "Concepción Gimeno de Flaquer y los escritores españoles: *El álbum de la mujer* mexicano entre 1883 y 1888". *Boletín de la Biblioteca de Menéndez Pelayo*, no. 90, 2014, pp. 191-212.

—. "El 'feminismo moderado' de Concepción Gimeno de Flaquer en su Contexto Histórico". *Revista de Estudios Hispánicos*, vol. 47, no. 3, 2013, pp. 397-415.

Sierra, Justo. "Congreso Hispano-Americano. Discurso pronunciado por el delegado de México". *El Álbum Ibero-Americano*, 14 Nov. 1900, pp. 494-496.

—. "Una lección de Historia mexicana, dada en Madrid, a solicitud del señor Presidente del Consejo de Ministros, D. Segismundo Moret, en el año 1900". *Discursos*. Herrero Hermanos Sucesores, 1919, pp. 177-185.

Simón Alegre, Ana I. "Activismo social a través de la traducción y el periodismo: Colombine y Magda Donato y sus críticas al sistema penal en el primer tercio del siglo XX". *Crime, Justiça e Sistemas Punitivos*. Coordinado por Tiago da Silva Cesar, Wellington Barbosa da Silva y Flavio de Sa Cavalcanti de Albuquerque Neto. Editora Fi, 2021, pp. 500-536.

—. "Ahora no pestañees: Activismo, identidad y firma visual en Concepción Gimeno de Flaquer (1873-1909)". *Del salvaje siglo XIX al inestable siglo XX en las letras trasatlánticas: una mirada retrospectiva a través de hispanistas*. Editado por Ana I. Simón Alegre. Vernon P, 2022, pp. 119-142.

—. "Algo más que palabras: Investigar y enseñar siguiendo la senda del lenguaje inclusivo". *Por un lenguaje inclusivo. Estudios y reflexiones sobre estrategias no sexistas en la lengua española*. Editado por Tina Escaja y Nuria Prunes. Academia Norteamericana de la Lengua Española, 2021, pp. 91-120.

—. *Carmen de Burgos: activismo literario, amistades y 'El divorcio en España' (1904)*. Torremozas, en preparación.

—. "Cartagena y Murcia antes de Carmen Conde y a través de la pluma de Concepción Gimeno de Flaquer". *Homenaje a Carmen Conde*. Editado por Fran Garcerá. Dykinson, en prensa.

—. "Concepción Gimeno y el ocio teatral madrileño, en 1873". *Pasado, presente y porvenir de las humanidades y las artes*. Editado por Diana Arauz. AZECME, 2013, pp. 433-466.

—. "Concepción Gimeno de Flaquer and her Transatlantic Journey (1873-1890)". *The Palgrave Handbook of Transnational Women's Writing in the Long Nineteenth Century*. Editado por Claire Martin y Clorinda Donato. Palgrave, 2023, en prensa.

—. "Diez cartas y una escritora: Concepción Gimeno". XIV Premio SIEM (Seminario Interdisciplinar Estudios de la Mujer) "Concepción Gimeno de Flaquer", 2011, pp. 1-32. https://siem.unizar.es/sites/siem.unizar.es/files/users/siem/Premio/xiv_premio_investigacion-ana_simon.pdf. Consultado 10 Jul. 2021.

—. "Entre el amor y la sexualidad: Palabras de mujeres en torno a las cuestiones sexuales, desde el final del siglo XIX y el inicio de la Guerra civil española (1939)". *Arenal: Revista de historia de mujeres*, vol. 16, no. 2, 2009, pp. 281-304.

—. "Face to Face with Carmen de Burgos: The Influence of Other Women Writers on her career and her work". *Multiple Modernities. Carmen de Burgos, Author and Activist*. Editado por Anja Louis y Michelle M. Sharp. Routledge, 2017, pp. 60-75.

—. "Introducción: Una mirada transatlántica plural". *Del salvaje siglo XIX al inestable siglo XX en las letras trasatlánticas: una mirada retrospectiva a través de hispanistas*. Editado por Ana I. Simón Alegre. Vernon P, pp. XXIII-XXXI.

—. "Introducción crítica". *Maura, Sofía y Una Eva moderna.* Concepción Gimeno de Flaquer. Editado por Ana I. Simón Alegre. Renacimiento, en preparación.

—. "Prensa, publicidad y masculinidades a través de *El Álbum Ibero-Americano* (1890-1909)". *Historia y MEMORIA,* no. 23, 2021, pp. 29-75. https://revistas.uptc.edu.co/index.php/historia_memoria/article/view/12102. Consultado 10 Jun. 2020.

—. "Queer Literary Friendships in Salons: Concepción Gimeno de Flaquer, Carmen de Burgos, and Others". *Queer Women in Modern Spanish Literature Activism, Sexuality, and the Otherness of the 'Chicas Raras'.* Editado por Ana I. Simón Alegre y Lou Charnon-Deutsch. Routledge, 2022, pp. 51-83.

—. "El suicidio en el ejército español como detonante de la crisis en la masculinidad hegemónica a principios del siglo XX". *Muerte y crisis en el mundo hispano: respuestas culturales.* Editado por Esther Alarcón-Arana. Peter Lang International Publisher, 2020, pp. 83-102.

—. "Violencia machista, narrada por escritoras y llevada a escena por libretistas, al inicio del siglo XX". *Impulsado la Historia desde la historia de las Mujeres. La estela de Cristina Segura.* Editado por Pilar Díaz et al. Servicio de Publicaciones de U de Huelva, 2012, pp. 131-141.

Simón Alegre, Ana I. y Lou Charnon-Deutsch. "Introduction: From 'Chicas Raras' to Queer Women in the Modern Spanish Culture". *Queer Women in Modern Spanish Literature Activism, Sexuality, and the Otherness of the 'Chicas Raras'.* Editado por Ana I. Simón Alegre y Lou Charnon-Deutsch. Routledge, 2022, pp. 1-16.

Simón Palmer, Carmen. *Escritoras españolas del siglo XIX. Manual bio-bibliográfico.* Castalia, 1991.

—. "Puntos de encuentro de las mujeres en el Madrid del siglo XIX". *RDTP,* no. LVI, 2001, pp. 183-201.

—. "Vivir de la literatura. Los inicios de la escritura profesional". *La mujer de letras o la letraherida. Discursos y representaciones sobre la mujer escritora en el siglo XIX.* Coordinado por Pura Fernández y Marie-Linda Ortega. CSIC, 2008, pp. 389-408.

Simonis, Angie. *Yo no soy ésa que tú te imaginas. El lesbianismo en la narrativa española del siglo XX a través de sus estereotipos.* U de Alicante, 2009.

Somville, Chloé. *La jeune fille (et le conseiller des familles). Présentation d'une revue de la fin du XIXe siècle et analyse du discours éducatif et prescriptif à travers ses textes littéraires.* U Libre de Bruxelles, 2017. https://www.academia.edu/35088407/La_jeune_fille_et_le_conseiller_des_familles_Pr%C3%A9sentation_d_une_revue_de_la_fin_du_XIXe_si%C3%A8cle_et_analyse_du_discours_%C3%A9ducatif_et_prescriptif_%C3%A0_travers_ses_textes_litt%C3%A9raires. Consultado 27 Oct. 2021.

Spitzka, Edw. Anthony. "A Study of the Brains of Six Eminent Scientists and Scholars Belonging to the American Anthropometric Society, Together with a Description of the Skull of Professor E. D. Cope". *Transactions of the American Philosophical Society,* vol. 21, no. 4, 1907, pp. 175-308.

Stendhal. *Del amor.* Traducida por José A. Luengo. Prometeo, 1916.

Stirling, Simon. "Shakespeare's lovers: The Dark Lady". *The History Vault*, vol. 6, p. 1. https://thehistoryvault.co.uk/shakespeares-lovers-the-dark-lady/#google_vignette. Consultado 29 Jul. 2021.

Sylva, Carmen. "La mujer". *La Elegancia*, 22 Ene. 1891, p. 4 (*El Álbum Ibero-Americano* 14 Jul. 1906, pp. 302-303).

Tapia de Castellanos, Esther. "Amor maternal". *El Álbum de la Mujer*, 5 Abr. 1885, pp. 135-138.

Taracena Arriola, Arturo. *La expedición científica al reino de Guatemala (1895-1802) José Mariano Moziño, un ilustrado americano*. Tesis de licenciatura. 1978. http://biblioteca.usac.edu.gt/tesis/14/14_0015.pdf. Consultado 10 May 2021.

Tolliver, Joyce. "Note on Editions". *El encaje roto y otros cuentos*. Emilia Pardo Bazán. Edition and Introduction by Joyce Tolliver. The Modern Language Association of America, 1996, pp. XXXIII-XXXIII.

Teixidor, Felipe. "Prólogo". *La vida en México durante una residencia de dos años en este país*. Madame Calderón de la Barca (Francisca Erskine Inglis de Calderón de la Barca). Traducción y prólogo de Felipe Teixidor. Editorial Porrúa, 2021, pp. VII-LXVII.

Tomás y Salvany, Juan. "Biografía. La cantora de la mujer". *Madres de hombres célebres*. Concepción Gimeno de Flaquer. Tipografía de Alfredo y Alonso, 1895, pp. 5-15.

—. "Frivolidad". *El Álbum de la Mujer*, 17 Ago. 1884, pp. 86-88.

—. "El paleto y el arpa". *El Mundo Ilustrado*, cuaderno 15 1879, p. 480.

Toro Ballesteros, Sara. "Esculpir la niebla. Ocho cartas inéditas de Ángeles Vicente a Unamuno". *Journal of Hispanic Modernism*, no. 2, 2011, pp. 1-20. https://www.academia.edu/20226433/Esculpir_la_niebla_Ocho_cartas_in%C3%A9ditas_de_%C3%81ngeles_Vicente_a_Unamuno. Consultado 10 Jun. 2020.

Townsend, Camilla. *Malintzin. Una mujer indígena en la Conquista de México*. Traducción de Tessa Brisac. Ediciones Era, 2015.

Tsuchiya, Akiko. "Gender, Race, and Spain's Colonial Legacy in the Americas: Representations of White Slavery in Eugenio Flores's Trata de blancas and Eduardo López Bago's *Carne importada*". *Unsettling Colonialism. Gender and Race in the Nineteenth-Century Global Hispanic World*. Editado por Michelle N. Murray y Akiko Tscuchiya, Suny P, pp. 81-106.

—. "Género, asociacionismo y discurso antiesclavista en la obra de Faustina Sáez de Melgar (1834-1895)". *No hay nación para este sexo: la Re(d)pública transatlántica de las Letras: escritoras españolas y latinoamericanas (1824-1936)*. Coordinado por Pura Fernández. Iberoamericana/Vervuert, 2015, pp. 111-130.

—. "Talk, Small and Not So Small: The Power of Gossip in Clarín's *La Regenta*". *Revista Canadiense de Estudios Hispánicos*, vol. 31, no. 3, 2007, pp. 391-412.

Turc-Zinopoulos, Sylvie. "Julia Codorniu (1854-1906) o cuando la literata se hace editora". *Lectora: Revista de dones i textualitat*, vol. 25, 2019, pp. 119-135.

Ulloa, Augusto (editor). *Diccionario Enciclopédico Gaspar y Roig*. Imprenta y Librería de Gaspar y Roig, 1855.

Vaca, Agustín. "Educadoras, política y religión en Jalisco, siglo XX". *Revista Electrónica* Sinéctica, no. 28, Feb.-Jul. 2006, pp. 64-74.

Valera, Juan. *El comendador Mendoza*. Librería Enrique Prieto, 1906. Biblioteca Virtual Miguel de Cervantes. http://www.cervantesvirtual.com/obra-visor/el-comendador-mendoza--1/html/. Consultado 16 Ago. 2021.

Valis, Noël. *The Culture of Cursilería Bad Taste, Kitsch, and Class in Modern Spain*. Duke U P, 2002.

—. "Homosexuality on Display in 1920s Spain: The Hermaphrodite, Eccentricity, and Álvaro Retana". *Hispanic Issues On-Line*, vol. 20, fall 2018, pp. 190-216. https://conservancy.umn.edu/bitstream/handle/11299/201356/hiol_20_9_valis.pdf?sequence=1&isAllowed=y. Consultado 10 Sep. 2021.

Vallejo, Catharina. "'Como dama y como reina': Construcción de 'la Infanta Eulalia' en su viaje a Cuba y Estados Unidos en 1893". *Letras Femeninas*, vol. 37, no. 2, invierno 2011, pp. 179-199.

Vallejo, Mariano. "Aben-Jot. Origen de la jota aragonesa". *El Álbum de la Mujer*, 29 May. 1887, pp. 170-171.

Vallejo, Gustavo y Marisa Miranda. "Los sabores del poder: eugenesia y biotipología en la Argentina del siglo XX". *Revista de Indias*, vol. 64, no. 231, 2004, pp. 425-444.

Verbruggen, Christophe y Julie Carlier. "Laboratories of Social Thought: The Transnational Advocacy Network of the Institut International". *Information Beyond Borders: International Cultural and Intellectual Exchange in the Belle Epoque*. Editado por Warden Boyd Rayward. Routledge, 2016, pp. 123-142.

Verdes Montenegro y Montoro, José. "La emancipación de la mujer". *De mi campo. Propaganda socialista*. Establecimiento Tipográfico de Calleja, 1907, pp. 94-96.

Verdes Montenegro y Páramo, José. "La crítica". *El Álbum Ibero-Americano*, 30 Abr. 1901, pp. 184-185.

—. "El culto a la belleza. José Ruskin". *El Álbum Ibero-Americano*, 14 May. 1900, p. 209.

—. "Marco Praga en España". *El Álbum Ibero-Americano*, 14 Ene. 1901, pp. 16-17.

—. "Muerte en la Martinica". *El Álbum Ibero-Americano*, 14 Sep. 1902, pp. 404-405.

Vestina. "Crónica teatral". *El Álbum de la Mujer*, 6 Sept. 1885, p. 93.

Vialette, Aurélie. *Intellectual Philanthropy: The Seduction of the Masses the Seduction of the Masses*. Purdue U P, 2018.

—. "Nineteenth-Century Women Activists: Concepción Arenal's Cross-Dressing". *Queer Women in Modern Spanish Literature: Sexuality, Otherness and Activism of the 'Chicas raras'*. Editado por Ana I. Simón Alegre y Lou Charnon-Deutsch. Routledge, 2022, pp. 17-32.

—. "Rewriting the Colonial Past: Spanish Women Intellectuals as Agents of Cross-Cultural Literacy in the Mexican Press". *Transatlantic Studies: Latin America, Iberia and Africa*. Editado por Cecilia Enjuto-Rangel, Sebastiaan Faber, Pedro García-Caro y Robert Newcomb. Liverpool U P, 2019, pp. 159-166.

—. "Vidas paralelas e historias conectadas: Concepción Gimeno de Flaquer (1850-1919) y sus redes transatlánticas". *No hay nación para este sexo: la Re(d)pública transatlántica de las Letras: escritoras españolas y latinoamericanas (1824-1936).* Coordinado por Pura Fernández. Iberoamericana/ Vervuert, 2015, pp. 147-166.

Vicens, María. "Ensayos profesionales: literatura, mujer y trabajo en la prensa porteña finisecular". *Anclajes,* vol. 21, no. 2, 2017, pp. 77-94.

—. "Por una tradición propia: genealogías y legitimación en las escritoras transhispánicas de entresiglos". *Revista de estudios hispánicos,* vol. 53, no. 1, 2019, pp. 371-395.

Vicente, Ángeles. *Zezé.* Prólogo por Gloria Fortún. Kaótica libros, 2021.

Vidal, Fabián. "Crónica. Los amores que matan". *La Correspondencia de España,* 5 May. 1904, p. 3.

—. "Como los niños". *El Álbum Ibero-Americano,* 7 Ene. 1906, p. 5.

Vieyra de Abreu, Carlos. "Bibliografía". *La lira española,* 10 Mar. 1873, pp. 6-7.

—. "La última función del Liceo Piquer". *La lira española,* 10 Jun. 1873, pp. 5-7.

Vigny, Alfred de. *Diario de un poeta.* Traducido por César A. Comet. Editorial-América, s. f.

—. *Journal d'un poète.* Texte établi par Louis Ratisbonne, Michel Lévy Frères, 1867.

Vilanova y Piera, Juan y Una sociedad de naturalistas. *La creación. Historia Natural. Las aves.* Montaner y Simón editores, 1874. Tomo IV.

Villalobos Calderón, Liborio. *Las obreras en el Porfiriato.* U Metropolitana, 2002.

Villasante Armas, Olga. "Las instituciones psiquiátricas madrileñas en el periodo de entresiglos: asistencia pública frente a sanatorios privados". *Frenia,* vol. 5, no. 1, 2005, pp. 69-99.

Vinageras, Carlos. "Carácter del siglo XIX". *La lira española,* 10 Mar. 1873, pp. 1-2.

Baronesa de Wilson. "Ecos de Madrid. La Quincena". *La guirnalda,* 1 Sep. 1873, p. 127.

—. "Ecos de Madrid. La Quincena". *La guirnalda,* 1 Nov. 1873, p. 159-160.

—. "Ecos de Madrid. La Quincena". *La guirnalda,* 16 Nov. 1873, p. 166-167.

—. "Al ilustrado y eminente actor Don Manuel Catalina". *El Correo de la Moda,* 2 Sep. 1874, p. 262.

Wood, Stephanie (Ed.). *Online Nahuatl Dictionary.* Wired Humanities Project. https://nahuatl.uoregon.edu/content/cihuatlamacazqui. Consultado 20 Jun. 2021.

Wright de Kleinhans, Laureana. "A la cantora de las mujeres y las flores". *Homenaje a Concepción Gimeno de Flaquer.* Editado por José Barbier y Filomeno Mata. Tipografía Literaria, 1884, p. 7.

—. "El espiritismo. A la señora Marta Lemus". *Violetas: Seminario de literatura,* 17 Ago. 1884, pp. 153-156.

Zancada, Práxedes. "El poeta de la revolución". *El Álbum Ibero-Americano,* 30 Jul. 1906, p. 329.

Zerolo, Elías. *Diccionario enciclopédico de la lengua castellana.* Garnier hermanos, 1895.

Zecchi, Bárbara. "La hermandad lírica, Bécquer y la ansiedad de autoría". *Sexualidad y escritura.* Editado por Raquel Medina y Bárbara Zecchi. Anthropos, 2002, pp. 33-59.

Zorrilla, José. *De Murcia al cielo.* M. R. Velasco Impresor, 1888.

Zozaya, Antonio. "Crónica". *El Liberal,* 4 Feb. 1904, p. 2.

—. "Crónica. Ni voz, ni voto". *El Liberal,* 18 May. 1904, p. 1.

—. "El espíritu del Carnaval". *El Álbum Ibero-Americano,* 14 Feb. 1904, pp. 62-64.

—. "Al soldado español". *El Álbum Ibero-Americano,* 22 Jun. 1898, p. 269.

Zozaya, María. *Identidades en juego: formas de representación social del poder de la elite en un espacio de sociabilidad masculina, 1836-1936.* Siglo XXI, 2015.

Zubiaurre, Maite. *Cultures of the Erotic in Spain, 1898-1939.* Vanderbilt U P, 2012.

OBRAS DE CONCEPCIÓN GIMENO DE FLAQUER[1]

Cartas

"Cartas de María de la Concepción Gimeno a Manuel Catalina". Manuscrito. 1873. Biblioteca Nacional de Madrid. Sala Cervantes. Signatura: MSS/12 945/49. http://bdh-rd.bne.es/viewer.vm?id=0000129880&page=1

Ediciones críticas de las cartas

Pardo Bazán, Emilia. *Cartas inéditas a Emilia Pardo Bazán*. Editado por Ana María Freire López. Fundación Pedro Barrie de la Maza, 1991, pp. 172-174.

Simón Alegre, Ana I. "Concepción Gimeno y el ocio teatral madrileño, en 1873". *Pasado, presente y porvenir de las humanidades y las artes*. Editado por Diana Arauz. AZECME, 2013, pp. 433-466.

Novelas

¿Culpa o expiación? Con retrato y biografía de la autora por Eduardo del Valle. Oficina Tipográfica de la Secretaría de Fomento, 1890. http://www.cervantesvirtual.com/nd/ark:/59851/bmc3f4n4. http://bdh-rd.bne.es/viewer.vm?id=0000125107&page=1

El doctor alemán. Establecimiento Tipográfico de Calisto Ariño, 1880. http://www.cervantesvirtual.com/nd/ark:/59851/bmc5d8q3

"Maura". *El Álbum de la Mujer* desde el 1 de Ene. al 22 de Abr. de 1888. http://www.cervantesvirtual.com/nd/ark:/59851/bmc0983446 http://www.cervantesvirtual.com/nd/ark:/59851/bmc0985429

"Sofía". *El Álbum de la* Mujer desde el 1 de Jul. al 14 de Oct. de 1888. http://www.cervantesvirtual.com/nd/ark:/59851/bmc0983446 http://www.cervantesvirtual.com/nd/ark:/59851/bmc0985441

Suplicio de una coqueta: novela original. Imprenta de F. Diaz de León, 1885.

"Victorina". *La Época* desde el 12 de Abr. al 5 de Jul. de 1873. http://hemerotecadigital.bne.es/details.vm?q=id:0000000021&lang=en

Victorina o heroísmo del corazón. Prólogo de Ramón Ortega y Frías. Imprenta de la Asociación del Arte de Imprimir, 1873. Volumen I y II. http://www.cervantesvirtual.com/nd/ark:/59851/bmczp413

Victorina o heroísmo del corazón. Imprenta de la Sociedad Tipográfica, 1879. Volumen I (el volumen II no se ha localizado en ninguna biblioteca).

[1] Debido a las diferentes versiones que presentan los artículos de Concepción Gimeno de Flaquer no se han incluido en esta lista ni tampoco sus colaboraciones en obras colectivas.

"Victorina o heroísmo del corazón". *El Álbum de la Mujer* desde el 2 de Ene. al 18 de Dic. de 1887. http://www.cervantesvirtual.com/nd/ark:/59851/bmc0983446

Una Eva moderna. El Cuento Semanal, 1909. http://www.cervantesvirtual.com/nd/ark:/59851/bmc765c6

Una Eva moderna. Prólogo de Antonio Francisco Pedrós-Gascón. Instituto Estudios Humanísticos, 2019. Edición facsímil.

Ediciones críticas de las novelas

Maura, Sofía y Una Eva moderna. Editado por Ana I. Simón Alegre. Renacimiento, en preparación.

Cuentos cortos

"El beso subastado". *El Álbum Ibero-Americano,* 6 Feb. 1899, p. 58.

"El espejo mágico". *El Álbum Ibero-Americano,* 14 Nov. 1908, pp. 494-495.

"Por no amar". *El Globo*, 23 Ago. 1897, p. 1 (*El Álbum Ibero-Americano,* 14 Ago. 1895, pp. 357-358).

"Por la Pilarica". *El Álbum Ibero-Americano,* 22 Sep. 1904, pp. 416-418.

"El secreto". *El Álbum Ibero-Americano,* 7 Dic. 1897, pp. 536-537.

"Los tres velos". *El Álbum Ibero-Americano,* 14 Jul. 1907, p. 305.

"La vida sin amor. Cartas a una amiga". *El Álbum Ibero-Americano,* 7 Ago. 1907, pp. 338-340 (30 Ene. 1893, pp. 41-44. "La vida sin amor. Carta a Celia". *El correo de la moda,* 10 Mar. 1879, pp. 77-78 y en *La Ilustración,* 11 Feb. 1883, pp. 139-142).

Ensayos

Civilización de los antiguos pueblos mexicanos. Disertación histórica leída por su autora en el Ateneo de Madrid en la noche del 17 de Junio de 1890. Imprenta de M. P. Montoya, 1890. http://bdh-rd.bne.es/viewer.vm?id=0000091561&page=1

Evangelios de la mujer. Librería de Fernando Fé, 1900. http://www.cervantesvirtual.com/nd/ark:/59851/bmc0985662

Iniciativas de la mujer en higiene moral social. Conferencia dada en la Sociedad Española de Higiene, con asistencia del Excmo. Sr. Ministro de Instrucción Pública y Bellas Artes. Imprenta de J. Sastre y C.ª, 1908. http://bdh-rd.bne.es/viewer.vm?id=0000247236&page=1

Madres de hombres célebres (con retrato y biografía de la autora por Juan Tomás Salvany.) Escuela Industrial de Huérfanos, 1884.

Madres de hombres célebres (con retrato y biografía de la autora por Juan Tomás Salvany.) Imprenta del Gobierno, en Palacio, 1885. http://cdigital.dgb.uanl.mx/la/1080020050/1080020050.PDF

Madres de hombres célebres (con retrato y biografía de la autora por Juan Tomás Salvany). Tipografía de Alfredo Alonso, 1895. http://www.cervantesvirtual.com/nd/ark:/59851/bmczp5w4

La mujer española. Estudios acerca de su educación (precedidos de una carta-prólogo del académico Excmo. Sr. D. Leopoldo Augusto de Cueto). Imprenta y Librería de Miguel Guijarro, 1877. http://www.cervantesvirtual.com/nd/ark:/59851/bmckp7x9

La mujer española. Estudios acerca de su educación (precedidos de una carta-prólogo del académico Excmo. Sr. D. Leopoldo Augusto de Cueto.) Imprenta y Librería de Miguel Guijarro, 1877. Editorial Extramuros, 2009. Edición facsímil.

La mujer juzgada por una mujer. Imprenta de Luis Tasso y Serra, 1882. http://www.cervantesvirtual.com/nd/ark:/59851/bmcv69d2

La mujer juzgada por una mujer (quinta edición corregida y aumentada por la autora). Oficina Tipográfica de la Secretaría de Fomento, 1887. http://bdh-rd.bne.es/viewer.vm?id=0000104493&page=1

La mujer intelectual. Imprenta del Asilo de Huérfanos del Sagrado Corazón de Jesús, 1901. http://bdh-rd.bne.es/viewer.vm?id=0000242906&page=1

Mujeres de raza latina. Imprenta del Asilo de Huérfanos del Sagrado Corazón de Jesús, 1904. http://bdh-rd.bne.es/viewer.vm?id=0000242841&page=1

Mujeres de regia estirpe. Administración de *El Álbum Ibero-Americano.* Tipografía Española, 1907. http://www.cervantesvirtual.com/nd/ark:/59851/bmc0985680

Mujeres en la Revolución francesa: disertación leída por su autora en el Ateneo de Madrid en la noche del 25 de marzo de 1891. Establecimiento Tipográfico de Alfredo Alonso, 1891. http://bdh-rd.bne.es/viewer.vm?id=0000240210&page=1

Mujeres: Vidas paralelas. Tipografía de Alfredo Alonso, 1893. http://bdh-rd.bne.es/viewer.vm?id=0000245881&page=1

El problema feminista: conferencia de Concepción Gimeno de Flaquer en el Ateneo de Madrid. Imprenta de Juan Bravo, 1903. http://bdh-rd.bne.es/viewer.vm?id=0000247068&page=1

En el salón y en el tocador: vida social, cortesía, arte de ser agradable, belleza moral y física, elegancia y coquetería. Librería de Fernando Fé, 1899. http://bdh-rd.bne.es/viewer.vm?id=0000238669&page=1

Ventajas de instruir a la mujer y sus aptitudes para instruirse: disertación leída por su autora, en el Ateneo de Madrid, en la noche del 6 de mayo de 1896. Imprenta de Francisco G. Pérez, 1896. http://www.cervantesvirtual.com/nd/ark:/59851/bmc0996750

La Virgen Madre y sus Advocaciones. Librería de los Sucesores de Hernando, 1907. http://bdh-rd.bne.es/viewer.vm?id=0000242942&page=1

Artículos escritos en otros idiomas

"La femme". *L'Espagne, politique, littérature, armée et marine, justice, enseignement, économie, finances, ethnographie, colonies, beaux-arts, la cour, la société.* Editado por Nouvelle Revue Internationale. Éditions Internationales, 1900, pp. 228-230.

Editora-Directora de periódicos

La Ilustración de la mujer (Madrid desde marzo de 1873 a mayo de 1875). http://hemerotecadigital.bne.es/details.vm?q=id:0003692627&lang=en. (Solo están los números de mayo de 1875 a 1876).

El Álbum de la Mujer (México ciudad, 1883-1890). http://www.cervantesvirtual.com/nd/ark:/59851/bmc0983446

El Álbum Ibero-Americano (Madrid, 1890-1909) http://hemerotecadigital.bne.es/details.vm?q=id:0003028610&lang=en. (La colección de este periódico en versión digital no está completa).

Antologías donde se recogen textos de Concepción Gimeno de Flaquer

Bernárdez Rodal, Asunción. *Escritoras y periodistas en Madrid (1876-1926).* Ayuntamiento de Madrid, 2007, pp. 67-71 y pp. 122 y 207.

Caballé, Anne. (Coord.) *La pluma como espada.* Lumen, 2004, pp. 541-550.

Jagoe, Catherine, Alda Blanco y Cristina Salamanca. (Eds.) *La mujer en los discursos de género.* Icaria-Antrazyt, 1998, pp. 485-493 y 527-536.

Johnson, Roberta y Maite Zubiaurre. (Eds.) *Antología del pensamiento feminista español: (1726-2011).* Cátedra, 2012, pp. 105-108.

Pech Can, Nadia Yzabel. *Emancipación femenina, madres y esposas en El Álbum de la mujer. 1883-1890.* Unidad Iztapalapa. División de Ciencias Sociales y Humanidades, 2000. Tesis. http://148.206.53.233/tesiuami/UAM1302.pdf

Romero Chumacero, Leticia. *Testimonios de mujeres sobre escritura creativa: ensayos, cartas y otras prosas (México, 1866-1910).* UACM, 2017, pp. 50-58.

Rousselle Smith, Elizabeth y Erika M. Sutherland. (Eds.) *(Con)textos femeninos: Antología de escritoras españolas. Tomo II. El siglo XIX hasta la actualidad.* Peter Lang Inc., 2020, pp. 230-242.

Sánchez Llama, Iñigo. "Concepción Gimeno de Flaquer". *Antología de la prensa periódica isabelina escrita por mujeres (1843-1894).* U de Cádiz, 2001, pp. 243-280.

ÍNDICE ANALÍTICO

A

B

C

D

E

F

G

H

I

J

Printed in the USA
CPSIA information can be obtained
at www.ICGtesting.com
LVHW081419011123
762032LV00047B/70/J